Manuel de l'élève

2e année du 2e cycle du secondaire

Michel Sarra-Bournet
Yves Bourdon
Yves Bégin
Francine Gélinas

5757, RUE CYPIHOT
SAINT-LAURENT (QUÉBEC)
H4S 1R3

TÉLÉPHONE : 514 334-2690
TÉLÉCOPIEUR : 514 334-4720
erpidlm@erpi.com

Directrice de l'édition
Andrée Thibeault

Chargés de projet
Marie-Soleil Boivin
Francis Dugas
Diane Plouffe
Marie-Claude Rioux

Réviseures linguistiques
Annick Loupias
Diane Plouffe

Correcteurs d'épreuves
Lucie Bernard
Sabine Cerboni
Pauline Gélinas
Pierre-Yves L'Heureux
Isabelle Rolland

Recherchistes (photos, œuvres et droits)
Pierre Richard Bernier
François Daneau
Annig Guhur

Recherchistes et rédacteurs
Laurie Laplanche
Jean-Sébastien Lavallée
Aubert Lavigne-Descôteaux

Directrice artistique
Hélène Cousineau

Coordonnatrice aux réalisations graphiques
Sylvie Piotte

Couverture et conception graphique
Catapulte

Édition électronique
Catapulte
Infoscan Collette
Mardigrafe

Cartographes
Julie Benoit
Hervé Hamon

Consultant principal
Guy Dauphinais, enseignant, école secondaire Rive-Nord

Consultants pédagogiques
Audrey Bélanger, enseignante, Selwyn House School
Éric Boivin, enseignant, école secondaire de l'Odyssée/Lafontaine
Philippe Decloître, enseignant, école secondaire Arthur-Pigeon
Sandra Jacques, enseignante, école secondaire Roger-Comtois
Jean-François Maurice, enseignant, école Saint-Georges de Montréal
Jean-Hughes St-Germain, enseignant, polyvalente Saint-Jérôme

Réviseurs scientifiques
Frédéric Demers, Ph. D. (histoire), professeur adjoint, Département d'histoire, Université Laurentienne
Benoit Grenier, Ph. D. (histoire), professeur adjoint, Département d'histoire, Université Laurentienne
Cristian Ionita, Ph. D. (histoire), Université de Montréal
Dominique Marquis, Ph. D. (histoire), professeure, Département d'histoire, Université du Québec à Montréal
Claude Sutto, Ph. D. (histoire), professeur retraité, Département d'histoire, Université de Montréal, professeur à l'Université du troisième âge, Université de Sherbrooke
Jean-Louis Vallée, M.A., professeur, Centre d'études collégiales de Montmagny
Marc Vallières, Ph. D. (histoire), professeur associé, Département d'histoire, Université Laval

Certains titres d'œuvres d'art présentées dans le manuel sont en anglais. Lorsqu'il n'a pas été possible d'obtenir une traduction officielle de ces titres, ceux-ci ont été traduits. Les traductions sont placées entre crochets dans les bas de vignette accompagnant les œuvres d'art.

Dépôt légal – Bibliothèque et Archives nationales du Québec, 2008
Dépôt légal – Bibliothèque et Archives Canada, 2008

Imprimé au Canada 34567890 II 09
ISBN 978-2-7613-2548-6 12201 CD OS12

Mot des auteurs

Étudier l'histoire du Québec, c'est comprendre le passé des générations qui nous ont précédés sur le territoire québécois. C'est comprendre leur vie, les choix qu'elles ont faits en tant que société, l'héritage qu'elles nous ont laissé sur les plans démographique, économique, idéologique, politique et culturel.

C'est dans cet esprit que la collection **repères** survole 500 ans d'histoire du Québec en explorant différents thèmes, conformément au nouveau programme de formation en histoire et éducation à la citoyenneté. Constitué de documents historiques, de cartes, de photographies d'archives, d'œuvres d'art de diverses époques, le manuel **repères** offre un matériel riche qui vous donnera envie d'apprendre l'histoire du Québec et de participer de façon active à la vie démocratique de votre société.

Table des matières

CHIMO

Aperçu d'un dossier

Les pages d'ouverture

Le **numéro du dossier** et son concept central.

Le **titre** du dossier.

Un court texte présente l'**angle d'entrée** du dossier.

Des **photos** illustrent les événements apparaissant sur la **ligne du temps.**

Les **doubles pages** permettent une meilleure vue d'ensemble tout au long du manuel.

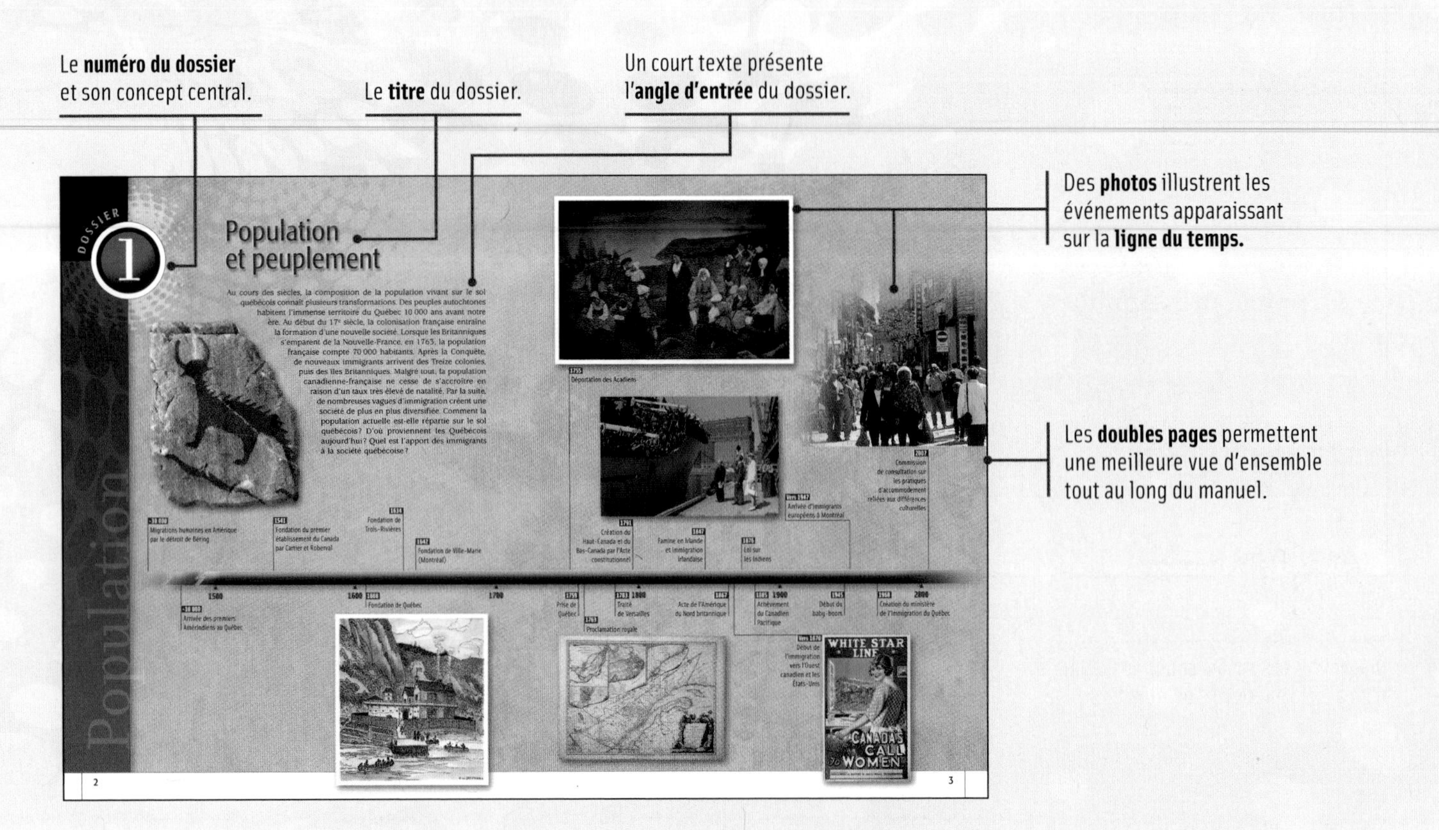

Un schéma illustre les **concepts** à l'étude dans le dossier.

La partie **Le monde d'aujourd'hui** introduit l'objet d'interrogation.

La partie **La filière du temps** décrit les événements historiques.

La partie **Engagement citoyen** présente l'objet de citoyenneté du dossier.

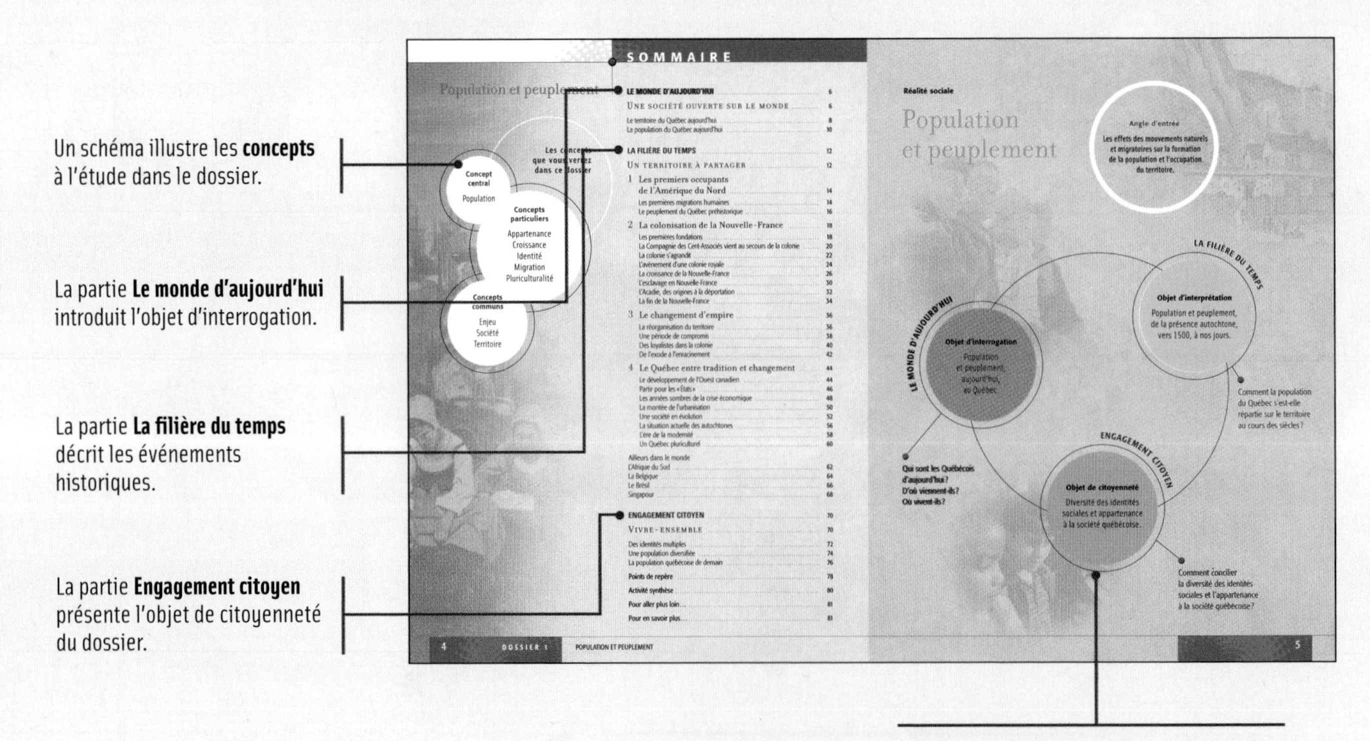

Un schéma présente le **contenu du programme** au début de chaque dossier.

Un **texte d'introduction** présente chacune des trois parties du dossier.

L'œuvre d'un artiste fait référence au thème abordé.

Une courte **biographie** souligne l'œuvre d'un artiste québécois ou canadien.

Chaque **période** est clairement indiquée au début de chacune des parties qui composent La filière du temps.

La rubrique **Héritage du passé** présente des lieux ou des bâtiments du patrimoine québécois ou canadien liés au contexte historique de la période étudiée.

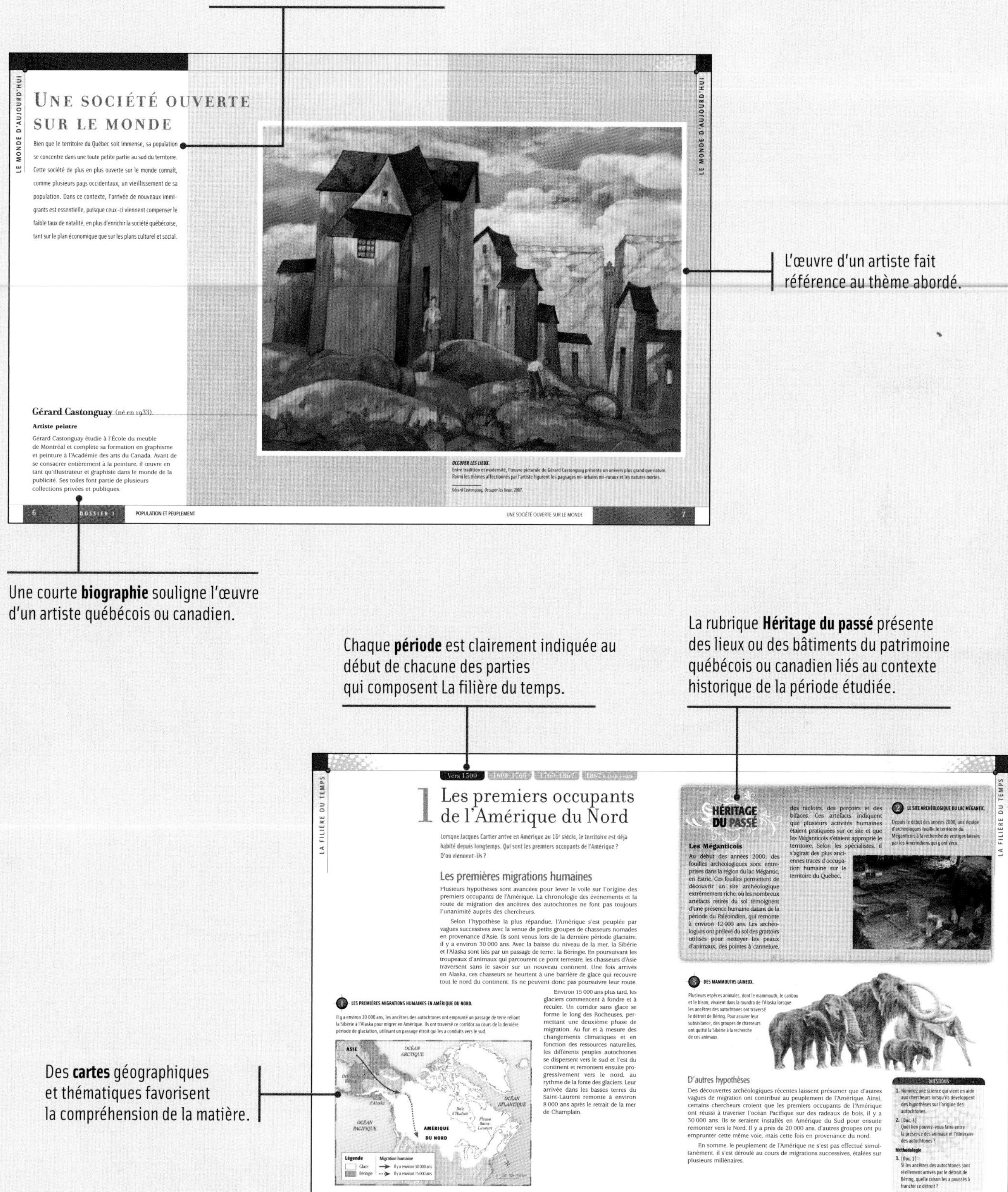

Des **cartes** géographiques et thématiques favorisent la compréhension de la matière.

Des **questions** générales, des questions mettant en relation certains documents, des questions de réflexion sur la démarche ou de méthodologie sont groupées dans un même encadré.

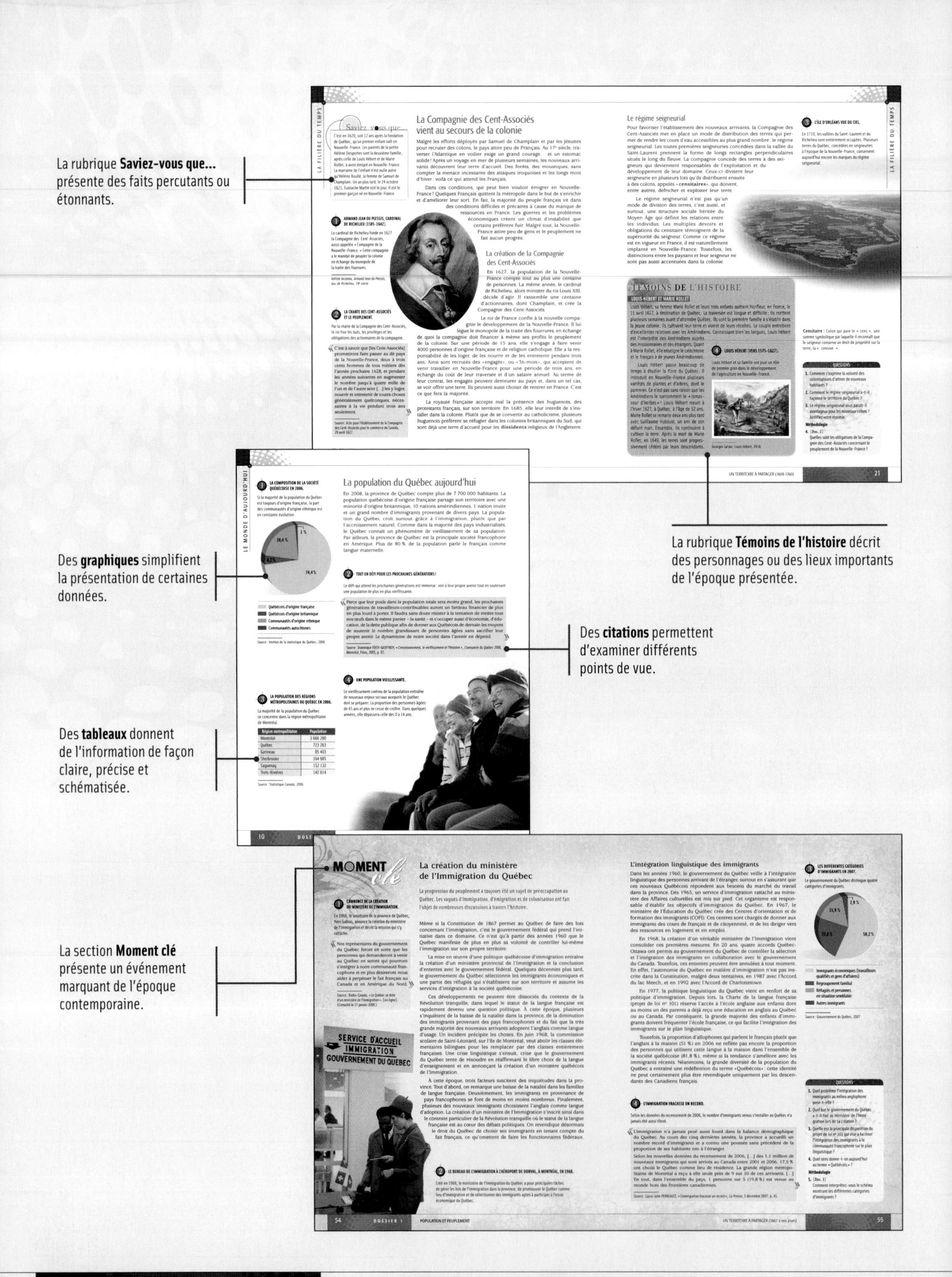

La rubrique **Saviez-vous que...** présente des faits percutants ou étonnants.
La rubrique **Témoins de l'histoire** décrit des personnages ou des lieux importants de l'époque présentée.
Des **graphiques** simplifient la présentation de certaines données.
Des **citations** permettent d'examiner différents points de vue.
Des **tableaux** donnent de l'information de façon claire, précise et schématisée.
La section **Moment clé** présente un événement marquant de l'époque contemporaine.

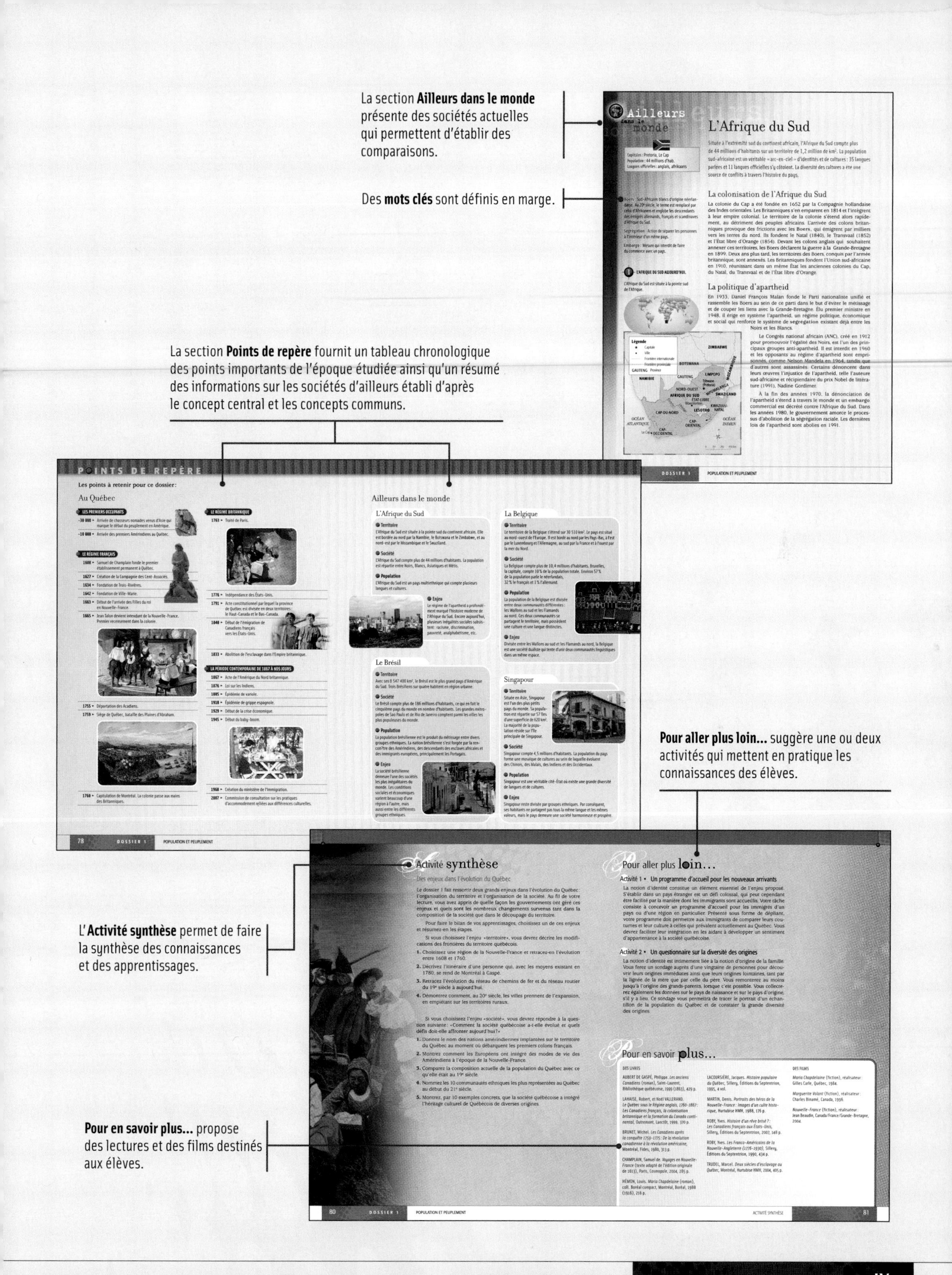

La section **Ailleurs dans le monde** présente des sociétés actuelles qui permettent d'établir des comparaisons.

Des **mots clés** sont définis en marge.

La section **Points de repère** fournit un tableau chronologique des points importants de l'époque étudiée ainsi qu'un résumé des informations sur les sociétés d'ailleurs établi d'après le concept central et les concepts communs.

Pour aller plus loin... suggère une ou deux activités qui mettent en pratique les connaissances des élèves.

L'**Activité synthèse** permet de faire la synthèse des connaissances et des apprentissages.

Pour en savoir plus... propose des lectures et des films destinés aux élèves.

DOSSIER 1

Population et peuplement

Au cours des siècles, la composition de la population vivant sur le sol québécois connaît plusieurs transformations. Des peuples autochtones habitent l'immense territoire du Québec 10 000 ans avant notre ère. Au début du 17e siècle, la colonisation française entraîne la formation d'une nouvelle société. Lorsque les Britanniques s'emparent de la Nouvelle-France, en 1763, la population française compte 70 000 habitants. Après la Conquête, de nouveaux immigrants arrivent des Treize colonies, puis des îles Britanniques. Malgré tout, la population canadienne-française ne cesse de s'accroître en raison d'un taux très élevé de natalité. Par la suite, de nombreuses vagues d'immigration créent une société de plus en plus diversifiée. Comment la population actuelle est-elle répartie sur le sol québécois? D'où proviennent les Québécois aujourd'hui? Quel est l'apport des immigrants à la société québécoise?

-30 000 Migrations humaines en Amérique par le détroit de Béring

-10 000 Arrivée des premiers Amérindiens au Québec

1500

1541 Fondation du premier établissement du Canada par Cartier et Roberval

1600

1608 Fondation de Québec

1634 Fondation de Trois-Rivières

1642 Fondation de Ville-Marie (Montréal)

1700

Population

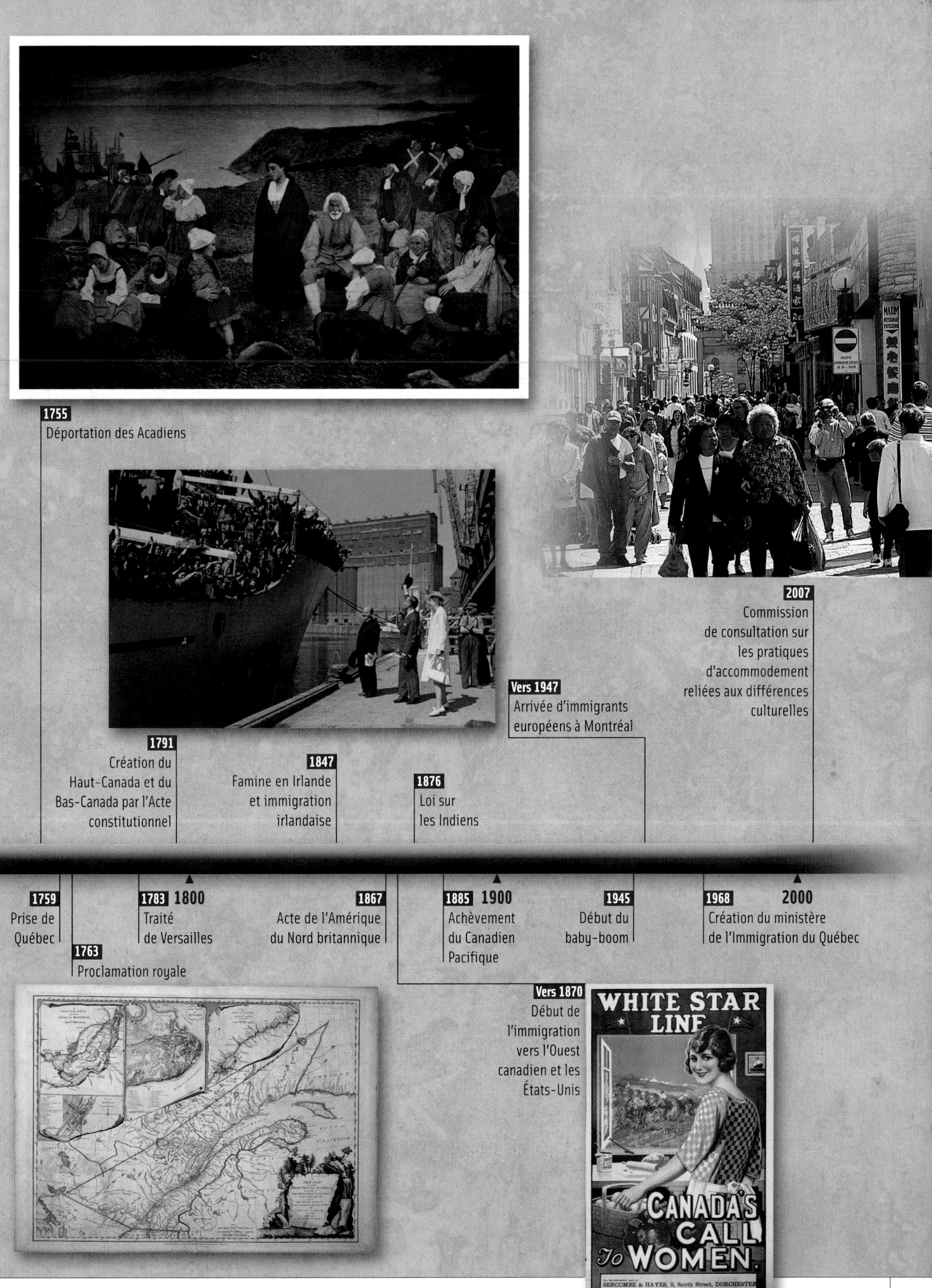

1755
Déportation des Acadiens
1759
Prise de Québec
1763
Proclamation royale
1783
Traité de Versailles
1791
Création du Haut-Canada et du Bas-Canada par l'Acte constitutionnel
1800
1847
Famine en Irlande et immigration irlandaise
1867
Acte de l'Amérique du Nord britannique
Vers 1870
Début de l'immigration vers l'Ouest canadien et les États-Unis
1876
Loi sur les Indiens
1885
Achèvement du Canadien Pacifique
1900
1945
Début du baby-boom
Vers 1947
Arrivée d'immigrants européens à Montréal
1968
Création du ministère de l'Immigration du Québec
2000
2007
Commission de consultation sur les pratiques d'accommodement reliées aux différences culturelles
WHITE STAR LINE
CANADA'S CALL To WOMEN.
SERCOMBE & HAYES, 9, South Street, DORCHESTER

SOMMAIRE

Population et peuplement

Réalité sociale

Population et peuplement

Angle d'entrée

Les effets des mouvements naturels et migratoires sur la formation de la population et l'occupation du territoire.

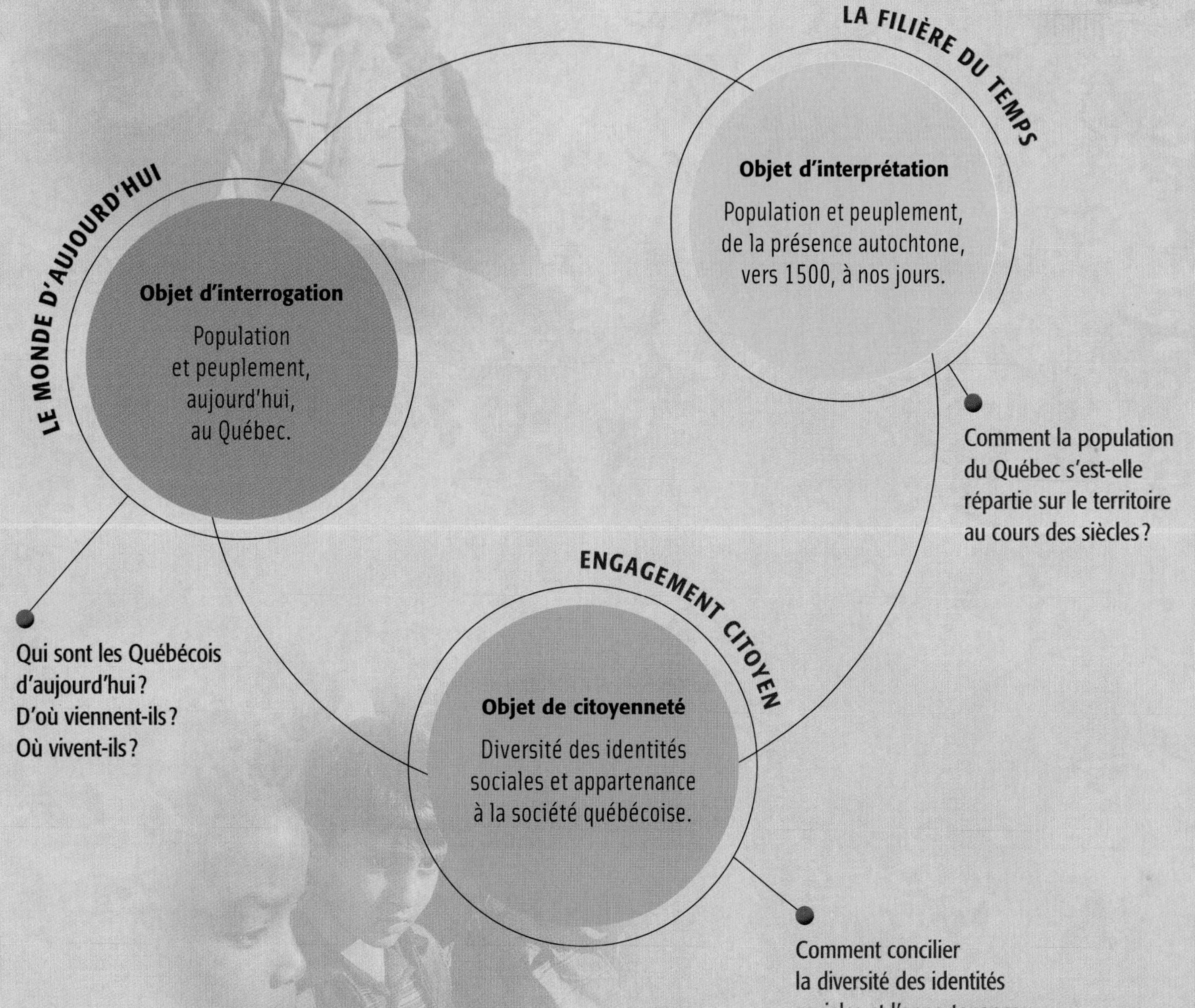

LE MONDE D'AUJOURD'HUI

Objet d'interrogation

Population et peuplement, aujourd'hui, au Québec.

Qui sont les Québécois d'aujourd'hui? D'où viennent-ils? Où vivent-ils?

LA FILIÈRE DU TEMPS

Objet d'interprétation

Population et peuplement, de la présence autochtone, vers 1500, à nos jours.

Comment la population du Québec s'est-elle répartie sur le territoire au cours des siècles?

ENGAGEMENT CITOYEN

Objet de citoyenneté

Diversité des identités sociales et appartenance à la société québécoise.

Comment concilier la diversité des identités sociales et l'appartenance à la société québécoise?

UNE SOCIÉTÉ OUVERTE SUR LE MONDE

Bien que le territoire du Québec soit immense, sa population se concentre dans une toute petite partie au sud du territoire. Cette société de plus en plus ouverte sur le monde connaît, comme plusieurs pays occidentaux, un vieillissement de sa population. Dans ce contexte, l'arrivée de nouveaux immigrants est essentielle, puisque ceux-ci viennent compenser le faible taux de natalité, en plus d'enrichir la société québécoise, tant sur le plan économique que sur les plans culturel et social.

Gérard Castonguay (né en 1933)

Artiste peintre

Gérard Castonguay étudie à l'École du meuble de Montréal et complète sa formation en graphisme et peinture à l'Académie des arts du Canada. Avant de se consacrer entièrement à la peinture, il œuvre en tant qu'illustrateur et graphiste dans le monde de la publicité. Ses toiles font partie de plusieurs collections privées et publiques.

OCCUPER LES LIEUX.
Entre tradition et modernité, l'œuvre picturale de Gérard Castonguay présente un univers plus grand que nature. Parmi les thèmes affectionnés par l'artiste figurent les paysages mi-urbains mi-ruraux et les natures mortes.

Gérard Castonguay, *Occuper les lieux*, 2007.

Le territoire du Québec aujourd'hui

Le territoire de la province de Québec est extrêmement vaste. Il couvre environ 1,6 million de kilomètres carrés. Le Québec est la plus importante province du Canada en termes de superficie. Malgré l'immensité de son territoire, la densité de sa population reste très faible. Plus de 80 % de la population vit en milieu urbain, principalement à proximité des rives du fleuve Saint-Laurent.

1 LA MORT D'UN VILLAGE : AYLMER SOUND.

La fermeture de petits villages, comme celui d'Aylmer Sound, rend compte des difficultés auxquelles font face les régions.

« Québec adopte un décret pour parachever la fermeture du petit village de la Basse-Côte-Nord. Le gouvernement investira encore 670 000 $ pour déménager des familles et terminer les travaux. Le montant doit être dépensé avant le 31 mars 2010. Présentement, deux couples qui vivent toujours à Aylmer Sound durant l'hiver ne veulent pas quitter leurs maisons. [...] ils ont jusqu'au 31 décembre pour négocier leurs allocations de déménagement. Après, il n'y aura plus de services offerts aux citoyens qui vont demeurer dans les limites de l'ancien village. Depuis la décision de fermer le village en juin 2005, Québec a dépensé environ 1 million de dollars en compensation à la quinzaine de familles délogées et pour des travaux de démolition. Seule l'église sera conservée comme témoin de l'histoire du village, selon un accord entre les anciens résidents d'Aylmer Sound et le gouvernement du Québec. »

Source : Radio-Canada, *La mort d'un village : Aylmer Sound*, [en ligne]. (Consulté le 9 janvier 2008.)

2 LE SOLDE MIGRATOIRE PAR RÉGION ADMINISTRATIVE AU QUÉBEC EN 2005-2006.

En 2006, les régions éloignées ont un solde migratoire négatif. Étonnamment, il en est de même pour Montréal. Les régions qui ont vu leur solde migratoire augmenter sont celles situées à proximité des grands centres urbains.

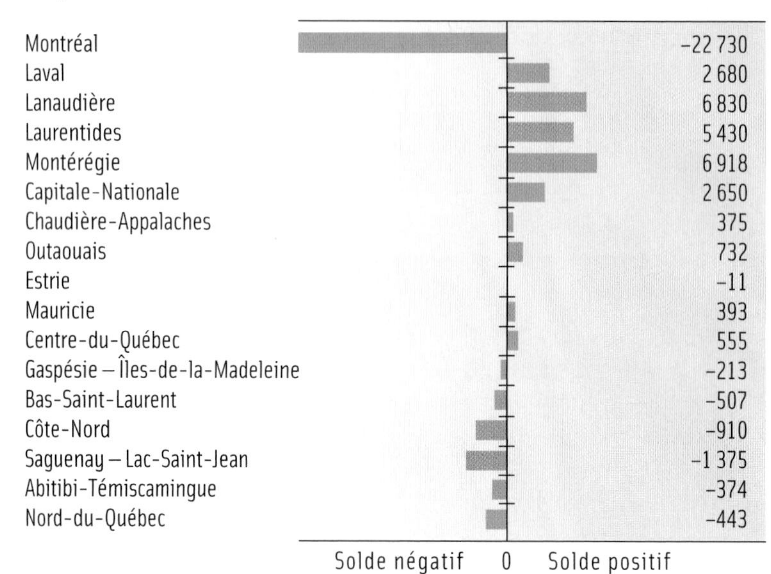

Source : Institut de la statistique du Québec, 2006.

3 SAINT-CAMILLE : UN VILLAGE MODÈLE ?

Au début des années 1990, l'avenir du village de Saint-Camille, situé à 35 kilomètres au nord de Sherbrooke, est menacé. Déterminés à assurer la survie de leur village, les 440 habitants unissent leurs efforts : ils rachètent des locaux vacants et leur donnent une nouvelle vocation afin d'attirer de nouveaux habitants. Ils sauvent le bureau de poste et l'école primaire menacés de fermeture. Une coopérative est mise sur pied pour la vente et la commercialisation des produits des agriculteurs locaux. Aujourd'hui, la communauté rurale de Saint-Camille est en pleine effervescence.

4 MONTRÉAL, AUJOURD'HUI.

Près de la moitié de la population du Québec vit dans la région de Montréal. C'est aussi là que la grande majorité des nouveaux immigrants s'installent.

6 LA CONCENTRATION DE LA POPULATION DU QUÉBEC EN 2007.

La grande majorité de la population du Québec est établie le long des rives du fleuve Saint-Laurent, et 80 % de la population vit en milieu urbain.

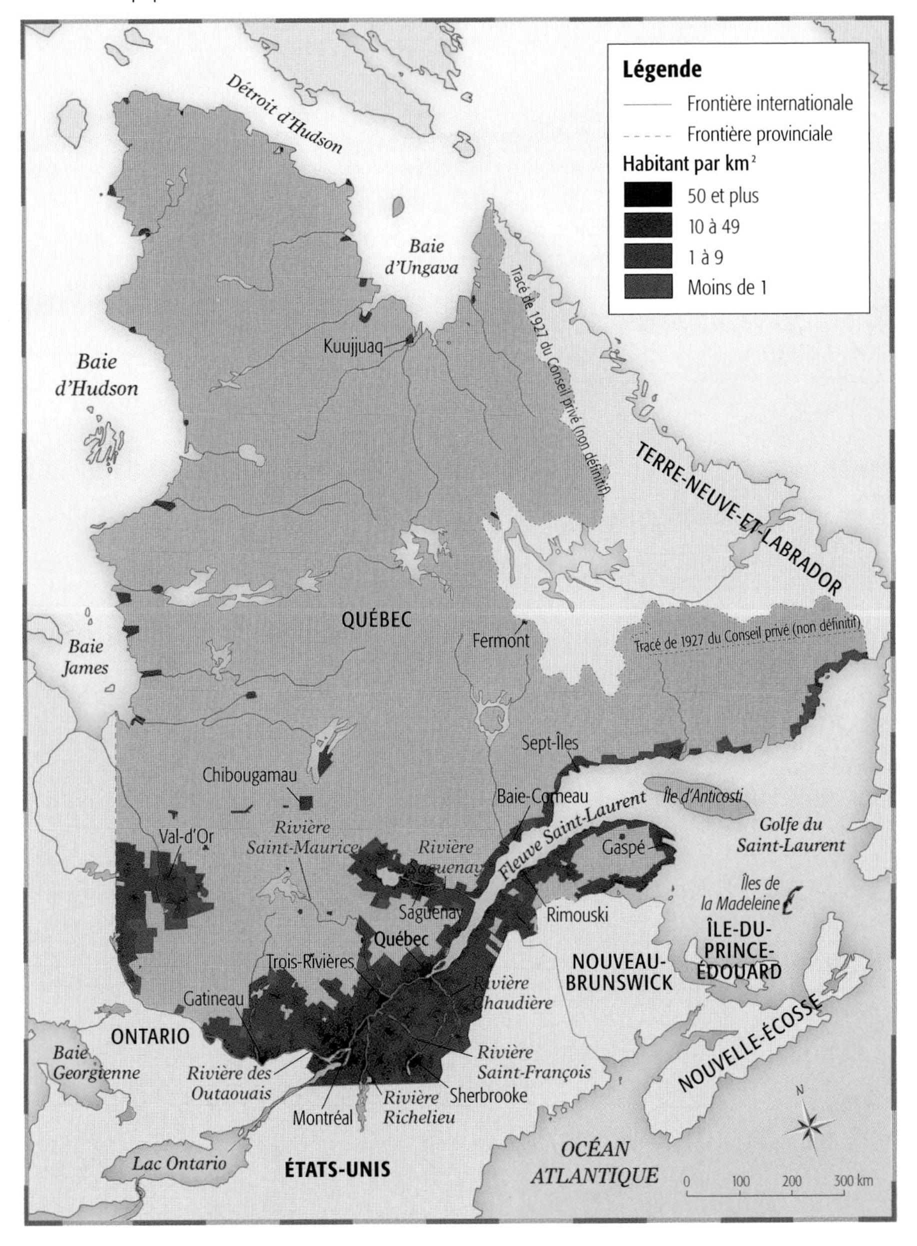

Source : Ministère des Ressources naturelles du Canada, 2007.

5 LES RÉGIONS EN DIFFICULTÉ.

L'exode de la population vers les centres urbains porte un dur coup aux régions.

« [Les] régions connaissent toutes une baisse démographique due surtout à l'exode de la population. Comme la population n'augmente pas, le marché local rétrécit et, conséquemment, freine l'activité économique. Ensuite, la population vieillit et les régions n'arrivent plus à retenir les jeunes, ce qui les prive de forces vives. Plusieurs de ces régions ont construit leur économie autour d'activités économiques traditionnelles – souvent l'exploitation des ressources naturelles – et lorsque ces dernières sont en déclin, la région périclite, faute de solution de rechange. »

Source : Pierre VALLÉE, « Le développement régional passe par la concertation », *Le Devoir*, 2-3 novembre 2002.

QUESTIONS

Méthodologie

1. **[Doc. 2]** Nommez les trois régions dont les soldes migratoires sont les plus élevés.
2. **[Doc. 6]** Dans quelle partie du Québec la population se concentre-t-elle aujourd'hui ?

Connexion

3. **[Doc. 1, 2, 3 et 5]** Quelle réalité ces documents illustrent-ils ?
4. **[Doc. 1 et 3]** Comment la population d'Aylmer Sound et celle de Saint-Camille réagissent-elles à la menace de fermeture de leur village ?

Réflexion

5. Le graphique et la carte ont-ils facilité votre compréhension de la distribution de la population sur le territoire québécois ? Justifiez votre réponse.

La population du Québec aujourd'hui

En 2008, la province de Québec compte plus de 7 700 000 habitants. La population québécoise d'origine française partage son territoire avec une minorité d'origine britannique, 10 nations amérindiennes, 1 nation inuite et un grand nombre d'immigrants provenant de divers pays. La population du Québec croît surtout grâce à l'immigration, plutôt que par l'accroissement naturel. Comme dans la majorité des pays industrialisés, le Québec connaît un phénomène de vieillissement de sa population. Par ailleurs, la province de Québec est la principale société francophone en Amérique. Plus de 80 % de la population parle le français comme langue maternelle.

1 LA COMPOSITION DE LA SOCIÉTÉ QUÉBÉCOISE EN 2006.

Si la majorité de la population du Québec est toujours d'origine française, la part des communautés d'origine ethnique est en constante évolution.

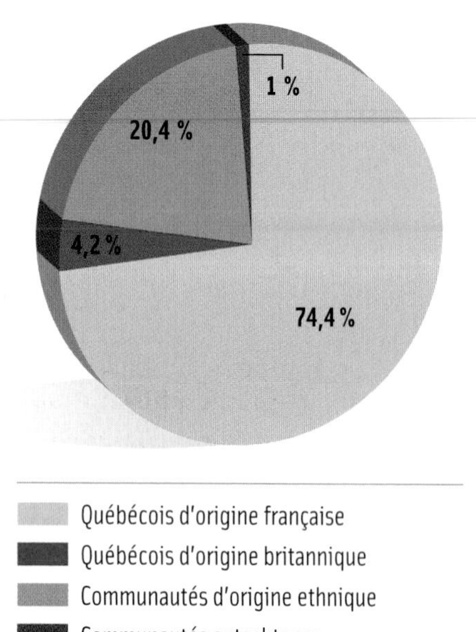

- Québécois d'origine française
- Québécois d'origine britannique
- Communautés d'origine ethnique
- Communautés autochtones

Source : Institut de la statistique du Québec, 2006.

2 TOUT UN DÉFI POUR LES PROCHAINES GÉNÉRATIONS !

Le défi qui attend les prochaines générations est immense : voir à leur propre avenir tout en soutenant une population de plus en plus vieillissante.

« Parce que leur poids dans la population totale sera moins grand, les prochaines générations de travailleurs-contribuables auront un fardeau financier de plus en plus lourd à porter. Il faudra sans doute résister à la tentation de mettre tous nos œufs dans le même panier – la santé – et s'occuper aussi d'économie, d'éducation, de la dette publique afin de donner aux Québécois de demain les moyens de soutenir le nombre grandissant de personnes âgées sans sacrifier leur propre avenir. Le dynamisme de notre société dans l'avenir en dépend. »

Source : Dominique FOISY-GEOFFROY, « L'environnement, le vieillissement et l'histoire », *L'annuaire du Québec 2006*, Montréal, Fides, 2005, p. 67.

3 LA POPULATION DES RÉGIONS MÉTROPOLITAINES DU QUÉBEC EN 2006.

La majorité de la population du Québec se concentre dans la région métropolitaine de Montréal.

Région métropolitaine	Population
Montréal	3 666 280
Québec	723 263
Gatineau	85 403
Sherbrooke	164 685
Saguenay	152 132
Trois-Rivières	142 614

Source : Statistique Canada, 2006.

4 UNE POPULATION VIEILLISSANTE.

Le vieillissement continu de la population entraîne de nouveaux enjeux sociaux auxquels le Québec doit se préparer. La proportion des personnes âgées de 65 ans et plus ne cesse de croître. Dans quelques années, elle dépassera celle des 0 à 14 ans.

5 PARC-EXTENSION : UNE MOSAÏQUE MULTICULTURELLE.

Chaque année, 40 000 nouveaux immigrants arrivent au Québec. Des milliers d'entre eux s'établissent à Parc-Extension, un quartier montréalais de 2 kilomètres carrés où se côtoient plus de 75 communautés ethniques. Le documentaire de Sylvie Groulx, *La classe de madame Lise,* raconte une année dans la vie d'une enseignante du primaire et de ses élèves issus de ce quartier. La réalisatrice pose un regard sur l'intégration de ces jeunes immigrants et les nouveaux défis auxquels ils font face.

YING CHEN (NÉE EN 1961).

En 1989, Ying Chen quitte la Chine et choisit le Québec comme terre d'adoption. Elle rejoint d'autres grands créateurs, venus de partout dans le monde, dont les œuvres contribuent à enrichir la culture québécoise. Leur présence témoigne à la fois du visage multiethnique du Québec et de l'ouverture au monde, caractéristique d'une société moderne.

UN EXTRAIT DES *LETTRES CHINOISES*

« Généralement, les gens d'ici ont tendance à mettre tous les Asiatiques dans le même sac, en excluant les Japonais. [...] Je ne sais plus combien de fois j'ai dû mentionner aux autres qu'un Vietnamien n'est pas du tout plus "Chinois" qu'un Japonais, de même qu'un Allemand n'est pas un Italien même s'ils habitent le même continent, et qu'un Québécois n'est pas un Français même si les deux parlent presque la même langue. »

Source : Ying CHEN, *Les lettres chinoises,* Montréal, Leméac, 1993, p. 77.

6 LA SITUATION ACTUELLE DES AUTOCHTONES.

L'historien Alain Beaulieu explique comment la connaissance de l'histoire des peuples autochtones aide à mieux comprendre leur condition actuelle.

« La situation contemporaine des communautés autochtones, tant sur les plans culturel, économique, politique et religieux que territorial, résulte largement de la "rencontre" avec les Européens. L'histoire de cette rencontre, où s'entremêlent échanges, alliances, emprunts culturels, résistances et assujettissement, a largement contribué à façonner les sociétés amérindiennes et inuites d'aujourd'hui. La connaissance de cette histoire est essentielle pour comprendre les difficultés qu'elles vivent présentement et les luttes qu'elles mènent. Sa méconnaissance contribue au contraire à alimenter les stéréotypes, les préjugés et l'incompréhension. »

Source : Alain BEAULIEU, *Les Autochtones du Québec,* Montréal, Fides, 1997, p. 21.

QUESTIONS

1. Quelle représentation vous faites-vous de la population du Québec aujourd'hui ?
2. Quel défi le vieillissement de la population pose-t-il à la population du Québec ?

Méthodologie

3. [Doc. 5]
Selon vous, quel est le but de ce documentaire ?

Réflexion

4. Quel sujet vous a le plus intéressé parmi ces documents ? Pourquoi ?
5. Quelles nouvelles questions pourriez-vous formuler pour mieux connaître la composition de la population actuelle du Québec ?

UN TERRITOIRE À PARTAGER

Comme l'ensemble de l'Amérique du Nord, le Québec d'aujourd'hui est le résultat d'une mosaïque de populations. Ce sont d'abord les autochtones qui ont occupé et façonné ce territoire. La France y a laissé sa marque et a semé les germes de la société canadienne. La Conquête force les Canadiens à vivre sous la domination des Britanniques. Dans le Québec actuel, la diversité s'est installée. Des immigrants de différentes provenances viennent enrichir cette société constituée des autochtones, des Français devenus Canadiens, des Britanniques et de tous ceux qui sont venus s'y greffer.

Jean-Philippe Dallaire (1916-1965)

Artiste peintre

Jean-Philippe Dallaire enseigne la peinture à l'École des beaux-arts de Québec, puis travaille à l'Office national du film (ONF), où il illustre des films d'animation. Il consacre le reste de sa vie à son art.

L'œuvre de Dallaire est reconnue pour la qualité et la précision du dessin, ses couleurs variées et sa grande originalité. Il incarne les artistes de son époque à la recherche d'une expression authentique fondée sur des valeurs de liberté et d'expérimentation.

QUÉBEC SOUS LE RÉGIME FRANÇAIS.
Cette murale de 3 mètres de hauteur sur 12 mètres de longueur illustre l'histoire du Régime français depuis sa fondation jusqu'à sa chute. Sur les hauteurs du cap Diamant sont représentés une dizaine de grands personnages historiques, dont, à l'extrême gauche, Samuel de Champlain.

Jean-Philippe Dallaire, *Québec sous le Régime français*, 1951.

1 Les premiers occupants de l'Amérique du Nord

Lorsque Jacques Cartier arrive en Amérique au 16e siècle, le territoire est déjà habité depuis longtemps. Qui sont les premiers occupants de l'Amérique ? D'où viennent-ils ?

Les premières migrations humaines

Plusieurs hypothèses sont avancées pour lever le voile sur l'origine des premiers occupants de l'Amérique. La chronologie des événements et la route de migration des ancêtres des autochtones ne font pas toujours l'unanimité auprès des chercheurs.

Selon l'hypothèse la plus répandue, l'Amérique s'est peuplée par vagues successives avec la venue de petits groupes de chasseurs nomades en provenance d'Asie. Ils sont venus lors de la dernière période glaciaire, il y a environ 30 000 ans. Avec la baisse du niveau de la mer, la Sibérie et l'Alaska sont liés par un passage de terre : la Béringie. En poursuivant les troupeaux d'animaux qui parcourent ce pont terrestre, les chasseurs d'Asie traversent sans le savoir sur un nouveau continent. Une fois arrivés en Alaska, ces chasseurs se heurtent à une barrière de glace qui recouvre tout le nord du continent. Ils ne peuvent donc pas poursuivre leur route.

Environ 15 000 ans plus tard, les glaciers commencent à fondre et à reculer. Un corridor sans glace se forme le long des Rocheuses, permettant une deuxième phase de migration. Au fur et à mesure des changements climatiques et en fonction des ressources naturelles, les différents peuples autochtones se dispersent vers le sud et l'est du continent et remontent ensuite progressivement vers le nord, au rythme de la fonte des glaciers. Leur arrivée dans les basses terres du Saint-Laurent remonte à environ 8 000 ans après le retrait de la mer de Champlain.

1 LES PREMIÈRES MIGRATIONS HUMAINES EN AMÉRIQUE DU NORD.

Il y a environ 30 000 ans, les ancêtres des autochtones ont emprunté un passage de terre reliant la Sibérie à l'Alaska pour migrer en Amérique. Ils ont traversé ce corridor au cours de la dernière période de glaciation, utilisant un passage étroit qui les a conduits vers le sud.

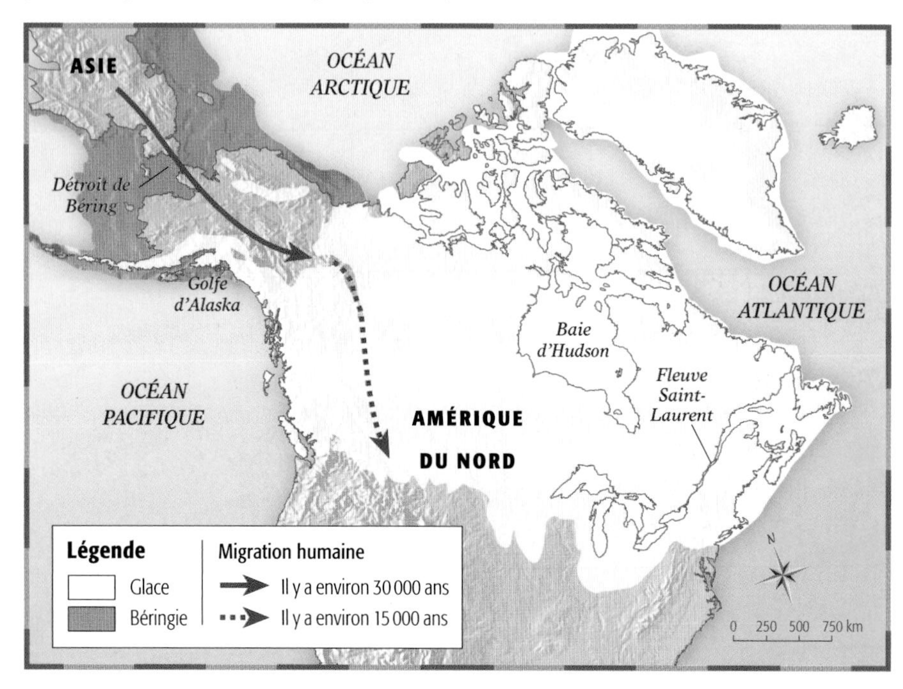

Les Méganticois

Au début des années 2000, des fouilles archéologiques sont entreprises dans la région du lac Mégantic, en Estrie. Ces fouilles permettent de découvrir un site archéologique extrêmement riche, où les nombreux artefacts retirés du sol témoignent d'une présence humaine datant de la période du Paléoindien, qui remonte à environ 12 000 ans. Les archéologues ont prélevé du sol des grattoirs utilisés pour nettoyer les peaux d'animaux, des pointes à cannelure, des racloirs, des perçoirs et des bifaces. Ces artefacts indiquent que plusieurs activités humaines étaient pratiquées sur ce site et que les Méganticois s'étaient approprié le territoire. Selon les spécialistes, il s'agirait des plus anciennes traces d'occupation humaine sur le territoire du Québec.

LE SITE ARCHÉOLOGIQUE DU LAC MÉGANTIC.

Depuis le début des années 2000, une équipe d'archéologues fouille le territoire du Méganticois à la recherche de vestiges laissés par les Amérindiens qui y ont vécu.

DES MAMMOUTHS LAINEUX.

Plusieurs espèces animales, dont le mammouth, le caribou et le bison, vivaient dans la toundra de l'Alaska lorsque les ancêtres des autochtones ont traversé le détroit de Béring. Pour assurer leur subsistance, des groupes de chasseurs ont quitté la Sibérie à la recherche de ces animaux.

D'autres hypothèses

Des découvertes archéologiques récentes laissent présumer que d'autres vagues de migration ont contribué au peuplement de l'Amérique. Ainsi, certains chercheurs croient que les premiers occupants de l'Amérique ont réussi à traverser l'océan Pacifique sur des radeaux de bois, il y a 30 000 ans. Ils se seraient installés en Amérique du Sud pour ensuite remonter vers le Nord. Il y a près de 20 000 ans, d'autres groupes ont pu emprunter cette même voie, mais cette fois en provenance du nord.

En somme, le peuplement de l'Amérique ne s'est pas effectué simultanément, il s'est déroulé au cours de migrations successives, étalées sur plusieurs millénaires.

QUESTIONS

1. Nommez une science qui vient en aide aux chercheurs lorsqu'ils développent des hypothèses sur l'origine des autochtones.
2. [Doc. 3]
   Quel lien pouvez-vous faire entre la présence des animaux et l'itinéraire des autochtones ?

Méthodologie

3. [Doc. 1]
   Si les ancêtres des autochtones sont réellement arrivés par le détroit de Béring, quelle raison les a poussés à franchir ce détroit ?

Le peuplement du Québec préhistorique

Les spécialistes divisent le peuplement du territoire du Québec en 3 grandes périodes culturelles: le Paléoindien (de 12 000 à 8000 ans avant aujourd'hui), l'Archaïque (de 8000 à 3000 ans avant aujourd'hui) et le Sylvicole (de 3000 à 500 ans avant aujourd'hui).

Le Paléoindien

Les plus anciennes traces de présence humaine sur le territoire du Québec remontent à environ 12 000 ans avant aujourd'hui, période durant laquelle les premiers chasseurs de gros gibier auraient commencé à chasser dans l'extrême sud du Québec. Entre 2000 et 4000 ans plus tard, ils occupent la vallée du Saint-Laurent et le territoire de la Gaspésie. Cette période est caractérisée par la confection de pointes de flèche cannelées. Les Paléoindiens s'adonnent à la chasse au gros gibier (caribou) et à la cueillette. Leurs sociétés disparaissent en même temps que les gros mammifères dont ils dépendent pour survivre.

1 UNE POINTE DE PROJECTILE EN PIERRE TAILLÉE.

Cette pointe de projectile était utilisée par les chasseurs de gros gibier. Elle date de la période archaïque, entre 6000 et 3000 ans avant aujourd'hui.

L'Archaïque

Entre 8000 et 3000 ans avant aujourd'hui, les groupes nomades de la période archaïque, appartenant à la famille des Algonquiens, se dispersent sur le territoire. Au cours des premiers millénaires de cette période, ils occupent le sud du Québec, principalement le long de la vallée du Saint-Laurent, dans la région du Québec actuel et de la Haute-Côte-Nord. Ces groupes vivent de chasse, de pêche et de cueillette. La période archaïque se distingue de la période paléoindienne par le recours à une plus grande variété d'outils et par les débuts du polissage de la pierre à partir de laquelle sont fabriquées, entre autres, des haches. Les outils en pierre taillée et en pierre polie se multiplient. De plus, les outils dont se servent ces groupes, les matériaux et les méthodes qu'ils utilisent pour les fabriquer se diversifient.

Le Sylvicole

Le début du Sylvicole, il y a environ 3000 ans avant aujourd'hui, est marqué par l'apparition de la poterie et l'intégration graduelle de plantes cultivées. Au cours de cette période, la population augmente considérablement. Plusieurs groupes appartenant à la famille des Iroquoiens expérimentent de nouveaux modes de subsistance. Autour de l'an 1000, ils adoptent un mode de vie semi-sédentaire et se regroupent dans des villages dont l'un des plus anciens a été identifié dans la région de Saint-Anicet, près de Huntingdon. Après 10 ou 15 ans, les Iroquoiens se déplacent afin de laisser les terres cultivées en jachère. La culture du maïs et la cueillette occupent une place prédominante dans leurs activités en plus de la chasse et de la pêche. Même si différentes hypothèses sont avancées, la provenance des nations iroquoiennes demeure un mystère, car il n'existe aucune preuve de leur origine géographique ou culturelle.

Les ancêtres des Inuits

Il y a environ 4000 ans, les Prédorsétiens arrivent dans le nord du Québec. Peuple semi-nomade, leur mode de vie s'organise autour de la chasse aux mammifères marins. Vers l'an 1000, les ancêtres des Inuits actuels, les Thuléens, s'installent dans le Nord du Québec.

2 AUTRES TEMPS, AUTRES TERMES.

Au fil des siècles, différents termes ont été utilisés pour désigner les autochtones.

« À la recherche d'un passage vers les Indes, les premiers explorateurs européens foulant le sol des Amériques croient plutôt qu'ils sont bel et bien en Asie. C'est la raison pour laquelle ils désigneront par le terme "Indiens" les habitants de ce "Nouveau-Monde". Cette appellation traversera les temps et ce n'est qu'au 20e siècle qu'on choisira plutôt "Amérindiens" lorsqu'on fera allusion à ces derniers. Le terme "Amérindiens" désigne précisément tous les Indiens des Amériques, d'origine asiatique lointaine, dont l'habitat et la civilisation se seraient étendus à l'ensemble du continent, à l'exception des régions situées à l'Extrême Nord. [...] De même, le mot "tribu" et celui d'"indigène" n'ont pas cours au Québec ; il est plutôt fait mention de "Premières Nations", de "peuples autochtones" et de "communautés". Au Canada et, par conséquent, au Québec, la Loi constitutionnelle de 1982 reconnaît les Amérindiens et les Inuits comme étant des autochtones, c'est-à-dire des personnes vivant sur un territoire habité par leurs ancêtres depuis des temps immémoriaux. Toutefois, il existe une nette distinction entre les peuples amérindiens et inuits, autant par leur culture et leur langue que par leur mode de vie et l'époque de leur migration. »

Source : Michel NOËL, *Amérindiens et Inuits du Québec*, Québec, Éditions Sylvain Harvey, 2003, p. 8.

4 UNE PIPE EN ARGILE DU 16e SIÈCLE.

Cette pipe d'origine amérindienne a été découverte en 1860 à Montréal. Cet artefact a poussé les archéologues à fouiller ce site, appelé « site de Dawson ». Les recherches montrent qu'une nation iroquoienne aurait habité ce site dans les années 1500.

3 DES NATIONS AUTOCHTONES DANS LE NORD-EST DE L'AMÉRIQUE DU NORD VERS 1500.

Lorsque les Européens arrivent en Amérique du Nord, le territoire du Québec est déjà habité depuis plusieurs millénaires. Trois grandes familles linguistiques se partagent le territoire : les Iroquoiens, les Algonquiens et les Inuits.

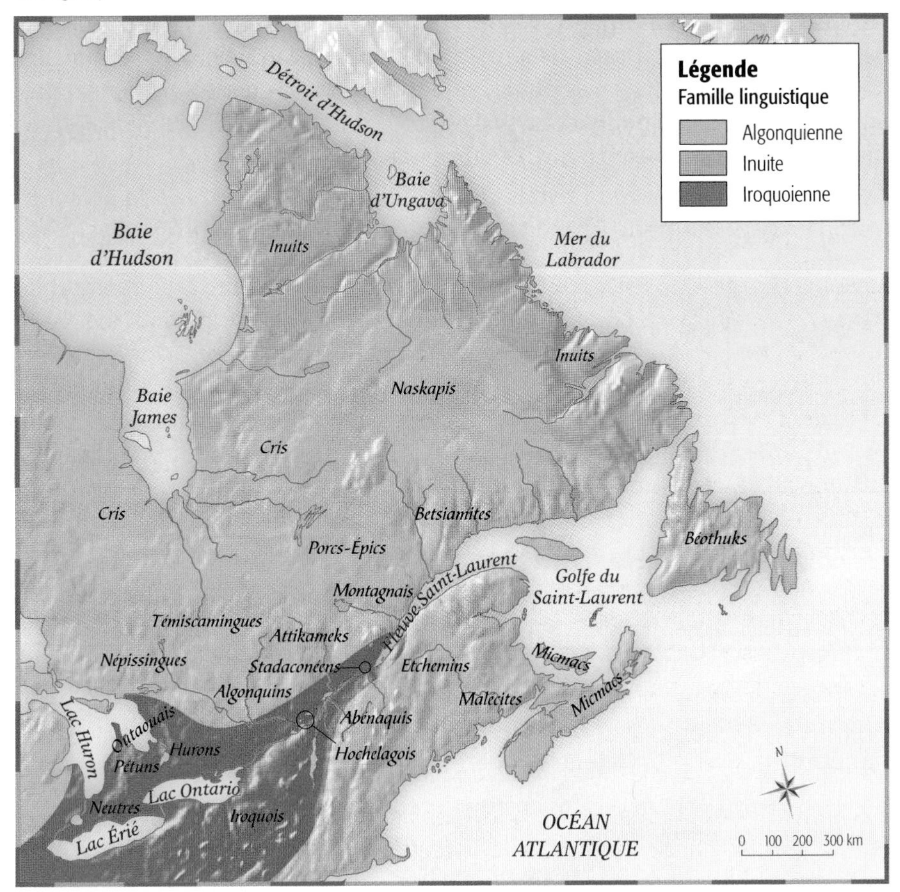

Source : Raynald PARENT, *Les Amérindiens à l'arrivée des Blancs et les débuts de l'effritement de leur civilisation*. Thèse de maîtrise (histoire), Sainte-Foy, Université Laval, 1976.

QUESTIONS

1. Indiquez quelles caractéristiques différencient les trois grandes périodes de peuplement du Québec.

Méthodologie

2. [Doc. 3]
Pourquoi les trois grandes familles linguistiques n'ont-elles pas été affectées de la même façon par l'arrivée des Européens ?

Connexion

3. [Doc. 1 et 4]
   a) Que révèlent ces artefacts sur les autochtones ?
   b) Comment les artefacts peuvent-ils aider à comprendre le mode de vie autochtone ?

Réflexion

4. Quels moyens pourriez-vous prendre pour mieux connaître les conditions de vie actuelles des Amérindiens et des Inuits ?

2 La colonisation de la Nouvelle-France

Après quelques tentatives de colonisation infructueuses, les colons s'installent peu à peu en Nouvelle-France. Quels résultats obtient-on ? À la fin du Régime français, de quels éléments se compose la Nouvelle-France ?

UNE STATUE DE SAMUEL DE CHAMPLAIN AUX CÔTÉS D'UN AMÉRINDIEN.

Le plus grand mérite de Champlain est d'avoir établi une colonie de peuplement en Nouvelle-France. Grâce à ses efforts, Québec mérite le titre de capitale de la Nouvelle-France.

Ferdinand Weber, *Statue de Samuel de Champlain*, fin du 20e siècle.

Les premières fondations

En 1541, une première tentative de colonisation dans le « pays de Canada » est confiée à Jean-Francois de La Roque, sieur de Roberval, secondé par Jacques Cartier. Cartier reste à peine un an, impatient de retourner en France pour partager sa découverte de gisements d'or et de diamant. Ces échantillons se révéleront sans valeur. Roberval, quant à lui, n'est pas plus heureux dans sa tentative d'établissement. Après un hiver difficile, il rentre en France en 1543, avec les colons qui l'accompagnent.

Malgré quelques tentatives au début du 17e siècle, les Français sont incapables d'établir une colonie de peuplement en Amérique du Nord. La rigueur du climat et la difficulté à recruter des colons expliquent en partie cet échec.

Après avoir échoué à établir une colonie à Port-Royal, en Acadie, Samuel de Champlain convainc Pierre de Gua, sieur de Monts, mandaté par le roi de France à titre de gouverneur général de la Nouvelle-France, de poursuivre l'exploration de la vallée du Saint-Laurent. Ce dernier accepte et finance le voyage. En 1608, Champlain arrive à Québec et choisit cet emplacement pour y établir une colonie. Plusieurs raisons expliquent le choix de ce lieu. D'abord, l'étroitesse du fleuve à cet endroit permet de contrôler de la rive le passage des navires. De plus, le promontoire du cap Diamant offre une excellente défense contre d'éventuels envahisseurs. Enfin, les terres environnantes semblent très fertiles, ce qui permettrait à la population de vivre de l'agriculture et, par le fait même, de subvenir à ses besoins.

LA FONDATION DE QUÉBEC.

À travers le récit de son voyage au Canada, Champlain fait l'éloge de Québec comme lieu d'établissement.

« De l'île d'Orléans jusqu'à Québec, il y a une lieue, et j'y arrivai le 3 juillet ; où étant, je cherchai un lieu propre pour notre habitation, mais je n'en pus trouver de plus commode, ni de mieux situé que la pointe de Québec, ainsi appelée des sauvages, laquelle était remplie de noyers. Aussitôt, j'employai une partie de nos ouvriers à les abattre pour y faire notre habitation, l'autre à scier des ais, l'autre à creuser la cave et faire des fossés, et l'autre à aller quérir nos commodités à Tadoussac avec la barque. La première chose que nous fîmes fut le magasin pour mettre nos vivres à couvert, qui fut promptement fait par la diligence de chacun, et le soin que j'en eus. »

Source : Samuel de CHAMPLAIN, *Les voyages de Samuel de Champlain, de 1603 à 1618*, Québec, Presses de la Compagnie Vigie, 1908 (1613), p. 88-89.

L'Habitation de Québec

Dès son arrivée, Champlain fait construire l'Habitation de Québec au pied du cap Diamant. Ce bâtiment fortifié sert à la fois de résidence à la trentaine d'artisans et d'ouvriers et d'espace de rangement pour les marchandises et les vivres. Les colons dressent l'inventaire des ressources de la région en plus de pratiquer le commerce des fourrures avec les Amérindiens. Le comptoir de traite est fréquenté par les Algonquiens qui viennent y troquer leurs fourrures contre des produits européens. Pour ceux-ci, commerce et politique sont indissociables. Ainsi, ils convainquent Champlain de participer en 1609 à une excursion guerrière contre leurs ennemis iroquois. L'alliance est définitivement scellée.

Les premières années de la jeune colonie sont extrêmement difficiles. Les colons peinent à s'adapter aux hivers rigoureux. La première année, plus de la moitié des 28 hommes établis à Québec meurent du scorbut et de malnutrition.

3 L'HABITATION DE QUÉBEC.

À son arrivée à Québec, en 1608, Champlain fait construire l'Habitation pour y loger ses engagés et pour y entreposer les marchandises et les provisions.

Charles W. Jefferys, *L'Habitation de Québec*, œuvre non datée.

4 UNE VUE AÉRIENNE DE L'EMPLACEMENT DE L'HABITATION DE QUÉBEC, AUJOURD'HUI.

Cette photo actuelle montre le lieu d'établissement de l'Habitation de Champlain. Les fondations des bâtiments se trouvent sous la place Royale et l'église de Notre-Dame-des-Victoires.

5 DES CHAUDRONS EN CUIVRE DU DÉBUT DU 17e SIÈCLE.

Lors des premiers contacts entre les Français et les Amérindiens, les chaudrons en cuivre ou en laiton figurent parmi les objets de traite les plus convoités. Ces récipients sont plus légers et moins fragiles que les vases en argile utilisés par les Amérindiens.

6 LE SCORBUT : LE « MAL DE TERRE ».

Champlain décrit les effets dévastateurs du scorbut sur les habitants de la jeune colonie.

« Durant l'hiver il se mit une certaine maladie entre plusieurs de nos gens, appelée mal de terre ou scorbut. […] Les dents ne leur tenaient presque point, et l'on coupait souvent ces morceaux de chair qui leur faisaient jeter force sang par la bouche. Après, il leur prenait une grande douleur de bras et jambes, lesquels demeuraient gros et durs, tachetés comme de morsures de puces, et ne pouvaient marcher. Ils avaient aussi des douleurs de reins, d'estomac et de ventre ; une toux fort mauvaise et courte haleine ; bref, ils étaient en tel état que la plupart des malades ne pouvaient se lever ni remuer, et même ne pouvaient se tenir debout […]. Nous ne pûmes trouver aucun remède pour ces maladies et l'on fit l'ouverture de plusieurs pour reconnaître la cause de leur maladie. »

Source : Samuel de CHAMPLAIN, *Les voyages de Samuel de Champlain, de 1603 à 1618*, Québec, Presses de la Compagnie Vigie, 1908 (1613), p. 48-49.

QUESTIONS

Méthodologie

1. [Doc. 2]
   Quelles raisons amènent Champlain à écrire ce texte ?
2. [Doc. 3]
   Quelles questions vous viennent à l'esprit lorsque vous songez aux difficultés que Champlain et ses hommes ont dû surmonter à leur arrivée à Québec ?

Connexion

3. [Doc. 2 et 3]
   Pourquoi le site de Québec était-il propice à la construction de l'Habitation ?

Saviez-vous que...

C'est en 1620, soit 12 ans après la fondation de Québec, qu'un premier enfant naît en Nouvelle-France. Les parents de la petite Hélène Desportes sont la deuxième famille, après celle de Louis Hébert et de Marie Rollet, à avoir émigré en Nouvelle-France. La marraine de l'enfant n'est nulle autre qu'Hélène Boullé, la femme de Samuel de Champlain. Un an plus tard, le 24 octobre 1621, Eustache Martin voit le jour. Il est le premier garçon né en Nouvelle-France.

La Compagnie des Cent-Associés vient au secours de la colonie

Malgré les efforts déployés par Samuel de Champlain et par les Jésuites pour recruter des colons, le pays attire peu de Français. Au 17e siècle, traverser l'Atlantique en voilier exige un grand courage... et un estomac solide! Après un voyage en mer de plusieurs semaines, les nouveaux arrivants découvrent leur terre d'accueil. Des forêts, des moustiques, sans compter la menace incessante des attaques iroquoises et les longs mois d'hiver: voilà ce qui attend les Français.

Dans ces conditions, qui peut bien vouloir émigrer en Nouvelle-France? Quelques Français quittent la métropole dans le but de s'enrichir et d'améliorer leur sort. En fait, la majorité du peuple français vit dans des conditions difficiles et précaires à cause du manque de ressources en France. Les guerres et les problèmes économiques créent un climat d'instabilité que certains préfèrent fuir. Malgré tout, la Nouvelle-France attire peu de gens et le peuplement ne fait aucun progrès.

1 ARMAND JEAN DU PLESSIS, CARDINAL DE RICHELIEU (1585-1642).

Le cardinal de Richelieu fonde en 1627 la Compagnie des Cent-Associés, aussi appelée « Compagnie de la Nouvelle-France. » Cette compagnie a le mandat de peupler la colonie en échange du monopole de la traite des fourrures.

Artiste inconnu, *Armand Jean du Plessis, duc de Richelieu*, 19e siècle.

La création de la Compagnie des Cent-Associés

En 1627, la population de la Nouvelle-France compte tout au plus une centaine de personnes. La même année, le cardinal de Richelieu, alors ministre du roi Louis XIII, décide d'agir. Il rassemble une centaine d'actionnaires, dont Champlain, et crée la Compagnie des Cent-Associés.

Le roi de France confie à la nouvelle compagnie le développement de la Nouvelle-France. Il lui lègue le monopole de la traite des fourrures, en échange de quoi la compagnie doit financer à même ses profits le peuplement de la colonie. Sur une période de 15 ans, elle s'engage à faire venir 4000 personnes d'origine française et de religion catholique. Elle a la responsabilité de les loger, de les nourrir et de les entretenir pendant trois ans. Ainsi sont recrutés des «engagés», ou «36-mois», qui acceptent de venir travailler en Nouvelle-France pour une période de trois ans, en échange du coût de leur traversée et d'un salaire annuel. Au terme de leur contrat, les engagés peuvent demeurer au pays et, dans un tel cas, se voir offrir une terre. Ils peuvent aussi choisir de rentrer en France. C'est ce que fera la majorité.

La royauté française accepte mal la présence des huguenots, des protestants français, sur son territoire. En 1685, elle leur interdit de s'installer dans la colonie. Plutôt que de se convertir au catholicisme, plusieurs huguenots préfèrent se réfugier dans les colonies britanniques du Sud, qui sont déjà une terre d'accueil pour les **dissidents** religieux de l'Angleterre.

2 LA CHARTE DES CENT-ASSOCIÉS ET LE PEUPLEMENT.

Par la charte de la Compagnie des Cent-Associés, le roi fixe les buts, les privilèges et les obligations des actionnaires de la compagnie.

« C'est à savoir que [les Cent-Associés] promettront faire passer au dit pays de la Nouvelle-France, deux à trois cents hommes de tous métiers dès l'année prochaine 1628, et pendant les années suivantes en augmenter le nombre jusqu'à quatre mille de l'un et de l'autre sexe [...] les y loger, nourrir et entretenir de toutes choses généralement quelconques, nécessaires à la vie pendant trois ans seulement. »

Source: Acte pour l'établissement de la Compagnie des Cent-Associés pour le commerce du Canada, 29 avril 1627.

Dissident: Personne qui cesse de se soumettre à une autorité.

Le régime seigneurial

Pour favoriser l'établissement des nouveaux arrivants, la Compagnie des Cent-Associés met en place un mode de distribution des terres qui permet de rendre les cours d'eau accessibles au plus grand nombre : le régime seigneurial. Les toutes premières seigneuries concédées dans la vallée du Saint-Laurent prennent la forme de longs rectangles perpendiculaires situés le long du fleuve. La compagnie concède des terres à des seigneurs qui deviennent responsables de l'exploitation et du développement de leur domaine. Ceux-ci divisent leur seigneurie en plusieurs lots qu'ils distribuent ensuite à des colons, appelés «censitaires», qui doivent, entre autres, défricher et exploiter leur terre.

Le régime seigneurial n'est pas qu'un mode de division des terres, c'est aussi, et surtout, une structure sociale héritée du Moyen Âge qui définit les relations entre les individus. Les multiples devoirs et obligations du censitaire témoignent de la supériorité du seigneur. Comme ce régime est en vigueur en France, il est naturellement implanté en Nouvelle-France. Toutefois, les distinctions entre les paysans et leur seigneur ne sont pas aussi accentuées dans la colonie.

3 L'ÎLE D'ORLÉANS VUE DU CIEL.

En 1710, les vallées du Saint-Laurent et du Richelieu sont entièrement occupées. Plusieurs terres du Québec, concédées en seigneuries à l'époque de la Nouvelle-France, conservent aujourd'hui encore les marques du régime seigneurial.

TÉMOINS DE L'HISTOIRE

LOUIS HÉBERT ET MARIE ROLLET

Louis Hébert, sa femme Marie Rollet et leurs trois enfants quittent Honfleur, en France, le 11 avril 1617, à destination de Québec. La traversée est longue et difficile : ils mettent plusieurs semaines avant d'atteindre Québec. Ils sont la première famille à s'établir dans la jeune colonie. Ils cultivent leur terre et vivent de leurs récoltes. Le couple entretient d'excellentes relations avec les Amérindiens. Connaissant bien les langues, Louis Hébert est l'interprète des Amérindiens auprès des missionnaires et des étrangers. Quant à Marie Rollet, elle enseigne le catéchisme et le français à de jeunes Amérindiennes.

Louis Hébert passe beaucoup de temps à étudier la flore du Québec. Il introduit en Nouvelle-France plusieurs variétés de plantes et d'arbres, dont le pommier. Ce n'est pas sans raison que les Amérindiens le surnomment le « ramasseur d'herbes » ! Louis Hébert meurt à l'hiver 1627, à Québec, à l'âge de 52 ans. Marie Rollet se remarie deux ans plus tard avec Guillaume Huboust, un ami de son défunt mari. Ensemble, ils continuent à cultiver la terre. Après la mort de Marie Rollet, en 1649, les terres sont progressivement cédées par leurs descendants.

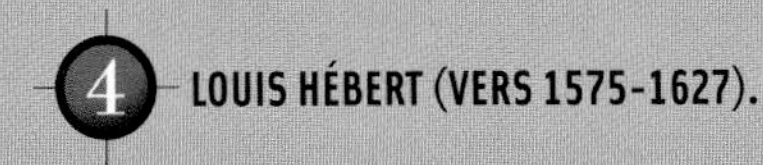

4 LOUIS HÉBERT (VERS 1575-1627).

Louis Hébert et sa famille ont joué un rôle de premier plan dans le développement de l'agriculture en Nouvelle-France.

Georges Latour, *Louis Hébert*, 1918.

QUESTIONS

1. Comment s'exprime la volonté des colonisateurs d'attirer de nouveaux habitants ?
2. Comment le régime seigneurial a-t-il façonné le territoire du Québec ?
3. Le régime seigneurial vous paraît-il avantageux pour les nouveaux colons ? Justifiez votre réponse.

Méthodologie

4. [Doc. 2]
Quelles sont les obligations de la Compagnie des Cent-Associés concernant le peuplement de la Nouvelle-France ?

UN BUSTE DU SIEUR DE LAVIOLETTE (VERS 1604-1660).

Le sieur de Laviolette fonde Trois-Rivières en 1634. Ce buste est érigé devant le bureau de poste de Trois-Rivières, en 1934, à l'occasion du tricentenaire de la ville.

Artiste inconnu, *Buste du sieur de Laviolette*, 1934.

La colonie s'agrandit

Après la fondation de Québec en 1608, il faut attendre presque 30 ans avant que d'autres établissements permanents s'implantent en Nouvelle-France.

La fondation de Trois-Rivières

Peu avant 1600, François Gravé Du Pont se rend à l'emplacement du lieu qui deviendra Trois-Rivières à la recherche d'un lieu pour l'établissement d'un poste de traite. Il y retourne en 1603, accompagné de Samuel de Champlain. Ce dernier reconnaît l'intérêt, tant géographique que commercial, d'y établir une Habitation permanente. Ce n'est pourtant qu'une trentaine d'années plus tard que Champlain confie au sieur de Laviolette le mandat d'y construire une Habitation qui servira de poste de traite où les Amérindiens viendront faire du commerce avec les Français.

Au début de juillet 1634, Laviolette quitte Québec à destination de Trois-Rivières en compagnie de quelques colons. Arrivés à bon port, ils entreprennent la construction de l'Habitation et dressent une palissade de bois derrière laquelle sont érigés divers bâtiments. Le peuplement de Trois-Rivières demeure modeste. En 1760, seulement 700 habitants habitent la ville.

2 PIERRE BOUCHER ET LE PEUPLEMENT.

En 1644, à l'âge de 22 ans, Pierre Boucher s'établit à Trois-Rivières. Grâce à son *Histoire véritable et naturelle,* publiée à Paris en 1664, l'intérêt des Français pour la Nouvelle-France s'intensifie.

« Après avoir dit que le pays est bon, capable de produire toutes sortes de choses comme en France, qu'on s'y porte bien, qu'il ne manque que du monde, que le pays est extrêmement grand et qu'infailliblement il y a de grandes richesses que nous n'avons pas pu découvrir [...] il faudrait [...] qu'il vint beaucoup de monde en ce pays-ci et puis on connaîtrait la richesse du pays. Mais pour faire cela, il faut que quelqu'un en fasse la dépense; mais qui le fera, si ce n'est notre bon Roi? Il a témoigné le vouloir faire: Dieu qui veuille continuer sa bonne volonté. »

Source : Pierre BOUCHER, *Histoire véritable et naturelle des mœurs et productions de la Nouvelle-France, vulgairement dit le Canada,* Montréal, Société historique de Boucherville, 1964 (Paris, 1664), p. 143-145.

3 TROIS-RIVIÈRES VERS 1815.

En 1815, soit plus de 150 ans après sa fondation, Trois-Rivières joue un rôle stratégique de première importance dans le commerce des fourrures, et ce, malgré sa faible population qui ne dépasse pas les 1000 habitants.

Artiste inconnu, *Trois-Rivières*, 1815.

La fondation de Ville-Marie

Dès 1632, les Jésuites publient annuellement leurs *Relations* afin de mieux faire connaître la Nouvelle-France et d'inciter les colons à venir s'y établir. Un fidèle lecteur des *Relations*, Jérôme Le Royer, sieur de La Dauversière, percepteur d'impôts français, rêve de fonder une ville missionnaire en Nouvelle-France. Il partage ce rêve avec un jeune abbé, Jean-Jacques Olier. Ensemble, ils fondent la Société Notre-Dame de Montréal pour la conversion des «sauvages», qui regroupe quelques-uns de leurs amis, dont Paul de Chomedey de Maisonneuve et Jeanne Mance.

Le rêve devient réalité et, à l'été 1641, une quarantaine de Français arrivent à Québec. Le successeur de Champlain, le gouverneur de Montmagny, tente de dissuader le sieur de Maisonneuve d'aller s'établir dans une région où la menace des Iroquois est omniprésente. Aussi, ni la Compagnie des Cent-Associés ni le gouverneur de Montmagny n'accordent leur appui à la Société Notre-Dame de Montréal. Qu'à cela ne tienne, au printemps 1642, le sieur de Maisonneuve et Jeanne Mance, accompagnés d'une quarantaine de colons, remontent le fleuve en direction de Ville-Marie. Le 17 mai, ils accostent sur l'île et, le lendemain, choisissent le lieu où construire l'Habitation. Dès ce moment, les institutions religieuses se développent. Jeanne Mance fonde le premier hôpital de la colonie, l'Hôtel-Dieu, à l'automne 1642. Une quinzaine d'années plus tard, Marguerite Bourgeoys fonde la première école destinée à l'éducation des jeunes Françaises et Amérindiennes.

Malgré les efforts des membres de la Société Notre-Dame de Montréal, la majorité des Amérindiens refusent de s'assimiler et de se convertir. La mission d'évangélisation est un échec. En 1653, les membres décident de recruter des colons en France pour peupler la colonie. Au total, une centaine de personnes, majoritairement des hommes, s'engagent à venir travailler pour la Société Notre-Dame de Montréal pour une période de trois ans, faisant du coup doubler la population. Des familles s'installent à Ville-Marie et défrichent la terre. La ville prend progressivement son essor.

Saviez-vous que...

Hochelaga, Ville-Marie, Montréal... Comment s'y retrouver ? Lorsque Jacques Cartier débarque en 1535 sur le site actuel de la ville de Montréal, il rencontre des Iroquois qui désignent sous le nom d'Hochelaga le lieu où ils vivent. En 1642, Paul de Chomedey de Maisonneuve choisit Ville-Marie en l'honneur de la Vierge Marie, comme lieu où il fonde une colonie destinée à la conversion des Amérindiens. Vers 1700, ce nom devient démodé et est définitivement remplacé par celui de Montréal.

LE MUSÉE POINTE-À-CALLIÈRE, À MONTRÉAL.

Le musée Pointe-à-Callière, musée d'archéologie et d'histoire de Montréal, situé sur la place D'Youville dans le Vieux-Montréal, a été construit sur le site du premier établissement érigé lors de la fondation de Montréal, en 1642.

QUESTIONS

1. Dans quel but les villes de Québec et de Trois-Rivières ont-elles été fondées ?
2. Le but de la fondation de Ville-Marie diffère-t-il de celui des deux autres établissements ? Quel est-il ?
3. Malgré le refus des Amérindiens de se convertir, quelles réalisations ont marqué les débuts de Ville-Marie ?

Méthodologie

4. [Doc. 2]
Quelle description Pierre Boucher fait-il de la Nouvelle-France ?

Réflexion

5. Quel personnage retient le plus votre attention parmi ceux qui ont participé à la fondation de Montréal ? Pourquoi ?

1 UN COFFRE D'IMMIGRANT DES ANNÉES 1650-1660.

Des vêtements, des effets personnels et quelques outils : voilà les seuls biens qu'apportent avec eux les premiers colons de la Nouvelle-France.

L'avènement d'une colonie royale

Le peuplement de la colonie est lent et il faut attendre 1663 pour que le roi de France, Louis XIV, s'implique directement dans la colonisation de la Nouvelle-France. Jusque-là, la responsabilité du développement de la colonie revenait à des compagnies privées qui s'intéressent peu au peuplement. Pour remédier à la situation, Louis XIV dissout en 1663 la Compagnie des Cent-Associés et prend en charge le développement de la Nouvelle-France.

Louis XIV confie l'administration de la colonie à son ministre de la Marine, Jean-Baptiste Colbert. Celui-ci envoie sur place un intendant, dont l'une des principales responsabilités sera la distribution des terres et le peuplement. En 1665, l'intendant Jean Talon arrive à Québec. Parmi ses priorités : créer des conditions favorables à l'immigration et à l'accroissement de la population.

L'arrivée du régiment de Carignan-Salières

En 1665, 1200 soldats et 80 officiers sont envoyés en Nouvelle-France pour faire face à la menace des Iroquois. Dès leur arrivée, les soldats du régiment de Carignan-Salières construisent des forts afin d'assurer la sécurité du territoire. À partir de ce moment, la colonie connaît une période de paix et de prospérité. Le régiment est rappelé en France en 1668, mais le roi offre une prime et concède des censives aux soldats et aux officiers qui choisissent de rester en Nouvelle-France. Des 1200 soldats, 400 décident de s'y établir définitivement.

2 JEAN TALON RENCONTRE LES HABITANTS DE LA NOUVELLE-FRANCE.

Le recensement de 1665-1666 permet d'évaluer avec précision la population de la Nouvelle-France : le nom des habitants, leur âge, leur état matrimonial et leur métier.

Lawrence R. Batchelor, *Jean Talon visiting the colonists* [Jean Talon visitant les colons], vers 1931.

Un premier recensement en Nouvelle-France

En 1665 et en 1666, Jean Talon organise le premier recensement de la Nouvelle-France pour connaître le nombre d'habitants, leur âge, leur état matrimonial et leur occupation. Les résultats du premier recensement montrent que la colonie compte 3215 habitants d'origine française, soit 2034 hommes, et seulement 1181 femmes. La colonie est composée de 528 familles. Québec compte à elle seule un peu plus de 2100 habitants, Montréal en compte 635 et Trois-Rivières, 455.

3 LES FRANÇAIS ET LES AMÉRINDIENNES.

En raison du manque de femmes françaises en Nouvelle-France, plusieurs hommes s'unissent à des Amérindiennes.

« En 1667, la Nouvelle-France ne comptait que 162 femmes bonnes à marier... pour 716 hommes. Ce qui faisait plus d'un demi-millier d'habitants mâles de la colonie à se trouver privés de vie conjugale! [...] bon nombre de ces jeunes gens qui couraient les bois pour faire la traite des fourrures avaient pris l'habitude de fréquenter de très près les belles Amérindiennes. [...] les enfants nés de ces amourements restaient dans les tribus où, dès lors, ils étaient intégrés à la communauté amérindienne. »

Source: Raymond OUIMET et Nicole MAUGER, *Catherine de Baillon. Enquête sur une fille du roi*, Sillery, Éditions du Septentrion, 2001, p. 20.

Saviez-vous que...

Certaines Filles du roi ont du mal à s'adapter à leur nouvelle vie. L'une d'elles, par exemple, fuit le domicile conjugal quelques semaines après son mariage. Elle se déguise en homme pour éviter d'être repérée et elle erre pendant plus d'une semaine sur les grèves du fleuve, à la recherche d'un moyen pour retourner en France. Comme elle n'en trouve aucun, un jardinier de sa connaissance, qui la nourrit en cachette, la conduit à la résidence du gouverneur. Sous la promesse qu'elle ne recommence plus, le gouverneur décide de ne pas la punir. Mais elle doit regagner son logis et s'habituer à sa nouvelle vie.

Prendre pays, prendre mari

Comme la population est majoritairement composée d'hommes, ce qui entraîne un déséquilibre démographique, Jean Talon fait venir de France des filles à marier. On les appelle «Filles du roi», car leur traversée est payée par le roi. De plus, il leur verse une **dot** au moment de leur mariage.

Dot: Somme d'argent (ou biens) versée par ses parents, qu'une femme apporte à son mari au moment du mariage.

De 1663 à 1673, elles sont environ 800 à émigrer en Nouvelle-France. Les Filles du roi, âgées entre 15 et 25 ans, sont de diverses origines sociales. Elles proviennent en majorité de la région parisienne et de l'ouest de la France. La plupart sont issues de milieux populaires, mais certaines viennent de la petite noblesse. Beaucoup d'entre elles sont orphelines. La majorité des Filles du roi trouvent un mari dans les cinq mois suivant leur arrivée.

La venue des soldats du régiment de Carignan-Salières et des Filles du roi transforme le paysage démographique de la Nouvelle-France.

L'ARRIVÉE DES FILLES DU ROI.

La majorité des Filles du roi trouvent un mari peu de temps après leur arrivée. Plusieurs ont épousé des officiers et des soldats du régiment de Carignan-Salières qui ont choisi de s'établir en Nouvelle-France.

Charles W. Jefferys, *L'arrivée des Filles du roi en Nouvelle-France en 1667*, vers 1925.

QUESTIONS

1. Pourquoi la colonie connaît-elle un essor démographique à partir de 1663 ?
2. Pourquoi Jean Talon organise-t-il un recensement ?
3. Quelle information particulière le recensement de 1665-1666 met-il en lumière ?

La croissance de la Nouvelle-France

Après l'instauration du gouvernement royal, le peuplement de la Nouvelle-France connaît un essor important. De 3200 habitants en 1663, la population passe à 6700 en 1672.

À la fin du 17e siècle, la France est continuellement en guerre. Aussi, après l'envoi de nombreux engagés, des soldats du régiment de Carignan-Salières et des Filles du roi, le roi refuse de dépeupler davantage la métropole au profit de la colonie. Désormais, la colonie doit compter essentiellement sur l'accroissement naturel de la population plutôt que sur l'immigration.

1 DES HABITANTS DE LA NOUVELLE-FRANCE, AU 17e SIÈCLE.

Dépendant de moins en moins de la métropole, les habitants de la Nouvelle-France deviennent de plus en plus autosuffisants. Ils se nourrissent des produits de leurs récoltes, tissent leurs vêtements, fabriquent leurs chaussures et leurs meubles.

La politique de peuplement de Jean Talon

Dès 1669, Jean Talon met en place une série de mesures visant à favoriser sur place la constitution de familles en encourageant les mariages et les familles nombreuses. Des sommes d'argent sont versées aux familles de 10 enfants et plus. Une somme plus élevée est offerte aux familles de 12 enfants et plus. Une amende est donnée aux pères qui ne marient pas leurs enfants tôt : avant l'âge de 20 ans pour les garçons et avant l'âge de 16 ans pour les filles. Quant aux célibataires, ils sont passibles de voir leurs droits de chasse, de pêche et de traite suspendus.

Il semble toutefois peu probable que l'accroissement de la population soit uniquement le résultat de ces mesures sévères. En fait, la rareté des femmes dans la colonie entraîne des mariages hâtifs et favorise le remariage rapide des veuves, ce qui explique le fort taux de natalité de la colonie. De simple colonie-comptoir, la Nouvelle-France se transforme, en l'espace d'un siècle et demi, en une véritable société.

2 UN BERCEAU FABRIQUÉ EN NOUVELLE-FRANCE AU 18e SIÈCLE.

En Nouvelle-France, une femme mariée donne en moyenne naissance à un enfant tous les deux ans. En l'espace de 15 ans, elle donne ainsi naissance à 8 ou 9 enfants. Toutefois, près de la moitié meurt avant d'atteindre l'âge adulte.

Le développement du territoire

Pour établir convenablement les nouvelles familles, Jean Talon procède, en 1672, à une distribution massive de seigneuries. Au cours de cette année-là, 40 nouvelles seigneuries sont concédées dans la vallée du Saint-Laurent. C'est tout un record, dans la mesure où le nombre de seigneuries concédées annuellement est d'environ trois ou quatre. Par conséquent, de nouvelles régions commencent à se dessiner, telles la Rive-Sud de Montréal, la vallée du Richelieu et la Côte-du-Sud, en aval de Québec.

Le peuplement de la colonie, accéléré par un taux de natalité élevé, entraîne la création de villages et de paroisses. Lorsque la population est suffisante et qu'elle dispose des ressources pour financer la construction d'une église et pour subvenir aux besoins d'un curé, une paroisse est créée. Ce projet vise principalement à regrouper les colons en un noyau central tout en permettant à chacun d'habiter sur sa terre. La paroisse forme la base de l'organisation religieuse, politique et civile de la communauté. Elle joue un rôle de premier plan dans la vie sociale des habitants qui se déroule autour d'une place centrale dominée par l'église. Le nombre de paroisses augmente au même rythme que la population. À la fin du Régime français, en 1759, on en dénombre plus d'une centaine.

Saviez-vous que...

Grâce aux actes de baptême des 17e et 18e siècles, il est possible de connaître les prénoms donnés aux enfants nés en Nouvelle-France. Parmi les prénoms masculins les plus populaires figurent Jean-Baptiste, Joseph, Pierre, François et Louis. Les prénoms féminins les plus populaires sont des prénoms composés : Marie-Josèphe, Marie-Louise, Marie-Anne, Marie-Marguerite et Marie-Angélique.

3 LE TERRITOIRE DE LA NOUVELLE-FRANCE AU DÉBUT DU 18e SIÈCLE.

Au début du 18e siècle, la Nouvelle-France atteint son étendue territoriale maximale. L'Acadie et Terre-Neuve comptent près de 1750 habitants. La colonie compte environ 20 000 habitants, en majorité des agriculteurs. Quelques centaines de personnes vivent à l'embouchure du Mississippi et dans la région des Grands Lacs.

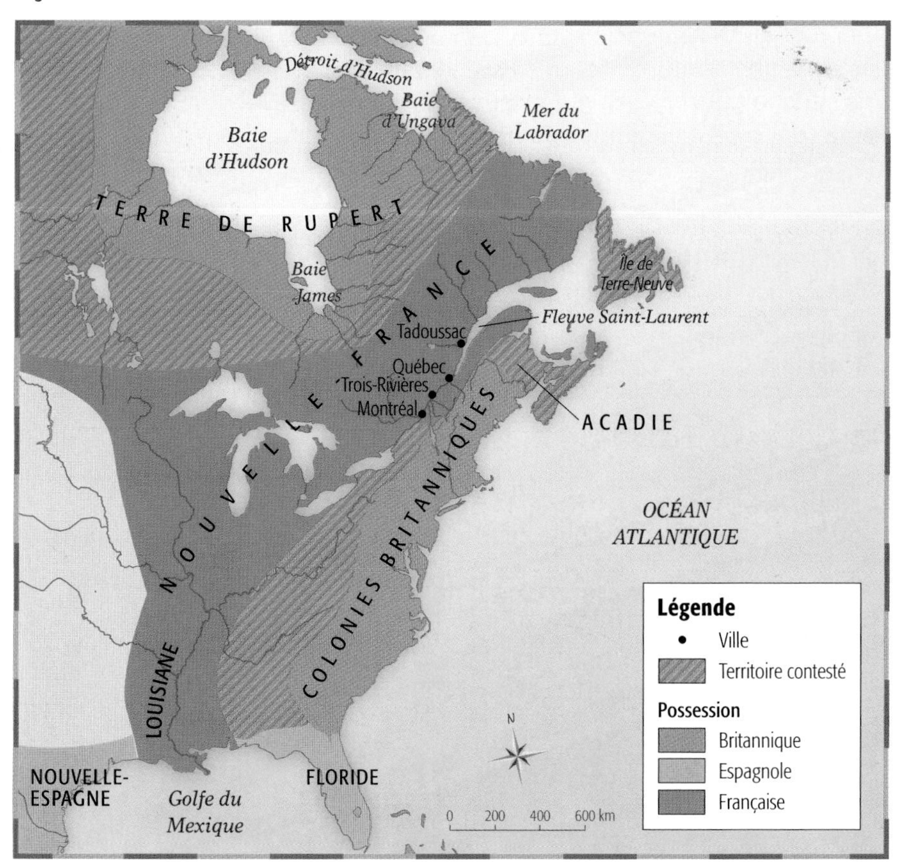

QUESTIONS

1. À la fin du 17e siècle, pourquoi le roi refuse-t-il d'expédier plus d'émigrants en Nouvelle-France ?
2. Quel effet la croissance de la population a-t-elle sur le développement du territoire ?
3. Quelles conditions sont requises pour créer une paroisse ?

Méthodologie

4. [Doc. 3]
Selon vous, y a-t-il un lien entre l'évolution de la population et l'étendue territoriale qu'atteint la Nouvelle-France au début du 18e siècle ? Justifiez votre réponse.

La naissance d'une société canadienne

Au début du 18e siècle, plus de 80 % de la population de la Nouvelle-France est née au pays. Les Canadiens qui habitent dans la vallée du Saint-Laurent forment une société distincte, de plus en plus différente de celle de la métropole. En adaptant leurs traditions françaises aux nouvelles conditions de vie de la colonie et en intégrant dans leur quotidien des techniques apprises des Amérindiens, ils développent une culture originale. La population de la Nouvelle-France passe de plus de 18 000 personnes en 1713 à environ 70 000 en 1760.

Vivre à la ville ou à la campagne : deux modes de vie distincts

Les personnes qui résident dans les villes, principalement à Québec et à Montréal, représentent seulement 20 % de la population de la Nouvelle-France. Parmi ces gens se trouvent les membres de la noblesse, les militaires, les marchands, les fonctionnaires, les artisans, les domestiques et les esclaves. Leur mode de vie, qui se modèle sur celui de la métropole, est fort différent de celui des gens de la campagne. Ils se marient à un âge plus avancé que les habitants de la campagne et ont moins d'enfants. Les villes sont le lieu du commerce et de l'administration. C'est là que se trouvent les institutions civiles, militaires et religieuses.

La colonie est surtout constituée d'agriculteurs qui vivent à la campagne. Son mode de vie est dicté par le cycle des saisons. Les familles travaillent d'arrache-pied sur leur ferme et dans les champs une grande partie de l'année. La vie à la campagne est exigeante et les colons ont de lourdes responsabilités : ils doivent avoir d'assez bonnes récoltes pour payer leurs redevances au seigneur, payer la dîme au curé de la paroisse, se nourrir toute l'année et accumuler des réserves de grains en prévision des prochaines semences. Comme ils sont soumis aux caprices de la température, une année où les récoltes sont mauvaises suffit à les placer dans une situation difficile. La plupart des habitants apprécient néanmoins leur condition, particulièrement la liberté qu'elle procure.

Saviez-vous que...

En Nouvelle-France, le plat le plus populaire est le bouilli, ou pot-au-feu, apprécié encore aujourd'hui. Certaines habitudes alimentaires sont toutefois bien étranges. Un voyageur rapporte, par exemple, qu'il a vu des gens manger des oignons crus en les croquant à belles dents, comme des pommes, et d'autres déjeuner avec seulement du pain et de l'alcool fort. À la ville, le meilleur moyen de toujours avoir du lait frais est de louer une vache ! En hiver, des habitants apportent au marché de la ville des blocs de lait gelés et en vendent des morceaux découpés à la hache, selon la quantité désirée par le client.

1 UN « CAPOT », COMME EN PORTAIENT LES HABITANTS DE LA NOUVELLE-FRANCE À PARTIR DES ANNÉES 1660.

Pour bien s'adapter à la vie dans la colonie, les femmes conçoivent pour leur mari des vêtements qui conviennent au climat. Elles confectionnent des « capots » (manteaux de laine et de lin). La plupart des habitants se chaussent de mocassins faits de cuir de bœuf ou d'orignal, fabriqués selon les techniques apprises des Amérindiens.

2 UNE VUE DU VILLAGE DE BERTHIER À LA FIN DU 18e SIÈCLE.

La vie rurale repose sur les travaux aux champs et à la ferme. Généralement, les hommes s'occupent des lourdes tâches comme défricher le sol et labourer les champs, alors que les femmes entretiennent la maison, le jardin et nourrissent les animaux de la ferme.

James Peachey, *A View of the Bridge Over the Berthier River* [Vue sur le pont de la rivière Berthier], 1785.

3 DES HABITANTS AVANTAGÉS.

À titre d'intendant de la Nouvelle-France de 1686 à 1702, Jean Bochard de Champigny s'investit dans le domaine de l'agriculture. Dans une lettre destinée aux autorités de la métropole, il écrit que malgré la rudesse du climat, les paysans de la Nouvelle-France profiteraient de meilleures conditions de vie que leurs compatriotes en France.

« Les habitants qui se sont attachés à la culture des terres et qui ont tombé dans de bons endroits, vivent assez commodément, trouvant des avantages que ceux de France n'ont point, qui sont d'être presque tous placés sur le bord de la rivière [fleuve], où ils ont quelque pêche et leur maison [...] Comme ils n'ont point à s'éloigner pour la faire valoir et pour tirer leur bois qui est à l'endroit où se terminent leurs terres, ils ont en cela de très grandes facilités pour faire leurs travaux. »

Source : Lettre de Jean Bochard de Champigny, 1699.

4 LA PLACE DU MARCHÉ, À MONTRÉAL, À LA FIN DU 18e SIÈCLE.

La vie des habitants des villes diffère selon leur statut social. Les plus riches vivent dans de grandes maisons en pierre alors que les moins nantis vivent dans les faubourgs, dans des maisons de bois. Tous se croisent à la place du marché qui est le lieu des rencontres et des échanges.

Paul junior Sandby, *Market Place, Montreal* [La place du marché à Montréal], 1790.

QUESTIONS

1. Quelles différences y a-t-il entre le mode de vie des habitants des campagnes et celui des citadins ?
2. Quelles difficultés les agriculteurs doivent-ils affronter ?

Méthodologie

3. [Doc. 1]
   Comment les Canadiens ont-ils adapté leurs habitudes vestimentaires au climat de la Nouvelle-France ?
4. [Doc. 3]
   En Nouvelle-France, les habitants ont souvent une terre en bordure d'un cours d'eau. Quel avantage en retirent-ils ?

Réflexion

5. En tenant compte de ce que vous avez appris, quelle vie vous paraît la plus enviable, celle des habitants de la ville ou celle des paysans ? Pourquoi ?

L'esclavage en Nouvelle-France

Tout au long du Régime français, l'esclavage est répandu dans les colonies, principalement dans les Antilles françaises. Autour de 1660, la principale culture de ces colonies, la canne à sucre, exige une main-d'œuvre importante. Les Amérindiens sont progressivement remplacés dans les plantations par des esclaves venus d'Afrique. En Nouvelle-France, il y aurait eu plus de 4000 esclaves, dont environ 1400 Noirs venus des Antilles et 2600 Amérindiens, appelés «panis» du nom d'une tribu amérindienne de la région du Missouri, aux États-Unis. Les premiers esclaves noirs de la Nouvelle-France travaillent principalement à Montréal et dans les environs comme domestiques pour de riches familles et des membres du clergé. La première mention de l'esclavage des Noirs en Nouvelle-France remonte à 1628. Olivier Le Jeune, un jeune garçon de six ans originaire de Madagascar, arrive à Québec en 1628 et est vendu un an plus tard à un prêtre. Après la Révolution américaine de 1776, des milliers de loyalistes émigrent au Canada, emmenant parfois avec eux leurs esclaves. Près de 3500 esclaves obtiennent leur liberté en se ralliant à la Grande-Bretagne. La plupart s'installent en Nouvelle-Écosse et au Nouveau-Brunswick.

Si certains propriétaires n'hésitent pas à inscrire dans des actes (des testaments, par exemple) la possession d'esclaves, plusieurs négligent de le faire. Aussi, plusieurs Noirs sont inhumés sans que soit précisée leur condition sociale. C'est pourquoi il est difficile d'avoir une idée exacte de leur nombre.

En 1709, l'ordonnance de l'intendant de la Nouvelle-France, Jacques Raudot, reconnaît l'esclavage dans la colonie. La loi sur les esclaves qui s'applique en Nouvelle-France s'inspire du *Code noir*, un ouvrage publié en 1685, sous Louis XIV, pour réglementer l'esclavage dans les Antilles françaises. Dans ce livre, les esclaves sont définis comme une marchandise qui peut être vendue ou échangée.

Saviez-vous que…

Le «chemin de fer clandestin» (*Underground Railroad*) est le nom donné au réseau de sentiers secrets et de maisons d'accueil empruntés par les réfugiés des États esclavagistes du sud des États-Unis. Grâce aux personnes qui opéraient ce réseau d'évasion, tant des Noirs que des Blancs, des Canadiens que des Américains, près de 20 000 esclaves ont pu atteindre le Canada. Les esclaves fugitifs s'établissaient principalement dans le Haut-Canada. Très démunis à leur arrivée, ils s'engageaient comme travailleurs agricoles.

TÉMOINS DE L'HISTOIRE

MARIE-JOSEPH ANGÉLIQUE

Marie-Joseph Angélique est une esclave noire née vers 1710 au Portugal. Elle est la propriété de Mme de Francheville, la veuve d'un riche marchand montréalais. Mariée à un esclave, elle a eu trois enfants morts en bas âge. En 1734, Marie-Joseph est la première esclave de la Nouvelle-France à participer à une manifestation publique contre l'esclavagisme. Apprenant que sa propriétaire souhaite la vendre, elle décide de s'enfuir en Nouvelle-Angleterre.

Selon la légende, elle met le feu à la résidence de sa maîtresse dans la nuit du 10 au 11 avril 1734. L'incendie se répand rapidement et une quarantaine d'habitations du Vieux-Montréal, dont l'Hôtel-Dieu, sont complètement rasées. Marie-Joseph est capturée, emprisonnée et jugée devant le tribunal de Montréal. L'accusation s'appuie sur le témoignage d'une enfant de cinq ans qui dit avoir vu Marie-Joseph allumer l'incendie. La sentence tombe le 21 juin 1734 alors qu'un juge déclare Marie-Joseph coupable. La peine est sévère : elle est condamnée à être pendue sur la place publique. A-t-elle été accusée à tort pour son présumé rôle dans l'incendie ? Les historiens remettent aujourd'hui en question sa culpabilité.

1 MARIE-JOSEPH ANGÉLIQUE (VERS 1710-1734).

Marie-Joseph Angélique, dont il n'existe aucune représentation picturale, était une esclave noire au service de Mme de Francheville, la veuve d'un marchand de Montréal. Elle a été accusée et condamnée pour avoir provoqué un important incendie à Montréal en 1734.

Neville Lewis, *Portrait of a Young African Woman* [Portrait d'une jeune Africaine], œuvre non datée.

HÉRITAGE DU PASSÉ

Le rocher Nigger

À Saint-Armand, dans la région de l'Estrie, un cimetière situé près de la frontière américaine fait couler beaucoup d'encre. En 1910, un journaliste identifie le rocher Nigger comme un lieu de sépulture. En 1950, un agriculteur exhume des ossements humains au pied du rocher Nigger. C'était un fait connu depuis longtemps dans la région que des Noirs y étaient enterrés. La thèse qui prédomine jusqu'ici est que le rocher Nigger est un cimetière où seraient enterrés des esclaves ayant appartenu à Philip Luke, un loyaliste installé dans la région en 1784. Cette thèse est remise en question depuis quelques années. Selon des documents d'archives, de 1784 à 1842, une trentaine de Noirs recensés vivaient dans la région. Mais rien ne permet d'affirmer qu'il s'agit d'un cimetière où sont enterrés des esclaves. Selon les dates, tout porte à croire qu'il s'agirait de Noirs affranchis qui auraient travaillé à titre de travailleurs agricoles pour des fermiers locaux. Selon un rapport de recherche publié par le Centre historique de Saint-Armand, un organisme local voué à la reconnaissance et à la protection du site, « aucun document d'archives ne semble placer les Noirs qui ont vécu de façon constante ou passagère à Saint-Armand/Philipsburg sous le sceau de l'esclavage. Leurs recherches semblent au contraire suggérer la présence de Noirs "libres" qui offrent leurs services aux habitants de Saint-Armand/Philipsburg. »

2 LE ROCHER NIGGER, EN ESTRIE.

Ce site historique contiendrait les dépouilles de nombreux Noirs ayant vécu dans la région de Saint-Armand aux 18e et 19e siècles.

L'abolition de l'esclavage

En 1793, une loi sur l'abolition de l'esclavage est promulguée dans le Haut-Canada. Cette loi n'accorde pas l'affranchissement des esclaves, mais interdit toutefois l'importation de nouveaux esclaves dans le Haut-Canada. Par contre, elle accorde l'**affranchissement** aux enfants d'esclaves lorsqu'ils atteignent l'âge de 25 ans.

Par cette loi, le Canada devient une terre d'exil pour les esclaves américains en fuite. Entre 1800 et 1865, près de 20 000 esclaves fuient au Canada par le « chemin de fer clandestin ». Ce n'est qu'en 1833 que l'esclavage est aboli dans l'Empire britannique.

Affranchissement : Action de rendre libre, indépendant.

QUESTIONS

1. Comment sont considérés les esclaves en Nouvelle-France ?
2. En 1793, quelle position le Haut-Canada adopte-t-il au sujet de l'esclavage ?

Réflexion

3. Ces pages vous ont-elles permis de vous faire une opinion sur l'existence de l'esclavage en Nouvelle-France ? Justifiez votre réponse.

1 LA POPULATION DE L'ACADIE DE 1671 À 1714.

Lors de la prise de possession de l'Acadie par les Britanniques, en 1713, l'Acadie compte près de 3000 personnes.

Année	Population
1671	440
1686	940
1689	900
1693	1160
1698	1480
1701	1440
1703	1580
1707	1900
1714	2900

Source : Institut d'études acadiennes, 1976.

L'Acadie, des origines à la déportation

Au début du 17e siècle, lors de l'exploration du golfe du Saint-Laurent, les Français décident de fonder une première colonie en Acadie. Pierre de Gua de Monts s'y installe au printemps 1604. Après un premier hiver difficile, il transfère la colonie à Port-Royal. Les premières années, les colons sont durement éprouvés. De Gua de Monts perd son monopole du commerce au Canada. Les tentatives pour relancer la colonie échouent.

La colonisation de l'Acadie se développe seulement après 1630. En 1671, la région compte 440 habitants. Le mode de vie des Acadiens s'apparente à celui des habitants de la vallée du Saint-Laurent : la pêche et la traite des fourrures sont les principales activités économiques.

La concurrence des Anglais établis en Nouvelle-Angleterre est davantage ressentie que dans la vallée du Saint-Laurent. En effet, les combats avec les colonies du Sud sont fréquents. Profitant de la guerre de Succession d'Espagne qui commence en 1701, les Britanniques s'emparent de la colonie.

Le traité d'Utrecht, signé en 1713, met fin au conflit et officialise la conquête de l'Acadie par la Grande-Bretagne. Les Acadiens sont majoritaires, mais ils doivent dorénavant vivre sous la domination des Britanniques. Ces derniers se montrent conciliants à leur égard, puisque la colonie ne survivrait pas à un exode de la population d'origine française.

2 LA DÉPORTATION DES ACADIENS DE 1755 À 1763.

De 1755 à 1763, 90 % des Acadiens sont déportés dans les Treize colonies, en Grande-Bretagne et en France.

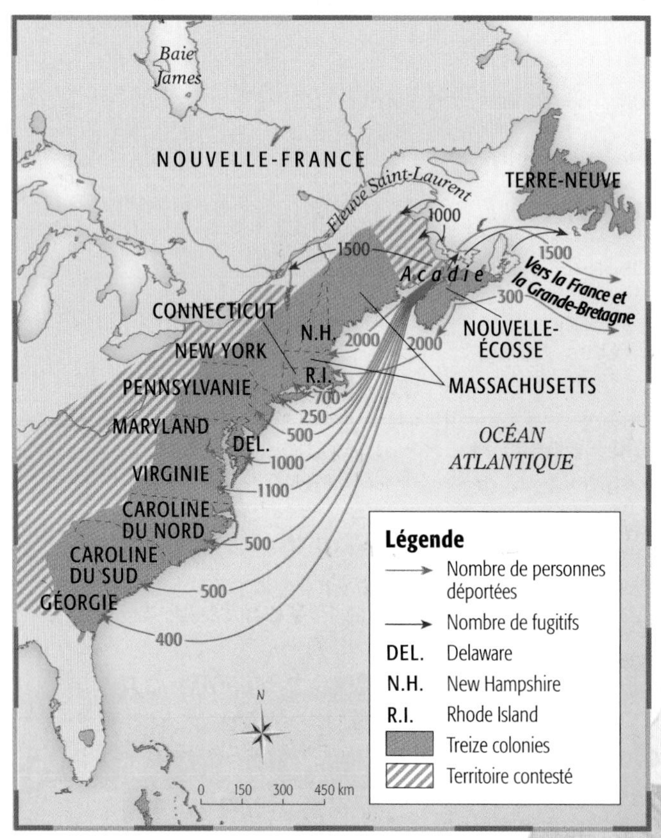

À la recherche d'un compromis

Jusqu'à la guerre de Sept Ans, les relations entre les Acadiens et les Britanniques sont marquées par la recherche d'un accord acceptable par tous. Les Acadiens désirent préserver leur foi catholique et demeurer neutres lors d'éventuels conflits entre la Grande-Bretagne et la France. La construction de la forteresse de Louisbourg sur l'île voisine force les Britanniques à faire des concessions pour s'assurer de la fidélité des Acadiens.

Au fil du temps, l'immigration britannique augmente. La guerre de Succession d'Autriche exacerbe les tensions entre Français et Britanniques, même en Amérique. Les Français tentent de reprendre l'Acadie, mais ils échouent. Toutefois, ils récupèrent Louisbourg lors de la signature du traité d'Aix-la-Chapelle en 1748. La neutralité des Acadiens n'est donc plus tolérable.

LA DÉPORTATION DES ACADIENS À GRAND PRÉ, EN 1755.

Entre 1755 et 1763, plus de 9000 Acadiens sont chassés de leurs terres. Leurs maisons sont brûlées, leurs terres confisquées et plusieurs familles sont séparées.

Henri Beau, *The Expulsion of the Acadians in 1755* [L'expulsion des Acadiens en 1755], 1900.

L'exil d'un peuple

En 1754, les brèves batailles qui éclatent dans la vallée de l'Ohio annoncent la guerre de la Conquête. Les Britanniques veulent en finir avec la Nouvelle-France. Les Acadiens représentent alors une menace au cœur même du territoire anglais. En 1755, Charles Lawrence, gouverneur de la Nouvelle-Écosse, leur ordonne de prêter un serment de fidélité au roi de Grande-Bretagne. Le premier refus des Acadiens scelle leur sort. Ils acceptent finalement de prêter serment, mais Lawrence décide tout de même de les déporter aux quatre coins de l'Empire.

Entre 1755 et 1762, plusieurs vagues d'émigrations forcées brisent les familles acadiennes. Au total, près de 90 % des Acadiens sont chassés de leurs terres. Certains sont emmenés en Grande-Bretagne, d'autres dans les Treize colonies et en France. Cependant, de nombreux Acadiens trouvent refuge dans la vallée du Saint-Laurent, ainsi que dans la portion de l'Acadie demeurée française. Des Britanniques s'approprient le territoire de la Nouvelle-Écosse et de l'île Saint-Jean (l'Île-du-Prince-Édouard actuelle).

QUESTIONS

1. Quel rôle les Acadiens ont-ils joué dans l'affrontement entre la Grande-Bretagne et la France ?
2. Quelles conséquences l'affrontement entre la France et la Grande-Bretagne a-t-il eues pour les Acadiens ?

Méthodologie

3. [Doc. 2]
En observant la carte, comment expliqueriez-vous la crainte des Britanniques à l'égard de la fidélité des Acadiens ?
4. [Doc. 3]
Quels détails de cette peinture vous permettent de croire que ces gens vont être déportés ?

Réflexion

5. Aimeriez-vous savoir ce que sont devenus les Acadiens déportés entre 1755 et 1763 ? Quelle démarche pourriez-vous faire pour trouver des renseignements à ce sujet ?

La fin de la Nouvelle-France

UNE CORNE À POUDRE DU 18e SIÈCLE.

La corne à poudre est un objet indispensable pour les militaires. Avant l'invention des cartouches à fusil, elle permet de garder au sec la poudre à fusil.

Depuis leur création, les colonies des deux puissances européennes en Amérique du Nord sont en concurrence. Les Britanniques, à l'étroit dans les Treize colonies du Sud, tolèrent mal l'étau français qui les empêche de poursuivre leur progression vers l'Ouest. De plus, ils aimeraient bien se débarrasser une fois pour toutes des Français qui les harcèlent fréquemment sur leurs frontières, aidés de leurs alliés amérindiens. Évidemment, la perspective de contrôler le lucratif commerce des fourrures et celui de la pêche du golfe du Saint-Laurent constitue un puissant attrait pour les Britanniques.

En 1759, soit cinq ans après le début de la guerre qui fait rage en Amérique, le général britannique James Wolfe et ses hommes assiègent la ville de Québec. Les 16 000 militaires français et alliés amérindiens ne peuvent s'opposer aux 30 000 marins et aux 8000 soldats britanniques. Lors de la bataille des Plaines d'Abraham, les troupes de James Wolfe l'emportent sur celles du marquis de Montcalm, le commandant des forces militaires de la Nouvelle-France. En septembre 1759, Québec tombe aux mains des troupes britanniques. Le destin de la Nouvelle-France est fixé.

En vertu de l'Acte de capitulation de Québec, les Britanniques assurent dorénavant la sécurité des habitants et de leurs biens et autorisent la pratique de la religion catholique jusqu'à ce que la Grande-Bretagne et la France signent un traité de paix.

Après la prise de Québec par les Britanniques en septembre 1759, la colonie est dans un piètre état. En septembre 1760, trois armées britanniques encerclent Montréal. Afin d'éviter un nouveau bain de sang et la dévastation complète de la ville, le gouverneur général de la Nouvelle-France, le marquis de Vaudreuil, signe la capitulation de Montréal le 8 septembre 1760. Montréal tombe alors aux mains des troupes britanniques du général Jeffrey Amherst, le successeur de James Wolfe.

LES CONSÉQUENCES DE LA PRISE DE QUÉBEC.

Dans une lettre datée du 5 novembre 1759, Mgr de Pontbriand, l'évêque de Québec, fait état des conséquences, pour la population, de la prise de Québec par les Britanniques.

« Québec a été bombardé et canonné pendant l'espace de deux mois; cent quatre-vingts maisons ont été incendiées [...] toutes les autres ciblées par le canon et les bombes. [...] ils [les Britanniques] se sont emparés des maisons de la ville les moins endommagées; [...] presque tous sont obligés d'abandonner cette ville malheureuse [...] les particuliers de la ville sont sans bois pour leur hivernement, sans pain, sans farine, sans viande, et ne vivent que du peu de biscuits et de lard que le soldat anglais leur vend de sa ration. »

Source : Lettre de Mgr de Pontbriand, 5 novembre 1759.

LA PRISE DE QUÉBEC PAR LES BRITANNIQUES, EN 1759.

Cette gravure réalisée en 1797 s'inspire d'un croquis dessiné par Hervey Smyth, un aide de camp du général James Wolfe, durant le siège de Québec, le 13 septembre 1759. Le siège de Québec se termine par la victoire des Britanniques lors de la bataille des Plaines d'Abraham. La ville de Québec capitule cinq jours plus tard.

Artiste inconnu, *Vue de la prise de Québec, 13 septembre 1759*, 1797.

Le régime militaire britannique

Pendant que la guerre de Sept Ans fait toujours rage en Europe, l'avenir de la Nouvelle-France reste incertain. En attendant l'issue du conflit, un gouvernement provisoire dirigé par des militaires administre la colonie. Pour appliquer sa politique, le général Jeffrey Amherst divise la colonie en trois régions, chacune sous la juridiction exclusive d'un gouverneur: James Murray à Québec, Ralph Burton à Trois-Rivières et Thomas Gage à Montréal.

Lors de la capitulation, le général Amherst assure les Canadiens qu'ils n'ont rien à craindre des Britanniques. Il entend respecter leurs droits de propriété. De plus, pour démontrer sa bonne foi, il laisse aux capitaines de milice canadienne la responsabilité de régler à l'amiable les conflits entre les habitants. Un droit d'appel est toutefois prévu devant les comités militaires de chaque région. Afin de créer un climat paisible, le général ordonne aux soldats britanniques de vivre en harmonie avec les Canadiens. Enfin, pour favoriser la croissance économique de la colonie qui a souffert de ce long conflit, il encourage le libre commerce entre les marchands britanniques des colonies du Sud et les Canadiens.

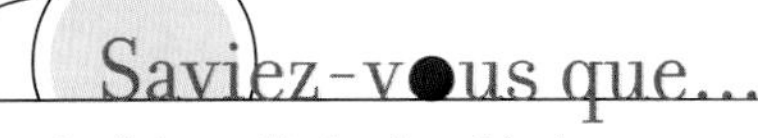

Sous le régime militaire, la vallée du Saint-Laurent est divisée en trois districts aux frontières bien définies: Montréal, Trois-Rivières et Québec. Avant l'arrivée des Britanniques, Québec était la capitale de la colonie et les autres régions se trouvaient sous son autorité. Avec le Régime britannique, chaque région est soumise à l'autorité d'un gouverneur et des frontières protégées par les militaires la séparent des autres régions. Pour se déplacer d'un district à un autre, les voyageurs doivent présenter un passeport émis par le gouverneur de leur lieu de résidence.

Une colonie à reconstruire

La ville de Québec, capitale de la Nouvelle-France, doit être reconstruite. Des familles sont sans abri. La population est affaiblie et subit un net recul. Refusant de vivre dans une colonie britannique, certains nobles français, des militaires ainsi que des fonctionnaires regagnent la France. Attachés à leurs terres et ayant peu de liens avec la France, la majorité des habitants n'ont d'autre choix que celui de rester.

Comme l'agriculture a subi des dommages, il faut se mettre à la tâche et tout recommencer. Les récoltes sont mauvaises et la population souffre de la faim. Les Canadiens affichent tout de même un taux élevé de croissance naturelle durant cette période où les Britanniques sont peu nombreux à émigrer au Canada.

4 L'ARTICLE 36 DE LA CAPITULATION DE MONTRÉAL.

Les 55 articles de la capitulation de Montréal sont négociés entre le gouverneur général de la Nouvelle-France, le marquis de Vaudreuil, et le général britannique, Jeffrey Amherst. Le document est signé par les deux parties le 8 septembre 1760.

« Si par le traité de paix le Canada reste à Sa Majesté britannique, tous les Français, Canadiens, Acadiens, commerçants et autres personnes qui voudront se retirer en France, en auront la permission du général anglais, qui leur procurera le passage. Et néanmoins, si d'ici à cette décision il se trouvait des commerçants français ou canadiens, ou autres personnes, qui voulussent passer en France, le général anglais leur en donnera également la permission: les uns et les autres emmèneront avec eux leurs familles, domestiques et bagages. »

Source : *Article 36 de la capitulation de Montréal*, 1760.

QUESTIONS

1. Pourquoi les Britanniques sont-ils dérangés par la présence française en Amérique du Nord ?
2. Quelles sont les conditions de vie des Canadiens français après la Conquête ?

Méthodologie

3. [Doc. 2]
Selon Mgr de Pontbriand, quelles conséquences la prise de Québec a-t-elle sur la population ?
4. [Doc. 4]
Que contient l'article 36 de la capitulation de Montréal ?

Réflexion

5. Que pensez-vous de l'attitude des Britanniques envers les colons français après la Conquête ?

3 Le changement d'empire

Le changement d'empire entraîne d'importantes conséquences sur la vie sociale, économique et politique de la colonie, désormais appelée « Province of Quebec » par les Britanniques. Quels sont les changements territoriaux qui découlent du changement d'empire ? Comment les habitants s'adaptent-ils à cette nouvelle réalité ?

1 LES SIGNATAIRES DU TRAITÉ DE PARIS.

Par le traité de Paris, signé le 10 février 1763, les rois de France, de Grande-Bretagne, du Portugal et d'Espagne mettent fin à la guerre de Sept Ans.

Benjamin West, *Treaty of Paris* [Le traité de Paris], 1783.

La réorganisation du territoire

Le 10 février 1763, le traité de Paris confirme la défaite française en Europe. La France se résigne alors à céder l'ensemble de ses possessions en Amérique du Nord. Toutefois, la France reprend possession des îles Saint-Pierre-et-Miquelon et réussit à conserver ses droits de pêche le long d'un secteur de la côte terre-neuvienne, obtenus lors de la signature du traité d'Utrecht de 1713. La Louisiane a déjà été secrètement octroyée aux Espagnols en 1762.

Pour sa part, la Grande-Bretagne s'engage à respecter les droits de propriété des Canadiens. Ceux qui désirent quitter le Canada ont 18 mois pour plier bagages et ne pourront vendre leurs biens qu'à des Britanniques. Le traité est silencieux quant au sort réservé à la langue et au droit français.

QUELQUES ARTICLES DU TRAITÉ DE PARIS DE 1763.

L'article 4 du traité de Paris a une incidence considérable pour les Canadiens puisque la colonie devient définitivement sous autorité britannique.

Numéro de l'article	Résumé
4	La France cède la Nouvelle-France à la Grande-Bretagne.
5	La France conserve son droit de pêcher sur les bancs de Terre-Neuve et dans le golfe du Saint-Laurent.
6	La France reprend possession des îles Saint-Pierre-et-Miquelon.
20	La Louisiane devient une colonie espagnole.

Une première constitution

Le 7 octobre 1763, quelques mois après la signature du traité de Paris, le parlement de Westminster adopte la Proclamation royale, la première constitution de la colonie désormais appelée «Province of Quebec». Les autorités londoniennes nomment James Murray au poste de gouverneur en chef de la *Province of Quebec*.

Par cette constitution, le territoire est considérablement réduit, se limitant à une étroite bande de terre dans la vallée du Saint-Laurent. Ainsi, les commerçants britanniques accèdent librement au réservoir de fourrures que constituent les Grands Lacs. De plus, pour favoriser l'immigration britannique vers cette nouvelle colonie, les autorités prévoient implanter leurs institutions politiques, lois et tribunaux aussitôt que la situation le leur permettra, autrement dit, lorsque les Britanniques seront majoritaires.

Un autre objectif important de la Proclamation est de pacifier les nations autochtones des Grands Lacs qui se sont révoltées sous la direction de Pontiac, en mai 1763. Déçus de perdre leurs alliés français et surtout anxieux d'une éventuelle expropriation au profit des Britanniques, les Amérindiens prennent les armes et s'emparent de la plupart des forts de la région. Pour les apaiser, le gouvernement de Londres leur concède en exclusivité l'usage d'un vaste territoire à l'ouest des Appalaches. Personne n'aura le droit de s'y établir, les occupants installés illégalement seront évincés.

Cette concession est mal accueillie par les Treize colonies, car la surpopulation freine leur développement. Déjà, au début de la guerre de Sept Ans, les colons anglo-américains rêvaient de s'établir sur les terres fertiles situées à l'ouest des Appalaches. C'est d'ailleurs la principale raison qui les a poussés à attaquer les forts français de cette région. Ce mécontentement annonce des bouleversements majeurs.

3 LES FRONTIÈRES ÉTABLIES PAR LA PROCLAMATION ROYALE EN 1763.

Après l'entrée en vigueur de la Proclamation royale, la *Province of Quebec* se concentre dans la vallée du Saint-Laurent.

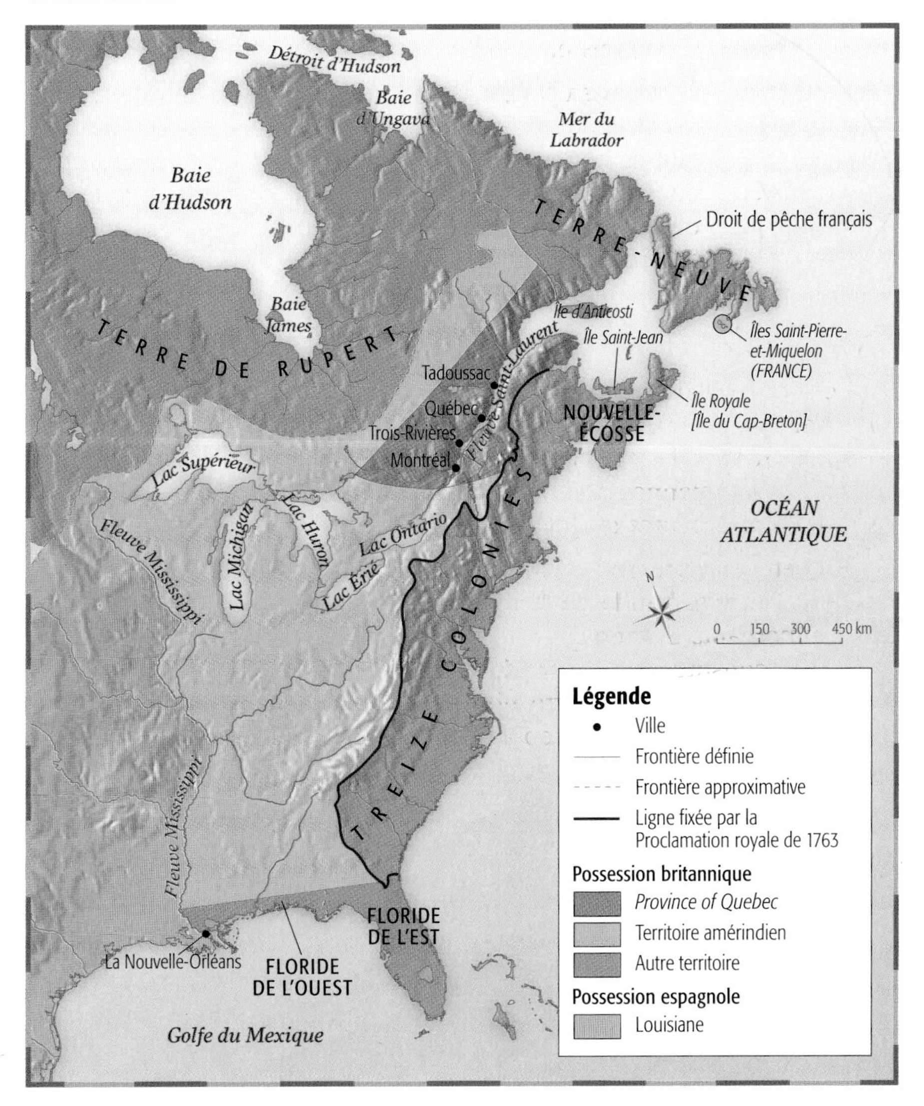

4 LE HAMEAU DE SAINTE-MARGUERITE-DE-LINGWICK, EN ESTRIE.

Même si le régime seigneurial est maintenu après le changement de régime, les autorités cessent d'attribuer des terres. Un nouveau mode de divisions des terres est progressivement mis en place. Les *townships* s'implantent autour des seigneuries.

QUESTIONS

1. Quels sont les changements de frontières établis par la Proclamation royale ?
2. Quels privilèges la France conserve-t-elle en Amérique ?
3. Que pensez-vous de la décision des Britanniques de permettre le libre commerce sur le territoire concédé aux Amérindiens ?

Méthodologie

4. [Doc. 3]
   Quelle voie de navigation relie les principales villes de la *Province of Quebec* ?

Réflexion

5. [Doc. 3]
   La carte vous a-t-elle permis de mieux comprendre les explications au sujet du découpage du territoire après la Proclamation royale ? Que retenez-vous de ce découpage territorial ?

Une période de compromis

Lors de la nomination de James Murray au poste de gouverneur en chef de la *Province of Quebec*, les autorités de Londres lui remettent des instructions très précises. Le gouvernement britannique demande la mise en vigueur des lois anglaises et l'élimination de toute ingérence étrangère, inadmissible dans la province.

James Murray comprend que cette politique n'est pas viable dans la colonie. Il croit que l'assimilation des Canadiens va être plus facile si les Britanniques se montrent conciliants à leur égard. Par conséquent, il applique avec réalisme les instructions reçues. Par exemple, il aide l'Église catholique à se maintenir dans la colonie ; cependant, cette mesure va à l'encontre de la position des autorités britanniques qui souhaitent convertir les Canadiens à la religion protestante. La situation de Murray est cependant compliquée par le serment du Test imposé à tout catholique qui veut exercer une charge publique dans l'Empire britannique. Autrement dit, les Canadiens restent exclus du pouvoir.

1 LES FRONTIÈRES ÉTABLIES SELON L'ACTE DE QUÉBEC, EN 1774.

Avec l'Acte de Québec, les frontières de la *Province of Quebec* sont considérablement agrandies.

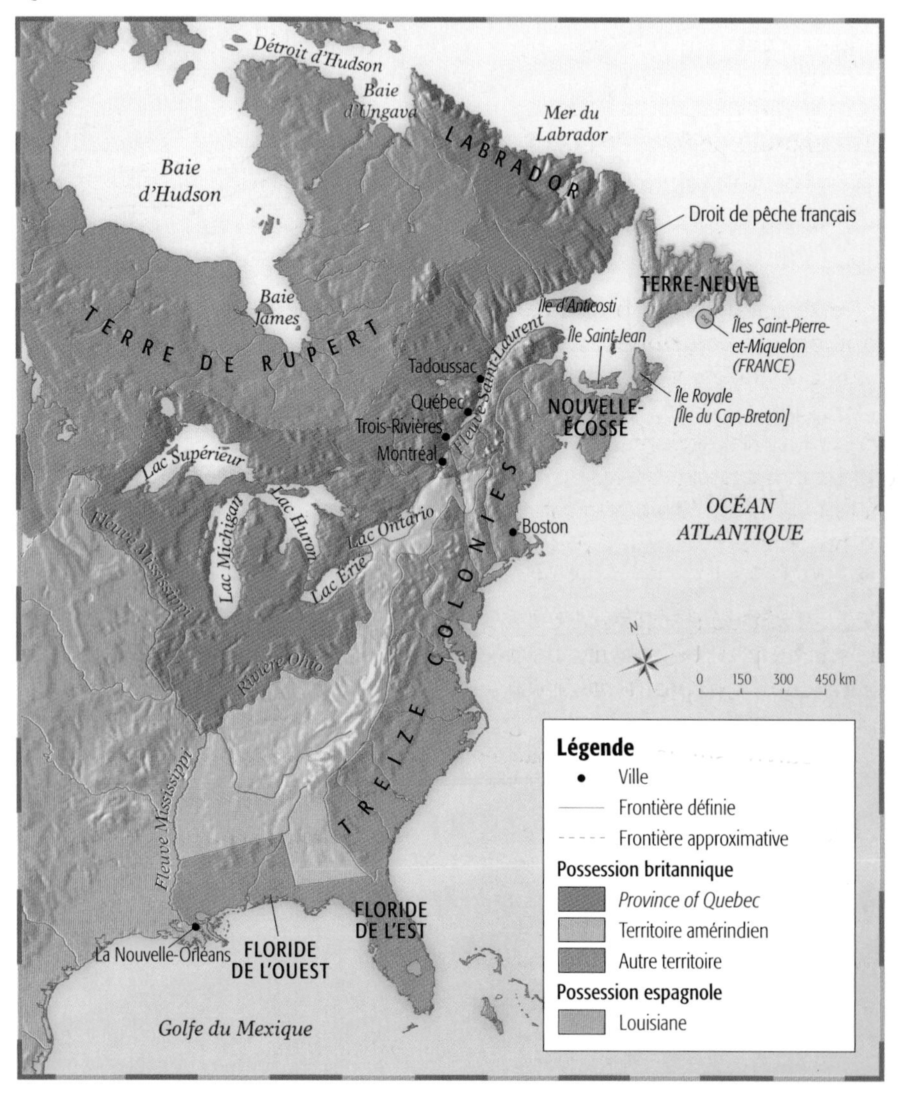

L'Acte de Québec

En 1774, comme la situation dans les colonies du Sud devient de plus en plus explosive, les autorités anglaises adoptent l'Acte de Québec pour s'assurer de la fidélité des Canadiens. Par ce décret, ils élargissent le territoire de la colonie en lui ajoutant la côte du Labrador à l'est, et, au sud, le territoire des Grands Lacs avec une partie de la vallée de l'Ohio, espace primordial pour le commerce des fourrures. De nouvelles garanties reconnaissent et préservent les caractéristiques essentielles des Canadiens. Ainsi, le « libre exercice de la religion de l'Église de Rome sous l'autorité du roi » est confirmé et le serment du Test est aboli. En conséquence, les Canadiens peuvent dorénavant occuper librement une charge publique. Enfin, le droit criminel anglais est maintenu, mais les lois civiles françaises sont rétablies, ce qui maintient le régime seigneurial. Ces concessions réjouissent les Canadiens et le clergé qui y voient la protection des fondements de leur identité.

Les tensions dans les Treize colonies

Depuis la fin de la guerre de Sept Ans, la Grande-Bretagne est la seule puissance dominante du continent. Les colons anglo-américains avaient participé avec enthousiasme à cette guerre qui devait mettre un terme définitif aux problèmes liés à la présence française et ouvrir l'ouest à la colonisation.

Les Treize colonies sont rapidement déçues. La Proclamation royale de 1763 réserve aux Amérindiens le territoire à l'ouest des Appalaches et interdit d'y installer des colons. À cette déception s'ajoute un contrôle plus étroit par la métropole et une augmentation des taxes. En effet, la guerre de Sept Ans a vidé les coffres de Londres. Puisque cette guerre a été menée dans l'intérêt des colonies, il est donc normal qu'elles contribuent à regarnir les coffres. Les colons ripostent en organisant le boycott des produits britanniques, ce qui éprouve durement l'économie de la Grande-Bretagne.

La déclaration d'Indépendance

La tension monte rapidement dans les Treize colonies. La présence accrue de l'armée provoque quelques combats qui contribuent à propager la fièvre révolutionnaire. Les colons anglo-américains sont furieux de l'adoption de l'Acte de Québec. Selon eux, les autorités favorisent les Canadiens alors qu'eux sont soumis à des mesures extrêmement rigoureuses. Comment accepter l'expansion de la *Province of Quebec* vers l'ouest, alors que ces terres leur reviennent de plein droit? Devant tant d'injustices, les colons anglo-américains proclament leur indépendance le 4 juillet 1776.

La Grande-Bretagne accepte mal la sécession de ses Treize colonies qui comptent parmi les plus prospères de son empire. Un conflit s'engage alors entre la métropole et ses colonies rebelles, qui profitent de l'aide de la France et de l'Espagne. Malgré quelques sollicitations des Anglo-Américains, les Canadiens refusent de les suivre sur le chemin de la révolte et préfèrent demeurer neutres.

Malgré la supériorité de son armée, Londres est contrainte de reconnaître le fait accompli lors d'une entente désignée sous le nom de «traité de Versailles» signée à Paris en septembre 1783. Elle accepte l'indépendance de ses colonies. Elle est même obligée d'abdiquer sa souveraineté sur le territoire compris entre les Appalaches et le fleuve Mississippi. En conséquence, la *Province of Quebec* perd ses meilleurs postes de traite. En retour, les nouveaux États accordent le pardon aux colons restés loyaux à la Couronne britannique et leur reconnaissent le droit de partir pour s'installer ailleurs dans l'Empire. Plusieurs d'entre eux se prévalent de ce droit.

2 L'INDEPENDENCE HALL, À PHILADELPHIE.

C'est dans ce bâtiment qu'est signée la déclaration d'Indépendance des États-Unis, en 1776. L'Independence Hall est classé sur la Liste du patrimoine mondial de l'Unesco depuis 1979.

QUESTIONS

1. Pourquoi James Murray prend-il la défense des Canadiens ?

2. a) Dans quel but l'Acte de Québec a-t-il été établi ?

b) Quels avantages les colons français vont-ils en retirer ?

Méthodologie

3. [**Doc. 1**]
Quel fleuve sépare la *Province of Quebec* de la Louisiane ?

Réflexion

4. Que retenez-vous des changements apportés par l'Acte de Québec ?

1 LE CIMETIÈRE SAINT-MATTHEW, À QUÉBEC.

Ce cimetière est le plus ancien cimetière protestant de la province. Avec l'arrivée des loyalistes et l'augmentation de la population protestante dans la région, le cimetière atteint rapidement sa pleine capacité. Aujourd'hui, ce cimetière est un jardin public.

Des loyalistes dans la colonie

Tout au long de la longue marche des colonies vers l'indépendance, la population anglo-américaine est divisée sur la question. En fait, un tiers est en faveur de la souveraineté des colonies, un tiers est ambivalent et le dernier tiers est résolument contre. Ces opposants sont appelés « loyalistes », car ils demeurent de loyaux sujets de la Couronne britannique.

Ainsi, le conflit qui suit la déclaration d'Indépendance prend rapidement des allures de guerre civile. En effet, les loyalistes aident en permanence les troupes britanniques en favorisant leur progression ou en dénonçant les rebelles. Cet appui aux forces impériales leur vaut l'hostilité des insurgés qui les accusent de traîtrise. Dans ce contexte, la défaite de l'armée britannique rend leur situation intenable.

Le traité de Versailles garantit le pardon complet aux loyalistes. Cependant, plus rien ne s'oppose à leur persécution. Plutôt que de subir ces outrages, 100 000 loyalistes préfèrent se réfugier dans les territoires de juridiction britannique. Ils sont 34 000 à s'établir en Nouvelle-Écosse et près de 8000 s'établissent dans la *Province of Quebec*. De ce nombre, 6000 s'installent dans le territoire qui deviendra plus tard l'Ontario, et 2000 dans les Cantons-de-l'Est où de nouvelles terres divisées en *townships* seront concédées à compter des années 1790.

Les loyalistes sont désagréablement surpris de devoir s'installer dans une colonie qui semble étrangère aux institutions britanniques. Depuis l'Acte de Québec, les autorités britanniques acceptent la religion catholique et les lois françaises. De plus, les loyalistes sont particulièrement opposés au régime seigneurial, qu'ils considèrent comme un héritage désuet issu du Moyen Âge qui freine le commerce et la propriété privée. Dès leur installation, ils réclament les lois et la tenure anglaises, de même que le parlementarisme britannique. Les Canadiens s'opposent à ces réclamations qui compromettraient la survie de leur identité.

Pour contenter les deux collectivités, une solution s'impose : la création de deux districts avec leur propre législation. Toutefois, l'attribution d'une assemblée représentative aux Canadiens leur concéderait le plein contrôle de leur province, ce qui pourrait s'avérer dangereux.

Torah : Texte fondateur du judaïsme.

TÉMOINS DE L'HISTOIRE

LA CONGRÉGATION SHEARITH ISRAEL

Au Québec, l'immigration juive ne débute véritablement qu'avec la Conquête de 1760. Bien que Trois-Rivières accueille quelques Juifs, c'est surtout Montréal qui devient le lieu stratégique réunissant ces nouveaux arrivants. Dès 1768, quelques hommes fondent la première congrégation juive au Canada : la congrégation Shearith Israel. Ses membres se réunissent pour prier dans un local situé sur la rue Saint-Jacques, à Montréal. Neuf ans plus tard, la communauté s'agrandit et la toute première synagogue du Canada est construite à l'angle de la rue Notre-Dame et du boulevard Saint-Laurent. Pendant 80 ans, la synagogue de cette congrégation est l'unique lieu de culte juif au Canada.

Dans les années 1770, l'arrivée de loyalistes à Montréal contribue à établir un climat favorable à l'expansion de la communauté juive. La ville devient un port important, ce qui accroît le commerce et entraîne l'arrivée de familles juives. Au 19e siècle, la synagogue est cependant confrontée à de nombreuses difficultés financières et légales. Après le décès de Lazarus David, fondateur de la congrégation et propriétaire du terrain sur lequel est érigée la première synagogue, le bâtiment tombe entre les mains de l'État. En 1838, la synagogue est reconstruite sur la rue Chenneville. Elle y reste jusqu'en 1890, année où elle déménage rue Stanley. Depuis 1947, la congrégation Shearith Israel est située sur l'avenue Saint-Kevin, dans le quartier Côte-des-Neiges. Depuis plus de 200 ans, ses membres s'impliquent dans la vie religieuse et civile de la ville de Montréal.

UNE TORAH DE LA CONGRÉGATION SHEARITH ISRAEL DE MONTRÉAL.

Cette Torah, qui date du 17e siècle, est offerte par la Grande-Bretagne à la congrégation Shearith Israel de Montréal en 1768.

De nouvelles divisions territoriales

En 1791, l'Acte constitutionnel conduit à une réorganisation politique et administrative de la colonie. Les autorités britanniques divisent la *Province of Quebec* en deux: le Haut-Canada et le Bas-Canada voient le jour. Majoritairement anglophone, le Haut-Canada est régi par la *common law* britannique. Le Bas-Canada, qui rassemble les Canadiens, maintient en vigueur les lois civiles françaises. Un nouveau régime de partage des terres voit le jour. Dans le Haut-Canada, les terres sont concédées en *townships*. Ce mode de division des terres est également appliqué dans le Bas-Canada alors que le gouverneur Alured Clarke annonce la future création de 95 *townships* près de la frontière avec les États-Unis. Les nouveaux pionniers ont droit à 100 acres de terre ainsi que 50 acres par personne habitant la ferme, jusqu'à un maximum de 200 acres. Créé en 1796, le premier canton concédé est celui de Dunham.

3 DES LOYALISTES EN ROUTE POUR LE CANADA, EN 1783.

L'arrivée des loyalistes dans la *Province of Quebec* représente la première vague importante d'immigrants anglophones. Parmi eux se trouvent des Américains, des Amérindiens et des Noirs esclaves ou affranchis.

Henry Sancham, *L'arrivée des loyalistes*, 1783.

HÉRITAGE DU PASSÉ

Les Cantons-de-l'Est

À la fin du 18e siècle, plusieurs familles de loyalistes s'établissent dans la région des Cantons-de-l'Est après l'Indépendance des États-Unis. Elles sont attirées par la proximité avec l'État américain du Vermont. Dès 1791, les terres des Cantons-de-l'Est sont les premières terres au Québec à être divisées en cantons plutôt qu'en seigneuries. Cette région était désignée sous le nom de *Eastern Townships* jusqu'à ce que l'auteur Antoine Gérin-Lajoie traduise le terme en «Cantons de l'Est» en 1858. Les deux noms donnés à cette région témoignent d'un développement historique concentré autour de la minorité anglaise établie au Québec depuis la fin du 18e siècle. En 1946, Mgr O'Bready propose une nouvelle appellation: l'Estrie.

LE CANTON DE NORTH HATLEY, EN ESTRIE.

Les Cantons-de-l'Est sont d'abord colonisés par les loyalistes qui fuient les États-Unis à la suite de la guerre de l'Indépendance américaine.

QUESTIONS

1. Qui sont les loyalistes et pourquoi veulent-ils quitter les colonies anglaises du Sud ?
2. Que change l'arrivée des loyalistes pour la *Province of Quebec* ?
3. Pourquoi les loyalistes ne s'établissent-ils pas sur les rives du Saint-Laurent comme les autres habitants ?
4. Quels facteurs incitent plusieurs loyalistes à s'installer dans d'autres colonies que la *Province of Quebec* ?
5. Qu'est-ce que la Torah et quelle importance a-t-elle au Québec ?
6. Résumez en quelques mots la raison pour laquelle l'Acte constitutionnel de 1791 divise la *Province of Quebec* en deux districts : le Haut-Canada et le Bas-Canada.

De l'exode à l'enracinement

Au début du 19e siècle, la population du Québec augmente considérablement en raison d'un taux de natalité très élevé. De 113 000 habitants en 1784, elle passe à 600 000 en 1840. La vaste majorité de la population appartient à la communauté francophone. Au cours de cette période, la population urbaine augmente, passant de 11,2 % en 1831 à 27,8 % en 1881. La majeure partie de la population est néanmoins constituée d'agriculteurs.

Au cours des années 1830, le Québec vit une période difficile en raison des mauvaises récoltes dues à une invasion de mouches et à des conditions climatiques défavorables. Dans certaines régions, la situation devient dramatique. L'appauvrissement des familles contraint plusieurs agriculteurs à vendre leurs fermes pour aller travailler dans les villes. Comme Québec et Montréal sont incapables d'absorber l'excédent de la population des campagnes, de nombreuses familles partent dans l'Ouest canadien ou aux États-Unis pour trouver du travail. Entre 1830 et 1867, le Québec compte pour la première fois de son histoire plus d'émigrants que d'immigrants.

Le développement de l'industrialisation dans le nord-est des États-Unis pousse des centaines de milliers de travailleurs à y migrer. Certains partent sans espoir de retour, d'autres pour passer une saison ou quelques années à travailler dans les manufactures ou les briqueteries de la Nouvelle-Angleterre.

1 DES REMÈDES CONTRE LE CHOLÉRA.

En 1832, une épidémie de **choléra** frappe l'Amérique du Nord et l'Europe. La maladie s'infiltre au pays après que des immigrants britanniques infectés furent venus s'y établir. Plusieurs remèdes destinés à combattre la maladie sont commercialisés, mais leur efficacité est parfois douteuse...

Choléra : Maladie épidémique qui provoque la diarrhée, des vomissements et qui peut entraîner la mort.

LE NOMBRE DE CANADIENS FRANÇAIS ÉMIGRÉS EN NOUVELLE-ANGLETERRE DE 1840 À 1860.

Entre 1840 et 1860, plus de 65 000 Canadiens français émigrent en Nouvelle-Angleterre dans l'espoir d'y trouver du travail.

États	1840	1860
Vermont	5500	16 580
Maine	2500	7490
Massachusetts	500	7780
Rhode Island	100	1810
Connecticut	50	1980
New Hampshire	50	1780
Total	**8700**	**37 420**

Source : Ralph D. VICERO, *Immigration of French Canadians to New England, 1840-1900. A Geographical Analysis*, thèse de doctorat, université du Wisconsin, 1968, p. 148.

De nouvelles régions à coloniser

Devant l'exode des Canadiens français, les autorités provinciales procèdent à l'ouverture de nouvelles régions de colonisation. Des brochures sont distribuées à la population afin de vanter les mérites de telle ou telle région. À compter de 1840, plusieurs partent défricher les terres des Laurentides et du lac Saint-Jean.

Avant d'ensemencer leur terre, les colons doivent d'abord défricher le sol pour le rendre cultivable. Dans les premiers temps, les colons peuvent difficilement survivre grâce aux produits de leur terre, ce qui en force plusieurs à travailler une partie de l'année dans les chantiers forestiers. Toutefois, à partir des années 1880, avec le développement de l'industrie laitière et des produits dérivés (beurre, fromage), les agriculteurs deviennent de moins en moins dépendants de l'industrie forestière.

Malgré les nombreuses difficultés auxquelles les colons doivent faire face, le clergé continue de favoriser le développement de nouvelles terres et encourage les Canadiens français en ce sens en vantant les mérites de la vie rurale. Au milieu du 19e siècle, le fleuve demeure la voie privilégiée pour le transport des passagers et des biens. Les chemins de fer qui se développent à cette époque suivent l'axe du fleuve. Il faut attendre la fin du siècle pour que soient inaugurés des chemins de fer qui aideront au développement de nouvelles régions et contribueront à l'émigration vers les États-Unis.

Escale à Grosse Île

Vers 1830, des épidémies de maladies infectieuses frappent l'Europe. Devant l'imminence de l'arrivée de milliers d'immigrants au port de Québec, les autorités mettent sur pied une station de quarantaine à Grosse Île, située sur le fleuve Saint-Laurent, à 48 km en aval de Québec. L'emplacement de l'île offre des avantages importants : d'abord, la proximité du port de Québec, puis le fait qu'elle est éloignée de la population, ce qui réduit les risques de contagion.

Le 1er mai 1832, le 32e Régiment de l'armée britannique, un groupe d'ouvriers et un médecin débarquent sur l'île. Leur tâche est énorme : bâtir des abris, des maisons, des bâtiments de désinfection, ainsi que des chapelles protestante et catholique. Entre 1832 et 1845, l'île accueille plus de 35 000 immigrants annuellement. Pour poursuivre leur voyage jusqu'à leur destination finale, les immigrants doivent obtenir un certificat de santé.

Entre 1845 et 1849, à la suite de plusieurs mauvaises récoltes, l'Irlande est dévastée par la famine, provoquant l'émigration massive d'une partie importante de sa population. En moins d'une décennie, la population de l'Irlande diminue de plus de deux millions ; la moitié meurt de faim, de maladies et de malnutrition, l'autre moitié émigre en Amérique. En 1847, la Grosse Île connaît sa plus grande affluence : près de 68 000 immigrants, principalement des Irlandais, y sont reçus. Environ 5000 personnes meurent pendant la traversée ou peu de temps après leur arrivée sur l'île.

Au début du 20e siècle, la Première Guerre mondiale, puis la crise économique de 1929 entraînent une baisse importante de l'immigration au Canada. La station de quarantaine ferme ses portes en 1937.

3 LA GROSSE ÎLE, L'ÎLE DE LA QUARANTAINE.

En 1974, le gouvernement du Canada reconnaît la station de quarantaine, la Grosse Île, comme un lieu d'importance historique nationale. Rebaptisé « la Grosse-Île-et-le-Mémorial-des-Irlandais » en 1996, ce site témoigne de l'importance des événements vécus par les immigrants irlandais, en 1847.

4 LE VILLAGE D'ALBANEL, AU LAC SAINT-JEAN, VERS 1903.

Le début de la colonisation du lac Saint-Jean remonte au milieu du 19e siècle. Pour freiner la migration des Canadiens français vers les États-Unis, le clergé favorise l'établissement d'agriculteurs dans de nouvelles régions de colonisation.

QUESTIONS

1. Donnez deux raisons pour lesquelles les Canadiens français quittent leurs terres au cours des années 1830.
2. Comment le clergé réagit-il devant l'exode des Canadiens français ?
3. Comment réagiriez-vous si on vous donnait le choix entre quitter votre pays pour chercher du travail ou vous établir sur des terres à défricher dans des régions éloignées ?

Méthodologie

4. [Doc. 2]
Vers quel État américain les Canadiens français émigrent-ils en majorité au milieu du 19e siècle ?

4 Le Québec entre tradition et changement

Le 29 mars 1867, le Parlement de Londres adopte l'Acte de l'Amérique du Nord britannique. Par cette nouvelle constitution, une nouvelle entité politique voit le jour : le Canada. La crise économique des années 1930 et la Seconde Guerre mondiale forcent les gouvernements à jouer un rôle plus actif dans la gestion de l'État. Durant les années 1960, de nouveaux dirigeants amènent le Québec à devenir maître de son développement. Comment cela s'est-il produit ? Dans quel contexte la modernisation de la société québécoise est-elle survenue ?

1 LA DATE D'ENTRÉE DES PROVINCES ET DES TERRITOIRES DANS LA CONFÉDÉRATION.

En 1867, quatre provinces s'unissent pour créer le Canada. Au fil des années, d'autres provinces et territoires sont créés.

1867	Québec
1867	Ontario
1867	Nouveau-Brunswick
1867	Nouvelle-Écosse
1870	Manitoba
1870	Territoires du Nord-Ouest
1871	Colombie-Britannique
1873	Île-du-Prince-Édouard
1898	Territoire du Yukon
1905	Alberta
1905	Saskatchewan
1949	Terre-Neuve
1999	Nunavut

2 UNE AFFICHE DISTRIBUÉE PAR LE GOUVERNEMENT CANADIEN POUR ENCOURAGER L'IMMIGRATION DANS L'OUEST CANADIEN.

Distribuées partout en Europe et aux États-Unis à partir de 1870, les affiches publicitaires destinées à promouvoir l'immigration dans l'Ouest présentent une image idyllique de la vie au Canada, en mettant l'accent sur l'abondance et la liberté.

Le développement de l'Ouest canadien

L'achèvement de la ligne de chemin de fer du Canadien Pacifique, en 1885, favorise la colonisation de l'Ouest canadien, le transport des marchandises et l'expédition des récoltes.

Plusieurs raisons incitent le gouvernement de Wilfrid Laurier à coloniser les régions de l'Ouest canadien : accélérer l'industrialisation du Canada, empêcher les Américains de s'emparer de ces territoires et élargir le marché canadien. Dès la fin du 19e siècle, le ministre de l'Intérieur, sir Clifford Sifton, prend des mesures pour encourager la colonisation de l'Ouest canadien : du matériel publicitaire est distribué en Europe et aux États-Unis et des terres gratuites sont distribuées aux colons. La politique d'immigration de Clifford Sifton reste toutefois assez restrictive. En effet, seuls les immigrants provenant des États-Unis, de la Grande-Bretagne et de l'Europe sont admis. De plus, les portes de l'immigration sont fermées aux ouvriers des villes et seuls les fermiers expérimentés sont admis. En 1905, Frank Oliver succède à Clifford Sifton comme ministre de l'Intérieur. Cinq ans plus tard, il modifie la Loi sur l'immigration. Selon lui, les origines ethniques des immigrants sont plus importantes que leurs compétences agricoles.

La politique d'immigration porte ses fruits : plus de trois millions d'immigrants provenant d'Allemagne, de Suède, de Grande-Bretagne, de Russie, des États-Unis et de bien d'autres pays viennent coloniser, entre 1896 et 1914, les territoires qui deviendront les provinces de la Saskatchewan et de l'Alberta. Avec le début de la Première Guerre mondiale, en 1914, l'immigration diminue considérablement.

3 UNE LOCOMOTIVE DU CANADIEN PACIFIQUE, VERS 1897.

À la fin du 19e siècle, des milliers d'immigrants voyagent en train vers leur lieu d'établissement dans l'Ouest.

Une loi spéciale pour les autochtones

La prise en charge des territoires de l'Ouest par le nouveau gouvernement canadien entraîne des changements importants pour les autochtones. L'arrivée du chemin de fer et la colonisation de l'Ouest canadien viennent modifier leur mode de vie traditionnel.

En 1876, le gouvernement fédéral adopte une loi qui encadre les relations avec les Amérindiens. La Loi sur les Indiens est fondée sur la croyance que les Amérindiens sont inférieurs au reste de la société. Il est donc du devoir du gouvernement de les aider à accéder au rang de citoyen de plein droit et qu'ils en assument toutes les obligations. Pour y arriver, leur assimilation complète semble la seule solution.

Concrètement, cette loi définit le statut d'Amérindien. Conformément aux valeurs patriarcales de l'époque, seuls les hommes ont le pouvoir de transmettre le statut d'Amérindiens à leurs enfants et à leur femme, même si cette dernière n'est pas d'origine amérindienne. Les femmes ne peuvent conserver leur statut que si elles se marient avec un Amérindien. Cette définition discriminatoire est contraire à la conception égalitariste de la société propre aux Amérindiens. Autre disposition importante de la Loi, le gouvernement fédéral impose l'instauration de conseils de bande à la tête des communautés amérindiennes. Dans les faits, cette mesure prévoit la mise sous tutelle des Amérindiens sous prétexte de les protéger et de les mener sur la voie de l'émancipation.

La création des réserves

La création des réserves, en 1853, témoigne également de la marginalisation des Amérindiens. Depuis l'arrivée des Européens, ils ont perdu le contrôle de leur territoire. Menacés par l'expansion de la colonisation, ils ont demandé et obtenu des réserves qui sont des portions de territoires destinées à leur usage exclusif. De son côté, l'État espère que ces concessions favorisent la sédentarisation et la conversion des Amérindiens à l'agriculture. La gestion des réserves est soumise à l'encadrement du gouvernement canadien. La plupart sont situées sur les territoires traditionnels fréquentés par les Amérindiens et souvent isolées des principaux centres de peuplement. Les autorités croient que cet isolement est le meilleur moyen de protéger les Amérindiens du monde des Blancs et des fraudes des individus malveillants qui tentent de profiter de leur naïveté. Toutefois, cet isolement a eu le désavantage de retarder leur intégration à la société canadienne.

5 QUELQUES ARTICLES DE LA LOI SUR LES INDIENS DE 1876.

La Loi sur les Indiens de 1876 a d'importantes conséquences pour les autochtones. Jusqu'en 1951, cette loi régit tous les aspects de la vie sur les réserves.

Articles de loi	Contenu
Article 3	Définit divers termes utilisés dans la loi, dont celui d'« Indien ».
Articles 4-10	Concernent l'administration des terres de la réserve.
Articles 11-20	Concernent la protection des terres de la réserve vis-à-vis des autres colons. Établissent le droit du gouvernement d'exploiter le bois et les produits miniers.
Articles 25-30	Expliquent les articles du Code criminel relatifs à l'acquisition illégale de terres sur la réserve, à la vente d'alcool et à l'enlèvement des ressources.
Articles 31-69	Concernent l'administration et les ventes de terres autochtones.

4 TROIS JEUNES AMÉRINDIENNES DU VILLAGE DE WENDAKE, PRÈS DE QUÉBEC, VERS 1900.

Après la mise en application de la Loi sur les Indiens, le gouvernement fédéral tente d'assimiler les autochtones.

QUESTIONS

1. Démontrez à l'aide d'exemples comment les territoires de l'Ouest se sont développés.
2. Indiquez deux restrictions imposées aux immigrants par le gouvernement canadien au début du 20e siècle.
3. Indiquez deux conséquences que la Loi sur les Indiens entraîne pour les autochtones.

Méthodologie

4. [Doc. 2] De quelle façon cette affiche publicitaire présente-t-elle l'Ouest canadien aux futurs immigrants ?

Réflexion

5. Le texte vous a-t-il permis de comprendre comment les autochtones en sont arrivés à vivre sur des réserves ? Donnez votre interprétation des faits en quelques mots.

1 LA MIGRATION DE LA POPULATION DU QUÉBEC VERS LES ÉTATS-UNIS DE 1870 À 1930.

Entre 1870 et 1930, des milliers de Canadiens français s'exilent aux États-Unis dans l'espoir d'améliorer leurs conditions de vie.

Période	Pourcentage de la population
1870-1880	10,1 %
1880-1890	11,3 %
1890-1900	9,6 %
1900-1910	6 %
1910-1920	4 %
1920-1930	5,6 %

Source : René DUROCHER, Paul-André LINTEAU et Jean-Claude ROBERT, *Histoire du Québec contemporain*, tome 1, Montréal, Boréal, 1989, p. 42.

Partir pour les « États »

À la fin du 19e siècle, de nombreux Canadiens français s'exilent aux États-Unis parce qu'ils sont sans emploi : il n'y a plus de terres agricoles et les villes ne fournissent pas assez d'emplois.

L'industrialisation américaine, à la fin du 19e siècle, exige une main-d'œuvre considérable. C'est pourquoi la migration des Canadiens français vers les États-Unis s'accélère, notamment en raison des salaires supérieurs offerts dans les manufactures de la Nouvelle-Angleterre. La migration vers les États-Unis se poursuit donc, mais de façon plus soutenue et plus organisée. Des promoteurs viennent même des États-Unis afin de recruter des travailleurs.

Dans certaines villes, les communautés canadiennes-françaises s'organisent et prennent de l'importance. Les Canadiens français tiennent à leurs traditions et à leurs institutions et forment des paroisses entièrement peuplées de Canadiens français. Des journaux francophones et des sociétés nationales, comme la Société Saint-Jean-Baptiste, font leur apparition en territoire américain. Les Canadiens essaient ainsi de reproduire leur environnement d'origine. Au début du 20e siècle, 573 000 Canadiens français vivent en Nouvelle-Angleterre, ce qui représente 10 % de la population de cette région. On compte alors, dans ce même territoire, plus de 100 paroisses créées par des Canadiens français.

DEUX JEUNES EMPLOYÉS D'UNE USINE DE COTON DE BURLINGTON, AU VERMONT, À LA FIN DU 19e SIÈCLE.

À la fin du 19e siècle, les Canadiens français sont nombreux à émigrer aux États-Unis dans le but d'y trouver du travail. Dans les usines de la Nouvelle-Angleterre, tous les membres de la famille sont mis à contribution.

L'assimilation des Canadiens français

L'exode vers les États-Unis, qui s'étend de 1840 à 1930, constitue une étape dramatique de l'histoire du Québec, car ce mouvement migratoire prive le Québec d'un million de personnes dont les descendants sont aujourd'hui des Américains. En effet, si les Canadiens établis aux États-Unis ont d'abord reproduit leur environnement, ils ont dû se fondre dans la majorité et s'assimiler. Les écoles françaises ont été remplacées par des écoles anglaises, les journaux francophones ont disparu et les Canadiens se sont finalement totalement intégrés à la population américaine.

Plusieurs États américains attirent les Canadiens français, mais au début de l'exode, c'est surtout le Maine et le Vermont qui attirent les travailleurs. À ce titre, il est intéressant de rappeler que c'est dans la ville de Burlington, au Vermont, que fut créée la première paroisse catholique canadienne-française, la paroisse Saint-Joseph, qui voit le jour à la suite d'une demande faite par 300 catholiques. Cette situation soulève d'ailleurs beaucoup d'indignation chez les Irlandais, eux aussi catholiques, qui voient mal la nécessité de créer une paroisse canadienne-française.

TÉMOINS DE L'HISTOIRE

JACK KEROUAC

Jack Kerouac naît à Lowell, au Massachusetts, le 12 mars 1922. Ses parents, Gabrielle et Joseph Alcide Léon Kerouac, sont des Canadiens français émigrés en Nouvelle-Angleterre à la fin du 19e siècle. « Ti-Jean », comme on le surnomme à l'époque, est donc issu de l'exode des Canadiens français vers les villes industrielles des États-Unis au tournant du 20e siècle.

L'écrivain grandit dans le quartier francophone de Lowell, Centraville. La famille Kerouac continue de s'exprimer en français, tout comme de nombreuses familles exilées en Nouvelle-Angleterre, dans des communautés appelées « Petits Canadas ». Les parents de Jack conservent ainsi la confession catholique et maintiennent leur mode de vie canadien-français.

L'intégration progressive de Kerouac à la culture américaine se fait par l'entremise de l'école et de l'université, où il étudie avant d'entamer sa carrière d'écrivain. Ses racines canadiennes-françaises occupent une place importante dans plusieurs de ses romans.

3 JACK KEROUAC (1922-1969).

L'auteur d'origine canadienne-française, Jack Kerouac, est une figure importante de la littérature américaine du 20e siècle.

4 UNE ASSIMILATION DIFFICILE.

Au printemps 1942, le président des États-Unis, Franklin Delano Roosevelt, écrit une lettre au premier ministre canadien, William Lyon Mackenzie-King, dans laquelle il parle de la difficile assimilation des Canadiens français exilés aux États-Unis.

« Lorsque j'étais enfant pendant les années 1890, je voyais beaucoup de Canadiens français qui avaient assez récemment emménagé dans la région de New Bedford et près de l'ancienne résidence Delano à Fair Haven. Ils n'avaient vraiment pas l'air à leur place dans ce qui était encore une vieille communauté de la Nouvelle-Angleterre. Ils se regroupaient d'eux-mêmes dans les villes ouvrières et se mêlaient très peu à leurs voisins. Je me souviens que la vieille génération secouait la tête en disant : "Voilà un nouvel élément qui ne s'assimilera jamais. Nous assimilons les Irlandais, mais ces gens du Québec ne veulent même pas parler anglais. Leurs corps sont ici, mais leurs esprits sont au Québec." »

Source : Franklin Delano Roosevelt, cité dans Jean-François LISÉE, *Dans l'œil de l'aigle : Washington face au Québec*, Montréal, Boréal, 1991, p. 22-23.

5 DE MEILLEURES CONDITIONS D'EXISTENCE.

Dans le roman *Jeanne la fileuse*, paru en 1878, Honoré Beaugrand décrit les causes de l'émigration et les conditions de vie des Canadiens français exilés aux États-Unis.

« L'émigrant franco-canadien vient donc et demeure aux États-Unis, parce qu'il y gagne sa vie avec plus de facilité qu'au Canada. Voilà la vérité dans toute sa simplicité. [...] Le fermier qui abandonne la culture des champs pour venir avec sa famille s'enfermer dans les immenses fabriques de l'Est, se trouve tout d'abord dépaysé dans un monde d'énergie, de progrès industriel [...] essentiellement américain ; mais comme son caractère paisible se forme peu à peu à cette vie d'activité, il arrive avant longtemps à se mêler au mouvement des affaires industrielles et commerciales et à prendre pied parmi les Américains. Dès lors, si l'homme est intelligent et industrieux, il se sent certain d'y arriver, et il y arrive le plus souvent avec une facilité étonnante. Il en existe des preuves dans tous les centres industriels de la Nouvelle-Angleterre, où grand nombre de Canadiens français, arrivés aux États-Unis sans un sou de capital, occupent maintenant des positions importantes dans le commerce ; ce qui tendrait à démentir les assertions que l'on se plaît à faire circuler dans une certaine presse, que les Canadiens émigrés souffrent de la faim et de la misère. »

Source : Honoré BEAUGRAND, *Jeanne la fileuse. Épisode de l'émigration franco-canadienne aux États-Unis*, coll. du Nénuphar, Montréal, Fides, 1980 (1878), p. 211.

QUESTIONS

1. Pourquoi les Canadiens français émigrent-ils aux États-Unis ?
2. En quoi l'exode des Canadiens français vers les Etats-Unis est-il dramatique pour le Québec ?
3. Les Canadiens français émigrés aux États-Unis reproduisent l'organisation sociale de leur pays d'origine. Décrivez cette organisation.

Méthodologie

4. [Doc. 4]
   Que pense Roosevelt des Canadiens français exilés aux États-Unis ?

Connexion

5. [Doc. 4 et 5]
   En quoi les points de vue de Roosevelt et d'Honoré Beaugrand diffèrent-ils au sujet de l'assimilation des Canadiens français émigrés aux États-Unis ?

Les années sombres de la crise économique

1 UNE FILE D'ATTENTE DE CHÔMEURS DEVANT LE REFUGE MEURLING, À MONTRÉAL, EN 1933.

De nombreux organismes de charité viennent en aide aux victimes de la crise en leur offrant de la nourriture et un toit pour la nuit.

En octobre 1929, une crise économique sans précédent éclate aux États-Unis et atteint l'ensemble de l'Amérique. Au Québec, les usines sont gravement affectées par cette crise. Elles procèdent à des mises à pied et plusieurs doivent fermer leurs portes. À cette époque, les travailleurs ne possèdent aucune assurance, aucune protection sociale. Le chômage et la disette se répandent alors à une vitesse fulgurante. Des familles entières se retrouvent à la rue et sont forcées de se nourrir uniquement de pain et de pommes de terre pour survivre.

Afin de prêter main-forte aux familles sans revenu, le gouvernement met en place le secours direct, une aide financière distribuée par les municipalités. Le plus souvent, cette contribution prend la forme de coupons de ravitaillement qui permettent aux ouvriers sans emploi d'obtenir un peu de nourriture, des vêtements et du bois de chauffage. Ce modeste effort ne parvient pourtant pas à atténuer les effets de la crise.

En 1935, le ministre provincial de la Colonisation, Irénée Vautrin, élabore un programme d'aide. L'objectif du plan Vautrin est de soulager les centres urbains de la misère grandissante en offrant des terres aux familles démunies. Grâce à ce plan, des milliers de citadins s'établissent en région, ce qui suscite une nouvelle vague de colonisation, notamment en Abitibi. Toutefois, le plan Vautrin n'est pas une solution miraculeuse. Les familles habituées à la vie en ville ne connaissent pas assez les rudiments de l'agriculture pour pouvoir maximiser l'exploitation de leurs nouvelles terres. De plus, les terres concédées sont peu fertiles. Plusieurs nouveaux propriétaires, découragés, reviennent en ville après quelques années.

LES EFFETS DE LA CRISE.

Dans son roman *En-d'ssour*, publié en 1973, Rémi Jodouin décrit les effets de la crise économique des années 1930 sur la population.

« De plus en plus les effets du "krach" de la Bourse se faisaient sentir. Plusieurs mots nouveaux s'étaient ajoutés à notre vocabulaire et même au dictionnaire tels que la "crise", le "chômage", les "chômeurs", le "secours direct", le "secours indirect", le "bien-être social", la "soupe" [...] On avait même inventé le mot "colonisation" que nous, du Témiscamingue, n'arrivions pas à comprendre, mais qui revenait souvent dans la propagande qu'on faisait dans les journaux en faveur du retour à la terre. Ce qui fut beaucoup plus facile à comprendre pour nous, cultivateurs, fut lors de l'assemblée du printemps 1930 quand le fabricant annonça que le prix du beurre était baissé de 50 % du prix payé l'an dernier et qu'il y avait possibilité qu'il refuse du lait avant que l'été se termine, faute de demande. Un surplus de beurre de l'année précédente n'avait pas trouvé d'acheteurs, et les entrepôts frigorifiques en étaient encore encombrés. »

Source : Rémi Jodouin, *En-d'ssour*, Montréal, Éditions québécoises, 1973, p. 69-70.

3 LA COLONISATION DU QUÉBEC DE LA FIN DU 19e SIÈCLE AU MILIEU DU 20e SIÈCLE.

Au milieu du 20e siècle, le développement du chemin de fer entraîne l'expansion des régions éloignées. En 1935, le plan Vautrin encourage le retour à la terre en développant de nouvelles régions de colonisation.

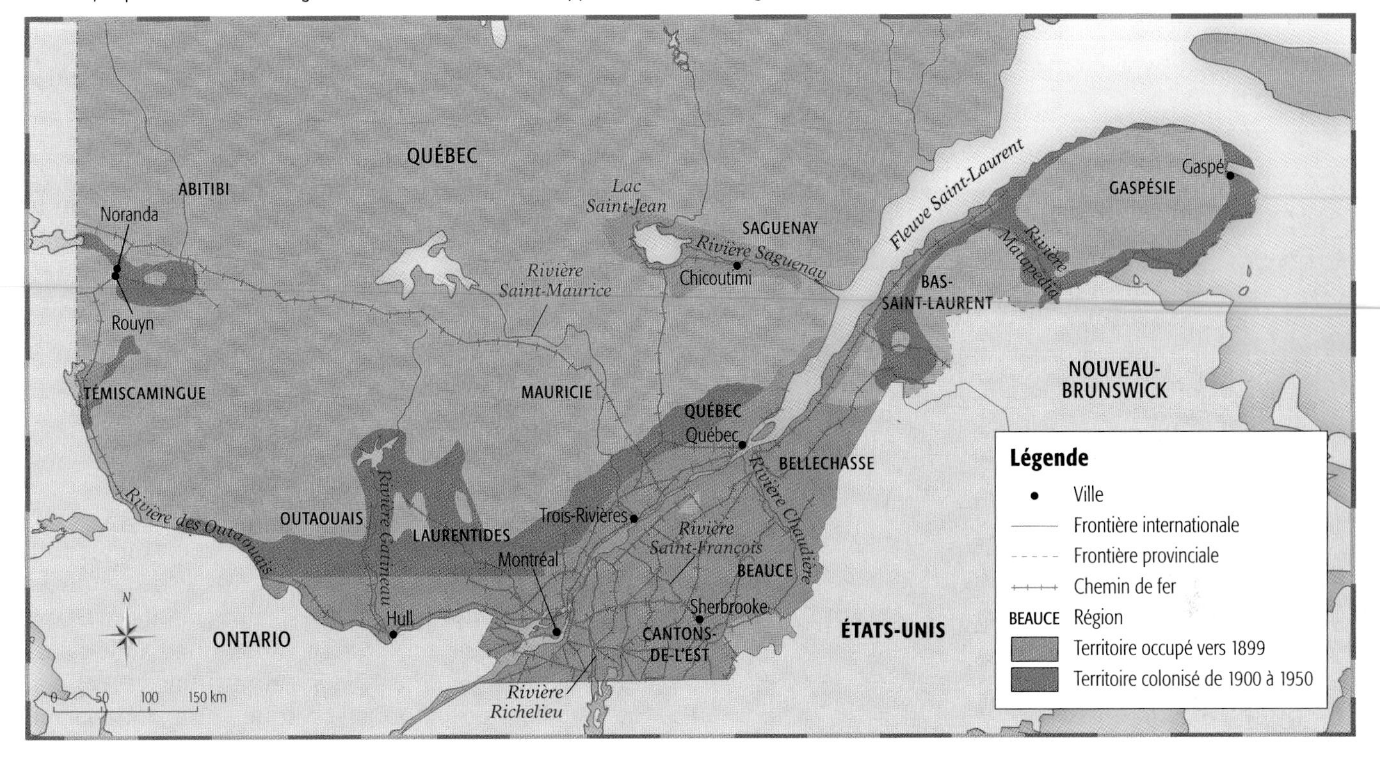

4 UN BON DE SECOURS DIRECT DISTRIBUÉ AU SAGUENAY EN 1933.

Des bons de diverses valeurs sont distribués à la population. Ces bons sont échangeables contre de la nourriture, des vêtements, du bois de chauffage, etc.

BON Nº 2148

C R.M.

Avis- IL EST UTILISABLE À CHICOUTIMI SEULEMENT. CE BON N'EST PAS TRANSFÉRABLE.

25c

SECOURS DIRECTS

25c BON POUR VINGT-CINQ SOUS pour vêtements, nourriture ou chauffage

LIVRÉ A M

NOTE : 1o. Ce bon doit être endossé comme un chèque ordinaire.
2o. Le fournisseur l'endossera, le présentera chaque semaine au CONSEIL accompagné d'une facture en TROIS copies de la marchandise qu'il aura donnée en échange.
3o. Sur présentation de ce bon et de la facture l'accompagnant le fournisseur sera payé au bureau de la Cité de Chicoutimi.

Corporation Rivière du Moulin

MAR 31 1934
Date

Par

Contresigné par :

CANCELLÉ

QUESTIONS

1. Qu'est-ce que le plan Vautrin ?
2. Comment le gouvernement réagit-il à la crise de 1929 ?
3. Nommez deux mesures d'aide que le gouvernement offre aux citoyens. En quoi sont-elles différentes des mesures qui existent aujourd'hui ?

Méthodologie

4. [Doc. 3]
Nommez des régions colonisées entre 1900 et 1950.

Réflexion

5. Les nombreux documents présentés sur ces deux pages vous aident-ils à mieux saisir la dure réalité des années de la crise ? Résumez votre pensée en quelques mots.

La montée de l'urbanisation

Au début du 20e siècle, les Canadiens français habitent encore majoritairement les campagnes. Dans la décennie 1920, la tendance se renverse. À partir de 1921, près de 50 % des habitants du Québec habitent en ville. Entre les années 1941 et 1946, plus de 60 000 personnes viennent s'installer à Montréal dans l'espoir d'y trouver du travail. De nombreux immigrants viennent diversifier l'origine ethnique des citadins. Alors que l'immigration, au 19e siècle, était presque exclusivement d'origine britannique, des juifs originaires d'Europe de l'Est, de Pologne et d'Ukraine et des Italiens se regroupent dans certains quartiers de la métropole, lui donnant du même coup un caractère cosmopolite.

Montréal et ses environs profitent le plus de ce nouvel élan d'urbanisation. Toutefois, le développement de l'exploitation des richesses naturelles entraîne l'essor de nouvelles agglomérations en périphérie de la région montréalaise. C'est ainsi que la Mauricie, le Saguenay–Lac-Saint-Jean et, plus tard, l'Abitibi se développent rapidement.

1 UNE FAMILLE DÉMUNIE À MONTRÉAL, EN 1943.

La pénurie de logements des années 1940, à Montréal, oblige certaines familles à vivre dans des conditions d'extrême pauvreté.

La vie dans les quartiers ouvriers

Si les villes répondent aux besoins des industries, elles offrent peu de confort aux ouvriers. Les maisons des quartiers ouvriers y sont plus petites que dans les campagnes et ne comportent que des logements exigus et mal équipés. Souvent, elles sont construites par les entreprises elles-mêmes. Ces maisons sont généralement peu sécuritaires, mal chauffées, et les gens qui s'y entassent connaissent souvent des conditions de vie précaires.

À cette époque, les villes sont très polluées, notamment à cause du chauffage au bois et au charbon. Souvent, l'eau y est de mauvaise qualité, et même contaminée. Les installations sanitaires constituent donc un danger pour la santé et augmentent les risques de maladies. Ces conditions d'existence expliquent en grande partie la malnutrition, le taux de mortalité infantile élevé et les nombreuses épidémies.

La situation s'améliore grandement à partir de la fin de la Première Guerre mondiale. Des médecins se regroupent au sein d'associations pour faire la promotion de mesures importantes, telles la vaccination, l'amélioration de l'alimentation et la pasteurisation du lait.

La multiplication des lieux publics de divertissement, favorisée par une plus grande accessibilité à l'automobile qui facilite les déplacements, contribue également au développement de cette société des loisirs.

2 LE PARC BELMONT, À MONTRÉAL, AU MILIEU DU 20e SIÈCLE.

En 1923, des gens d'affaires de Montréal fondent le parc Belmont. Ce parc d'attractions devient un lieu de divertissement privilégié pour tous les amateurs de sensations fortes. Le parc Belmont ferme ses portes en 1983.

Le boulevard Saint-Laurent

Au début de la colonie, le boulevard Saint-Laurent n'est qu'un chemin de terre battue menant vers le nord-ouest de l'île. Ce chemin, alors appelé «grand chemin du Roy», est le prolongement de la rue Saint-Lambert à l'extérieur des fortifications. Il prend rapidement le nom de Saint-Laurent, car il mène au faubourg du même nom, fondé vers 1720. Le chemin débute à la Grande Porte Saint-Laurent, qui, par souci de défense stratégique, est la seule porte qui s'ouvre sur le nord de l'île. Le chemin Saint-Laurent est donc l'unique voie de communication vers l'intérieur des terres, et c'est par ce chemin que la future ville de Montréal se développe vers le nord.

La population de Montréal augmente rapidement, ce qui entraîne la démolition des fortifications et l'agrandissement des limites de la ville au tournant du 19e siècle. Le chemin Saint-Laurent est choisi comme ligne de démarcation entre l'est et l'ouest de la ville en 1792. Au cours du 19e siècle, il se développe en une véritable artère commerciale et industrielle. On lui donne le nom de *Main Street*. Les immigrants britanniques et les Canadiens français qui arrivent des campagnes viennent s'installer sur la rue Saint-Laurent et ses environs.

En 1905, les rues Saint-Lambert et Saint-Laurent sont fusionnées: c'est la naissance du boulevard Saint-Laurent. Un grand nombre d'immigrants d'origines diverses vivent sur ses abords. Avec le temps, les différences entre les communautés s'atténuent. Le boulevard Saint-Laurent constitue aujourd'hui un lieu représentatif de la diversité multiethnique de Montréal.

3 LE BOULEVARD SAINT-LAURENT EN 1910.

Juifs, Italiens, Chinois, Grecs et Portugais façonnent le paysage multiculturel de ce grand boulevard du Québec.

Des épidémies mortelles

En 1885, une épidémie de variole atteint les villes et cause près de 3000 morts dans la seule région de Montréal. Ignorant les conséquences d'une telle épidémie, la population hésite à se faire soigner. La ville de Montréal décide donc d'imposer la vaccination obligatoire. Les forces de l'ordre doivent parfois intervenir pour faire vacciner les citoyens qui refusent de se soumettre à cette obligation.

Ce n'est qu'au début du 20e siècle que les campagnes de vaccination obligatoire réussissent enfin à maîtriser les effets de ces épidémies. Jusqu'au milieu du 20e siècle, la population canadienne affronte d'autres épidémies, notamment celle de la grippe espagnole qui touche tout le monde occidental en 1918 et en 1919, faisant plus de 50 000 victimes au Canada.

QUESTIONS

1. Pourquoi les gens quittent-ils les campagnes pour la ville ?
2. Décrivez les conditions de vie qui existent dans les villes au début du 20e siècle.
3. Pourquoi les épidémies sont-elles plus fréquentes à cette époque qu'aujourd'hui ?
4. Faites la comparaison entre le mode de vie des familles ouvrières au début du 20e siècle et vos propres conditions de vie aujourd'hui.
5. Le boulevard Saint-Laurent joue un rôle exceptionnel dans l'histoire de Montréal. Expliquez ce rôle.

Une société en évolution

1 UNE MANIFESTATION CONTRE LA CONSCRIPTION, À MONTRÉAL, EN 1944.

La conscription est imposée en 1944. Le premier ministre Mackenzie King limite toutefois à 16 000 le nombre de soldats envoyés outre-mer.

La Seconde Guerre mondiale crée un conflit majeur parmi les Canadiens au sujet de la conscription. En 1939, le premier ministre Mackenzie King promet aux Québécois de ne pas obliger les hommes à s'enrôler dans l'armée. Trois ans plus tard, la guerre fait rage et le besoin de renforts se fait de plus en plus pressant. Sous la pression, le gouvernement fédéral ordonne la tenue d'un plébiscite, une forme de consultation publique pour demander à la population canadienne de le libérer de sa promesse. Le 27 avril 1942, le Québec vote non à 71,2 %, alors que le reste du Canada vote oui à 80 %. La conscription, ou le service militaire obligatoire, est adoptée en 1944. Interprétée comme une trahison, la conscription contribue à alimenter le nationalisme québécois.

Un contexte favorable

Au Québec, la période qui suit la Seconde Guerre mondiale se déroule sous le signe de la prospérité économique. L'essor industriel favorise l'emploi et maintient le taux de chômage à un niveau relativement bas. Les salaires progressent plus rapidement que le coût de la vie, ce qui augmente le pouvoir d'achat des Québécois et améliore les conditions de vie. D'une part, un nombre croissant de familles possède désormais plus d'argent pour se nourrir, pour s'acheter des biens matériels, pour se loger et pour profiter de divers loisirs. D'autre part, le gouvernement a plus de ressources financières pour investir dans les infrastructures du pays.

2 L'ORIGINE ETHNIQUE DE LA POPULATION DU QUÉBEC ENTRE 1951 ET 1986.

L'arrivée au Québec de plusieurs centaines de milliers d'immigrants entre 1951 et 1986 a un effet significatif sur la composition de la population.

Origine	1951	1961	1986
Française	3 327 128	4 241 354	5 240 250
Britannique	491 818	567 057	465 750
Allemande	12 249	39 457	28 425
Grecque	3 388	19 390	47 450
Italienne	34 165	108 552	163 880
Juive	73 019	74 677	81 190
Polonaise	16 998	30 790	18 835
Asiatique	7 714	14 801	72 435
Antillaise	–	–	12 980

Source : John A. DICKINSON et Brian YOUNG, *Brève histoire socio-économique du Québec*, Sillery, Éditions du Septentrion, 2003, p. 306, 344.

Une plus grande ouverture à l'immigration

Les années qui suivent la Seconde Guerre mondiale voient le Québec s'ouvrir de plus en plus à l'immigration. Les nouveaux arrivants proviennent de plusieurs régions d'Europe. Au début des années 1960, on constate la présence d'immigrants provenant de pays de plus en plus variés. Dans la décennie 1970, et plus encore dans les années 1980, des immigrants arrivent d'Asie, puis d'Amérique du Sud. À l'aube de l'an 2000, s'ajoutent des immigrants en provenance du Proche-Orient et du Moyen-Orient. On ne parle donc plus seulement d'anglophones et de francophones, mais aussi d'allophones pour désigner ceux dont la langue d'origine n'est ni l'anglais ni le français. Les membres de ces communautés s'intègrent au Québec en apportant de nouvelles coutumes qui transforment le Québec et lui donnent un nouveau visage.

Le baby-boom

C'est à la fin de la guerre qu'on assiste au début du baby-boom, un phénomène démographique qui s'étend du début des années 1950 jusque vers 1965. Durant ces années, environ 140 000 naissances ont lieu chaque année, comparativement à une moyenne de 80 000 naissances en temps normal. La génération du baby-boom est au cœur des préoccupations gouvernementales durant les années 1960 et 1970. Il faut entre autres construire des garderies, de nouvelles écoles et prévoir la création d'universités.

4 DES ENFANTS DE LA GÉNÉRATION DU BABY-BOOM.

L'explosion de la natalité dans les années 1950 et 1960 produit un accroissement naturel important de la population.

3 L'ÉPOQUE DES ENFANTS.

Dans son essai *La génération lyrique*, François Ricard trace un portrait d'ensemble de la vie des enfants nés au Québec pendant le baby-boom et de ses conséquences démographiques sur la société.

« La fin des années quarante et l'ensemble des années cinquante [sont] par excellence l'époque des enfants. Partout, de la nouvelle classe moyenne alors en pleine croissance comme chez les plus démunis, à la campagne aussi bien que dans les villes, des ruelles populeuses du centre aux avenues ombragées des nouveaux quartiers ou des "développements" de banlieue, le pays se remplit de garçonnets et de fillettes endiablés, criailleurs, n'ayant d'autres soucis que leurs jeux, leurs rites secrets, leurs amitiés et rivalités de bandes, leurs cabanes dans le bois et leurs courses à bicyclette, sans oublier, bien sûr, la crainte du péché mortel et de la tuberculose, ces deux fléaux qui guettent les imprudents. Ce pullulement, cette étourdissante marée d'enfants est ce qui donne à la société et même à l'économie de cette époque leur caractère le plus marquant. »

Source : François RICARD, *La génération lyrique : Essai sur la vie et l'œuvre des premiers-nés du baby-boom*, coll. Boréal compact, Montréal, Boréal, 1994, p. 64.

5 L'IMMIGRATION ET L'ACCROISSEMENT NATUREL.

L'immigration et l'accroissement naturel de la population apportent, de manière différente, des avantages pour la société québécoise.

« L'immigration [...] constitue un apport précieux : non seulement elle enrichit le tissu social et culturel, mais elle fournit un grand nombre de citoyens adultes, déjà instruits et formés, et qui peuvent donc participer immédiatement à la production économique comme travailleurs ou consommateurs. L'accroissement naturel, en revanche, implique pour la collectivité des coûts importants, puisque les enfants doivent d'abord être soignés, encadrés et éduqués avant de s'intégrer au marché du travail. Il entraîne par contre un rajeunissement de la société et un potentiel considérable pour l'avenir. En 1961, plus de 44 % de la population du Québec a 19 ans ou moins : cette jeunesse y sera pour beaucoup dans le climat de la Révolution tranquille. »

Source : P.-A. LINTEAU, R. DUROCHER, J.-C. ROBERT et F. RICARD, *Histoire du Québec contemporain, Le Québec depuis 1930*, tome II, coll. Boréal compact, Montréal, Boréal, 1989, p. 223.

QUESTIONS

1. Quels facteurs peuvent expliquer le baby-boom ?
2. Quel effet le baby-boom a-t-il eu sur la société québécoise ?
3. Donnez deux exemples qui démontrent que le Québec est aujourd'hui une société multiethnique.

Méthodologie

4. [Doc. 2]
   Que nous révèle le tableau au sujet de la composition ethnique de la population du Québec entre 1951 et 1986 ?
5. [Doc. 3]
   Quel portrait François Ricard trace-t-il des années du baby-boom ?

Connexion

6. [Doc. 3 et 4]
   Comment qualifieriez-vous la génération du baby-boom évoquée dans ces documents ?

MOMENT *clé*

La création du ministère de l'Immigration du Québec

La progression du peuplement a toujours été un sujet de préoccupation au Québec. Les vagues d'immigration, d'émigration et de colonisation ont fait l'objet de nombreuses discussions à travers l'histoire.

Même si la Constitution de 1867 permet au Québec de faire des lois concernant l'immigration, c'est le gouvernement fédéral qui prend l'initiative dans ce domaine. Ce n'est qu'à partir des années 1960 que le Québec manifeste de plus en plus sa volonté de contrôler lui-même l'immigration sur son propre territoire.

La mise en œuvre d'une politique québécoise d'immigration entraîne la création d'un ministère provincial de l'Immigration et la conclusion d'ententes avec le gouvernement fédéral. Quelques décennies plus tard, le gouvernement du Québec sélectionne les immigrants économiques et une partie des réfugiés qui s'établissent sur son territoire et assume les services d'intégration à la société québécoise.

Ces développements ne peuvent être dissociés du contexte de la Révolution tranquille, dans lequel le statut de la langue française est rapidement devenu une question politique. À cette époque, plusieurs s'inquiètent de la baisse de la natalité dans la province, de la diminution des immigrants provenant des pays francophones et du fait que la très grande majorité des nouveaux arrivants adoptent l'anglais comme langue d'usage. Un incident précipite les choses. En juin 1968, la commission scolaire de Saint-Léonard, sur l'île de Montréal, veut abolir les classes élémentaires bilingues pour les remplacer par des classes entièrement françaises. Une crise linguistique s'ensuit, crise que le gouvernement du Québec tente de résoudre en réaffirmant le libre choix de la langue d'enseignement et en annonçant la création d'un ministère québécois de l'Immigration.

À cette époque, trois facteurs suscitent des inquiétudes dans la province. Tout d'abord, on remarque une baisse de la natalité dans les familles de langue française. Deuxièmement, les immigrants en provenance de pays francophones se font de moins en moins nombreux. Finalement, plusieurs des nouveaux immigrants choisissent l'anglais comme langue d'adoption. La création d'un ministère de l'Immigration s'inscrit ainsi dans le contexte particulier de la Révolution tranquille où le statut de la langue française est au cœur des débats politiques. On revendique désormais le droit du Québec de choisir ses immigrants en tenant compte du fait français, ce qu'omettent de faire les fonctionnaires fédéraux.

1 L'ANNONCE DE LA CRÉATION DU MINISTÈRE DE L'IMMIGRATION.

En 1968, le secrétaire de la province de Québec, Yves Gabias, annonce la création du ministère de l'Immigration et décrit la mission qui s'y rattache.

« Nos représentants du gouvernement du Québec feront en sorte que les personnes qui demanderont à venir au Québec en seront qui pourront s'intégrer à notre communauté francophone et en plus désireront nous aider à perpétuer le fait français au Canada et en Amérique du Nord. »

Source : Radio-Canada, « Le Québec se dote d'un ministère de l'Immigration ». [en ligne]. (Consulté le 17 janvier 2008.)

2 LE BUREAU DE L'IMMIGRATION À L'AÉROPORT DE DORVAL, À MONTRÉAL, EN 1968.

Créé en 1968, le ministère de l'Immigration du Québec a pour principales tâches de gérer les lois de l'immigration dans la province, de promouvoir le Québec comme lieu d'immigration et de sélectionner des immigrants aptes à participer à l'essor économique du Québec.

L'intégration linguistique des immigrants

Dans les années 1960, le gouvernement du Québec veille à l'intégration linguistique des personnes arrivant de l'étranger, surtout en s'assurant que ces nouveaux Québécois répondent aux besoins du marché du travail dans la province. Dès 1965, un service d'immigration rattaché au ministère des Affaires culturelles est mis sur pied. Cet organisme est responsable d'établir les objectifs d'immigration du Québec. En 1967, le ministère de l'Éducation du Québec crée des Centres d'orientation et de formation des immigrants (COFI). Ces centres sont chargés de donner aux immigrants des cours de français et de citoyenneté, et de les diriger vers des ressources en logement et en emploi.

En 1968, la création d'un véritable ministère de l'Immigration vient consolider ces premières mesures. En 20 ans, quatre accords Québec-Ottawa ont permis au gouvernement du Québec de contrôler la sélection et l'intégration des immigrants en collaboration avec le gouvernement du Canada. Toutefois, ces ententes peuvent être annulées à tout moment. En effet, l'autonomie du Québec en matière d'immigration n'est pas inscrite dans la Constitution, malgré deux tentatives, en 1987 avec l'Accord du lac Meech, et en 1992 avec l'Accord de Charlottetown.

En 1977, la politique linguistique du Québec vient en renfort de sa politique d'immigration. Depuis lors, la Charte de la langue française (projet de loi n° 101) réserve l'accès à l'école anglaise aux enfants dont au moins un des parents a déjà reçu une éducation en anglais au Québec ou au Canada. Par conséquent, la grande majorité des enfants d'immigrants doivent fréquenter l'école française, ce qui facilite l'intégration des immigrants sur le plan linguistique.

Toutefois, la proportion d'allophones qui parlent le français plutôt que l'anglais à la maison (51 %) en 2006 ne reflète pas encore la proportion des personnes qui utilisent cette langue à la maison dans l'ensemble de la société québécoise (81,8 %), même si la tendance s'améliore avec les immigrants récents. Néanmoins, la grande diversité de la population du Québec a entraîné une redéfinition du terme «Québécois»: cette identité ne peut certainement plus être revendiquée uniquement par les descendants des Canadiens français.

3 LES DIFFÉRENTES CATÉGORIES D'IMMIGRANTS EN 2007.

Le gouvernement du Québec distingue quatre catégories d'immigrants.

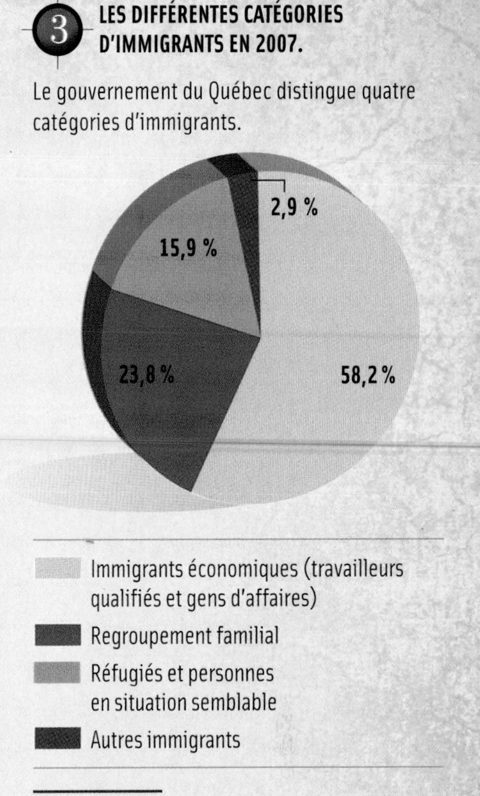

- Immigrants économiques (travailleurs qualifiés et gens d'affaires)
- Regroupement familial
- Réfugiés et personnes en situation semblable
- Autres immigrants

Source: Gouvernement du Québec, 2007

4 L'IMMIGRATION FRACASSE UN RECORD.

Selon les données du recensement de 2006, le nombre d'immigrants venus s'installer au Québec n'a jamais été aussi élevé.

« L'immigration n'a jamais pesé aussi lourd dans la balance démographique du Québec. Au cours des cinq dernières années, la province a accueilli un nombre record d'immigrants et a connu une poussée sans précédent de la proportion de ses habitants nés à l'étranger.

Selon les nouvelles données du recensement de 2006, [...] des 1,1 million de nouveaux immigrants qui sont arrivés au Canada entre 2001 et 2006, 17,5 % ont choisi le Québec comme lieu de résidence. La grande région métropolitaine de Montréal a reçu à elle seule près de 9 sur 10 de ces arrivants. [...] En tout, dans l'ensemble du pays, 1 personne sur 5 (19,8 %) est venue au monde hors des frontières canadiennes. »

Source: Laura-Julie PERREAULT, «L'immigration fracasse un record», *La Presse*, 5 décembre 2007, p. A5.

QUESTIONS

1. Quel problème l'intégration des immigrants au milieu anglophone pose-t-elle ?
2. Quel but le gouvernement du Québec a-t-il fixé au ministère de l'Immigration lors de sa création ?
3. Quelle est la principale disposition du projet de loi n° 101 qui vise à faciliter l'intégration des immigrants à la communauté francophone sur le plan linguistique ?
4. Quel sens donne-t-on aujourd'hui au terme «Québécois» ?

Méthodologie

5. [Doc. 3] Comment interprétez-vous le schéma montrant les différentes catégories d'immigrants ?

La situation actuelle des autochtones

Au milieu du 20e siècle, les autochtones voient leur mode de vie bouleversé par l'exploitation des richesses naturelles du Québec, souvent situées sur leurs terres ancestrales. Le développement du potentiel hydroélectrique, les coupes forestières et la prospection minière métamorphosent leur territoire et compromettent les activités de chasse et de pêche encore indispensables à leur survie. Les Amérindiens nomades du Nord-du-Québec n'ont alors d'autre choix que de se sédentariser dans les réserves qui leur sont concédées, contraints de vivre de l'assistance dispensée par le gouvernement fédéral.

Malgré la situation difficile, les nations autochtones cherchent à faire reconnaître leurs droits. En 1960, le gouvernement fédéral suggère l'abolition de la Loi sur les Indiens. Dans cette optique, on propose de supprimer le statut particulier des autochtones afin de les intégrer dans la société canadienne. Les autochtones, qui n'ont pas été consultés, rejettent cette nouvelle politique, craignant que l'abolition de la loi qui les protège mène à la disparition de leur communauté. Cette menace les pousse à revendiquer davantage d'autonomie, tant sur le plan politique qu'économique.

Savi**e**z-vous que...

Dans les années 1950, on crée des pensionnats pour les autochtones à Amos et à Sept-Îles. Ces institutions sont destinées à intégrer les Amérindiens à la société canadienne. Les autorités leur interdisent de parler leur langue maternelle et leur refusent tout contact avec leurs parents pour la durée de l'année scolaire.

1 LES AUTOCHTONES ET LES BLANCS.

Dans son essai publié en 1976, la Montagnaise An Antane Kapesh porte un regard critique sur la société des Blancs.

« Aujourd'hui quand on montre l'Indien à la télévision, ce n'est pas sa véritable façon de vivre qu'on voit, c'est celle qu'il a depuis que le Blanc est venu le trouver et a changé sa culture. Et on ne montre que les jeunes, depuis qu'ils vont à l'école des Blancs. L'Indien ne se voit jamais au cinéma ni à la télévision du temps où il n'utilisait pas un seul objet de la culture des Blancs et où il ne vivait que de nourriture indienne. L'Indien ne se voit jamais utiliser un canot d'écorce qu'il a lui-même fabriqué, se construire une habitation avec de l'écorce ou de la peau de caribou. [...] Je sais qu'aujourd'hui il est très difficile de me montrer ma vie d'Indienne parce que ma culture n'existe plus [...] Quand j'y réfléchis, il n'y a que dans ma tête que je conserve ma vie d'autrefois. »

Source : An ANTANE KAPESH, *Eukuannin matshimanitu Innu-iskueu. Je suis une maudite Sauvagesse*, Montréal, Leméac, 1976, p. 179-181.

2 LE VILLAGE DE SALLUIT AU NUNAVIK.

À partir des années 1950, les Inuits sont tous passés de nomades à sédentaires. Ces changements rapides de leur mode de vie ont entraîné, pour plusieurs, de grandes difficultés d'adaptation.

La reconnaissance du peuple autochtone

Le développement du potentiel hydroélectrique de la baie James, annoncé en 1971, marque un tournant dans la lutte pour les droits autochtones. Les Amérindiens forcent les gouvernements fédéral et provincial à les consulter. En 1975, la Convention de la Baie-James et du Nord québécois reconnaît aux communautés cries et inuites une autorité considérable sur les plans politique, économique et social. Plus particulièrement, elles obtiennent la propriété d'un territoire de 5543 km^2 et une compensation financière de 232,5 millions de dollars. À l'avenir, les autorités s'engagent à consulter ces communautés pour tout projet de mise en valeur de leur territoire. Un premier pas est franchi vers la reconnaissance d'une certaine autonomie.

Lors du rapatriement de la Constitution en 1982, les autochtones obtiennent la reconnaissance officielle de leurs droits ancestraux. Après cette victoire, la lutte se déroule devant les tribunaux qui leur reconnaîtront des droits territoriaux et des droits ancestraux en matière de chasse et de pêche. Toutefois, l'objectif d'obtenir une pleine autonomie gouvernementale n'est toujours pas atteint.

En 1991, le gouvernement fédéral met sur pied la Commission royale d'enquête sur les peuples autochtones. Le mandat de cette commission est d'examiner la situation des autochtones du Canada et de faire des recommandations pour améliorer leurs conditions d'existence. Le rapport de la Commission, déposé en 1996, contient 440 recommandations, dont celle de regrouper les communautés autochtones en 70 nations afin de faciliter le développement de leur autonomie politique.

La création du Nunavut

Avec la création du territoire du Nunavut, le 1er avril 1999, les Inuits obtiennent l'ensemble des pouvoirs sur leur territoire. Pour la première fois, une communauté autochtone a le pouvoir de contrôler son propre développement. En 2007, c'est au tour du gouvernement du Québec d'aller de l'avant en acceptant de négocier avec les Inuits du Nunavik pour la création d'un gouvernement régional. Ainsi, malgré les graves difficultés encore éprouvées par plusieurs nations autochtones, les progrès réalisés dans les dernières années permettent un certain optimisme quant à l'amélioration de leurs conditions de vie et, surtout, à la prise en charge de leur propre développement.

3 LA POPULATION DES NATIONS AUTOCHTONES DU QUÉBEC EN 2005.

Le territoire du Québec compte une cinquantaine de communautés autochtones. Plusieurs autochtones vivent en milieu urbain, en dehors des communautés.

Nation autochtone	Population totale
Abénaquis	2 048
Algonquins	9 111
Attikameks	5 868
Cris	14 632
Hurons-Wendats	2 988
Inuits	10 054
Montagnais (Innus)	15 385
Malécites	759
Micmacs	4 865
Mohawks	16 211
Naskapis	834
Total	**82 755**

Source : Secrétariat aux affaires autochtones, *Statistiques des populations autochtones du Québec, 2005.*

QUESTIONS

1. Quel changement la période des années 1960 apporte-t-elle aux autochtones ?
2. Comment les autochtones sont-ils parvenus à faire reconnaître leurs droits ?

Connexion

3. [Doc. 1 et 2] Quelle représentation la citation et la photo vous donnent-elles de la vie des autochtones ?

Réflexion

4. Que savez-vous des revendications des autochtones aujourd'hui ?

L'ère de la modernité

Au milieu du 20e siècle, le territoire habité du Québec s'étend de plus en plus loin et l'exploitation minière attire des travailleurs vers l'Abitibi et les Bois-Francs. Le besoin grandissant de ressources énergétiques entraîne la construction de barrages hydroélectriques à la Manicouagan dans les années 1960, puis à la baie James dans les années 1970. Le développement de ces régions répond aux besoins des villes et des banlieues qui exigent des ressources naturelles et de l'énergie.

1 LA RÉPARTITION DE LA POPULATION RURALE ET URBAINE DU QUÉBEC DE 1951 À 2001.

Avec la baisse de l'agriculture, le faible taux de natalité et le vieillissement de la population, l'exode rural continue sans cesse d'augmenter.

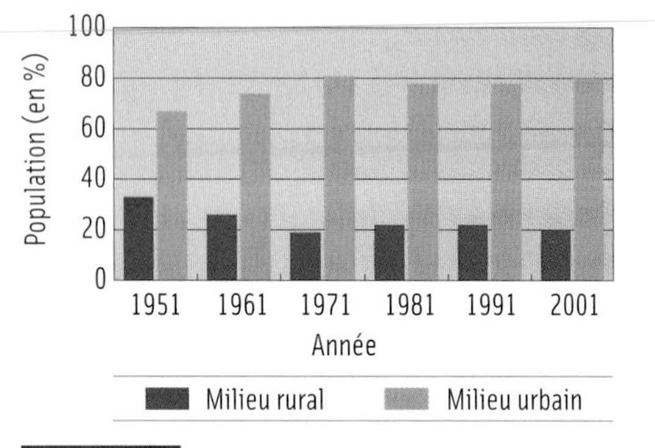

Source : Statistique Canada, 2001.

L'expansion territoriale rejoint bientôt les mines du Grand Nord québécois au cours des années 1950. Grâce aux chemins de fer et au transport aérien, ces territoires sont rapidement reliés aux grands centres urbains. Les nouvelles routes permettent aussi d'acheminer les ressources exploitées à travers tout le Québec. Le progrès modifie toutefois les territoires autrefois réservés aux communautés autochtones. Ces territoires demeurent cependant peu peuplés. L'ensemble de la population du Québec continue de vivre le long de la vallée du Saint-Laurent et dans la grande région de Montréal, où se concentre la moitié de la population du Québec.

Les banlieues à l'honneur

Au début des années 1960, la population s'éloigne du centre des grandes villes, comme Montréal et Québec. Le baby-boom entraîne une crise du logement qui se résorbe par la construction massive de maisons dans les zones périphériques. Les villages de la ceinture métropolitaine se transforment rapidement en banlieues de plus en plus populeuses. Les familles choisissent de s'y installer, car les terrains y sont beaucoup plus grands.

Depuis l'époque de la Nouvelle-France, la société québécoise est une société principalement rurale. Avec le développement des banlieues, la situation s'inverse et on assiste alors au phénomène de l'étalement urbain. Depuis la fin de la Première Guerre mondiale, la société québécoise devient majoritairement urbaine. Grâce à l'automobile, les banlieues sont plus facilement accessibles que ne l'étaient les villages autrefois, ce qui augmente leur attrait.

2 UNE RUE DE BANLIEUE, PRÈS DE MONTRÉAL, VERS 1960.

Les jeunes familles québécoises, mieux nanties que les générations précédentes, optent pour les maisons unifamiliales des banlieues afin de favoriser le bien-être de leurs enfants.

Ces nouvelles villes développent des réseaux routiers et des infrastructures qui permettent d'habiter de plus en plus loin. L'étalement urbain et le recours à l'automobile pour les déplacements entraînent toutefois des désavantages considérables. Par exemple, un nombre croissant d'habitants sont forcés de voyager en voiture sur de plus longues distances pour se rendre au travail, ce qui accroît la pollution atmosphérique de façon importante.

L'exode rural

Dans les régions, les campagnes se dépeuplent au profit des villes. L'agriculture qui se mécanise exige moins de main-d'œuvre et ne suffit plus à fournir du travail à des familles entières. Parallèlement, l'agriculture s'industrialise et le développement des fermes exige des investissements de plus en plus élevés.

En 1978, le gouvernement provincial adopte la Loi sur la protection du territoire et des activités agricoles afin de préserver les terres à des fins exclusivement agricoles. Dans les villages, on assiste au vieillissement de la population, alors que les jeunes familles s'établissent dans les grands centres pour y poursuivre leurs études ou pour y trouver un emploi en attendant de s'acheter une maison en banlieue.

3 LE DÉVELOPPEMENT DES BANLIEUES.

Le développement des banlieues, amorcé dans les années 1960, reflète les changements sociaux qui s'opèrent avec la Révolution tranquille et transforme le territoire.

« Inscrite dans la logique même de la croissance urbaine, la banlieue connaît, à partir des années 1960, une poussée nouvelle. Liée moins à la croissance démographique qu'à la croissance économique, elle est un reflet direct des changements qui traversent alors la société québécoise. À la montée des classes moyennes, correspond en effet une nouvelle aisance, qui favorise la recherche d'un habitat plus conforme à ses aspirations. Et comme le coût du sol dans les grandes villes est aussi croissant, il stimule la périurbanisation, laquelle est encore favorisée par l'amélioration du réseau routier et autoroutier. Derrière ce phénomène se profilent toutes les idéologies d'une époque. C'est le rêve américain vécu à la québécoise! Mais ce rêve est aussi grand consommateur d'espace, ce qui accroît considérablement les coûts des infrastructures et des services. [...] D'anciennes zones de villégiature sont transformées en habitat permanent, pendant que de tout nouveaux quartiers sont créés, qui enserrent les anciens noyaux villageois, dont la physionomie se transforme alors rapidement. Et comme les promoteurs de ces cités-jardins sont souvent les mêmes, il en résulte un paysage répétitif qui banalise les nouvelles formes d'habitat. »

Source : Serge COURVILLE (dir.), *Atlas historique du Québec. Population et territoire*, Presses de l'Université Laval, Sainte-Foy, 1996, p. 158.

4 LES FACTEURS DU DÉCLIN DES RÉGIONS RURALES.

Plusieurs raisons expliquent le déclin des régions rurales et l'exode des gens de la campagne vers les villes.

QUESTIONS

1. À quoi est due l'expansion territoriale dans le Grand Nord ?
2. Pourquoi les gens s'installent-ils de plus en plus dans les banlieues ?
3. **a)** Qu'est-ce que l'étalement urbain ?
   b) Nommez deux conséquences de l'étalement urbain.
4. Indiquez deux facteurs qui expliquent le dépeuplement des régions rurales.

Connexion

5. **[Doc. 1 et 4]**
   À quelle conclusion peut-on arriver en observant ces documents sur le déclin des régions rurales ?

Réflexion

6. Vous posez-vous des questions sur l'avenir de l'agriculture ? Que pouvez-vous faire pour vous renseigner au sujet des mesures que le gouvernement entend prendre à ce sujet ?

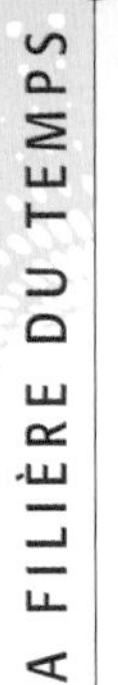

1 UN GROUPE D'ÉLÈVES.

L'arrivée de nombreux immigrants est particulièrement apparente dans les classes des écoles de la région de Montréal, puisque 90 % des nouveaux arrivants choisissent de s'installer dans cette ville.

Un Québec pluriculturel

Si le Québec a connu, à certaines époques, des taux de natalité particulièrement élevés, ce taux est aujourd'hui un des plus faibles de l'Occident.

Comme le taux de natalité et la mortalité infantile diminuent et que l'espérance de vie augmente, on assiste donc à un vieillissement de la population. La proportion des jeunes diminue, tandis que celle des 65 ans et plus est en constante augmentation depuis le début des années 1960. Aussi, avec la baisse de la natalité et le vieillissement de la population, on compte davantage sur l'immigration pour maintenir la population ou l'augmenter. L'arrivée de nombreux immigrants venus des quatre coins du monde transforme peu à peu la société québécoise.

L'immigration ne réussit cependant pas à compenser entièrement la diminution des naissances. Pour qu'un tel résultat soit possible, il faut qu'un plus grand nombre d'immigrants s'installent au Québec et choisissent d'y rester à long terme. Or, on constate qu'environ 50 % des immigrants ont quitté le Québec au cours des 20 années suivant leur arrivée. Ce phénomène est lié à l'activité économique et touche tout l'est du continent nord-américain. Les nouvelles industries et le commerce avec les pays du Pacifique attirent la population vers l'ouest.

2 LE DÉFI DE L'IMMIGRATION.

Pour compenser le faible taux de natalité, le Québec devra accueillir un nombre de plus en plus élevé d'immigrants et faire en sorte qu'ils désirent rester dans leur province d'adoption.

« Il faudrait remplacer 35 000 naissances manquantes chaque année au Québec pour maintenir la population à son niveau actuel. Pour ce faire, il faudrait accueillir non pas 40 000 immigrants (1991), mais au-delà de 70 000, afin de combler les déficits dus à la dénatalité et aux départs migratoires. Il ne s'agit là que de prévisions valables jusqu'en 2010, c'est-à-dire à partir du moment où la population du Québec commencera à diminuer de façon sensible. Ensuite, il faudra combler les vides par une croissance considérablement accrue de l'immigration: 97 000 pour la décennie 2020, au moins 121 000 pour la décennie 2030 et 130 000 pour la décennie 2050. »

Source : Jacques LECLERC, « Le défi de l'immigration », Centre interdisciplinaire de recherches sur les activités langagières, Université Laval, 2007.

3 L'ÉVOLUTION DE LA POPULATION DU QUÉBEC DE 1951 À 2001 ET PROJECTIONS DE 2006 À 2051.

En 2050, environ 30 % de la population sera âgée de 65 ans et plus. Le Québec se classera ainsi parmi les sociétés les plus âgées du monde.

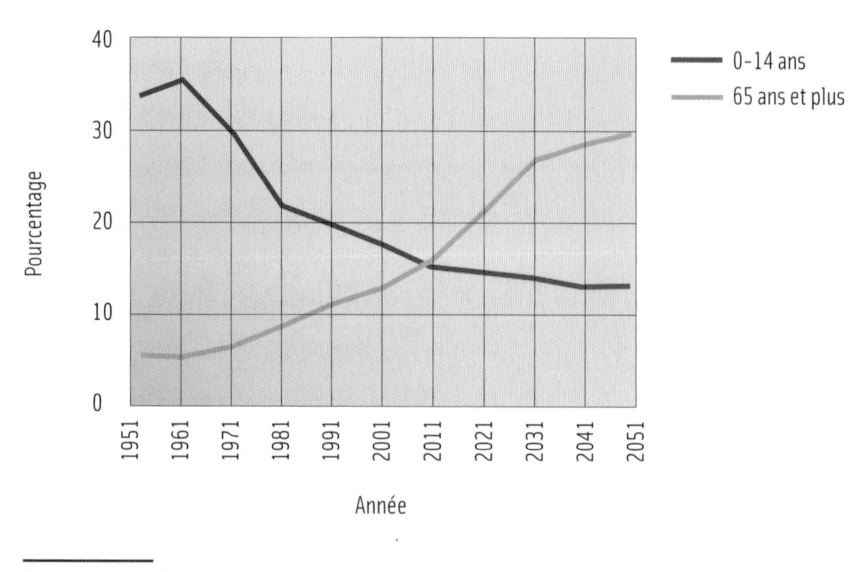

Source : Institut de la statistique du Québec, 2006.

4 L'ACCROISSEMENT DÉMOGRAPHIQUE SELON LES RÉGIONS DU QUÉBEC DE 2001 À 2006.

D'ici 2026, chaque région fera face à l'une des trois situations suivantes : une croissance soutenue, une décroissance ininterrompue, un passage de la croissance à la décroissance.

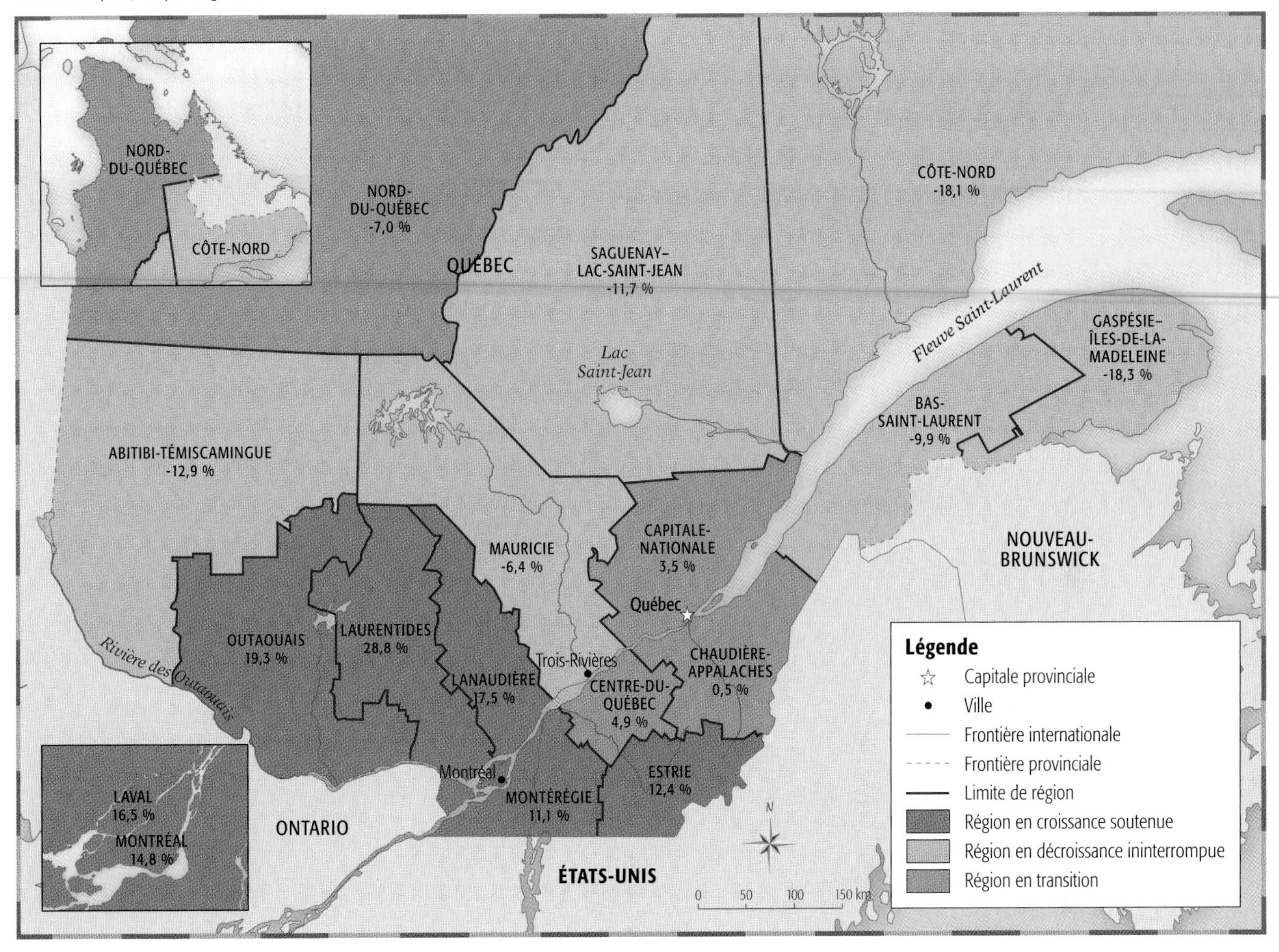

Source : Ministère des Ressources naturelles, de la Faune et des Parcs et Institut de la statistique du Québec, 2003.

L'équilibre démographique

Certains changements affectent la distribution de la population au sein même du Québec. Des **mouvements migratoires** modifient l'équilibre démographique entre les régions. Certaines régions qui s'étaient développées grâce à l'exploitation de ressources naturelles se vident au profit des grands centres.

La région de Montréal, entre autres, continue d'attirer les immigrants et les Québécois natifs des régions. En même temps, de plus en plus de familles choisissent de s'établir à l'extérieur des grandes villes et de leurs banlieues environnantes.

Mouvement migratoire : Déplacement continu d'une partie de la population.

QUESTIONS

1. Pourquoi les immigrants sont-ils appelés à jouer un rôle de plus en plus important au Québec ?
2. Pourquoi le Québec ne parvient-il pas à retenir ses immigrants ?

Méthodologie

3. [Doc. 3]
À l'aide du graphique, décrivez le phénomène du vieillissement de la population.
4. [Doc. 4]
Dans quelle région la croissance est-elle la plus élevée ?

Ailleurs dans le monde

L'Afrique du Sud

Capitales : Pretoria, Le Cap
Population : 44 millions d'hab.
Langues officielles : anglais, afrikaans

Située à l'extrémité sud du continent africain, l'Afrique du Sud compte plus de 44 millions d'habitants sur un territoire de 1,2 million de km². La population sud-africaine est un véritable « arc-en-ciel » d'identités et de cultures : 35 langues parlées et 11 langues officielles s'y côtoient. La diversité des cultures a été une source de conflits à travers l'histoire du pays.

Boers : Sud-Africains blancs d'origine néerlandaise. Au 20e siècle, le terme est remplacé par celui d'Afrikaners et englobe les descendants des émigrés allemands, français et scandinaves d'Afrique du Sud.

Ségrégation : Action de séparer les personnes à l'intérieur d'un même pays.

Embargo : Mesure qui interdit de faire du commerce avec un pays.

La colonisation de l'Afrique du Sud

La colonie du Cap a été fondée en 1652 par la Compagnie hollandaise des Indes orientales. Les Britanniques s'en emparent en 1814 et l'intègrent à leur empire colonial. Le territoire de la colonie s'étend alors rapidement, au détriment des peuples africains. L'arrivée des colons britanniques provoque des frictions avec les **Boers**, qui émigrent par milliers vers les terres du nord. Ils fondent le Natal (1840), le Transvaal (1852) et l'État libre d'Orange (1854). Devant les colons anglais qui souhaitent annexer ces territoires, les Boers déclarent la guerre à la Grande-Bretagne en 1899. Deux ans plus tard, les territoires des Boers, conquis par l'armée britannique, sont annexés. Les Britanniques fondent l'Union sud-africaine en 1910, réunissant dans un même État les anciennes colonies du Cap, du Natal, du Transvaal et de l'État libre d'Orange.

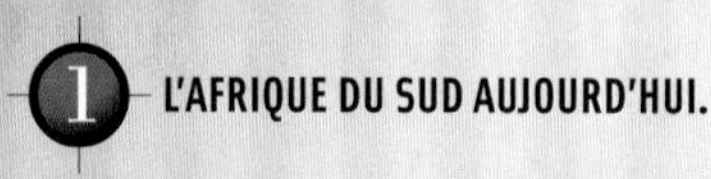

1 L'AFRIQUE DU SUD AUJOURD'HUI.

L'Afrique du Sud est située à la pointe sud de l'Afrique.

La politique d'apartheid

En 1933, Daniel François Malan fonde le Parti nationaliste unifié et rassemble les Boers au sein de ce parti dans le but d'éviter le métissage et de couper les liens avec la Grande-Bretagne. Élu premier ministre en 1948, il érige en système l'apartheid, un régime politique, économique et social qui renforce le système de **ségrégation** existant déjà entre les Noirs et les Blancs.

Le Congrès national africain (ANC), créé en 1912 pour promouvoir l'égalité des Noirs, est l'un des principaux groupes anti-apartheid. Il est interdit en 1960 et les opposants au régime d'apartheid sont emprisonnés, comme Nelson Mandela en 1964, tandis que d'autres sont assassinés. Certains dénoncent dans leurs œuvres l'injustice de l'apartheid, telle l'auteure sud-africaine et récipiendaire du prix Nobel de littérature (1991), Nadine Gordimer.

À la fin des années 1970, la dénonciation de l'apartheid s'étend à travers le monde et un **embargo** commercial est décrété contre l'Afrique du Sud. Dans les années 1980, le gouvernement amorce le processus d'abolition de la ségrégation raciale. Les dernières lois de l'apartheid sont abolies en 1991.

La nouvelle Afrique du Sud

Le Congrès national africain mené par Nelson Mandela remporte les élections en 1994 avec 63 % des voix. S'amorcent alors un long processus de réconciliation nationale et l'établissement d'un nouveau gouvernement issu de la majorité noire. Une commission est mise sur pied afin d'établir une entente entre les différentes communautés sud-africaines après des décennies d'apartheid. Cette réconciliation fonctionne relativement bien, mais les tensions raciales restent présentes. La fin de l'apartheid et la hausse de la criminalité amènent près d'un million de Blancs à quitter le pays, ce qui provoque un grand vide économique. De plus, l'Afrique du Sud fait face à un terrible fléau, le sida, qui touche près d'un Sud-Africain sur 5, entre 15 et 49 ans.

2 **L'AFFICHE DU FILM *COME BACK AFRICA*.**

Ce documentaire de Lionel Rogosin, réalisé en 1959, dépeint la vie des Noirs sous le régime de l'apartheid. Une scène du film montre la chanteuse sud-africaine, Miriam Makeba. À cause de son apparition musicale, pourtant brève, dans une scène du film, les autorités ségrégationnistes lui enlèvent sa citoyenneté et la contraignent à l'exil. Elle passera 31 ans hors de son pays.

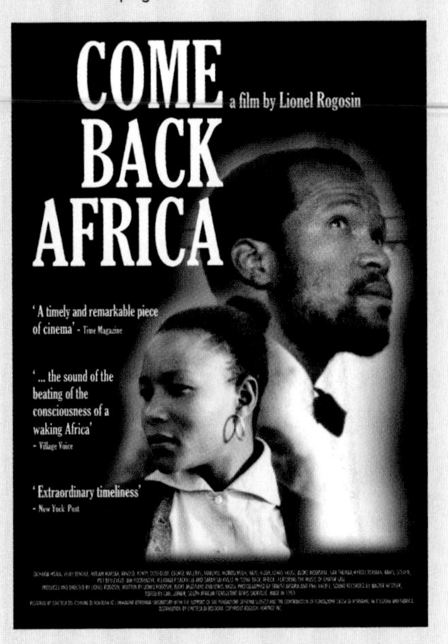

PRETORIA, CAPITALE ADMINISTRATIVE D'AFRIQUE DU SUD.

Pretoria, la capitale administrative de l'Afrique du Sud, est fondée en 1855. En 2005, Pretoria est rebaptisée Tshwane. Seul le centre historique conserve le nom de Pretoria.

NELSON MANDELA : AMBASSADEUR DE LA CONSCIENCE.

En 2006, Nelson Mandela reçoit le prix « Ambassadeur de la conscience » pour Amnesty International. À cette occasion, il prononce un discours riche en réflexion.

« Recevoir cet honneur de la part des membres de la plus grande organisation de défense des droits humains dans le monde a été pour moi une grande joie. [...] Mon souhait est que cette distinction puisse aider les militants partout dans le monde à maintenir une lueur d'espoir pour les prisonniers oubliés de la pauvreté. Comme l'esclavage ou l'apartheid, la pauvreté n'est pas naturelle. Ce sont les hommes qui créent la pauvreté et la tolèrent, et ce sont des hommes qui la vaincront. »

Source : *Amnesty International*, Bulletin n° 285, novembre 2006.

NELSON MANDELA (NÉ EN 1918).

Nelson Mandela passe 27 années en prison avant de mener l'Afrique du Sud à un régime démocratique multiracial. De 1994 à 1999, il est le président de la république de l'Afrique du Sud. Il obtient le prix Nobel de la paix en 1993.

QUESTIONS

1. Quel parti a mis de l'avant le régime de l'apartheid ?
2. Quelles actions ont permis de mettre fin à l'apartheid en Afrique du Sud ?
3. De quel droit fondamental l'apartheid prive-t-il la population ?

Méthodologie

4. [Doc. 4] Quel est le souhait de Nelson Mandela lorsqu'il reçoit ce prix ?

Réflexion

5. Que ressentez-vous par rapport à la détermination dont a fait preuve Nelson Mandela tout au long de sa vie ?

La Belgique

Capitale : Bruxelles
Population : 10,4 millions d'hab.
Langues officielles : néerlandais, français, allemand

La Belgique a la particularité d'être divisée entre deux communautés différentes, les Wallons au sud et les Flamands au nord. Ces deux communautés ont une culture et une langue distinctes. Elles ont su vivre ensemble et maintenir jusqu'à ce jour l'unité de la Belgique, qui compte aujourd'hui plus de 10,4 millions d'habitants sur un territoire de 30 510 km². Mais cette unité est fragilisée par des tensions linguistiques depuis quelques décennies et le pays est aujourd'hui divisé.

La Belgique moderne

Avant son indépendance en 1830, la Belgique n'a jamais existé en tant que pays souverain, mais elle a joué un rôle important au plan économique. Des villes comme Bruges et Anvers ont joué un rôle important dans le commerce européen du 14e au 17e siècle. Entre le 15e siècle et la fin du 18e siècle, la Belgique a appartenu à l'Autriche, puis à la France. Elle a ensuite appartenu aux Pays-Bas de 1815 à 1830.

La Belgique devient libre et autonome à partir de 1830-1831. Le nouveau pays se bâtit autour du roi Léopold Ier, par l'imposition du français comme langue nationale, au détriment du néerlandais. Bien que la Belgique soit séparée entre deux communautés culturelles depuis plus d'un millénaire, c'est le français qui est choisi comme langue officielle du pays.

La Belgique est devenue une puissance commerciale et industrielle au cours des 19e et 20e siècles. Elle participe à l'aventure coloniale lorsque le roi Léopold II acquiert, à titre privé, le Congo qui fera la richesse de la monarchie et de la Belgique. L'occupation de la Belgique par l'armée allemande au cours des deux guerres mondiales renforce provisoirement l'unité du pays, mais les dissensions réapparaissent ensuite.

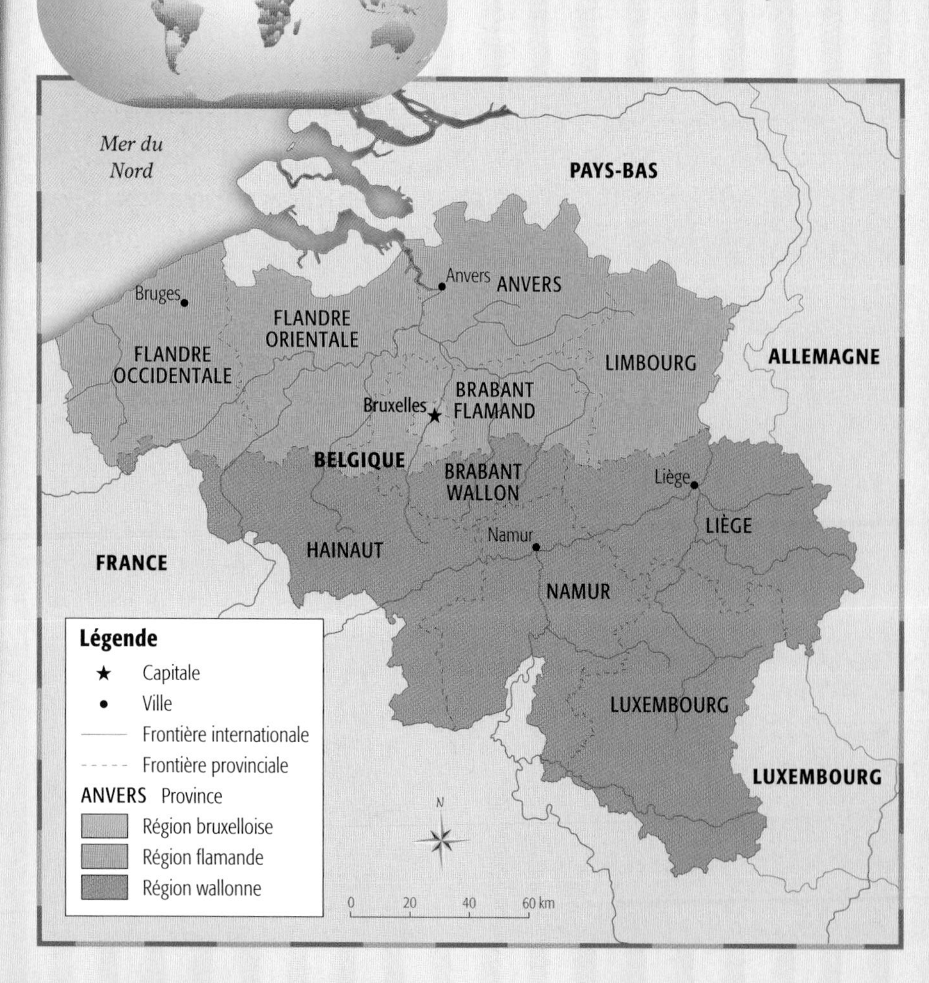

1 LA BELGIQUE AUJOURD'HUI.

Les Flamands sont regroupés dans le nord de la Belgique et les Wallons dans le sud. Bruxelles, la capitale, est située dans la région flamande. Elle compte plus d'un million d'habitants, majoritairement francophones. À ces communautés, il faut ajouter près d'un million de Belges issus de l'immigration, lesquels vivent en bonne partie dans la région de Bruxelles.

LA VILLE DE BRUGES AUJOURD'HUI.

Bruges est une ville médiévale dont l'architecture témoigne du mélange entre le passé et la modernité.

Les dissensions internes

Le nationalisme flamand est né au 19e siècle en réaction à la domination du français, langue de culture, de prestige et de pouvoir de la Belgique. Il est aussi provoqué par l'infériorité sociale et économique des Flamands. Les revendications flamandes entraînent à leur tour la naissance du nationalisme wallon. Ces deux courants nationalistes affaiblissent peu à peu le sentiment national belge, produisant une lente fragmentation de l'État unitaire belge. À l'heure actuelle, il existe un déséquilibre économique entre les deux communautés : les Flamands, qui s'imposent au plan économique, contribuent beaucoup plus à la prospérité économique de la Belgique que les Wallons.

À partir de 1967, l'État unitaire belge se transforme en profondeur. Afin de répondre aux revendications des nationalistes wallons et flamands, il devient une fédération. L'État unitaire est décentralisé au profit des deux communautés. Aujourd'hui, non seulement le pays est divisé en régions (Flandre, Wallonie et Bruxelles-Capitale), chacune avec leur parlement et leur gouvernement, mais la Belgique est aussi séparée en communautés linguistiques (francophone, néerlandophone et germanophone). Ainsi, chaque région gère l'éducation, la culture et les questions sociales de sa communauté. Le pouvoir central continue de s'occuper de l'armée, de la justice fédérale, des relations extérieures et des finances publiques. La nation belge est donc fortement divisée au plan politique, comme au plan culturel.

Saviez-vous que...

Qu'ont en commun Tintin, Gaston Lagaffe, Achille Talon et Lucky Luke ? Leurs créateurs sont tous d'origine belge. La bande dessinée est considérée en Belgique, et plus particulièrement à Bruxelles, comme un art à part entière. Dans les rues de la capitale, dans les nombreuses librairies spécialisées, sur les murs de la ville, dans les musées, dans le métro : les héros de bandes dessinées sont partout !

La Belgique d'aujourd'hui existera-t-elle demain ?

La Belgique est une société dualiste qui a tenté d'unir deux communautés linguistiques dans un même espace national. Plusieurs facteurs contribuent encore à maintenir l'unité du pays, ne serait-ce qu'une histoire commune depuis 1830. Les Bruxellois francophones et néerlandophones demeurent attachés à la Belgique. La royauté belge est un facteur rassembleur de la nation belge, tout comme l'est la capitale, Bruxelles, dont la population majoritairement francophone se sent profondément belge.

Les Belges ont l'esprit festif. Le carnaval belge le plus connu est celui de la ville d'Eupen, située en région flamande. La culture belge s'est aussi fait connaître internationalement par ses artistes, comme le chanteur Jacques Brel ou le dessinateur de bandes dessinées, Hergé.

QUESTIONS

1. Nommez deux mouvements nationalistes qui divisent la Belgique.

Méthodologie

2. Comparez la situation des Flamands et des Wallons et celle des Québécois et des autres Canadiens (francophones et anglophones).
3. [Doc. 1]
   Comment la population belge est-elle répartie sur le territoire ?

Le Brésil

Capitale : Brasilia
Population : 186,2 millions d'hab.
Langue officielle : portugais

La nation brésilienne, à la fois métissée et pluriethnique, s'est forgée à travers l'histoire par la rencontre des Amérindiens, des descendants des esclaves africains et ceux des immigrants européens, principalement les Portugais. Les Brésiliens sont aujourd'hui plus de 186 millions d'habitants, ce qui fait du Brésil le cinquième pays du monde en nombre d'habitants. Avec ses 8 547 400 km², le Brésil est le plus grand pays d'Amérique latine.

Les premiers peuples

Lorsque les Portugais découvrent le Brésil vers 1500, il y a environ 1400 peuples amérindiens et entre 3 et 5 millions d'habitants qui peuplent le territoire. Dès les débuts de la colonie, les Amérindiens des côtes cohabitent avec les colons portugais. Mais à partir de la deuxième moitié du 17e siècle, les Amérindiens sont pourchassés, soit pour devenir des esclaves, soit pour être dépossédés de leurs terres.

La colonisation du Brésil entraîne un véritable génocide des peuples amérindiens. Ils ne sont plus que deux millions en 1700, un million en 1800, et près d'une centaine de milliers vers 1960. Aujourd'hui, on dénombre 215 peuples composés d'environ 700 000 individus vivant principalement dans le nord et l'ouest de l'Amazonie.

Plus de la moitié des Amérindiens sont maintenant regroupés dans des réserves qui occupent plus de 11 % de la superficie du Brésil. C'est le cas, notamment, des tribus Xavantes qui habitent au cœur de l'Amazonie. Bien que les premiers contacts avec ces tribus ne remontent qu'au début du 20e siècle, les Xavantes sont aujourd'hui confinés à des réserves. Ils ont été contraints par les missionnaires d'abandonner leur langue et leur culture ancestrales. Ils doivent, aujourd'hui encore, lutter pour conserver leurs terres grugées.

1 LE BRÉSIL AUJOURD'HUI.

Le Brésil est le plus grand pays d'Amérique du Sud. Sa population, répartie principalement dans les villes, regroupe 78 % des Brésiliens.

La samba tire son origine d'anciennes danses sacrées d'Afrique. D'origine africaine, le mot *samba* signifie « frottement des nombrils » ou « danser avec gaieté ». Pratiquée à l'origine dans les quartiers pauvres du Brésil où vit une forte population afro-brésilienne, la samba connaît un essor important au début du 20e siècle. Elle constitue aujourd'hui l'un des principaux styles musicaux du Brésil.

L'arrivée des Européens et des esclaves africains

Les villes portugaises se développent sur les côtes du Brésil, certaines à cause du trafic du bois du Brésil, d'autres afin de protéger la colonie contre les Français et les Hollandais. Une des premières villes du Brésil est Olinda, fondée en 1535 par le portugais Duarte Coelho Pereira. La ville devient rapidement prospère grâce à la canne à sucre, cultivée dans la région de Pernambouco.

Le peuplement du territoire reste limité à cette époque, ce qui entraîne la mise en place d'un système esclavagiste afin de répondre aux besoins de l'économie coloniale. Le Brésil continue donc d'importer de nouveaux esclaves d'Afrique. De tous les pays d'Amérique, c'est le Brésil qui reçoit le plus grand nombre d'esclaves africains durant la colonisation. Aujourd'hui, le Brésil compte près de 72 millions de descendants d'esclaves africains, soit près de la moitié de la population brésilienne.

LA VILLE HISTORIQUE D'OLINDA, AUJOURD'HUI.

Fondée en 1535, Olinda est la capitale de l'État du Pernambouco jusqu'en 1825, date où elle perd son titre de capitale au profit de Recife, la ville voisine. Le centre historique de la ville est inscrit sur la Liste du patrimoine mondial de l'Unesco depuis 1982.

Les conditions de vie de ces descendants sont difficiles et plusieurs vivent dans des bidonvilles (*favelas*, en brésilien). C'est d'ailleurs dans ces quartiers qu'est née la samba, cette musique typiquement brésilienne dont les racines sont africaines.

3 UN EMPLOYÉ DU GOUVERNEMENT, SA FAMILLE ET SES ESCLAVES.

Au Brésil, au 19e siècle, les esclaves africains sont vendus comme de simples marchandises. Ils travaillent dans les plantations de café ou comme domestiques.

Jean-Baptiste Debret, *Un employé du gouvernement sortant de chez lui avec sa famille*, 1835.

L'unification de la nation brésilienne

Le territoire du Brésil est progressivement unifié grâce à l'accroissement de la population au 19e siècle, qui passe de 4 millions en 1822 à 14 millions en 1889. C'est aussi durant ce siècle que se forme un sentiment national brésilien et que le Brésil devient une République.

À partir de la fin du 19e siècle, une vague d'immigrants déferle sur le Brésil. Ils sont plus de quatre millions à venir s'y établir entre 1884 et 1940, principalement à Rio de Janeiro et à Sao Paulo. Dans la seconde moitié du 20e siècle, l'immigration continue et se diversifie. Tous ces nouveaux arrivants changent la composition sociale du Brésil qui devient une véritable mosaïque culturelle.

Le Brésil au 21e siècle

La société brésilienne demeure aujourd'hui l'une des plus inégalitaires au monde. Les conditions sociales et économiques varient beaucoup d'une région à l'autre, mais aussi entre les différents groupes ethniques. L'élection du gouvernement de Luiz Inácio Lula Da Silva, en octobre 2002, annonce un renouveau politique dont le programme vise à former un «Brésil pour tous» et à s'attaquer aux problèmes criants de l'inégalité sociale. Bien que les problèmes sociaux brésiliens soient nombreux, le pays connaît une croissance économique qui laisse espérer des jours meilleurs pour le peuple brésilien.

QUESTIONS

1. Quel phénomène a permis l'unification du territoire brésilien au 19e siècle ?
2. Dans quel secteur les esclaves africains sont-ils principalement employés ?
3. Pourquoi dit-on que la société brésilienne est l'une des plus inégalitaires au monde ?

Méthodologie

4. [Doc. 1]
Quel est le nom de la capitale du Brésil ?

Singapour

Capitale : Singapour
Population : 4,5 millions d'hab.
Langues officielles : malais, chinois, tamoul, anglais

Singapour est l'un des plus petits pays du monde, mais aussi l'un des plus densément peuplés. Cette ancienne colonie britannique se distingue parmi les pays les plus développés d'Asie et les grands centres d'affaires de l'Asie du Sud-Est. Singapour compte 4,5 millions d'habitants répartis sur 57 îles d'une superficie de 620 km^2. Son territoire est un peu plus grand que les îles de Montréal et de Laval réunies. La majorité de la population réside sur l'île principale de Singapour, une véritable cité-État où cohabitent de nombreuses langues et cultures.

Le développement de Singapour

Lorsque le Britannique sir Thomas Stamford Raffles fonde la colonie de Singapour en 1819 pour le compte de la Compagnie des Indes orientales, celle-ci n'est alors qu'un village de pêcheurs. En 1826, Singapour est rattachée à la colonie des *Straits Settlements* (Établissements des détroits) avec Penang et Melaka. Le pays se développe rapidement grâce à son statut de port franc, c'est-à-dire un port sans douane et ouvert au commerce avec tous les autres pays.

La prospérité de la colonie de Singapour est fondée, entre autres, sur sa position stratégique : elle est en effet située à l'entrée du détroit de Malacca qui sépare la mer de Chine de l'océan Indien. Ce détroit est un important trajet naval pour le commerce en Asie. La croissance de Singapour s'affirme davantage lorsque la colonie des *Straits Settlements* passe sous l'autorité de la couronne britannique en 1867 et que la Malaisie devient un protectorat britannique en 1874.

1 SINGAPOUR AUJOURD'HUI.

Ce pays de l'Asie du Sud-Est est formé d'une île principale, celle de Singapour, et de 57 petites îles. Singapour est à la fois un État et une ville et c'est pourquoi on la qualifie parfois de « cité-État ».

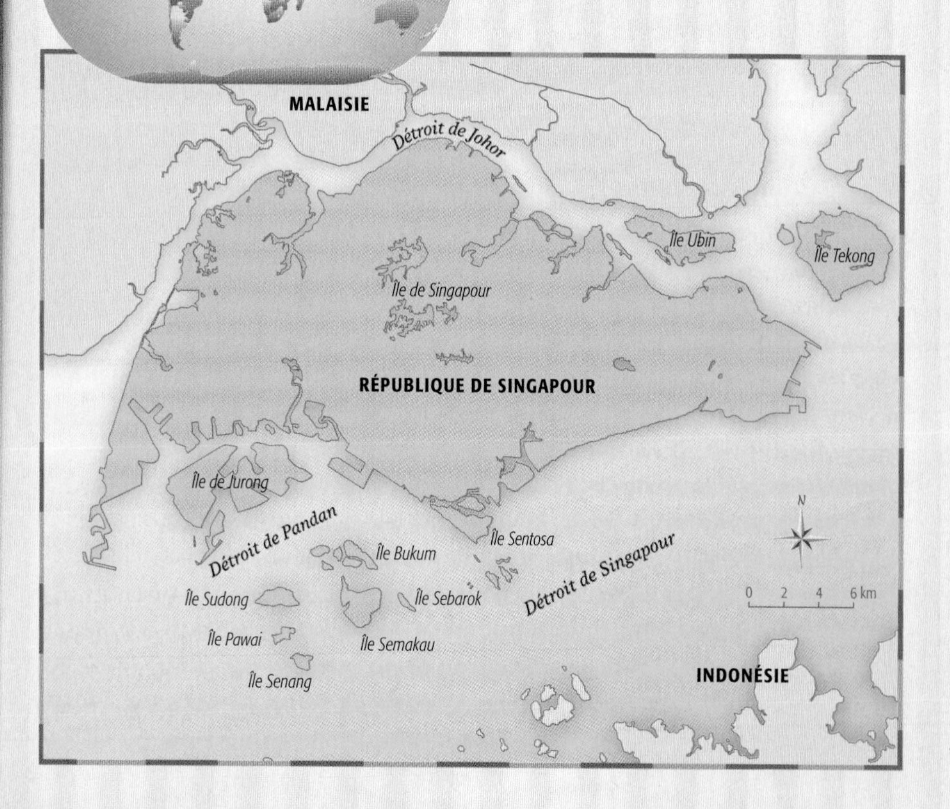

La population de Singapour augmente rapidement, passant de 16 000 habitants en 1827 à plus de 185 000 habitants au début du 20e siècle. Les années de famine en Chine font augmenter le nombre d'immigrants chinois à 227 000 en 1907 et à plus de 360 000 en 1927. Cette immigration massive continue jusqu'en 1933, alors que des quotas d'immigration sont imposés aux hommes chinois. Ces mesures ont eu pour effet de stabiliser les flux migratoires et d'augmenter la population née à Singapour.

Chaque communauté ethnique réside dans un quartier différent (*Kampong*), selon une division urbaine ségrégationniste établie par le pouvoir colonial dès 1822 : le *Kampong* chinois, le *Kampong Chulia* où résident les Indiens, le *Kampong Gelam* où se trouvent les

Malais et les Arabes, et le quartier européen. Au début du 20e siècle, ces quartiers deviennent très populeux et les prix immobiliers augmentent beaucoup. Aussi, beaucoup d'Indiens quittent le *Kampong Chulia*, pour fonder le quartier *Little India*. Les Malais feront de même dans les années 1920, avec ce qu'on appelle aujourd'hui «le village malais».

Les différentes communautés vivent séparées et les mariages interraciaux sont très rares. Les conditions sociales dans les quartiers asiatiques sont différentes de celles du quartier européen. Les Européens demeurent minoritaires à Singapour, mais ils occupent les postes importants dans l'administration et les fonctions libérales leur ont été réservées jusque dans les années 1930. L'hôtel Raffles, ouvert en 1899, a été l'un des hauts lieux de la vie sociale des Européens qui vivaient à Singapour au début du 20e siècle.

La richesse n'est toutefois pas exclusive aux Européens. Les conditions de vie s'améliorent dans les autres groupes ethniques au cours du 20e siècle en raison du progrès de l'éducation et de la mise en place de programmes sociaux. Cette division de la population explique en grande partie la présence, aujourd'hui, de plusieurs communautés ethniques distinctes, et non pas un peuple homogène.

LE QUARTIER *LITTLE INDIA*.

Little India rassemble la majeure partie de la communauté indienne de Singapour. Dans ce quartier haut en couleur, les temples hindous côtoient aussi bien des mosquées que des églises.

Singapour aujourd'hui

Après l'occupation japonaise de Singapour, entre 1942 et 1945, les Britanniques entament un processus de décolonisation et de démocratisation afin de préserver leurs intérêts économiques et d'éviter que le pays ne tombe sous la domination communiste. Singapour devient donc un État autonome du Commonwealth le 3 juin 1959 et se dote de sa propre constitution. Après une courte union au sein de la fédération de Malaysia en 1963, Singapour redevient un État indépendant et une république en 1965.

Le pays est depuis dirigé par un régime autoritaire, bien que démocratique, qui ne tolère aucune opposition. Ce régime maintient l'harmonie sociale, malgré les tensions raciales qui refont surface par moments, avec des programmes favorisant l'amélioration des conditions sociales et économiques des différentes communautés. Les politiques de ségrégation ont été abandonnées afin de réduire les tensions interraciales. Bien que les Singapouriens restent divisés en groupes ethniques et ne partagent donc pas tous la même langue et les mêmes valeurs, Singapour demeure une société relativement harmonieuse et prospère.

3 SINGAPOUR FACE À LA DÉNATALITÉ.

Pour contrecarrer le problème de la dénatalité, Singapour doit accueillir plus d'immigrants.

« En juillet 2005, la population singapourienne comptait 4 351 400 habitants. Forte de ses succès économiques, la cité du Lion doit aujourd'hui affronter un autre défi, alors que l'indice de fécondité y est à un niveau exceptionnellement bas. Les mesures natalistes semblent sans effet alors que les femmes de Singapour, toujours plus diplômées, n'embrassent plus que leur carrière. Le recours croissant à l'immigration sélective va donc s'imposer. »

Source : Yann VINH, « Singapour face à la dénatalité », *Futuribles International*, 26 août 2006.

QUESTIONS

1. Sur quel facteur repose la prospérité de Singapour ?
2. Les différentes communautés ethniques de Singapour habitent dans des quartiers différents. Quelle décision historique est à l'origine de cette réalité ?
3. De quel empire européen Singapour était-elle une colonie ?

Réflexion

4. Que retenez-vous au sujet des conditions de vie actuelles à Singapour ?

4 LE TEMPLE THIAN HOCK KENG.

La grande diversité culturelle de Singapour se traduit dans l'architecture de la ville, dont l'un des bâtiments les plus connus est le temple de Thian Hock Keng, achevé en 1842, et dont tous les matériaux ont été importés de Chine.

VIVRE-ENSEMBLE

La population du Québec présente aujourd'hui une grande diversité. Des immigrants de toutes les régions du monde viennent s'intégrer à la population et occupent une place importante dans la société. Devant ces constantes transformations démographiques, le gouvernement doit s'adapter et établir des politiques qui permettront d'encadrer l'immigration, de remédier à la dénatalité et de mieux répartir la population sur le territoire.

Miyuki Tanobe (née en 1937)

Artiste peintre
Miyuki Tanobe est née en 1937 au Japon. Elle étudie la peinture dès l'âge de 11 ans. Miyuki Tanobe immigre au Canada en 1971 et s'établit un peu plus tard à Saint-Antoine-sur-Richelieu, au Québec. La plupart de ses tableaux dépeignent la vie quotidienne au Québec.

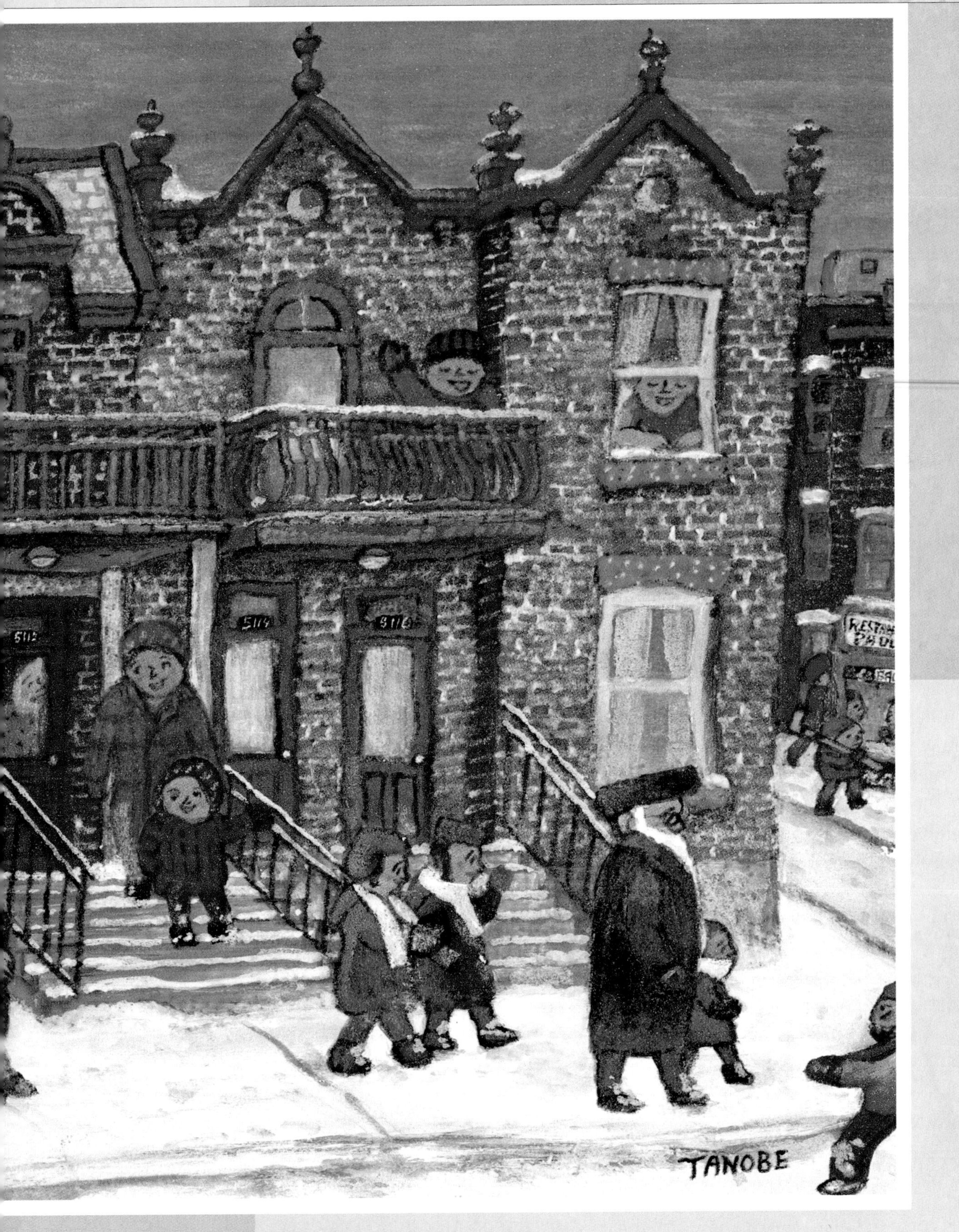

PAR UN FROID SAMEDI MATIN À OUTREMONT.
Miyuki Tanobe peint surtout des paysages de ville et quelques scènes de vie rurale. Elle a un style pseudo-naïf. Les personnages et les bâtiments sont très réalistes. Son œuvre est empreinte de joie et de gaieté, tout comme le choix de ses couleurs.

Miyuki Tanobe, *Par un froid samedi matin à Outremont,* 1989.

1 RACHID BADOURI (NÉ EN 1976).

Rachid Badouri est né à Montréal de parents d'origine marocaine berbère. Cet humoriste témoigne du paysage multiculturel de la société québécoise. Ses monologues ont souvent pour thème la pluriculturalité.

Des identités multiples

Tous les individus possèdent une identité. L'identité d'une personne est établie par son nom, sa date de naissance et différents numéros d'identification à usage administratif. D'autre part, chaque individu forge sa propre identité d'après ses différentes appartenances sociales : ethnique, culturelle, religieuse, professionnelle, communautaire ou nationale. Ces caractéristiques s'entrecoupent, s'additionnent et s'ordonnent en fonction des priorités de chacun.

Selon les circonstances, on peut faire valoir une ou plusieurs facettes de son identité. Par exemple, on peut être à la fois Canadien (par sa citoyenneté), Québécois (par son lieu de résidence ou son appartenance nationale) et Marocain (par son origine nationale ou culturelle) et choisir de se présenter sous une ou plusieurs de ces étiquettes. On peut aussi choisir de taire l'un ou l'autre de ces éléments par conviction politique ou pour des raisons personnelles. On peut également attacher beaucoup d'importance au fait d'être anglophone, francophone ou **allophone**, de vivre dans une grande ville ou en région, ou encore préférer se définir comme un étudiant, un professionnel, un patron ou un travailleur.

Durant la première partie du 20e siècle, la grande majorité des immigrants choisissent plutôt l'anglais que le français lorsque vient le temps de s'intégrer à la société québécoise. À cette époque, une partie de l'élite canadienne-française décourage les contacts avec les autres communautés. Cette attitude vise surtout à préserver les caractéristiques socioculturelles ancestrales des Québécois : la langue française, la religion catholique et la vie rurale. Aujourd'hui, la plupart reconnaissent que l'accueil et l'intégration des immigrants sont essentiels au développement du Québec francophone. D'ailleurs, la population compte maintenant de plus en plus de Québécois d'origine étrangère.

L'IMMIGRATION AU QUÉBEC SELON LES PRINCIPAUX PAYS DE NAISSANCE DURANT LES SIX PREMIERS MOIS DE 2007.

Les nouveaux immigrants sont jeunes. Près de 7 immigrants sur 10 ont moins de 35 ans.

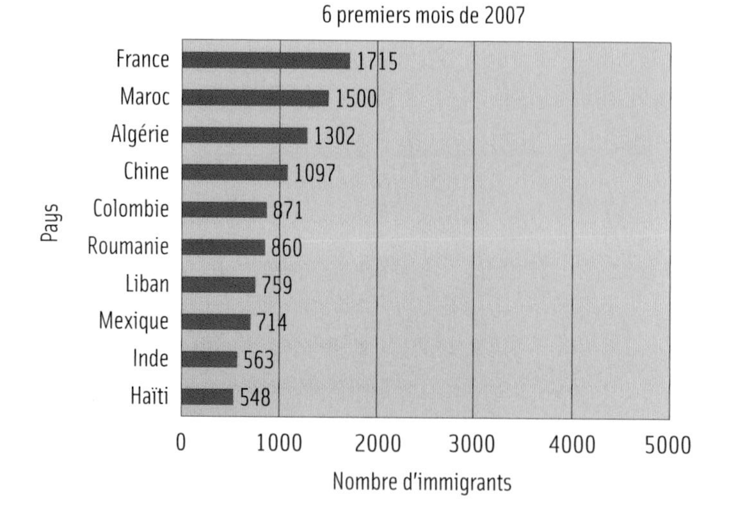

Source : Ministère de l'Immigration et des Communautés culturelles, Direction de la recherche et de l'analyse prospective, 24 septembre 2007.

Allophone : Personne résidant au Québec, qui utilise une langue autre que le français ou l'anglais.

3 CES QUÉBÉCOIS VENUS D'HAÏTI.

La communauté haïtienne a contribué de façon importante à l'édification du Québec moderne, et ce, dans tous les secteurs de la vie publique.

« Si les Haïtiens étaient déjà présents au Québec dès la première moitié du XXe siècle, notamment pour y entreprendre des études, il a fallu attendre la fin des années 1950 et le début des années 1960 pour les voir arriver en cohortes successives et nombreuses. [...] Culture et langue aidant, ces Haïtiens, devenus depuis des Québécois, se sont mêlés aux "révolutionnaires tranquilles", chacun à sa manière et selon ses talents, mais toujours avec un enthousiasme manifeste, dans cette croisade pour changer la vie, pour transformer la société, pour moderniser le Québec. Ainsi, on les a retrouvés, discrets mais non moins efficaces, dans le sillon des plus éminents promoteurs et réalisateurs de ce vaste chantier de réformes qui a fait du Québec ce qu'il est aujourd'hui. Oui, on les a retrouvés, anonymes et souvent besogneux, dans tous les secteurs de la société et dans toutes les régions du Québec, tentant d'améliorer la vie dont ils n'avaient pas réussi à changer le cours au pays natal. Ils sont devenus aujourd'hui des citoyens à part entière du Québec, et leurs descendants brûlent déjà du désir de parachever l'œuvre collective de tous ces pionniers à qui reviennent le mérite de l'initiative et l'honneur du travail de défrichage. »

Source : Samuel PIERRE, *Ces Québécois venus d'Haïti : Contribution de la communauté haïtienne à l'édification du Québec moderne*, Montréal, Presses internationales Polytechnique, 2007, p. VIII-X.

4 LA DESTINATION DES IMMIGRANTS DANS LES RÉGIONS DU QUÉBEC EN 2006.

Près de 25 % des habitants de la région métropolitaine de Montréal et près de 30 % des habitants de l'île de Montréal sont nés à l'étranger.

Région projetée de destination	Nombre d'immigrants	Pourcentage
Bas-Saint-Laurent	109	0,2
Saguenay–Lac-Saint-Jean	174	0,4
Capitale-Nationale	1754	3,9
Mauricie	369	0,8
Estrie	1165	2,6
Montréal	32 755	73,3
Outaouais	1029	2,3
Abitibi-Témiscamingue	45	0,1
Côte-Nord	17	0,1
Nord-du-Québec	8	0,1
Gaspésie–Îles-de-la-Madeleine	20	0,1
Chaudière-Appalaches	135	0,3
Laval	2027	4,5
Lanaudière	373	0,8
Laurentides	578	1,3
Montérégie	3345	7,5
Centre-du-Québec	318	0,7
Autres régions ou non déterminée	465	1,0
Total	**44 686**	**100,0**

Source : Ministère de l'Immigration et des Communautés culturelles, Direction de la recherche et de l'analyse prospective 2006.

QUESTIONS

1. Quelles sont les caractéristiques socioculturelles ancestrales des Québécois ?
2. Lorsqu'on mentionne qu'une partie de l'élite canadienne-française du début du 20e siècle décourageait les contacts avec les autres communautés afin de préserver les caractéristiques socioculturelles ancestrales, de quel groupe social parle-t-on ? Faites une courte recherche pour le découvrir.

Méthodologie

3. [Doc. 4]
   Quelles régions ont accueilli moins de 30 immigrants en 2006 ? Expliquez ce phénomène.

Réflexion

4. Pourriez-vous nommer des Haïtiens qui ont contribué à l'amélioration de la société québécoise ? Donnez un exemple de leur contribution.

Une population diversifiée

En raison des mouvements de population à l'échelle internationale, la diversité ethnique est devenue une réalité dans tous les pays occidentaux. Elle se manifeste par une plus grande présence de personnes nées à l'étranger et provenant de tous les continents. Il est indispensable de bien gérer cette diversité. Chaque pays a donc développé une politique à cet égard.

1 UN DÉFI OCCIDENTAL.

La commission Bouchard-Taylor donne son point de vue sur la gestion des rapports interculturels en Occident.

« Le questionnement et les problèmes liés à la gestion des rapports interculturels ne touchent pas seulement notre société; ils se manifestent à l'échelle de l'Occident, et même au-delà. De nombreuses nations font face aujourd'hui à la réaction de vieilles identités déstabilisées par l'essor d'une diversité qui entend se perpétuer. Elles doivent aussi donner forme à une sensibilité pluraliste qui a pris racine peu à peu au cours de la seconde moitié du vingtième siècle. La plupart des nations d'Occident sont aux prises avec ce même défi: réviser les grands codes du vivre-ensemble pour aménager les différences ethnoculturelles dans le respect des droits. Aucune de ces sociétés ne peut prétendre détenir la solution miracle; il revient à chacune d'élaborer une solution, un modèle qui lui convienne, en accord avec son histoire, ses institutions, ses valeurs et ses contraintes.

Commission Bouchard-Taylor. »

Source: *Accommodements et différences. Vers un terrain d'entente: La parole aux citoyens*, Commission de consultation sur les pratiques d'accommodement reliées aux différences culturelles, Québec, 2007, p.VI.

Pluralisme culturel: Système où plusieurs tendances culturelles sont présentes.

2 DES ENFANTS DU QUÉBEC D'AUJOURD'HUI.

La population du Québec de demain continuera de se diversifier et deviendra une société pluriculturelle toujours plus riche grâce à ses nombreuses cultures et à leurs traditions.

Deux modèles d'intégration

En matière d'immigration, le Canada et le Québec ont développé des modèles d'intégration un peu différents, soit le multiculturalisme canadien et l'interculturalisme québécois. Ces deux modèles d'intégration favorisent le **pluralisme culturel** tout en encourageant l'intégration à la société d'accueil. Il existe néanmoins des nuances entre les deux approches.

En 1971, le Canada est le premier pays à adopter une politique officielle de multiculturalisme. Cette politique encourage le maintien des caractéristiques culturelles héritées des pays d'origine. En 1988, le gouvernement met davantage l'accent sur la lutte à la discrimination. Cependant, il considère toujours la diversité de la population comme une caractéristique fondamentale de la société canadienne.

Pour sa part, le modèle interculturaliste québécois est présenté dans deux documents gouvernementaux : *Autant de façons d'être Québécois* (1981) et *Au Québec pour bâtir ensemble* (1990). Ce modèle propose un engagement de la société québécoise autour d'une langue et de valeurs communes, comme le français et la démocratie libérale, ainsi que la participation à la vie culturelle, économique et politique, de même que l'ouverture à de nouveaux apports culturels.

Tous les trois ans, le ministère de l'Immigration et des Communautés culturelles mène une consultation publique sur la planification de l'immigration permanente au Québec. Pour la période de 2008 à 2010, le gouvernement a décidé de hausser le nombre d'immigrants dans le but d'atténuer les effets du vieillissement de la population. Depuis la fin du 20e siècle, la croissance de la population active provient en grande partie de l'immigration.

3 AU QUÉBEC POUR BÂTIR ENSEMBLE.

Confronté à des défis démographiques, le gouvernement du Québec considère l'immigration comme l'une de ses priorités.

4 YOLANDE JAMES (À DROITE), MINISTRE DE L'IMMIGRATION ET DES COMMUNAUTÉS CULTURELLES DU QUÉBEC, EN COMPAGNIE DES 200 NOUVEAUX ARRIVANTS, EN OCTOBRE 2007.

Chaque année, une cérémonie nationale de bienvenue a lieu afin de souligner l'arrivée des personnes immigrantes et de faciliter leur intégration à la société québécoise.

QUESTIONS

1. Pourquoi faut-il gérer l'immigration ?
2. Pourquoi le Québec a-t-il décidé d'avoir sa propre politique d'immigration, différente de celle du gouvernement fédéral ?
3. Quelle contribution les nouveaux arrivants apportent-ils à la société québécoise ?

Méthodologie

4. [Doc. 1]
Comment les nations réussiront-elles à relever le défi que représentent les rapports interculturels ?

Réflexion

5. Que pourriez-vous faire pour mieux connaître des membres d'autres communautés culturelles ? Mettez-vous à la recherche de différentes sources de renseignements et racontez en quelques mots ce que vous avez découvert.

La population québécoise de demain

Des démographes ont tracé des portraits du Québec de demain. Ils ont produit des scénarios plus ou moins pessimistes, qui prévoient une diminution de la population au cours du 21e siècle si les tendances des dernières décennies se maintiennent. La baisse de la natalité est le principal phénomène qui menace le développement social et économique.

D'autre part, le Québec perd chaque année une partie de sa population au profit d'autres provinces. On estime qu'en 2006, 24 148 personnes se sont installées au Québec, alors que 37 063 ont quitté la province. Le solde migratoire interprovincial est donc de moins 12 915 personnes.

La stagnation ou même la diminution de la population a des conséquences sociales et économiques considérables. À ce problème s'ajoute celui de la répartition de la population sur le territoire: certaines régions se vident au profit de la région entourant Montréal.

1 L'ÉVOLUTION DE L'INDICE DE FÉCONDITÉ AU QUÉBEC, DE 1956 À 2006.

Le renouvellement de la population dépend du nombre de naissances, soit une moyenne de 2,1 naissances par femme. C'est ce qu'on appelle « l'indice de fécondité ». Or, celui du Québec était d'environ 1,6 en 2006, alors qu'il était de 4 naissances par femme dans les années 1950.

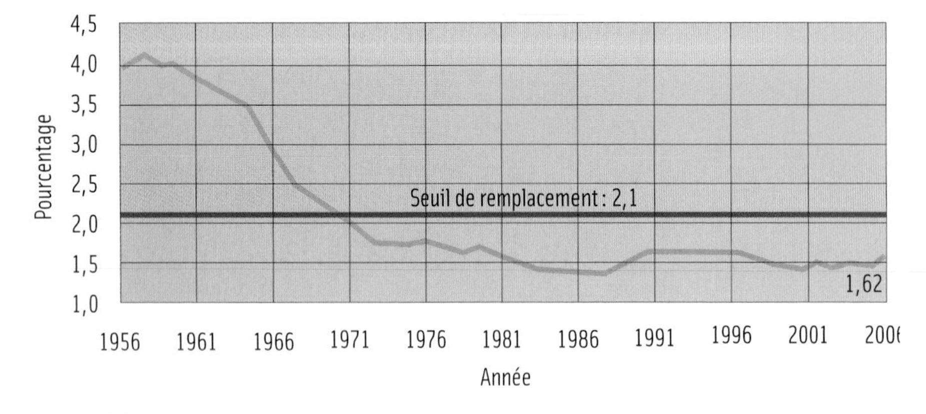

Source : Institut de la statistique du Québec, 2007.

2 L'ÉVOLUTION ET LA DISTRIBUTION DE LA POPULATION PAR RÉGION ADMINISTRATIVE AU QUÉBEC, EN 1996 ET EN 2006.

Chaque décennie, des dizaines de milliers de personnes se déplacent d'une région à une autre. Certaines régions, comme les grands centres urbains, attirent plus d'immigrants.

Région administrative	Population en 1996	Population en 2006	Gain ou perte
Bas-Saint-Laurent	208 740	201 692	-7048
Saguenay–Lac-Saint-Jean	290 466	274 095	-16 371
Capitale-Nationale	643 421	671 468	28 047
Mauricie	264 572	260 461	-4111
Estrie	282 573	302 161	19 588
Montréal	1 799 296	1 873 971	74 675
Outaouais	311 648	347 214	35 566
Abitibi-Témiscamingue	156 000	144 835	-11 165
Côte-Nord	104 723	95 948	-8775
Nord-du-Québec	39 063	40 637	1574
Gaspésie–Îles-de-la-Madeleine	106 541	95 872	-10 669
Chaudière-Appalaches	385 606	397 777	12 171
Laval	334 882	376 845	41 963
Lanaudière	380 318	434 872	54 554
Laurentides	438 771	518 621	79 850
Montérégie	1 282 494	1 386 963	104 469
Centre-du-Québec	217 782	228 099	10 317
Population totale	**7 246 896**	**7 651 531**	**404 635**

Source : Statistique Canada, 2007.

Les défis démographiques et les voies de solution

La principale conséquence de la dénatalité et de l'émigration est, dans un premier temps, le vieillissement de la population. Le déséquilibre entre la population la plus âgée et la plus jeune fait en sorte qu'il y a moins de personnes en mesure d'occuper des emplois. Cela ralentit l'économie et diminue les revenus de l'État (taxes et impôts), ce qui risque de nuire aux programmes sociaux (services de santé et pensions de vieillesse, par exemple). Enfin, la faible croissance de la population du Québec réduit son poids et son influence dans la fédération canadienne. En 1867, le Québec fournissait 36 % des députés à la Chambre des communes. Il en élit aujourd'hui moins du quart.

Parmi les solutions envisagées pour remédier à ces phénomènes, on fait souvent référence à la politique familiale du gouvernement (services de garde subventionnés, congés parentaux, prestations familiales). On attribue en effet la légère hausse des naissances survenue en 2005 et 2007 à l'amélioration des congés parentaux. Certains encouragent la hausse de l'immigration, à condition que des programmes d'apprentissage du français permettent à ceux qui ne sont pas déjà francophones de s'intégrer plus facilement.

La création d'emplois et les mesures pour maintenir le coût de la vie à un niveau raisonnable figurent parmi les solutions envisagées pour stopper l'émigration. Ceux qui s'inquiètent de la diminution du poids du Québec au sein du Canada évoquent l'obtention d'une plus grande autonomie politique. Pour tenter de freiner le phénomène de l'exode des régions et de l'étalement urbain, il est question de politiques de développement régional et d'amélioration des transports en commun.

La baisse de la natalité, le vieillissement de la population, la gestion de l'immigration ainsi que le développement régional et urbain sont des enjeux dont il faut tenir compte aujourd'hui pour assurer un équilibre démographique dans l'avenir.

3 UNE FAMILLE TYPIQUE DES ANNÉES 1950.

La famille typique des années 1950 comprenait une moyenne de quatre enfants.

4 LE RÉGIME QUÉBÉCOIS D'ASSURANCE PARENTALE.

Plusieurs mesures ont été mises en œuvre au Québec au cours des dernières années.

« Depuis le 1er janvier 2006, le Régime a permis à des milliers de mères et de pères de profiter pleinement de leur congé de maternité, de leur congé de paternité, de leur congé parental ou de leur congé d'adoption [...]. En 2006 seulement, près de 100 000 Québécoises et Québécois ont reçu des prestations d'assurance parentale d'une valeur de 817 millions de dollars. »

Source : Ministère de l'Emploi et Solidarité, Gouvernement du Québec, 2007.

QUESTIONS

1. Pourquoi le vieillissement de la population est-il un facteur de ralentissement de l'économie ?

Méthodologie

2. [Doc. 1]
Quel est le pourcentage de la baisse du taux de natalité au Québec de 1956 à 2006 ?
3. [Doc. 2]
Nommez les trois régions administratives les plus peuplées en 2006.
4. [Doc. 4]
D'après ce qu'écrit le gouvernement, croyez-vous que le Régime québécois d'assurance parentale favorisera la natalité au Québec ? Pourquoi ?

Les points à retenir pour ce dossier:

Au Québec

LES PREMIERS OCCUPANTS

-30 000 ► Arrivée de chasseurs nomades venus d'Asie qui marque le début du peuplement en Amérique.

-10 000 ► Arrivée des premiers Amérindiens au Québec.

LE RÉGIME FRANÇAIS

1608 ► Samuel de Champlain fonde le premier établissement permanent à Québec.

1627 ► Création de la Compagnie des Cent-Associés.

1634 ► Fondation de Trois-Rivières.

1642 ► Fondation de Ville-Marie.

1663 ► Début de l'arrivée des Filles du roi en Nouvelle-France.

1665 ► Jean Talon devient intendant de la Nouvelle-France. Premier recensement dans la colonie.

1755 ► Déportation des Acadiens.

1759 ► Siège de Québec, bataille des Plaines d'Abraham.

1760 ► Capitulation de Montréal. La colonie passe aux mains des Britanniques.

LE RÉGIME BRITANNIQUE

1763 ► Traité de Paris.

1776 ► Indépendance des États-Unis.

1791 ► Acte constitutionnel par lequel la province de Québec est divisée en deux territoires: le Haut-Canada et le Bas-Canada.

1840 ► Début de l'émigration de Canadiens français vers les États-Unis.

1833 ► Abolition de l'esclavage dans l'Empire britannique.

LA PÉRIODE CONTEMPORAINE DE 1867 À NOS JOURS

1867 ► Acte de l'Amérique du Nord britannique.

1876 ► Loi sur les Indiens.

1885 ► Épidémie de variole.

1918 ► Épidémie de grippe espagnole.

1929 ► Début de la crise économique.

1945 ► Début du baby-boom.

1968 ► Création du ministère de l'Immigration.

2007 ► Commission de consultation sur les pratiques d'accommodement reliées aux différences culturelles.

Ailleurs dans le monde

L'Afrique du Sud

Territoire

L'Afrique du Sud est située à la pointe sud du continent africain. Elle est bordée au nord par la Namibie, le Botswana et le Zimbabwe, et au nord-est par le Mozambique et le Swaziland.

Société

L'Afrique du Sud compte plus de 44 millions d'habitants. La population est répartie entre Noirs, Blancs, Asiatiques et Métis.

Population

L'Afrique du Sud est un pays multiethnique qui compte plusieurs langues et cultures.

Enjeu

Le régime de l'apartheid a profondément marqué l'histoire moderne de l'Afrique du Sud. Encore aujourd'hui, plusieurs inégalités sociales subsistent : racisme, discrimination, pauvreté, analphabétisme, etc.

La Belgique

Territoire

Le territoire de la Belgique s'étend sur 30 510 km^2. Le pays est situé au nord-ouest de l'Europe. Il est bordé au nord par les Pays-Bas, à l'est par le Luxembourg et l'Allemagne, au sud par la France et à l'ouest par la mer du Nord.

Société

La Belgique compte plus de 10,4 millions d'habitants. Bruxelles, la capitale, compte 10 % de la population totale. Environ 57 % de la population parle le néerlandais, 32 % le français et 1 % l'allemand.

Population

La population de la Belgique est divisée entre deux communautés différentes : les Wallons au sud et les Flamands au nord. Ces deux communautés se partagent le territoire, mais possèdent une culture et une langue distinctes.

Enjeu

Divisée entre les Wallons au sud et les Flamands au nord, la Belgique est une société dualiste qui tente d'unir deux communautés linguistiques dans un même espace.

Le Brésil

Territoire

Avec ses 8 547 400 km^2, le Brésil est le plus grand pays d'Amérique du Sud. Trois Brésiliens sur quatre habitent en région urbaine.

Société

Le Brésil compte plus de 186 millions d'habitants, ce qui en fait le cinquième pays du monde en nombre d'habitants. Les grandes métropoles de Sao Paulo et de Rio de Janeiro comptent parmi les villes les plus populeuses du monde.

Population

La population brésilienne est le produit du métissage entre divers groupes ethniques. La nation brésilienne s'est forgée par la rencontre des Amérindiens, des descendants des esclaves africains et des immigrants européens, principalement les Portugais.

Enjeu

La société brésilienne demeure l'une des sociétés les plus inégalitaires du monde. Les conditions sociales et économiques varient beaucoup d'une région à l'autre, mais aussi entre les différents groupes ethniques.

Singapour

Territoire

Située en Asie, Singapour est l'un des plus petits pays du monde. Sa population est répartie sur 57 îles d'une superficie de 620 km^2. La majorité de la population réside sur l'île principale de Singapour.

Société

Singapour compte 4,5 millions d'habitants. La population du pays forme une mosaïque de cultures au sein de laquelle évoluent des Chinois, des Malais, des Indiens et des Occidentaux.

Population

Singapour est une véritable cité-État où existe une grande diversité de langues et de cultures.

Enjeu

Singapour reste divisée par groupes ethniques. Par conséquent, ses habitants ne partagent pas tous la même langue et les mêmes valeurs, mais le pays demeure une société harmonieuse et prospère.

Activité synthèse

Des enjeux dans l'évolution du Québec

Le dossier 1 fait ressortir deux grands enjeux dans l'évolution du Québec : l'organisation du territoire et l'organisation de la société. Au fil de votre lecture, vous avez appris de quelle façon les gouvernements ont géré ces enjeux et quels sont les nombreux changements survenus tant dans la composition de la société que dans le découpage du territoire.

Pour faire le bilan de vos apprentissages, choisissez un de ces enjeux et résumez-en les étapes.

Si vous choisissez l'enjeu «territoire», vous devrez décrire les modifications des frontières du territoire québécois.

1. Choisissez une région de la Nouvelle-France et retracez-en l'évolution entre 1608 et 1760.

2. Décrivez l'itinéraire d'une personne qui, avec les moyens existant en 1780, se rend de Montréal à Gaspé.

3. Retracez l'évolution du réseau de chemins de fer et du réseau routier du 19e siècle à aujourd'hui.

4. Démontrez comment, au 20e siècle, les villes prennent de l'expansion, en empiétant sur les territoires ruraux.

Si vous choisissez l'enjeu «société», vous devrez répondre à la question suivante : «Comment la société québécoise a-t-elle évolué et quels défis doit-elle affronter aujourd'hui ?»

1. Donnez le nom des nations amérindiennes implantées sur le territoire du Québec au moment où débarquent les premiers colons français.

2. Montrez comment les Européens ont intégré des modes de vie des Amérindiens à l'époque de la Nouvelle-France.

3. Comparez la composition actuelle de la population du Québec avec ce qu'elle était au 19e siècle.

4. Nommez les 10 communautés ethniques les plus représentées au Québec au début du 21e siècle.

5. Montrez, par 10 exemples concrets, que la société québécoise a intégré l'héritage culturel de Québécois de diverses origines.

Pour aller plus loin...

Activité 1 • Un programme d'accueil pour les nouveaux arrivants

La notion d'identité constitue un élément essentiel de l'enjeu proposé. S'établir dans un pays étranger est un défi colossal, qui peut cependant être facilité par la manière dont les immigrants sont accueillis. Votre tâche consiste à concevoir un programme d'accueil pour les immigrés d'un pays ou d'une région en particulier. Présenté sous forme de dépliant, votre programme doit permettre aux immigrants de comparer leurs coutumes et leur culture à celles qui prévalent actuellement au Québec. Vous devrez faciliter leur intégration en les aidant à développer un sentiment d'appartenance à la société québécoise.

Activité 2 • Un questionnaire sur la diversité des origines

La notion d'identité est intimement liée à la notion d'origine de la famille. Vous ferez un sondage auprès d'une vingtaine de personnes pour découvrir leurs origines immédiates ainsi que leurs origines lointaines, tant par la lignée de la mère que par celle du père. Vous remonterez au moins jusqu'à l'origine des grands-parents, lorsque c'est possible. Vous collecterez également les données sur le pays de naissance et sur le pays d'origine, s'il y a lieu. Ce sondage vous permettra de tracer le portrait d'un échantillon de la population du Québec et de constater la grande diversité des origines.

Pour en savoir plus...

DES LIVRES

AUBERT DE GASPÉ, Philippe. *Les anciens Canadiens* (roman), Saint-Laurent, Bibliothèque québécoise, 1999 (1863), 429 p.

LAHAISE, Robert, et Noël VALLERAND. *Le Québec sous le Régime anglais, 1760-1867: Les Canadiens français, la colonisation britannique et la formation du Canada continental,* Outremont, Lanctôt, 1999, 370 p.

BRUNET, Michel. *Les Canadiens après la conquête 1759-1775: De la révolution canadienne à la révolution américaine,* Montréal, Fides, 1980, 313 p.

CHAMPLAIN, Samuel de. *Voyages en Nouvelle-France* (texte adapté de l'édition originale de 1613), Paris, Cosmopole, 2004, 285 p.

HÉMON, Louis. *Maria Chapdelaine* (roman), coll. Boréal compact, Montréal, Boréal, 1988 (1916), 216 p.

LACOURSIÈRE, Jacques. *Histoire populaire du Québec,* Sillery, Éditions du Septentrion, 1995, 4 vol.

MARTIN, Denis. *Portraits des héros de la Nouvelle-France : Images d'un culte historique,* Hurtubise HMH, 1988, 176 p.

ROBY, Yves. *Histoire d'un rêve brisé ?: Les Canadiens français aux États-Unis,* Sillery, Éditions du Septentrion, 2007, 148 p.

ROBY, Yves. *Les Franco-Américains de la Nouvelle-Angleterre (1776-1930),* Sillery, Éditions du Septentrion, 1990, 434 p.

TRUDEL, Marcel. *Deux siècles d'esclavage au Québec,* Montréal, Hurtubise HMH, 2004, 405 p.

DES FILMS

Maria Chapdelaine (fiction), réalisateur : Gilles Carle, Québec, 1984.

Marguerite Volant (fiction), réalisateur : Charles Binamé, Canada, 1996.

Nouvelle-France (fiction), réalisateur : Jean Beaudin, Canada/France/Grande-Bretagne, 2004.

DOSSIER 2

Économie et développement

L'économie du Québec a toujours été en transformation. Ce qui est caractéristique du monde actuel, c'est l'accélération du rythme des transformations. La mondialisation des marchés et la nécessité de faire face à une vive concurrence internationale obligent à des ajustements constants. Si le Québec est une société riche parmi celles de la planète, c'est en partie grâce aux richesses naturelles de son immense territoire. Pendant des siècles, depuis la traite des fourrures jusqu'à l'hydroélectricité, les ressources naturelles contribuent au développement économique du Québec. Il n'en demeure pas moins que le sort des générations futures dépend de l'intelligence avec laquelle seront exploitées ces ressources naturelles. Les défis sont grands aussi dans le monde du travail où les formations exigées et les types d'emplois offerts sont en continuel changement.

Économie

-30 000 — 1500 — 1600 — 1700

Vers 1500 Premiers échanges entre autochtones et pêcheurs européens

1534 Arrivée de Jacques Cartier à Gaspé

1601 Fondation de Tadoussac

1670 Création de la Compagnie de la Baie d'Hudson

1701 Fondation de la Louisiane

1719 Construction de la forteresse de Louisbourg

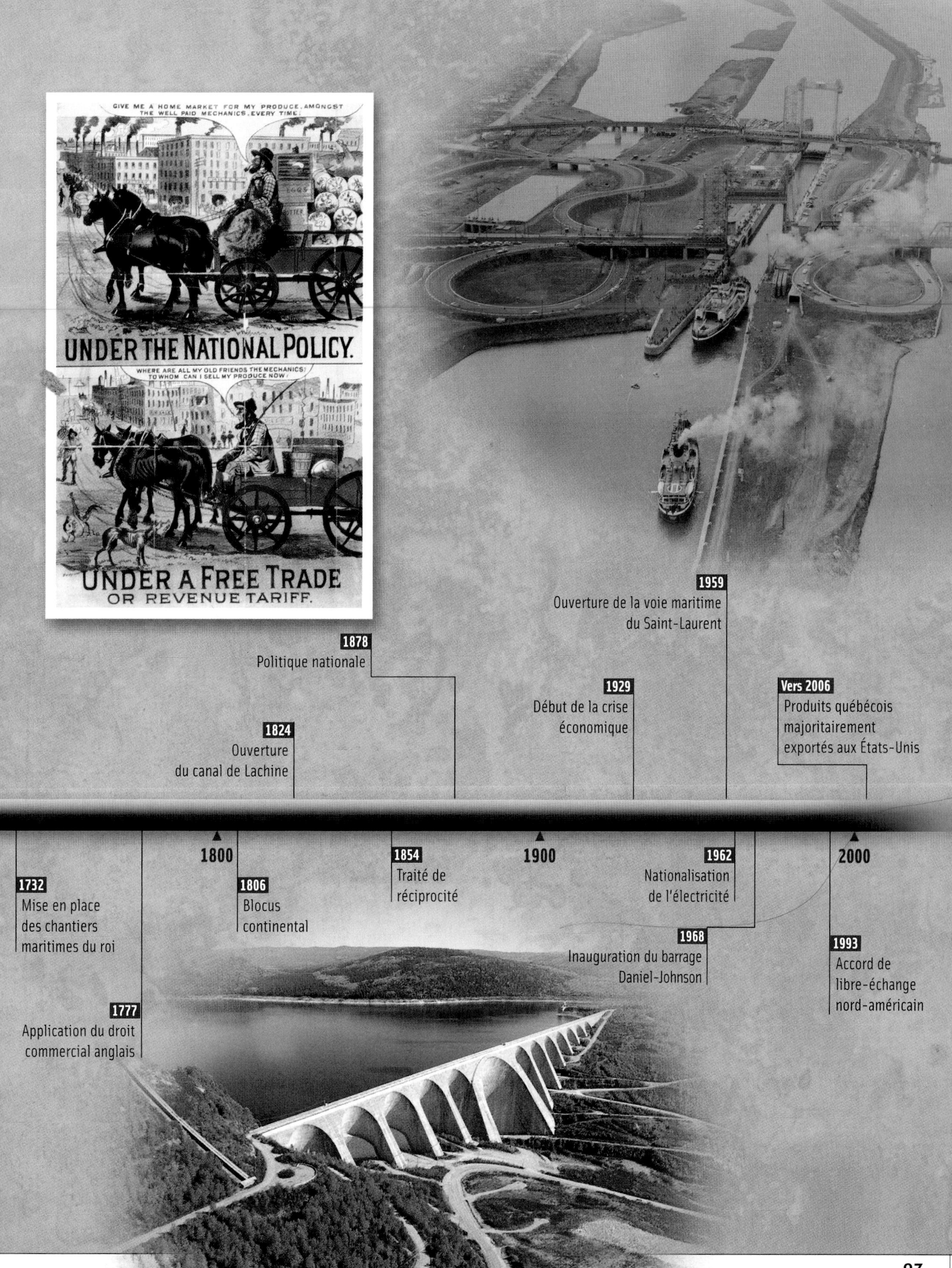

1732 Mise en place des chantiers maritimes du roi

1777 Application du droit commercial anglais

1806 Blocus continental

1824 Ouverture du canal de Lachine

1854 Traité de réciprocité

1878 Politique nationale

1929 Début de la crise économique

1959 Ouverture de la voie maritime du Saint-Laurent

1962 Nationalisation de l'électricité

1968 Inauguration du barrage Daniel-Johnson

1993 Accord de libre-échange nord-américain

Vers 2006 Produits québécois majoritairement exportés aux États-Unis

1800 1900 2000

Économie et développement

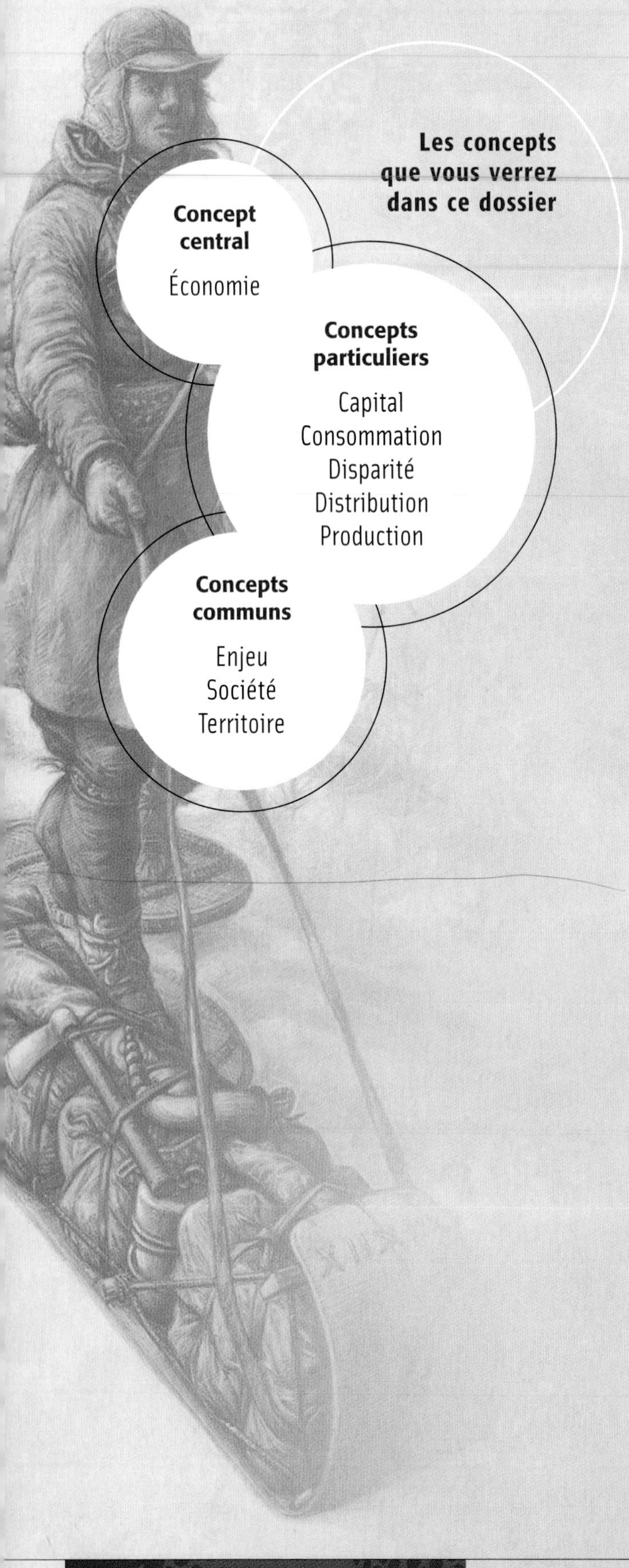

Les concepts que vous verrez dans ce dossier

Concept central

Économie

Concepts particuliers

Capital
Consommation
Disparité
Distribution
Production

Concepts communs

Enjeu
Société
Territoire

SOMMAIRE

Réalité sociale

Économie et développement

Angle d'entrée

Les effets de l'activité économique sur l'organisation de la société et du territoire.

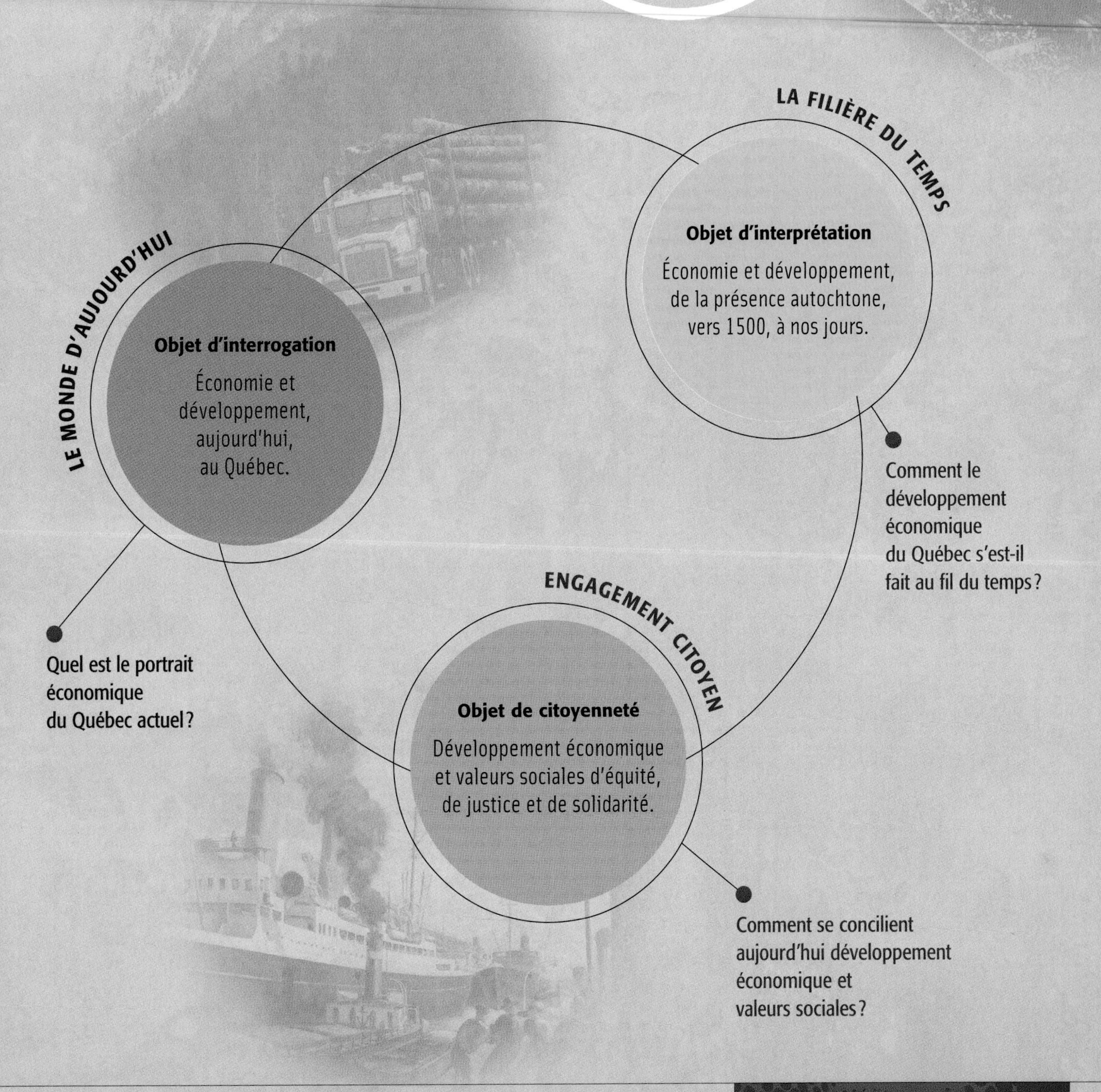

UNE ÉCONOMIE EN TRANSFORMATION

La structure économique actuelle du Québec subit d'importantes transformations : la mondialisation des marchés s'accentue, le commerce extérieur connaît une forte croissance, le chômage régresse de façon marquée. Certains secteurs, comme le bois et la pêche, connaissent des difficultés. D'autres, comme celui de l'hydroélectricité et des technologies de pointe, ont le vent dans les voiles. La croissance économique est principalement le fait des grandes régions urbaines. L'avenir de certaines régions éloignées s'annonce difficile.

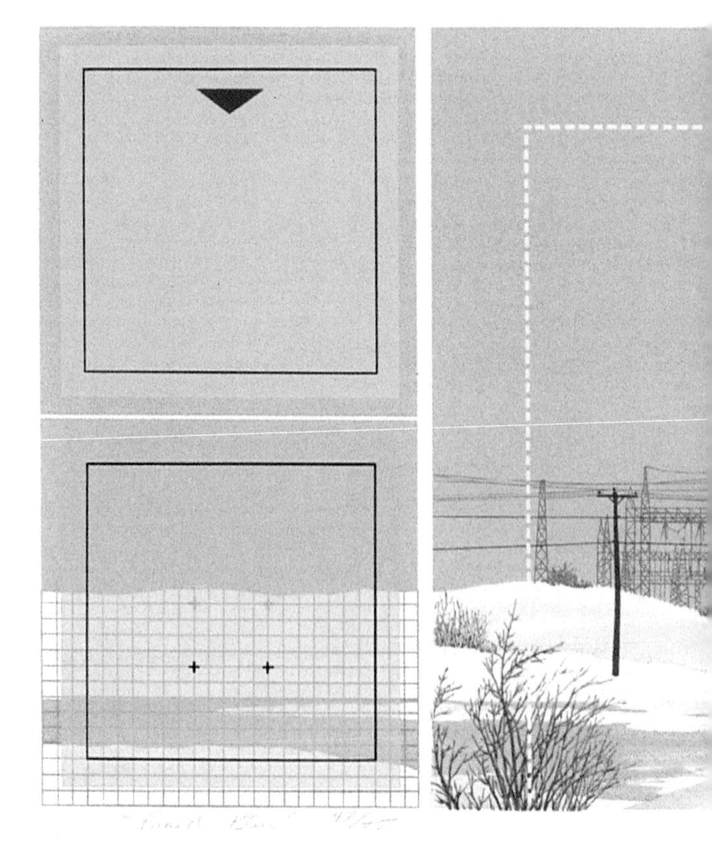

Lauréat Marois (né en 1949)

Artiste peintre
Lauréat Marois détient un diplôme spécialisé en communication graphique et en sérigraphie de l'École des beaux-arts de Québec. Dans son œuvre, il déconstruit les formes géométriques qu'il assemble avec différents plans de couleur.

FROID BLEU.
Lauréat Marois conçoit la sérigraphie *Froid bleu* en 1977. Inspiré par la nature, il propose un paysage qui explore les formes géométriques et les jeux de perspective. Le support de l'œuvre est un triptyque, c'est-à-dire que l'œuvre est présentée sur un panneau central sur lequel se rabattent deux volets.

Lauréat Marois, *Froid bleu*, 1977.

1 LA RÉMUNÉRATION HEBDOMADAIRE MOYENNE DES HABITANTS DU QUÉBEC, DE L'ONTARIO, DE L'ALBERTA ET DE LA NOUVELLE-ÉCOSSE, DE 2002 À 2006.

En 2006, la rémunération hebdomadaire moyenne de certains salariés québécois s'établit à 703,74 $.

Année	Québec	Ontario	Alberta	Nouvelle-Écosse
2002	644,30 $	722,97 $	694,35 $	600,20 $
2003	655,43 $	731,07 $	724,79 $	607,30 $
2004	668,48 $	743,43 $	762,69 $	624,32 $
2005	686,26 $	764,52 $	703,28 $	645,74 $
2006	703,74 $	782,02 $	800,17 $	659,02 $

Source : Statistique Canada, 2006.

L'économie du Québec aujourd'hui

L'économie du Québec entre dans une phase postindustrielle, comme plusieurs sociétés qui ont vécu une forte industrialisation. La production de services constitue l'essentiel de ses activités économiques. Avec la mondialisation, le Québec s'oriente vers une économie du savoir basée sur la maîtrise des technologies de pointe. Il est surtout reconnu pour ses réalisations dans les domaines de l'industrie aérospatiale, les technologies informatiques, la biotechnologie et l'industrie pharmaceutique. Les ressources naturelles du Québec représentent toujours un secteur important de l'économie, même si certains secteurs connaissent des années difficiles. Les exportations de services ou de biens finis du Québec se font surtout vers les États-Unis, son principal partenaire commercial.

2 LES PRODUITS BIOLOGIQUES EN PLEINE CROISSANCE.

La consommation d'aliments biologiques connaît une forte hausse. En 2003, on comptait plus de 3000 fermes biologiques. Malgré une croissance importante de la production, 80 % des aliments biologiques vendus au Québec proviennent de l'étranger, car les agriculteurs biologiques du Québec ne parviennent pas à répondre à la demande.

3 LES DÉPENSES MOYENNES DES MÉNAGES QUÉBÉCOIS POUR LES BIENS ET SERVICES EN 2005.

Les impôts personnels constituent la dépense annuelle la plus importante pour les ménages québécois.

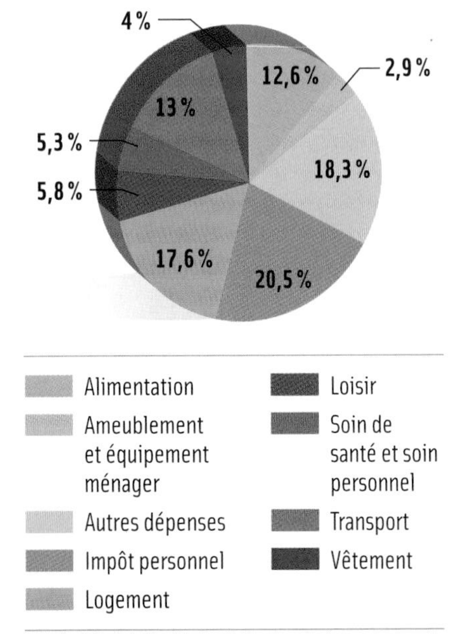

Source : Statistique Canada, *Enquête sur les dépenses des ménages*, 2005.

4 LE REVENU ANNUEL PAR HABITANT AU QUÉBEC ET DANS LE RESTE DU CANADA DE 1988 À 2008.

Bien que l'économie québécoise évolue de façon comparable à celle des autres provinces, les Québécois ont des revenus moindres que la moyenne canadienne.

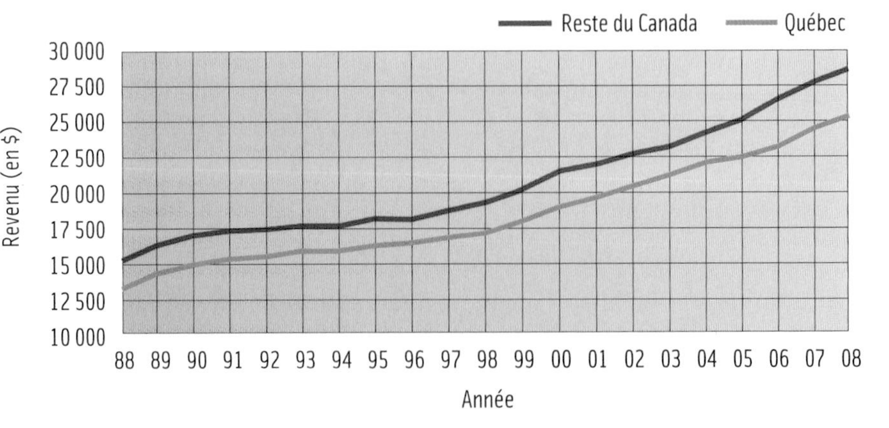

Source : Institut de la statistique du Québec – Secrétariat aux affaires intergouvernementales canadiennes, *Tableau statistique canadien*, octobre 2007.

5 LES AMÉNAGEMENTS HYDROÉLECTRIQUES DE LA GRANDE RIVIÈRE, EN JAMÉSIE, EN 2005.

La production hydroélectrique de la **Jamésie** est très importante pour le Québec. La Jamésie et la Côte-Nord possèdent de nombreuses rivières au potentiel hydroélectrique très élevé. Ces deux régions produisent près de 75 % de l'électricité du Québec.

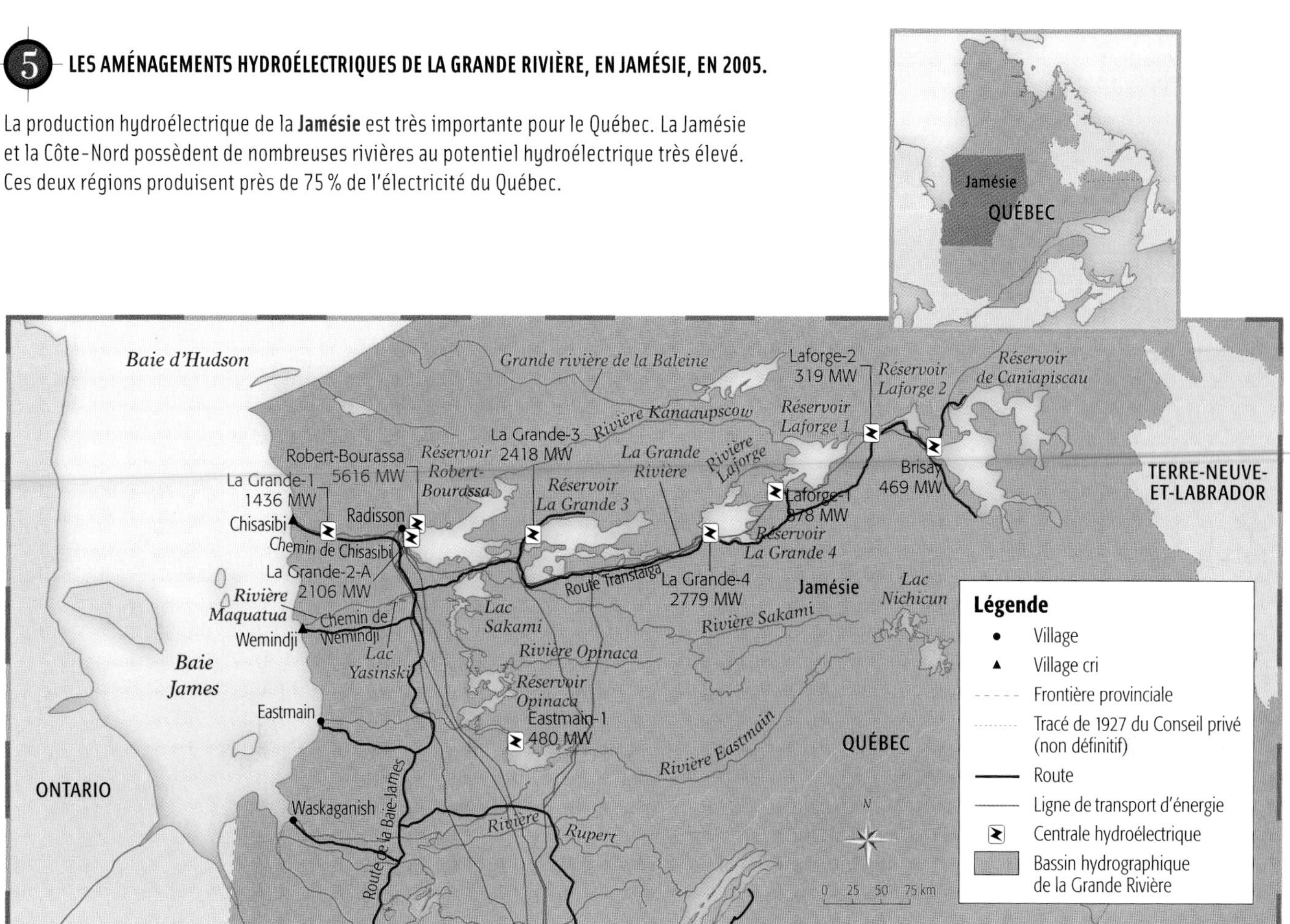

Source : Hydro-Québec, 2005.

Jamésie : Territoire situé dans la région administrative du Nord-du-Québec et comprenant la plus grande municipalité du Québec (333 255 km²), celle de la Baie-James, ainsi que plusieurs villages cris.

6 LA PART DES PRINCIPAUX PRODUITS QUÉBÉCOIS DANS LES EXPORTATIONS TOTALES DU QUÉBEC EN 2006.

Les principaux secteurs exportateurs sont l'aluminium, l'aéronautique et le papier journal.

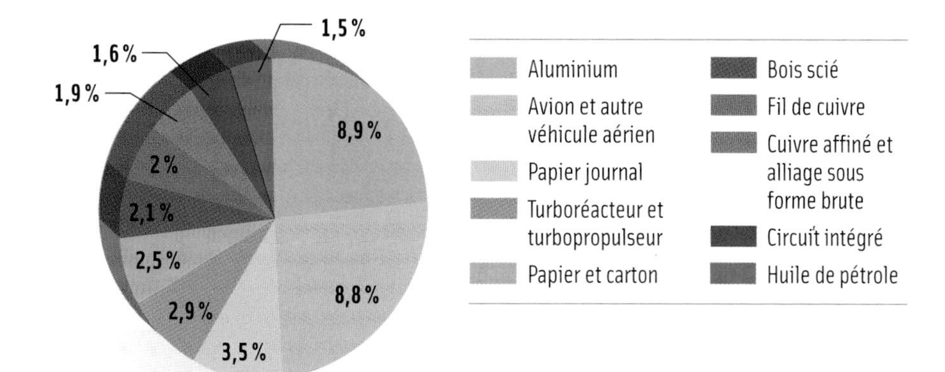

Source : Ministère du Développement économique, de l'Innovation et de l'Exportation, *Le Capelin. Le commerce extérieur du Québec*, Québec, décembre 2007, p. 16.

QUESTIONS

Méthodologie

1. [Doc. 1]
   Que remarquez-vous au sujet du revenu personnel des habitants du Québec par rapport à celui des habitants des autres provinces ?
2. [Doc. 5]
   Quel est le nom de la centrale hydroélectrique située près du réservoir de Caniapiscau ?
3. [Doc. 6]
   Indiquez les trois secteurs exportateurs les moins importants.

Réflexion

4. Que retenez-vous en particulier au sujet de l'économie du Québec ?

Les effets de l'activité économique

Le développement économique du Québec ne profite pas de la même façon à toutes les régions et à toutes les classes de la société. On oublie souvent que, sur un si vaste territoire, il existe d'énormes différences. Ainsi, lorsque les ressources naturelles de certaines régions viennent à manquer ou à ne plus intéresser les marchés mondiaux, la population doit se diriger ailleurs. D'un autre côté, les nouveaux types d'emplois, nés des technologies de pointe, abondent à Montréal. Plusieurs centaines de chômeurs, qui ne trouvent plus d'emploi dans leur domaine, doivent souvent s'orienter vers un autre secteur.

1 LE TAUX DE CHÔMAGE DES RÉGIONS ADMINISTRATIVES DU QUÉBEC EN 2007.

Depuis le milieu des années 1990, le taux de chômage ne cesse de diminuer au Québec, passant de 11,9 % en 1996 à 8,8 % en 2000. En décembre 2007, ce taux était de 7 %. Il s'agit du plus bas taux de chômage depuis les années 1970.

Région administrative	Taux de chômage
Bas-Saint-Laurent	8,9 %
Saguenay–Lac-Saint-Jean	7,9 %
Capitale-Nationale	4,9 %
Mauricie	8,6 %
Estrie	6 %
Montréal	8,5 %
Outaouais	4,9 %
Abitibi-Témiscamingue	7,4 %
Côte-Nord et Nord-du-Québec	9,1 %
Gaspésie–Îles-de-la-Madeleine	16,7 %
Chaudière-Appalaches	6,8 %
Laval	5,8 %
Lanaudière	7,6 %
Laurentides	5,1 %
Montérégie	6,4 %
Centre-du-Québec	6 %
Ensemble du Québec	7 %

Source : Institut de la statistique du Québec, 2007.

2 LE NOMBRE DE MIGRATIONS INTERPROVINCIALES AU CANADA, DE 1997 À 2006.

La recherche d'emploi est un des premiers facteurs du déplacement de la population. Au Québec, la baisse du secteur primaire fait diminuer la population des régions ressources. À l'échelle du Canada, c'est le dynamisme économique de l'Ontario et surtout de l'Ouest qui attire des travailleurs de l'est du Canada et du Québec.

SOLDE MIGRATOIRE				
Période	Provinces et territoires de l'Ouest	Ontario	Québec	Provinces de l'Atlantique
1997-2001	+34 906	+70 627	−61 404	−44 129
2001-2006	+118 697	−38 939	−25 800	−33 958
Total	+153 603	+31 688	−87 204	−78 087

Source : Statistique Canada – Division de la démographie, Section des estimations démographiques, 2007.

3 ACHETER, C'EST VOTER.

Les habitudes de consommation ont plusieurs incidences sur l'économie, la politique et l'environnement. Dans cette citation, l'écosociologue Laure Waridel cherche à sensibiliser les consommateurs en les amenant à développer des comportements d'achat responsables.

« Plus l'économie se mondialise, plus les pressions s'exercent avec force sur les travailleurs et sur l'environnement. [...] Les accords de libre-échange facilitent le transfert d'opérations dans les pays où les coûts de production sont bon marché. Il est rentable d'opérer là où la main-d'œuvre est abondante et obéissante, là où les règles sociales et environnementales sont peu contraignantes. Qui gagne à ce jeu? Surtout quelques compagnies multinationales dont les profits ont plus que triplé au cours des 20 dernières années, alors que des milliers de petites entreprises indépendantes ont disparu. [...] Chaque fois que nous achetons, nous endossons les pratiques des entreprises qui s'enrichissent à même nos dépenses. [...] Malgré le manque d'information, un certain nombre de choix de consommation responsable s'offre déjà à nous. [...] Nous pouvons préférer une pomme biologique locale plutôt qu'une banane de multinationale. Habiter à proximité de notre lieu de travail, nous déplacer en transport en commun ou en vélo sont de petits gestes concrets. [...] Aucune action n'est anodine. »

Source : Laure WARIDEL, « Acheter, c'est voter », *Protégez-vous,* avril 2004.

UNE MINE À VAL-D'OR, EN ABITIBI-TÉMISCAMINGUE.

Les mines en exploitation fonctionnent à plein régime, particulièrement dans les régions de l'Abitibi-Témiscamingue, du Nord-du-Québec et de la Côte-Nord. En raison de la demande des pays émergents et de la hausse du prix des métaux, le Québec est en pleine période de prospérité minière.

L'INDUSTRIE DU BOIS.

Avec la surexploitation de la forêt, la concurrence internationale, la baisse importante des mises en chantier domiciliaires aux États-Unis, la hausse du dollar canadien et la diminution de la demande mondiale de papier, l'industrie forestière connaît un déclin après des années de grande prospérité.

6 UNE USINE DE TRANSFORMATION DES PRODUITS MARINS, EN GASPÉSIE.

Au Québec, l'industrie des pêches et de l'aquaculture comprend environ 8000 personnes et 70 usines de transformation des produits marins. Cette industrie vit des années très difficiles, notamment à cause de la concurrence sur les marchés mondiaux, de l'augmentation du prix du mazout et de la hausse du dollar canadien. Pour soutenir l'industrie, les gouvernements provincial et fédéral doivent apporter de l'aide aux pêcheurs et aux entreprises de transformation.

LE QUÉBEC DE DEMAIN ET LA PÉNURIE DE MAIN-D'ŒUVRE.

Avec le phénomène grandissant du vieillissement de la population, on prévoit une grave pénurie de la main-d'œuvre pour le marché de l'emploi.

> « Bientôt, au Québec, il y aura plus de travailleurs qui quitteront leur emploi que de nouveaux arrivants sur le marché du travail. Déjà aux prises avec une pénurie de main-d'œuvre dans plusieurs grands secteurs, les entreprises feront face à une situation jamais vue. Plus de 30 000 postes demeurent vacants [...] Cela freine déjà les projets de milliers d'entrepreneurs. Dans certains cas, cela risque de signifier la fermeture pure et simple. Il s'agit d'un enjeu majeur, mais le monde des affaires n'en a certainement pas encore pris la juste mesure. [...] Valoriser la formation professionnelle et technique, adopter des méthodes de travail qui augmentent la productivité, réorienter les travailleurs des secteurs mous vers les métiers d'avenir, offrir des conditions favorables aux immigrants : voilà des moyens d'intervention concrets. Il en existe de nombreux autres à la portée des Québécois, que ces derniers soient entrepreneurs, politiciens ou issus du monde de l'éducation. Encore faut-il mesurer l'ampleur de la situation. Et saisir l'urgence d'agir de manière concertée. »
>
> Source : *Les affaires*, avril 2007.

QUESTIONS

Méthodologie

1. [Doc. 1]

a) Observez le tableau et nommez les quatre régions qui présentent le plus bas taux de chômage.

b) Faites une recherche afin de trouver pour quelle raison ces régions obtiennent d'aussi bons résultats.

c) Quelle est la principale raison du haut taux de chômage de la région administrative de Gaspésie–Îles-de-la-Madeleine ?

2. [Doc. 3]
Trouvez d'autres exemples de comportements d'achat responsables.

3. [Doc. 7]
Quel danger menace l'équilibre du marché de l'emploi dans les années à venir ?

Connexion

4. [Doc. 4, 5 et 6]

a) Nommez un secteur de l'économie qui se porte bien.

b) Quels secteurs sont en difficulté ?

Réflexion

5. Vous est-il difficile de saisir la situation actuelle du Québec ? Pour quelles raisons ?

LE DÉVELOPPEMENT DE L'ÉCONOMIE QUÉBÉCOISE

Tout au cours de son histoire, le territoire du Québec a été mis à contribution par les humains qui y vivent. D'une exploitation liée à la nature et aux besoins de subsistance qui a duré des milliers d'années avec les autochtones, les ressources naturelles sont de plus en plus exploitées en fonction du commerce et d'une économie de production de biens finis. La production de nourriture passe ainsi de la chasse et de la cueillette à l'agriculture de subsistance, puis à l'agriculture commerciale. L'industrie domestique et artisanale devient manufacturière aux 19e et 20e siècles. L'économie élargit son champ d'action dans le domaine des services. L'économie actuelle a largement dépassé son rôle millénaire de pourvoir aux besoins essentiels des humains.

Henri Julien (1852-1908)

Artiste peintre et illustrateur
Dès l'âge de 17 ans, les talents d'illustrateur d'Henri Julien lui ouvrent les portes d'ateliers d'imprimerie renommés à travers le pays. Il se fait également remarquer pour ses talents de caricaturiste grâce à sa collaboration à diverses publications montréalaises. Il entre ensuite au journal *The Montreal Daily Star*, où il perfectionne ses techniques de portraitiste. Artiste prolifique, Henri Julien a aussi produit de nombreuses toiles inspirées des paysages ruraux du Québec.

LA CHASSE-GALERIE.
Henri Julien est chargé d'illustrer le récit d'Honoré Beaugrand, *La chasse-galerie*. Dans cette légende, des bûcherons font un pacte avec le diable, la veille du jour de l'an 1858, afin d'être conduits à Lavaltrie pour voir leurs compagnes. C'est ainsi que le peintre reprend la légende selon laquelle des hommes courent la chasse-galerie dans un canot d'écorce volant.

Henri Julien, *Canot d'écorce qui vole, scène de la chasse-galerie*, 1906.

1 L'exploitation des ressources au 16e siècle

Saviez-vous que...

Le mode de vie des peuples nomades ne permet pas de nourrir de grandes communautés. Selon des données archéologiques, les Algonquiens devaient tuer de 20 à 30 castors, 7 gros gibiers, comme l'orignal ou le caribou, et 1 ours pour pouvoir nourrir une famille pendant tout un hiver.

Lorsque des pêcheurs européens commencent l'exploitation des eaux poissonneuses du golfe du Saint-Laurent à la fin du 15e siècle, les autochtones occupent déjà le territoire du Québec depuis des milliers d'années et ont développé un vaste réseau d'échanges. Comment les autochtones et les Européens perçoivent-ils l'exploitation des ressources naturelles ? Quels sont leurs intérêts respectifs ? Sur quelle base se font les premiers contacts ?

L'économie autochtone avant l'arrivée des Européens

Économie de subsistance : Économie qui vise la production des biens essentiels à la vie par une famille ou un petit groupe de personnes, sans échanges monétaires.

Martelage : Technique qui consiste à frapper un métal avec un marteau afin de lui donner la forme souhaitée.

Cuivre natif : Métal utilisé à l'état naturel et contenant 99 % de cuivre.

Les peuples autochtones ont une économie de subsistance où l'activité la plus importante est la production de nourriture. Le mode de vie des chasseurs-cueilleurs ne permet pas de nourrir de grandes communautés. Chaque nation nomade se divise en bandes composées de familles qui vivent assez éloignées les unes des autres. L'hiver, le manque de ressources les force à se disperser. L'été, les bandes se reforment près des cours d'eau majeurs.

Les peuples iroquoiens qui vivent dans la région des basses terres du Saint-Laurent et des Grands Lacs ont aussi une **économie de subsistance.** Ils diffèrent cependant de leurs voisins du nord et de l'est par leur principale façon de produire la nourriture : l'agriculture. Leurs techniques sont simples, efficaces et donnent des rendements qui permettent l'accumulation de surplus.

Dans une économie de subsistance, le mode de production d'objets est domestique, puisque les hommes et les femmes fabriquent eux-mêmes les outils nécessaires à leurs activités dans le cadre de leur vie quotidienne. Les matières premières comme les animaux, le bois et les plantes sont accessibles partout. D'autres, comme certaines pierres et certains coquillages peuvent s'obtenir par le biais d'un réseau d'échange. Les parties non comestibles des animaux sont utilisées pour la confection des vêtements, des outils et des armes. Le bois et la pierre servent aussi de matières premières dans la fabrication des outils réservés à la chasse et à la pêche. Avant l'arrivée des Européens, les autochtones ne connaissaient pas d'autres techniques de métallurgie que le **martelage.** Le **cuivre natif** est le seul métal utilisé. On le trouve dans la région du lac Supérieur et son utilisation est beaucoup moins courante que la pierre dans la confection d'armes et d'outils. Les objets de cuivre sont des produits de luxe et leur rareté leur confère une grande valeur lors des échanges.

1 UN WAMPUM.

Le wampum est un assemblage de coquillages polis qui possède une grande valeur symbolique. Il est échangé entre les nations lors d'un mariage ou pour souligner une alliance ou un événement important.

Des techniques ingénieuses

Les autochtones ont créé plusieurs techniques de conservation de la viande (séchage, boucanage) et des petits fruits cueillis en été et à l'automne. Par exemple, après une bonne cueillette de bleuets à la fin de l'été, les Inuits les mélangent à de la graisse de phoque ou de poisson pour les conserver jusqu'à l'hiver. D'autres nations les font sécher au soleil ou fumer dans un panier d'écorce de bouleau.

Du point de vue des ressources matérielles, les moyens de transport des Algonquiens sont sophistiqués. Les exigences d'un mode de vie nomade requièrent des canots d'écorce, des raquettes, des toboggans et des mocassins solides et performants. Les Iroquoiens fabriquent quant à eux de meilleures haches et une plus grande variété d'ustensiles domestiques car leur sédentarité permet de ne pas avoir à les transporter.

UN CANOT ALGONQUIEN RECOUVERT D'ÉCORCE DE BOULEAU.

Ce moyen de transport illustre bien l'adaptation aux conditions de déplacement imposées par la nature. Léger, solide et facile à manier, le canot d'écorce constitue l'embarcation idéale pour se déplacer sur un vaste réseau hydrographique.

L'exploitation du territoire

Les peuples nomades se déplacent annuellement sur de longues distances, souvent plusieurs dizaines de kilomètres, pour se procurer les ressources dont ils ont besoin. Il ne s'agit pas pour autant d'une errance sans fin, puisque les peuples nomades se déplacent sur un territoire qu'ils connaissent bien. Leur manière d'exploiter le territoire est basée sur la « mobilité logistique », c'est-à-dire que les groupes se déplacent selon la disponibilité géographique et saisonnière des ressources animales et végétales. Chez les Iroquoiens, qui sont semi-sédentaires, l'occupation territoriale est moins changeante. Ceux-ci déplacent leurs villages seulement tous les 10 à 15 ans, car l'agriculture implique une occupation plus stable des terres, du mois de mai au mois d'octobre. Chaque nation détermine ses zones d'approvisionnement sans se considérer pour autant propriétaire du territoire.

Bien avant l'arrivée des Européens en Amérique du Nord, les autochtones développent des réseaux d'échanges qui leur permettent de faire du troc avec d'autres nations. Comme les ressources sont réparties inégalement sur le territoire, les autochtones développent des routes commerciales qui leur permettent de se procurer ce qu'ils ne peuvent produire eux-mêmes. Les échanges commerciaux se font surtout entre nations ayant déjà conclu une alliance. Pour les autochtones, l'amitié et les alliances pendant une séance de traite sont aussi importantes que le commerce lui-même. Les particularités des productions de chacune des nations les rendent complémentaires. Une nation peut produire en surplus des biens dont d'autres nations ont besoin. Ainsi, les échanges sont essentiels et appréciés.

Un système de fixation des prix

Les autochtones sont conscients de la valeur des biens qu'ils échangent. Par exemple, si la fourrure de castor se fait plus rare et est donc plus difficile à trouver, les Algonquiens demandent plus de maïs pour une même quantité de castors. Les produits de luxe, comme le cuivre natif, le **chert,** les coquillages et le tabac, sont très recherchés durant les séances de troc ou pour sceller une alliance. Ces produits parcourent souvent de longues distances. Les coquillages les plus convoités proviennent d'aussi loin que le sud-est des États-Unis. Ils servent de perles pour les colliers ou de décorations pour les vêtements, les mocassins, et surtout les wampums.

Chert : Pierre silicieuse apparentée au silex que les Amérindiens de la préhistoire utilisaient pour fabriquer des outils.

QUESTIONS

1. Définissez ce qu'est une économie de subsistance.
2. De quelle façon les autochtones se procurent-ils leur nourriture ?
3. Nommez les activités de production associées aux économies amérindiennes de subsistance.
4. Quelles sont les trois principales matières premières servant à la fabrication d'objets ?

Réflexion

5. Quels éléments nouveaux avez-vous découverts sur l'économie des Amérindiens au 16e siècle ?

Les premiers échanges entre autochtones et Européens

À la fin du 15e siècle, des pêcheurs basques, français, anglais, portugais et hollandais exploitent déjà les côtes de l'Amérique du Nord, attirés par la richesse des bancs de morues que l'on y trouve. Tout au long du 16e siècle, les expéditions de pêche ne cessent d'augmenter, si bien qu'à la fin de ce siècle, environ 500 navires et 10 000 marins européens viennent pêcher la morue tous les ans. Seulement pour la France, une cinquantaine de ports de mer participent à ces expéditions et envoient annuellement 250 navires. Pendant cette période, les Français et les Anglais tenteront de construire des installations permanentes, mais sans succès.

Saviez-vous que...

Au 16e siècle, la chasse à la baleine est une industrie très lucrative. La vente en Europe des produits extraits de la baleine rapporte beaucoup d'argent aux pêcheurs et aux commerçants européens. L'huile de baleine sert de combustible pour les lampes et d'ingrédient de base dans la fabrication du savon, des bougies et de bien d'autres produits domestiques.

Le marché lucratif des pêcheries

Pourquoi un tel intérêt pour la morue? Ce n'est pourtant pas un produit de luxe comme l'or, les épices ou les cannes à sucre des Antilles. En fait, l'Europe a un grand besoin de poisson car l'Église catholique impose plus de 150 jours de jeûne par année pendant lesquels il est interdit de manger de la viande. L'Église permet cependant que ses fidèles remplacent la viande par le poisson pendant cette période. Les pêcheries européennes ne peuvent toutefois suffire à combler la demande. La morue est tellement abondante dans la région du golfe du Saint-Laurent et près de Terre-Neuve que l'assurance d'une pêche fructueuse compense les coûts et la longue durée du voyage. Ainsi, les marchands des grandes villes de la côte atlantique de l'Europe saisissent cette occasion de s'enrichir et financent les expéditions de pêche. On en profite pour financer la chasse à la baleine, aux phoques, aux morses et aux autres mammifères marins. Les pêcheurs mènent leurs navires dans les eaux poissonneuses du golfe du Saint-Laurent pour le compte des riches marchands européens.

1 LA PÊCHE, LE TRAITEMENT ET LE SÉCHAGE DE LA MORUE AU DÉBUT DU 18e SIÈCLE.

La morue est la première ressource de l'Amérique du Nord exploitée par les Européens.

Nicolas de Fer, *L'Amérique divisée selon l'étendue de ses principales parties* (détail), 1698.

Les voyages de Jacques Cartier

Au début du 16e siècle, les Européens sont attirés par la morue et son commerce, et non par l'idée d'explorer le nouveau continent ou de s'y installer de façon permanente. Cependant, en 1534, Jacques Cartier emprunte le même parcours que les pêcheurs et longe les côtes du Labrador, de Terre-Neuve et du golfe du Saint-Laurent. Il prend possession du territoire à la baie de Gaspé. Cartier effectue deux autres voyages au Canada, soit en 1535 et 1536, et en 1541 et 1542. Le dernier voyage comporte deux objectifs : établir une colonie et évangéliser les Amérindiens qu'il a rencontrés dès son premier voyage. Mais les tentatives de Cartier sont infructueuses et le projet de colonisation est abandonné.

Après la venue de Cartier, dans la seconde moitié du 16e siècle, les installations de pêche saisonnières se multiplient le long des côtes de Terre-Neuve, du golfe du Saint-Laurent et de la Gaspésie. Vers 1545, les pêcheurs européens commencent à faire sécher une partie de leurs prises de morues sur les rives, ce qui leur permet d'établir des contacts plus stables avec les Amérindiens. Très rapidement, ils commencent à échanger des perles de verre, des outils et des objets en métal, comme des chaudrons et des haches, contre des fourrures et de la viande. C'est donc à cette époque que les autochtones de l'Amérique du Nord entrent dans un système économique différent de celui qu'ils connaissent depuis des millénaires.

2 LE MONUMENT-À-JACQUES-CARTIER.

Le Monument-à-Jacques-Cartier est composé de six stèles qui témoignent de la rencontre entre les Européens et les Amérindiens au moment où Jacques Cartier fait ériger une croix à Gaspé, en 1534. Il est situé face au musée de la Gaspésie, à Gaspé.

Sculpteurs de la famille Bourgault-Legros, *Monument-à-Jacques-Cartier*, 1977.

La fondation de Tadoussac

À partir de 1580, la demande européenne de fourrures, surtout celle du castor, augmente considérablement. Rapidement, cette hausse de la demande bouleverse les réseaux commerciaux, les alliances entre nations et, à plus long terme, le mode de vie des autochtones. L'engouement pour la fourrure pousse Pierre de Chauvin de Tonnetuit à construire un poste de traite à Tadoussac en 1601, après avoir obtenu du roi Henri IV le monopole du commerce dans cette région. Ce site est déjà un lieu d'échange entre les Amérindiens depuis plus de 10 000 ans lorsque Chauvin tente de s'y installer. Avec l'arrivée des Français, les Amérindiens viennent désormais y échanger des fourrures contre des objets européens. La rigueur du climat et l'impossibilité de pratiquer l'agriculture dans cette région forcent cependant les Français à mettre un terme à l'expérience l'année suivante.

3 UNE RÉPLIQUE DU POSTE DE TRAITE DE TADOUSSAC.

En 1601, Pierre de Chauvin construit un poste de traite à Tadoussac et tente d'y fonder une colonie.

QUESTIONS

1. À quelles nations appartiennent les pêcheurs européens qui se rendent dans le golfe du Saint-Laurent ?
2. Pourquoi l'Europe a-t-elle autant besoin de poisson ?
3. Dans quel but les Amérindiens et les Européens finissent-ils par nouer des contacts et faire des échanges ?
4. Quels objets européens sont particulièrement recherchés par les Amérindiens ?

Réflexion

5. Que pensez-vous faire pour obtenir plus d'informations sur les échanges de l'époque entre les Amérindiens et les Européens ?

2 L'économie en Nouvelle-France

1 LA VENTE DES FOURRURES.

Dans ce tableau, on voit que les fourrures sont payées en **livres tournois**, une unité monétaire utilisée à Tours, en France.

Catégorie de fourrures	Quantité (en livres ou en pièces)	Valeur en livres tournois
CASTOR		
Castor gras	1122 lb	4488
Castor sec	220 lb	411
Total	**1342 lb**	**4899**
PEAUX		
Orignal	48 pièces	688
Cerf	4 pièces	40
Total	**52 pièces**	**728**
PELLETERIES		
Martre 1re qualité	620 pièces	1860
Loutre 1re qualité	51 pièces	127
Ours grand	60 pièces	240
Lynx	3 pièces	6
Renard rouge	17 pièces	51
Loup	4 pièces	10
Raton laveur	177 pièces	144
Total	**932 pièces**	**2438**

Source : Louise DECHÊNE, *Habitants et marchands de Montréal au XVIIe siècle*, Paris/Montréal, Plon, 1974, p. 149.

À différents moments de son histoire, l'économie du Québec est marquée par l'exploitation et le commerce d'un produit dominant. À l'époque de la Nouvelle-France, le poisson est une ressource importante, mais son exploitation se fait essentiellement à partir de la France, par des pêcheurs français. C'est donc la fourrure qui joue le rôle de **produit moteur**, car c'est d'abord le commerce de cette ressource naturelle qui motive les Français à venir coloniser le territoire. Qu'est-ce qu'un produit moteur dans l'économie d'un pays et quel rôle joue-t-il ?

Un produit rentable : la fourrure

L'attrait pour les fourrures, surtout les peaux de castor, joue un rôle déterminant dans le développement économique de la Nouvelle-France. Les marchands de la métropole et ceux de la colonie, les compagnies, et même les habitants, tous espèrent s'enrichir rapidement par le commerce des fourrures et certains y parviennent. Les compagnies exploitent largement cette ressource et la fourrure devient le produit moteur de la colonie. Les plus belles, les plus recherchées et celles qui rapportent les plus grands profits sont les peaux de castor. Elles représentent 80 % des milliers de peaux exportées annuellement au 17e siècle. Après une grave crise de surproduction autour de 1690, la proportion du castor diminue alors que celle de l'ensemble des pelleteries prend de l'importance.

Un produit qui crée peu d'emplois

Entre la chasse et l'exportation, les fourrures entraînent peu d'activités économiques secondaires. En effet, ce sont les autochtones déjà sur place qui chassent les animaux et traitent les peaux. Il n'est donc pas nécessaire de faire venir une main-d'œuvre spécialisée de France. Les Amérindiens traitent les peaux, mais c'est en Europe que des artisans les transforment et confectionnent des chapeaux ou d'autres vêtements. Par exemple, l'artisan qui fabrique les chapeaux, le chapelier, doit d'abord raser le poil et confectionner du feutre qui sera par la suite travaillé et assemblé de façon à donner au chapeau sa forme définitive. Ainsi, les seuls métiers créés par l'exploitation des fourrures sont ceux de coureurs des bois et d'engagés.

Produit moteur : Produit autour duquel s'organise le commerce extérieur dans un contexte colonial. Plus un produit moteur engendre des activités économiques variées avant l'exportation, plus l'économie de la colonie se diversifie.

Livre tournoi : Ancienne unité monétaire.

2 LE *MÉMOIRE À LOUIS XIII* DE SAMUEL DE CHAMPLAIN.

En 1618, dans le *Mémoire à Louis XIII*, Samuel de Champlain cherche à convaincre le roi de l'intérêt de coloniser la Nouvelle-France.

« Que si cedit pays était délaissé et l'habitation abandonnée, faute d'y apporter le soin qui serait requis, les Anglais ou les Flandres, envieux de notre bien, s'en empareraient en jouissant du fruit de nos labeurs, et empêchant par ce moyen plus de mille vaisseaux d'aller faire pêcherie de poissons secs, verts et huiles de baleine. »

Source : Samuel de CHAMPLAIN, *Mémoire à Louis XIII*, 1618.

3 LES EXPLORATIONS EN NOUVELLE-FRANCE DE 1634 À 1656, DE 1659 À 1680 ET DE 1683 À 1751.

Le désir de s'enrichir par le commerce des fourrures est à l'origine des explorations françaises sur le continent nord-américain. Les territoires au sud, comme la Louisiane, offrent une seconde ouverture vers la mer et le commerce international à un moment où la concurrence avec les Anglais est vive.

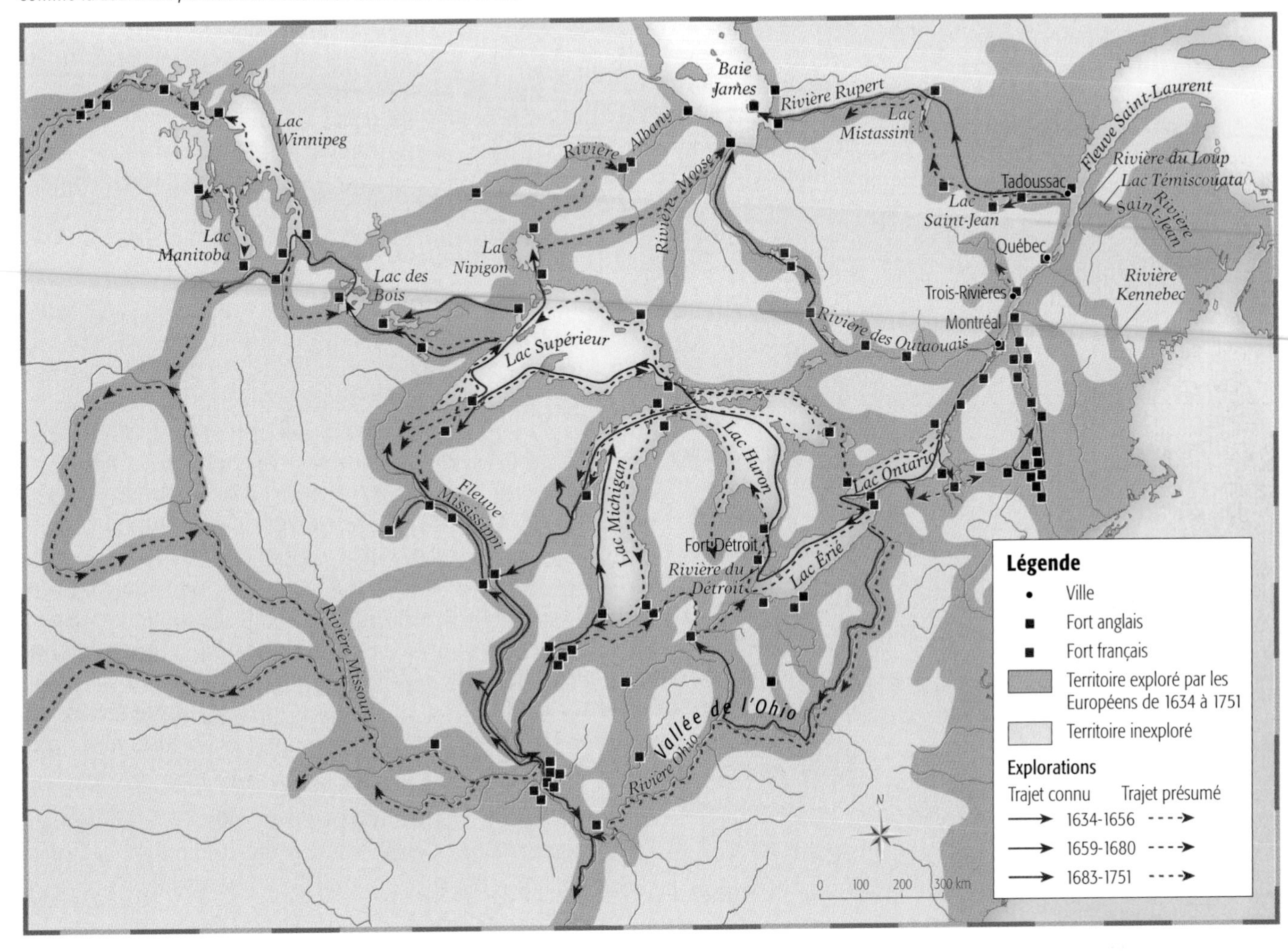

La traite des fourrures entre expansion territoriale et conflits

L'essor rapide de la traite des fourrures conduit à diverses alliances qui visent le contrôle de ce commerce : Algonquiens, Hurons et Français contre Iroquois et Anglais. Tout au long du 17e siècle et jusqu'au début des années 1680, la menace des Iroquois fragilise l'économie de la colonie. Leurs attaques imprévues sur les rivières retardent l'arrivée de fourrures. La Grande Paix de Montréal, en 1701, met fin à ces guerres, mais non aux rivalités entre Anglais et Français, qui se poursuivent jusqu'à la fin de la Nouvelle-France, en 1760.

Pour conserver leurs accès privilégiés aux lieux riches en fourrures, les Français explorent le continent nord-américain et finissent par créer une immense colonie qui s'étend du Labrador à la Louisiane. Pour s'assurer des alliances avec les nations autochtones et éviter que les Anglais les devancent, ils créent des dizaines de postes militaires, qui sont aussi des postes de traite.

QUESTIONS

1. Sur quelle matière première repose le développement économique de la Nouvelle-France ?

Méthodologie

2. [Doc. 2]
Quel argument utilise Champlain pour retenir l'attention du roi au sujet de la Nouvelle-France ?
3. [Doc. 3]
Quel plan d'eau important dans le nord du continent est contrôlé par les Anglais ?

Réflexion

4. Exprimez en quelques mots ce que vous avez appris sur la traite des fourrures en Nouvelle-France.

L'organisation de la traite des fourrures

En 1627, la Compagnie des Cent-Associés est fondée dans le but d'administrer et de veiller au bon développement de la colonie. En échange, elle reçoit le droit d'y exploiter les ressources naturelles et obtient le monopole complet de la traite intérieure et de l'exportation. Elle s'occupe des intérêts français liés au commerce de la fourrure, procède aux échanges et envoie les fourrures en France. Ce sont les autochtones qui apportent eux-mêmes les fourrures aux postes de traite de Tadoussac, de Québec, et plus tard à ceux qui seront fondés en 1634, à Trois-Rivières et en 1642, à Ville-Marie.

1 UN POSTE DE TRAITE DE LA BAIE D'HUDSON EN 1785.

Créée en 1670, la Compagnie de la Baie d'Hudson fonde des postes de traite dans la région de la Baie-James et de la baie d'Hudson.

Artiste inconnu, *Hudson Bay Compagny Post* [Un poste de traite de la Compagnie de la Baie d'Hudson], 1785.

La création de nouvelles compagnies

En 1645, aux prises avec des problèmes financiers, la Compagnie des Cent-Associés cède son monopole sur la traite à la Communauté des habitants, une compagnie formée d'actionnaires qui vivent en Nouvelle-France. La Compagnie des Cent-Associés continue cependant d'administrer la colonie jusqu'en 1663, au moment où les deux compagnies sont dissoutes et que le roi prend en charge l'administration de la colonie. L'année suivante, la Compagnie des Indes occidentales obtient le monopole du commerce en Nouvelle-France. Se succèdent par la suite plusieurs autres compagnies jusqu'en 1717, année où les autorités décrètent que le commerce des fourrures peut s'exercer librement, à l'exception du commerce du castor qui demeure aux mains d'un monopole.

Par ailleurs, la rivalité avec les Anglais devient très forte au cours de cette période. Pour concurrencer les Français, les Anglais fondent la Compagnie de la Baie d'Hudson en 1670. Dès la cession de la baie d'Hudson à la Grande-Bretagne en 1713, cette compagnie contrôle le commerce des fourrures par le nord.

2 LES EXPORTATIONS DES FOURRURES DE 1577 À 1760.

Les compagnies sont au cœur du développement du commerce des fourrures.

Années	Événement
1577-1627	Le monopole du commerce est accordé à des individus.
1627-1645	Le monopole est accordé à la Compagnie des Cent-Associés dont les actionnaires sont français.
1645-1663	Le monopole est accordé à la Communauté des habitants dont les propriétaires habitent la Nouvelle-France. La Compagnie des Cent-Associés conserve l'administration de la colonie.
1664-1674	Le monopole est accordé à la Compagnie française des Indes occidentales. L'administration est confiée à l'intendant et au gouverneur.
1670	Fondation de la Compagnie de la Baie d'Hudson pour le compte de l'Angleterre.
1690-1710	Grave crise de surproduction du castor.
1700-1705	Le monopole est accordé à la Compagnie du Canada dont les intérêts sont coloniaux.
1717-1760	Le monopole du castor est accordé à la Compagnie des Indes occidentales, mais la liberté de commerce est proclamée pour les autres peaux.
1720-1760	Augmentation de la contrebande avec les Anglais.

TÉMOINS DE L'HISTOIRE

LES COUREURS DES BOIS

Au début du 17e siècle, les Français qui font le commerce des fourrures traitent principalement avec des alliés amérindiens chargés de trouver les peaux. En échange, ces derniers reçoivent des articles divers ou de l'eau-de-vie. À partir de la fin des années 1630 et dans les années 1640, les nations amérindiennes amies des Français sont décimées par la maladie et par les guerres avec les Iroquois. Cette situation est néfaste pour l'activité commerciale des Français et ceux-ci sont forcés d'aller eux-mêmes chasser, d'où la nécessité de recourir aux coureurs des bois.

Les coureurs des bois sont des chasseurs indépendants. Ils parcourent environ 70 km par jour et se nourrissent le plus souvent d'une pinte de maïs et d'une once de gras. Plusieurs d'entre eux adoptent le mode de vie nomade des Amérindiens. Ils représentent des éléments essentiels de l'économie et de l'expansion territoriale de la Nouvelle-France.

À la fin du 17e siècle, la France tente d'encadrer la profession et décide d'accorder des permis pour travailler dans la traite des fourrures. Les coureurs des bois sont donc de plus en plus concurrencés par des employés salariés et contractuels que l'on appelle des « voyageurs ». Les voyageurs sont engagés par des marchands pour transporter des marchandises aux postes de traite et en ramener des fourrures. Mais ce nouveau statut ne met pas fin au phénomène du coureur des bois et plusieurs individus continuent de pratiquer ce métier dans l'illégalité. Au 18e siècle, l'expression « coureur des bois » devient alors péjorative, car elle est associée à un hors-la-loi.

3 DES COUREURS DES BOIS EN NOUVELLE-FRANCE.

Selon le secrétaire de Jean Talon, on dénombre entre 300 et 400 coureurs des bois en Nouvelle-France, en 1672.

4 LA TRAITE À L'INTÉRIEUR DE LA COLONIE, DE 1627 À 1760.

Des débuts de la colonie jusqu'au Régime britannique, la traite des fourrures est effectuée par les Amérindiens, les coureurs des bois, les voyageurs et les militaires.

Années	Événement
1627-1652	Des commis engagés par les compagnies sont présents dans les postes de traite. Il y a peu de coureurs des bois. Les Amérindiens viennent dans les postes de traite.
1652-1663	Il n'y a pas de monopole pour la traite à l'intérieur. Le nombre de coureurs des bois augmente.
1674-1696	La traite est contrôlée par octroi de permis. L'apparition des voyageurs. La course des bois se poursuit quand même.
1696	Une ordonnance de Louis XIV interdit la course des bois.
1713	La France cède la baie d'Hudson à la Grande-Bretagne.
1717-1760	Le voyageur réapparaît ainsi que la course des bois sans contrôle.

QUESTIONS

1. Que signifie le fait pour une compagnie d'obtenir du roi de France un monopole de traite ?
2. Le monopole de la traite est habituellement détenu par une compagnie métropolitaine. Quelle compagnie canadienne a détenu un tel monopole ? À quelle époque ?
3. Quel nouveau métier apparaît avec l'essor de la traite au 17e siècle ?

Méthodologie

4. [Doc. 3]
Indiquez trois éléments qui démontrent l'influence amérindienne dans l'habillement et l'équipement du coureur des bois.

Réflexion

5. Que devriez-vous faire pour savoir à qui profite la traite en Nouvelle-France ?

L'exploitation des pêcheries

Au début du 17e siècle, l'exploitation des pêcheries du golfe du Saint-Laurent prend de l'ampleur, mais ce n'est qu'à partir des années 1670 que des établissements de pêche permanents se développent en Gaspésie, en Acadie et à Terre-Neuve. Les autorités coloniales de la Nouvelle-France sont conscientes de la valeur de la pêche commerciale et aimeraient développer cette expertise dans la vallée du Saint-Laurent.

Sous l'intendance de Jean Talon qui souhaite le développement de la colonie, Pierre Denys de la Ronde fonde la première entreprise de pêche sédentaire en Amérique du Nord dans sa seigneurie de Percé, en Gaspésie, en 1672. En 1690, son entreprise compte une trentaine de personnes. Le port de Plaisance, à Terre-Neuve, est quant à lui beaucoup plus important. En 1685, il compte 588 habitants, dont 153 sont des habitants-pêcheurs et 435, des pêcheurs-engagés qui sont des pêcheurs qui ne s'installent pas de façon permanente.

1 LES CARACTÉRISTIQUES DE L'HABITANT PÊCHEUR, DU PÊCHEUR-ENGAGÉ ET DU NÉGOCIANT.

Les pêcheries ne demandent pas une main-d'œuvre abondante ni permanente en Amérique.

Caractéristique de l'habitant pêcheur
Il réside en permanence dans la colonie.
Il engage des employés saisonniers : les pêcheurs-engagés.
Il travaille au séchage de la morue.
Il vend sa production à des négociants.
Il achète des embarcations de pêche.

Caractéristique du pêcheur-engagé
Salarié, il travaille pour un habitant pêcheur.
Il retourne généralement en France après la saison de pêche.

Caractéristique du négociant
Il achète la morue de l'habitant pêcheur et lui vend les gréements de pêche.
Il récolte les plus gros profits.

Le traité d'Utrecht

Quand la France perd Terre-Neuve et la péninsule acadienne à la suite du traité d'Utrecht, en 1713, elle déménage ses installations de pêche à l'île Royale, afin de ne pas perdre ses sources de profits. Les habitants-pêcheurs sont alors disséminés dans une dizaine de villages. En 1720, avec moins de 1000 habitants, l'île Royale produit 7 500 000 kg de morue séchée par année. Trente ans plus tard, elle fournit quatre-vingt-dix pour cent de la production de morues séchées de la colonie. À cette date, l'île Royale compte 3000 habitants.

HÉRITAGE DU PASSÉ

Le bourg de Pabos

Le petit village gaspésien de Pabos est un centre de commerce de la pêche important en Nouvelle-France. Avant l'arrivée des Français, les Amérindiens se partagent déjà la péninsule en vivant des abondants produits de la mer.

En 1729, Pierre Lefebvre de Bellefeuille se voit octroyer la seigneurie de Grand-Pabos. La famille de Bellefeuille construit sa richesse sur le commerce de la morue.

L'essor démographique et économique de la seigneurie est freiné par la guerre de Sept Ans qui oppose la France à la Grande-Bretagne à partir de 1756. À l'été 1758, les flottes britanniques jettent l'ancre dans la baie de Gaspé et entreprennent la destruction des postes côtiers où se déroulent les échanges liés au commerce du poisson. En septembre 1758, Pabos s'envole en fumée et ne sera repeuplé qu'après la Conquête.

2 PABOS, EN GASPÉSIE.

Pabos est l'un des seuls endroits au Québec où l'on peut trouver à la fois des vestiges de la présence amérindienne, de la Nouvelle-France et des Britanniques.

3 LES PRINCIPALES INSTALLATIONS DE PÊCHE DANS LE GOLFE DU SAINT-LAURENT VERS 1675.

Au 17e siècle, le golfe du Saint-Laurent est l'élément central de toutes les communications, de la pêche et du commerce.

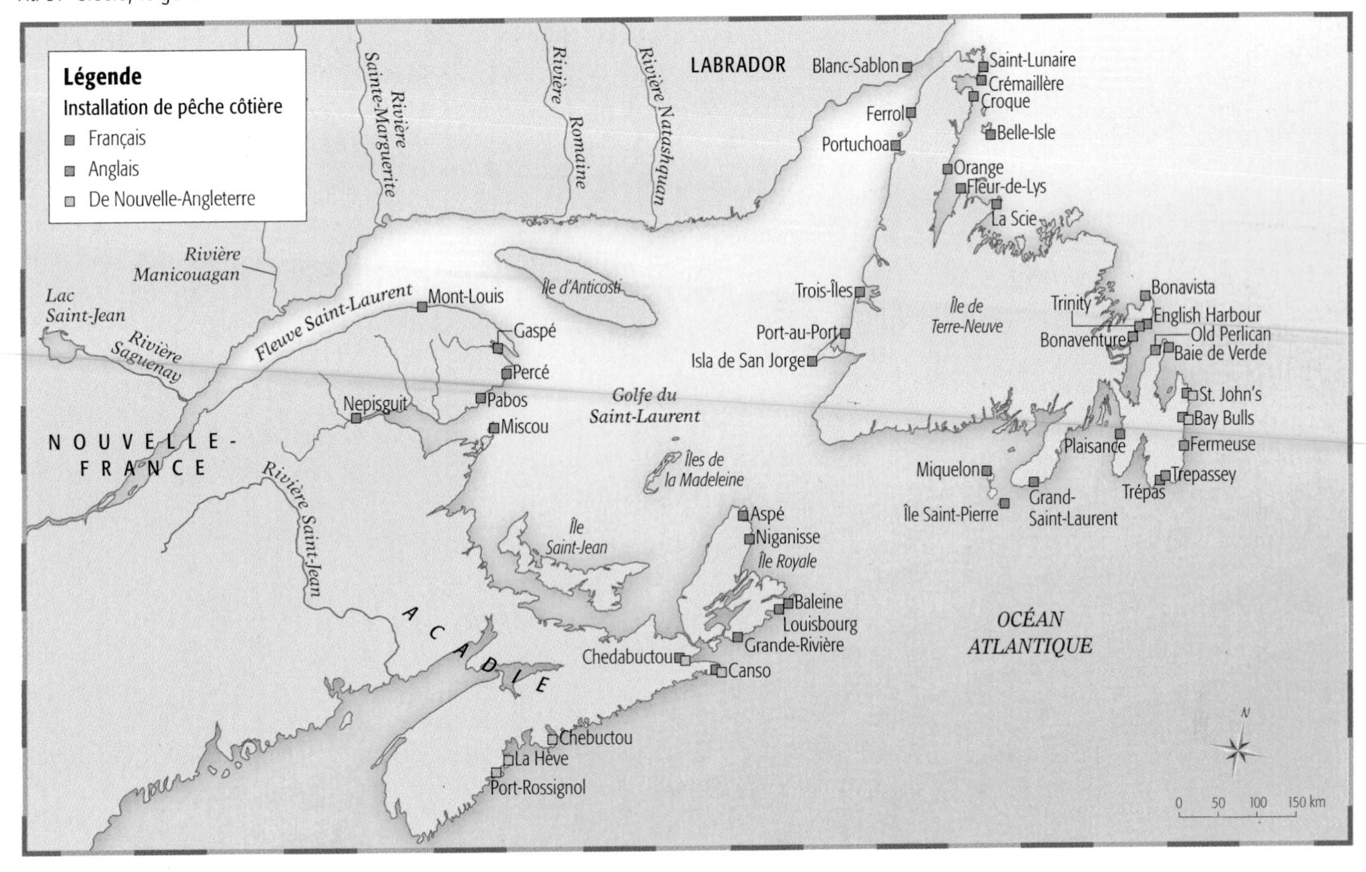

Louisbourg et les territoires maritimes

À partir de 1719, les Français construisent une forteresse à Louisbourg, qui devient la ville principale de l'île Royale. Louisbourg est alors un vaste entrepôt pour le **commerce triangulaire** et constitue l'un des ports les plus actifs de la Nouvelle-France. Le produit des pêcheries alimente le marché européen et le commerce triangulaire, ce qui permet d'échanger du poisson aux Antilles contre du rhum, du sucre et de la mélasse. Contrairement à l'ensemble de la Nouvelle-France, la balance commerciale de Louisbourg est toujours positive et cela contribue à atténuer légèrement le déficit commercial.

Dans l'ensemble, les territoires maritimes demeurent cependant très peu peuplés et sont trop éloignés du reste de la Nouvelle-France pour contribuer au développement de secteurs économiques variés. De plus, comme pour les fourrures, le traitement de la morue ou des mammifères marins ne nécessite pas une main-d'œuvre abondante dans la colonie.

Commerce triangulaire : Échanges commerciaux entre la France, la Nouvelle-France et les Antilles qui visent à diversifier l'économie et à trouver des débouchés pour la vente des produits de la Nouvelle-France.

QUESTIONS

1. À quels endroits sont construits les premiers établissements de pêche permanents ?
2. Pourquoi Jean Talon encourage-t-il la fondation d'une entreprise de pêche sédentaire ?
3. Pourquoi la forteresse de Louisbourg devient-elle si importante ?

Méthodologie

4. [Doc. 3]
Indiquez le nom de quatre installations de pêche côtière situées à Terre-Neuve.

Le commerce en Nouvelle-France

La France, comme toutes les autres métropoles de l'époque, veut s'enrichir avec chacune de ses colonies. Celles-ci représentent des réservoirs de matières premières et un marché où elle peut écouler ses propres produits finis. Le grand commerce profite donc surtout aux négociants français installés temporairement dans la colonie. Ils vivent généralement à Québec, tandis que ceux qui s'occupent de la traite des fourrures résident à Montréal. Des marchands coloniaux en profitent aussi, mais les inventaires après leur décès montrent une différence importante dans les fortunes amassées. Si un grand négociant peut léguer une fortune de 30 000 livres, la fortune des petits marchands coloniaux se situe plutôt autour de 10 000 livres.

1 LE COMMERCE TRIANGULAIRE AU 18e SIÈCLE.

Le commerce triangulaire s'organise sous l'intendance de Jean Talon à la fin des années 1660, mais c'est dans la première moitié du 18e siècle que ce système commercial prospère significativement.

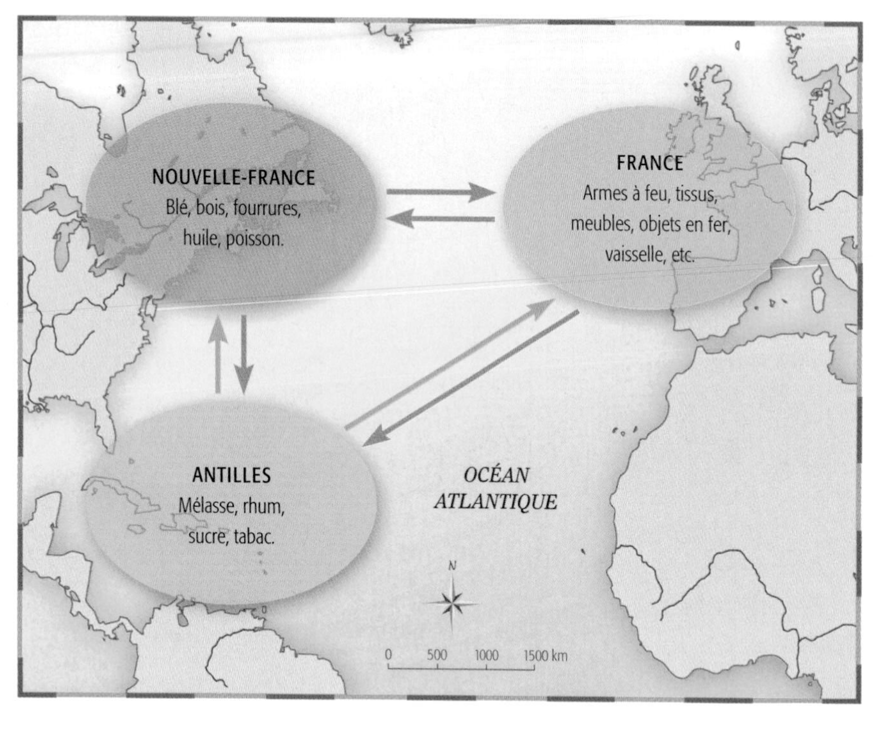

Le commerce extérieur

Le commerce extérieur est le pilier principal de l'économie coloniale. Au 17e siècle, ce commerce se fait presque exclusivement avec la France. La colonie, qui y envoie surtout des fourrures, reçoit en retour des produits manufacturés: des draps, des toiles, du vin, du sel, etc. L'abondance de ces produits, de même que la construction de la forteresse de Louisbourg, en 1719, permettent au commerce triangulaire de se développer et de prospérer.

Les fourrures, le poisson, le blé, le bois et l'huile de la Nouvelle-France sont exportés en France et aux Antilles. Les produits manufacturés de la France sont exportés dans les colonies des Antilles et de la Nouvelle-France. Enfin, le sucre, la mélasse, le tabac et le rhum sont exportés en France et en Nouvelle-France.

2 LES EXPORTATIONS ET LES IMPORTATIONS DE LA NOUVELLE-FRANCE DE 1730 À 1743.

Les exportations et les importations augmentent tout au long de cette période.

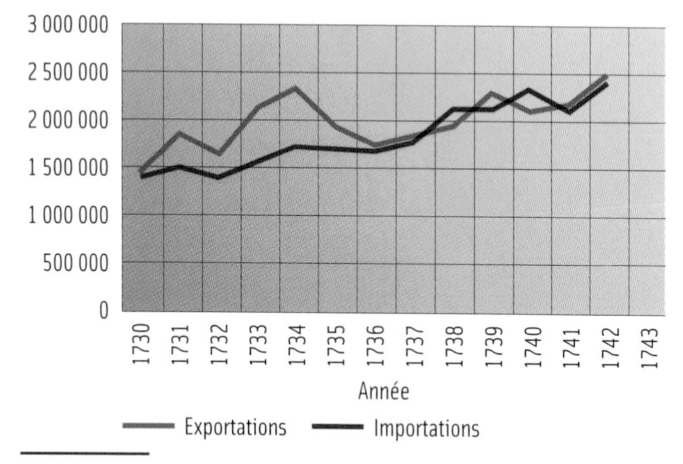

Source: Jean-Pierre CHARLAND, *Le Canada, un pays en évolution*, Montréal, Lidec, 1994, p. 71.

Le commerce intérieur

Le territoire de la Nouvelle-France connaît une expansion rapide à partir de la seconde moitié du 17e siècle, ce qui permet l'établissement d'importants postes de traite.

En 1701, Pierre Le Moyne d'Iberville fonde la Louisiane et établit un fort à l'embouchure de la rivière Mobile. Le vaste territoire que constitue la Louisiane est traversé par le fleuve Mississippi, par lequel transitent les fourrures.

Les voies de communication

Les voies de communication, essentielles à l'écoulement des marchandises **artisanales** ou agricoles, se limitent aux voies d'eau, dont le fleuve est l'artère principale. La navigation est pourtant impraticable cinq mois par année. Durant l'été, les marchandises sont transportées de la campagne aux villages et des villages aux villes à l'aide d'un canot ou d'une barque. L'hiver, le toboggan permet d'apporter des produits aux différents marchés. À l'automne et au printemps, les déplacements terrestres deviennent pratiquement impossibles en raison des pluies ou du dégel. Ces conditions de transport ralentissent beaucoup les échanges et le développement économique de la colonie. Ce n'est qu'en 1737 qu'une première route, longue de 250 kilomètres, relie Montréal à Québec : le chemin du Roy. La construction de cette route a nécessité 4 années de travail et a requis l'érection de 13 ponts.

La rue Saint-Jean, à Québec, marque le point de départ du chemin du Roy, la première route carrossable qui relie Québec et Montréal.

Artisanal : Fait à la main en petites quantiés.

3 LA MONNAIE DE CARTE.

Il y a plusieurs autres formes de monnaie de papier pour remplacer les pièces de métal. La lettre de change et le certificat sont d'autres moyens de contrer l'absence de pièces sonnantes, mais leur utilisation est surtout réservée à l'administration royale et aux négociants. Lors de la Conquête, l'équivalent de 16 millions de livres en monnaie de papier circulent dans la colonie et autour de 4 % est en monnaie de cartes.

La rareté de la monnaie

Les habitants de la Nouvelle-France utilisent beaucoup le troc dans leurs échanges, mais ce système est très encombrant. Les habitants de la Nouvelle-France connaissent l'usage de la monnaie, mais celle-ci est rare et circule peu. À peine une pièce de monnaie entre-t-elle dans la colonie qu'elle repart aussitôt pour un achat de produits manufacturés en France. Selon la théorie du mercantilisme alors adoptée en France, l'argent doit demeurer dans la métropole. La colonie sert avant tout à approvisionner la métropole en matières premières et n'a pas pour but de développer sa propre économie. Sans monnaie, les échanges de la colonie se font au ralenti et l'économie se développe très lentement.

En créant le système de monnaie de cartes en 1685, l'intendant Jacques de Meulles promet à ceux qui détiennent de la monnaie de cartes qu'ils seront remboursés dès que les bateaux arriveront de France. Le manque d'argent sonnant persiste tout au long de l'histoire de la Nouvelle-France et on a souvent recours aux cartes pour faire circuler les biens. Malheureusement, les cartes sont rarement remboursées à leur entière valeur.

QUESTIONS

1. Qui dirige le grand commerce dans la colonie ?
2. Lequel des deux types de commerce suivants est le plus important pour la Nouvelle-France : le commerce intérieur ou le commerce extérieur ?
3. Quel est le principal obstacle au développement des transports dans la colonie ?
4. Pourquoi y a-t-il peu de monnaie en Nouvelle-France ?

Méthodologie

5. [Doc. 1]
   Quels sont les trois pôles du commerce triangulaire ?
6. [Doc. 2]
   Autour de 1735, on remarque une distance importante entre la ligne verte et la ligne rouge.
   a) Que signifie cet écart entre les importations et les exportations ?
   b) Est-ce positif pour la Nouvelle-France ?
   c) Est-ce que la situation s'améliore ou se dégrade vers la fin de la période ?

Le développement agricole et le monde rural

Au 17e siècle, la Nouvelle-France est une colonie naissante difficile à peupler en raison de son climat très rigoureux. Le travail qu'un habitant doit accomplir avant de s'installer sur une nouvelle terre est colossal. Tout est à faire.

Chaque terre fertile de la vallée du Saint-Laurent, entre Québec et Montréal, doit être défrichée, essouchée et labourée, avant de pouvoir être ensemencée. Il faut en moyenne cinq ans à une famille pour être en mesure de survivre sur une nouvelle terre et toute une vie pour produire une récolte suffisamment importante pour subvenir à tous ses besoins. Une terre est bien établie après deux générations.

Au 18e siècle, l'agriculture est le secteur qui regroupe le plus grand nombre de travailleurs. Elle est pratiquée surtout dans la vallée du Saint-Laurent. Les plus gros villages de la Nouvelle-France sont situés près de Montréal et de Québec. Seulement quelques-uns de ces villages comptent plus d'une centaine de maisons et ceux-ci sont considérés comme de gros villages pour l'époque. Ce sont les habitants de ces régions qui produisent le plus de blé, de pois, de chanvre, de lin, de légumes et de viande. Ils doivent remettre une partie de leur production au seigneur de leur seigneurie, en plus de verser la dîme au curé. L'habitant réserve aussi une partie de sa récolte pour aider ses enfants à s'installer à leur tour. Par ailleurs, la seigneurie de l'île de Montréal, acquise par les Sulpiciens en 1663, devient un centre agricole important.

1 LES CAPITAUX ÉLEVÉS DES SULPICIENS.

Les Sulpiciens débarquent à Ville-Marie (Montréal) en 1657. Six ans plus tard, ils acquièrent la seigneurie de Montréal.

« L'attribution de seigneuries au clergé et à des religieuses n'est pas simplement un acte de charité : plusieurs des communautés religieuses détiennent l'argent et le savoir-faire pour mettre leurs biens-fonds en valeur. Le cas le mieux réussi est peut-être celui de la seigneurie de Montréal, propriété des Sulpiciens venus remplacer la défaillante Société de Notre-Dame qui avait fondé Ville-Marie en lui fixant un idéal très élevé. »

Source : Craig BROWN (dir.), *Histoire générale du Canada*, coll. Boréal compact, Montréal, Boréal, 1990, p. 156-157.

2 LA FAMINE DE 1738.

Même s'il y a de plus en plus de surplus agricoles, la colonie n'est pas à l'abri des mauvaises récoltes qui occasionnent des années de famine. Dans cet extrait, l'intendant Gilles Hocquart fait état des conséquences des faibles récoltes de 1738.

« Je ne puis vous exprimer [...] la misère causée par la disette qui se fait sentir dans toutes les campagnes. Le plus grand nombre des habitants, particulièrement de la côte sud, manquent de pain depuis longtemps et une grande partie ont erré pendant tout l'hiver dans les côtes du nord [...] pour y recueillir des aumônes et quelque peu de blé pour semer. D'autres ont vécu et vivent encore d'un peu d'avoine et de blé d'Inde et de poisson. Les villes ont été remplies tout l'hiver de ces coureurs misérables qui venaient y chercher quelques secours de pain ou d'argent. Les habitants des villes [...] sont dans une situation aussi fâcheuse, manquant tous de travail. »

Source : Gilles HOCQUART, Lettre au ministre, 12 mai 1738.

3 UN AGRICULTEUR LABOURANT SON CHAMP.

Le labourage consiste à retourner la terre à l'aide d'une charrue. Cette action permet d'aérer la terre avant de l'ensemencer.

Artiste inconnu, *La vie à la ferme au Canada*, 1880.

Le passage de l'agriculture de subsistance vers l'agriculture commerciale

Jusqu'au début du 18e siècle, les terres sont défrichées au rythme de la croissance démographique. Les ressources agricoles ne sont donc pas encore exploitées dans une perspective commerciale. Cela signifie que les colons utilisent d'abord la terre pour assurer leur propre subsistance.

Cette dynamique se transforme sensiblement au cours du 18e siècle. La production agricole augmente plus rapidement que la population. La terre devient plus attirante, car ses produits sont rentables, ce qui augmente sa valeur. Certains habitants réussissent même à produire suffisamment pour écouler leur production dans les villages de pêcheurs de la Côte-Nord, de la Gaspésie, du Labrador et de Louisbourg.

La Nouvelle-France expérimente ainsi le passage de l'agriculture de subsistance à l'agriculture commerciale. Le commerce de certaines denrées alimentaires est toutefois irrégulier. Lors des mauvaises récoltes, le commerce cesse afin d'éviter de créer des famines dans les villes de la colonie.

4 LOUISBOURG VERS 1744.

Louisbourg devient un port de pêche important au début du 16e siècle. À partir de 1719, les Français construisent à Louisbourg une forteresse pour protéger les intérêts de la métropole et pour servir de centre pour son industrie de pêche saisonnière.

Lewis Parker, *Louisbourg vu d'un navire de guerre*, 1744.

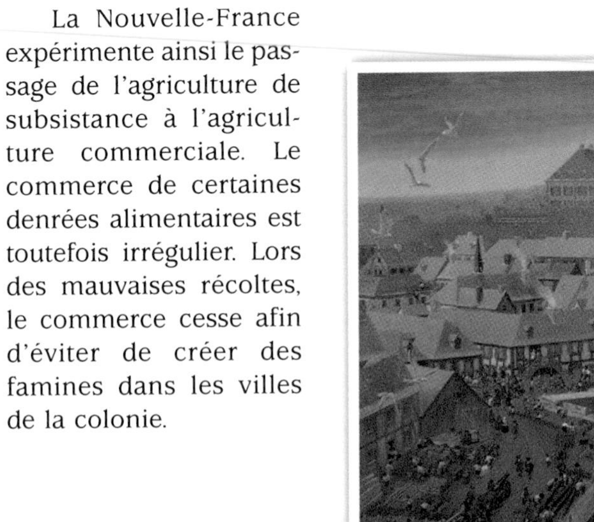

5 QUELQUES SURPLUS VENDUS LORS DU COMMERCE EXTÉRIEUR EN 1736.

Ce tableau indique où se fait le commerce des vivres en partance de Québec en 1736. Plus le tonnage des navires est élevé, plus le commerce se fait sur une longue distance.

Départ de Québec	Destination	Vivres (valeur)
12 navires, 50 tonneaux et moins	Golfe du Saint-Laurent : Tadoussac, Côte-Nord, Gaspé, île Saint-Jean	99 % des marchandises débarquées sont des vivres.
19 navires de 68 tonneaux	Louisbourg	99 % des marchandises débarquées sont des vivres.
10 navires entre 128 et 250 tonneaux	Antilles	71 % des marchandises débarquées sont des vivres.
4 navires de 300 tonneaux et moins	France	6 % de poissons. 19 % de peaux autres que le castor. 32 % de pelleteries. 43 % de peaux de castor.

Source : G.J. MATTHEWS et R.C. HARRIS, *Atlas historique du Canada : Des origines à 1800*, Montréal, Presses de l'Université de Montréal, 1987.

QUESTIONS

1. Lorsqu'un habitant s'établit sur une nouvelle terre, quel objectif vise-t-il ?
2. Que doit faire l'habitant lorsqu'il s'installe sur une nouvelle terre ?
3. À l'intérieur de la colonie, quel est le principal marché pour écouler les produits agricoles ?

Méthodologie

4. [Doc. 1]
   Outre par charité, quelle raison explique l'attribution de terres aux communautés religieuses ?
5. [Doc. 5]
   Quels produits échange-t-on contre des vivres à Louisbourg et aux Antilles ?

L'industrie manufacturière

Au 18e siècle, le développement de certaines industries illustre bien que l'économie en Nouvelle-France commence à se diversifier. Avec le commerce, l'industrie est un pilier majeur de l'économie. Tout comme l'agriculture, ces entreprises se développent avec l'augmentation de la population et l'élargissement du marché. Le cadre de production demeure toutefois majoritairement artisanal.

Entre 1713 et 1744, la production artisanale se diversifie et nécessite l'apparition d'autres métiers que ceux de boulanger, boucher et aubergiste. Les villes s'agrandissent et s'enrichissent, les maisons sont désormais construites en pierre et protégées par des murailles. On a maintenant besoin de maçons, de charpentiers, de menuisiers et de serruriers.

En raison de sa proximité avec la rivière des Outaouais, la ville de Montréal s'ouvre sur l'ouest et le commerce des fourrures. Les couturières confectionnent des vêtements pour les longs voyages de traite, tandis que les boulangers produisent de grandes quantités de biscuits dont les voyageurs font provision. Les **taillandiers**, les forgerons et les orfèvres fabriquent des objets de métal qui sont échangés lors de la traite. Québec reçoit beaucoup de navires chargés de marchandises, mais ceux-ci ne peuvent s'approcher des berges peu profondes. Les débardeurs chargent et déchargent les bateaux en se servant d'objets fabriqués par les gens de métier de la colonie (charrettes, tonneaux, barques et chaloupes). Des marins, pilotes et navigateurs s'affairent à les aider. Bientôt, une élite, composée des grands marchands métropolitains et des membres du gouvernement colonial, crée une demande pour la fabrication de produits de luxe. À Trois-Rivières, des autochtones construisent des canots pour le transport fluvial et les voyages de traite vers l'ouest.

Tous ces métiers n'enrichissent pas ceux qui les pratiquent. Leur présence atteste néanmoins que l'économie de la colonie s'ouvre à d'autres commerces que celui des fourrures et des pêcheries.

Taillandier : Artisan qui fabrique des outils servant à couper et à tailler.

TÉMOINS DE L'HISTOIRE

MARIE-ANNE BARBEL

À Québec, le 30 mai 1745, l'homme d'affaires Jean-Louis Fornel meurt. Bien que Marie-Anne Barbel, son épouse, ait auparavant secondé son mari dans la poursuite de ses affaires commerciales, sa vie s'est jusqu'alors déroulée dans un contexte familial.

Au décès de son époux, Marie-Anne hérite d'une entreprise en pleine expansion. Elle acquiert un statut civil privilégié par rapport aux femmes de l'époque. Ce statut particulier lui donne le droit, à titre de veuve, de gérer et d'administrer l'ensemble des biens familiaux. À 41 ans, la veuve Fornel devient femme d'affaires et fait fructifier la fortune de son défunt mari. Elle continue de tenir le magasin général, situé sur la place Royale, à Québec. Elle tisse un réseau de contacts avec des fonctionnaires haut placés de l'administration publique, dont l'intendant Bigot, qui lui vend une ferme à Tadoussac pour 7000 livres. De plus, elle obtient la concession d'un poste de traite et exploite une petite industrie, soit un atelier de poterie. Finalement, elle investit dans les secteurs immobiliers et fonciers (terres et bâtiments) de Québec et des environs.

La guerre de la Conquête entraîne la destruction et la liquidation d'une importante partie des biens de la veuve Fornel.

1 LA MAISON DE MARIE-ANNE BARBEL, SUR LA PLACE ROYALE, À QUÉBEC.

Marie-Anne Barbel (1704-1793), dont il n'existe aucune représentation picturale, était connue dans toute la ville de Québec. Sa maison, située sur la place Royale, a été construite en 1754.

La forge et la construction navale

Après avoir forcé Jean Talon à mettre un terme à l'industrie de la construction navale et à sa brasserie sous prétexte que ces activités nuisaient au mercantilisme, l'État commence à encourager la grande industrie. C'est ainsi que se développe le domaine des forges et celui de la construction navale. À partir de 1732, l'établissement des chantiers de construction navale du roi permet de construire des navires de plus de 40 tonneaux. En 1739, l'intendant Gilles Hocquart encourage l'ouverture d'un chantier naval pour construire des navires de plusieurs centaines de tonneaux ainsi que des vaisseaux de guerre. Au moins 200 personnes travaillent sur ce chantier et, entre 1739 et 1759, une douzaine de vaisseaux de guerre sont construits. À la fin du Régime français, après une dizaine d'années de prospérité, la construction navale décline.

De grandes forges, employant quelque 100 ouvriers, sont ouvertes en 1738 dans la région de Trois-Rivières. On y fabrique des poêles, des marmites, des boulets de canon et des objets de fer nécessaires à la construction navale. La moitié de la production est exportée en France et l'autre moitié, vendue dans la colonie. Cette entreprise éprouve très tôt de graves difficultés financières et elle est rachetée par le domaine royal en 1743.

4 UNE USINE UNIQUE EN SON GENRE.

Lors de son passage au Canada, en 1749, le naturaliste suédois Pehr Kalm visite les Forges du Saint-Maurice. Le journal qu'il publie est une mine d'informations sur la société de la Nouvelle-France.

« L'usine, qui est le seul établissement de ce genre dans le pays, est à trois milles à l'ouest de Trois-Rivières. [...] La mine est à deux lieues et demie de la fonderie, et le minerai y est charroyé sur des traîneaux. [...] Le fer qui sort de cette usine est, me dit-on, mou, flexible et résistant; et la rouille ne l'attaque pas aussi aisément que le fer ordinaire [...] on y fond [...] des poêles qui sont en vogue dans tout le Canada, des chaudrons, etc., sans compter le fer en barres. [...] c'est la seule entreprise de ce genre en Canada, elle n'a pas de concurrence à soutenir, c'est chez elle qu'il faut se procurer tous les outils en fer, et tout le fer dont on peut avoir besoin. De plus, une rivière, qui descend des forges au fleuve Saint-Laurent, offre une voie facile autant que peu coûteuse pour le transport du métal sur tous les points du pays. »

Source : Pehr KALM, *Voyage de Pehr Kalm au Canada en 1749*, Montréal, Pierre Tisseyre, 1977.

5 LES FORGES DU SAINT-MAURICE, VERS 1844.

Fondées en 1738, les Forges du Saint-Maurice sont très actives pendant plusieurs années. Croulant sous les dettes, elles cessent leurs activités en 1883.

George Seton, *Les forges de M. Bell sur la rivière Saint-Maurice*, 1844.

2 LA COLONIE ET LE MERCANTILISME.

Dans cette lettre, le ministre et secrétaire d'État à la marine Pontchartrain informe l'intendant Raudot de la nécessité de transformer en France les matières premières de la colonie.

« En général, il ne convient point trop que les manufacturiers s'établissent dans ce pays parce que cela ne pourrait se faire qu'au détriment [des manufactures] de France, mais il faut faire en sorte que les denrées que le Canada produit passent en France pour y être manufacturées. »

Source : Jérôme de PONTCHARTRAIN, Lettre à l'intendant Raudot, 9 juin 1706.

3 UN POÊLE EN FONTE.

Les poêles en fonte sont les types d'objet les plus communs fabriqués aux Forges du Saint-Maurice.

QUESTIONS

1. Quelles sont les deux grandes industries de la colonie ?

Méthodologie

2. [Doc. 2]
   a) De quelle politique économique est-il question dans cette citation ?
   b) Cette politique encourage-t-elle le développement de l'activité industrielle dans la colonie ?
3. [Doc. 4]
   Relevez deux passages du texte de Pehr Kalm qui montrent que les forges sont favorables au commerce intérieur.

Réflexion

4. Exprimez en quelques mots ce que vous avez appris sur l'activité industrielle en Nouvelle-France.

3 Entre continuité et changement

Pendant la plus grande partie du Régime britannique, le commerce domine l'économie et favorise le développement de la colonie. Le monde agricole vit d'importants changements, passant d'une grande prospérité à de dures périodes de crises. Quel rôle jouent les routes, les canaux et les chemins de fer dans le développement de l'économie ? Comment le commerce et l'industrie évoluent-ils sous le Régime britannique ?

Disette : Pénurie, manque de tout ce qui est nécessaire.

Cabotage : Navigation à proximité des côtes.

Le commerce extérieur

La guerre de la Conquête, avec son lot de destructions matérielles, ralentit considérablement les activités économiques entre 1756 et 1763. Les récoltes incendiées engendrent la **disette** et il faut s'atteler à la reconstruction des fermes et des habitations. La ville de Québec, si importante dans le commerce de la colonie, est en ruine après les bombardements qui ont endommagé une grande partie des bâtiments. Quelques centaines de Français, commerçants de la métropole française et membres de l'élite coloniale, quittent la colonie. Les petits commerçants des villes se trouvent à court de marchandises, ayant perdu leurs sources d'approvisionnement avec la France. Même le commerce local est en crise, car plusieurs goélettes et bateaux qui servaient au **cabotage** le long des villages du Saint-Laurent ont été incendiés. Enfin, la monnaie de carte, utilisée en Nouvelle-France par les administrateurs aux prises avec une pénurie de monnaie, n'est remboursée qu'en partie par la France. Cela provoque d'énormes pertes financières. La reprise du grand commerce international et du commerce local est désormais entre les mains des Britanniques.

Les autorités britanniques souhaitent que les activités économiques de la colonie reprennent afin de relancer le commerce des fourrures et des pêcheries. Pendant les années qui suivent la Conquête, l'armée participe à la reconstruction des fermes. De plus, l'arrivée de négociants britanniques aux postes clés du grand commerce international permet aux petits commerçants canadiens de reprendre leurs affaires. La Grande-Bretagne possède un immense empire et constitue un plus vaste marché pour exporter les ressources naturelles du Québec.

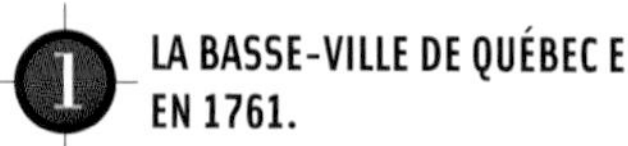

1 LA BASSE-VILLE DE QUÉBEC EN RUINE, EN 1761.

Les installations portuaires sont complètement démolies. Le premier travail des Britanniques consiste à remettre le port en fonction afin de continuer le commerce.

Richard Short, *Vue de l'évêché avec les ruines telles qu'elles apparaissent en descendant la côte de la haute à la basse-ville*, 1761.

Du commerce mercantiliste au commerce libéral

Dès 1770, le port de Québec retrouve son animation commerciale. Les buts du commerce ne changent pas, car tout comme la France avant elle, la nouvelle métropole a une politique mercantiliste. La colonie exporte ses ressources naturelles en Grande-Bretagne et y achète ses produits manufacturés. À la même époque, la demande en blé s'accroît et cette céréale est de plus en plus exportée aux Antilles et en Grande-Bretagne. Vers 1800, le blé est le deuxième produit d'exportation en importance pour l'ensemble du Canada.

Des lois sont en vigueur pour protéger les intérêts de la métropole. Par exemple, les lois sur la navigation (*Navigation Acts*) assurent aux Britanniques le monopole du commerce des colonies avec la métropole, tandis que les lois sur le blé (***Corn Laws***) stipulent que les céréales importées en Grande-Bretagne doivent être taxées de façon à ne pas nuire à la production de la métropole.

***Corn Laws*:** Série de lois protectionnistes britanniques en application entre 1815 et 1846, qui taxent les céréales importées afin de maintenir le prix du blé anglais à un taux élevé.

Le libéralisme économique

Peu à peu, la métropole britannique change ses politiques commerciales en introduisant plus de libertés dans le commerce. En 1825, elle modifie les anciennes lois sur la navigation pour les rendre moins restrictives. Les colonies peuvent alors commercer directement avec les pays d'Amérique du Sud. De plus, la métropole réduit la liste des produits de commerce qui étaient interdits ailleurs qu'en Grande-Bretagne ou dans ses colonies. Au milieu du 19e siècle, le libéralisme s'introduit dans le commerce. Avec l'abolition des lois sur le blé en 1846 et des lois sur la navigation en 1849, la Grande-Bretagne adopte officiellement le libre-échange.

La disparition du protectionnisme britannique permet aux marchands de commercer plus librement, mais, en contrepartie, le commerce entre la Grande-Bretagne et ses colonies n'est plus assuré. Les marchands des autres pays européens bénéficient eux aussi de la libre concurrence et leurs produits sont offerts à meilleurs prix dans la métropole. Les colonies britanniques se tournent alors vers les États-Unis et, en 1854, signent le Traité de réciprocité qui élimine les tarifs douaniers et crée un marché pour leurs matières premières et leurs produits agricoles. Ce traité permet d'augmenter les échanges entre les deux pays. Cependant, les Américains font bientôt pression auprès de leur gouvernement afin que celui-ci revienne à des mesures protectionnistes : le traité est aboli en 1866. La nécessité de créer un marché sans barrières douanières incite alors les autorités canadiennes à proposer une union des colonies britanniques de l'Amérique du Nord.

2 L'ÉCONOMIE AU BAS-CANADA ET DANS LES COLONIES ATLANTIQUES AU DÉBUT DU 19e SIÈCLE.

Au début du 19e siècle, l'économie du Bas-Canada est profondément transformée : le commerce des fourrures décline, tandis que celui du bois et du blé augmente considérablement.

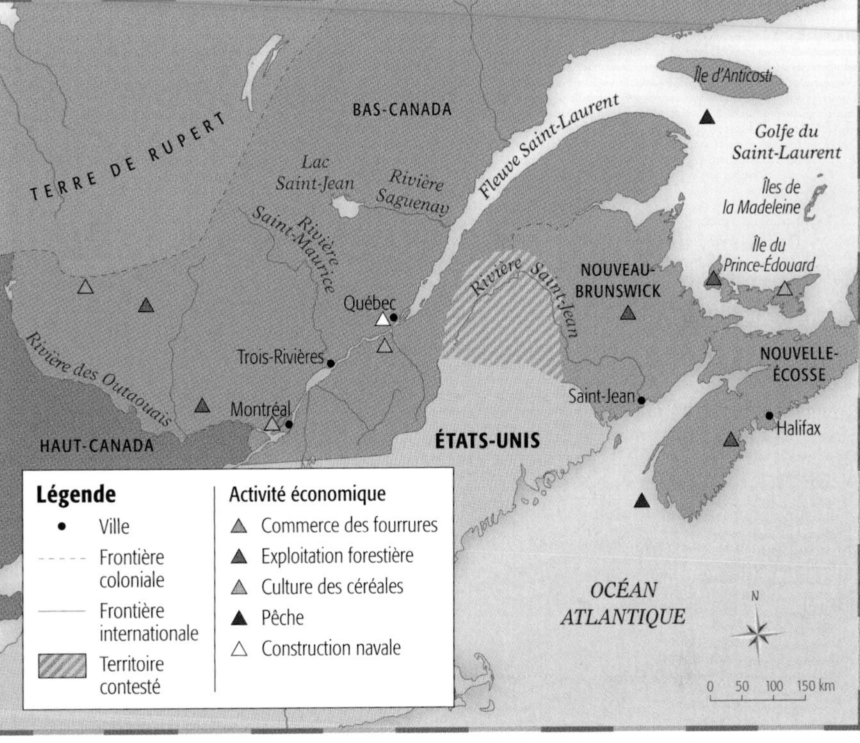

QUESTIONS

1. Quelle conséquence le départ des négociants français en 1760 entraîne-t-il pour les petits commerçants canadiens ?
2. Quelles sont les deux activités économiques de base de l'époque française qui sont relancées par les Britanniques ?
3. Quelles sont les conséquences du passage du commerce mercantiliste vers le commerce libéral ?

Méthodologie

4. [Doc. 2] Où se concentre la construction navale ?

Le commerce après la Conquête

Le changement de régime amène des transformations dans les secteurs déjà existants. La concurrence dans le domaine des fourrures prend de l'ampleur et suscite des tensions, alors que la pêche est affectée par la destruction de Louisbourg lors de la guerre. Par contre, à la fin du 18e siècle et au début du 19e, la production de blé augmente et plusieurs activités économiques se développent autour de la production du bois.

Le commerce des fourrures et la concurrence

Après la Conquête de 1760, les commerçants et les voyageurs canadiens travaillent pour les négociants britanniques et la Compagnie de la Baie d'Hudson qui, à partir de 1777, sont soumis au droit commercial anglais. La Compagnie du Nord-Ouest, fondée en 1783 par des marchands britanniques venus à Montréal et à Québec, entre en concurrence avec la Compagnie de la Baie d'Hudson. Après s'être lancées dans une guerre commerciale féroce, les compagnies fusionnent en 1821. La Compagnie de la Baie d'Hudson a alors la mainmise sur d'immenses territoires. Vers 1870, l'attrait pour les fourrures décline. La Compagnie de la Baie d'Hudson se lance alors dans le commerce de détail.

Le commerce de la pêche en difficulté

En 1758, la forteresse de Louisbourg est détruite et la ville est abandonnée. La colonie est ainsi privée de son exploitation de pêche la plus dynamique. De nouveaux exploitants, comme la famille Robin, originaire des îles anglo-normandes situées dans la Manche, dominent le commerce de la morue dans la colonie tout au long du 19e siècle. Ils maintiennent dans un état de dépendance 5000 colons de la région de la Baie des Chaleurs en leur faisant crédit dans leurs propres magasins. Les profits engendrés par la pêche vont directement dans les îles anglo-normandes. Les grandes fluctuations de la demande au cours du 19e siècle empêchent les pêcheurs et leurs familles de s'affranchir de leurs dettes. Le secteur des pêcheries entraîne toutefois la création de nombreux petits chantiers navals tout autour de la péninsule qui, tout en appartenant aux entrepreneurs anglo-normands, permettent de varier les emplois dans plusieurs villages.

1 DES EMPLOYÉS DE LA BAIE D'HUDSON EN CANOT, VERS 1869.

Le canot est le moyen de transport privilégié pour le commerce des fourrures. Les nombreux cours d'eau qui traversent l'Amérique du Nord constituent des voies rapides et efficaces pour le transport des marchandises.

Frances Anne Hopkins, *Voyageurs franchissant une cascade en canot*, 1869.

Un nouveau produit moteur : le bois

À partir de 1770, la demande en blé s'accroît et pendant la guerre de l'Indépendance des Treize colonies, on en exporte de plus en plus aux Antilles et en Grande-Bretagne. Vers 1800, le blé est le deuxième produit d'exportation en importance pour l'ensemble du Canada et en 1802, on produit 10 fois plus de blé qu'en 1790.

Le blocus continental imposé par Napoléon Bonaparte, en 1806, va augmenter considérablement la demande en bois de la Grande-Bretagne qui ne peut plus s'approvisionner en Scandinavie. Une croissance des exportations de bois s'amorce à partir de 1806. En 1810, les exportations de bois représentent déjà plus de 75 % de la valeur des exportations du port de Québec. Ainsi, dans les premières décennies du 19e siècle, le commerce du bois dépasse en importance celui de la fourrure.

Le bois n'est pas expédié sans transformation. On assiste alors au développement de multiples activités économiques autour de la production de bois. Le port de Québec en est le premier bénéficiaire, mais toutes les régions du Québec en profitent, principalement l'Outaouais, en raison des coupes forestières et des nombreuses scieries. Certains historiens voient dans le commerce du bois le début de la restructuration et de la modernisation de l'économie du Québec. Cependant, ce sont les marchands d'origine britannique qui contrôlent ce commerce, tandis que les Canadiens français, mais aussi les immigrants comme les Irlandais, constituent la main-d'œuvre.

2 L'EXPORTATION DES PRODUITS DE LA FORÊT.

Dans son ouvrage *Description topographique de la province du Bas-Canada*, l'arpenteur Joseph Bouchette note l'importance des produits de la forêt dans les exportations.

« Les principales exportations du Canada consistent en vaisseaux neufs, en bois de construction de chêne et de pin, en sapins, en mâts, en beauprés, en membrures de toute espèce, en merrain, en potasse et en vaidasse (madriers servant à la construction navale), en pelleterie, en froment, en farine, en biscuits, en maïs, en légumes, en provisions salées, en poissons, en quelques autres différents articles, le tout employant ordinairement des vaisseaux à la concurrence de 150 000 tonneaux. Dans cette énumération, les articles de première importance pour l'Angleterre sont les produits de la forêt [...] Depuis 1806, le commerce des colonies en bois de construction [...] s'est accru à un point extraordinaire. »

Source : Joseph BOUCHETTE, *Description topographique de la province du Bas-Canada*, 1815, p. 83-85.

TÉMOINS DE L'HISTOIRE

FRANCES ANNE HOPKINS

Frances Anne Hopkins, une artiste peintre britannique, séjourne 12 ans au Québec, entre 1858 et 1870. Née Frances Anne Beechey en 1838, elle grandit dans un milieu aisé, entourée d'artistes. Son grand-père, sa mère et son père sont peintres. En 1861, elle et son époux Edward Martin Hopkins, qui est secrétaire personnel du dirigeant de la Compagnie de la Baie d'Hudson, puis agent en chef de la compagnie, déménagent à Lachine, puis à Montréal. Ses premiers croquis représentent d'ailleurs ces deux villes.

Grâce à son emploi, le mari de Frances a le privilège d'emmener sa femme lors des tournées d'inspection de son territoire. À cette époque, la Compagnie de la Baie d'Hudson tente de substituer aux voyages en canot des moyens de transport plus pratiques, comme le train à vapeur. Frances Anne est donc l'une des dernières voyageuses à naviguer sur les Grands Lacs en canot de traite. Ce sont ces voyages en canot, ainsi que les paysages canadiens, qu'elle représente le plus souvent dans ses tableaux.

Bien qu'elle expose souvent en Grande-Bretagne, les peintures de Frances Anne Hopkins ne sont présentées au Canada qu'une seule fois de son vivant, à l'exposition de l'Association des beaux-arts de Montréal en 1870.

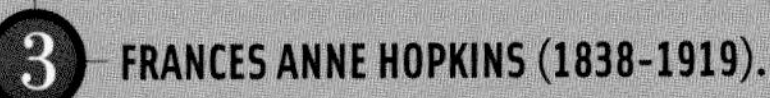

3 FRANCES ANNE HOPKINS (1838-1919).

Le talent de Frances Anne Hopkins est reconnu de son vivant. Elle expose plusieurs fois à Londres.

QUESTIONS

1. En Gaspésie, qui domine le commerce de la morue au 19e siècle ? Aux dépens de quel groupe ?
2. Quel événement européen est à l'origine de la croissance phénoménale du commerce du bois dans le Bas-Canada ?

Méthodologie

3. [Doc. 2]
   Selon Joseph Bouchette, quels sont les produits les plus en demande en Grande-Bretagne ?

Réflexion

4. Que feriez-vous pour améliorer votre compréhension du passage du commerce des fourrures au commerce du bois et du blé ?

Le commerce intérieur en croissance

Avec l'augmentation de la population et l'amélioration des moyens de transport, le commerce intérieur est en pleine croissance. Comme la population augmente, il y a de plus en plus de villages : une cinquantaine en 1815, plus de 200 en 1830, et plus de 300 en 1850. Ces villages possèdent tous leurs petits commerces et industries, que ce soit un magasin général, une boutique de forge, un atelier, une scierie ou un moulin à farine. Peu à peu, des chemins et des routes relient les villages entre eux ainsi qu'aux grandes villes de Montréal et de Québec. Ces routes constituent également une solution de remplacement au transport maritime qui emprunte le fleuve et les rivières pour livrer des cargaisons plus imposantes.

Comme les routes sont difficilement praticables au printemps et à la fin de l'automne, le fleuve Saint-Laurent devient une artère commerciale très achalandée. Canots, barques, radeaux transportant le **bois équarri**, goélettes, voiliers et premiers navires à vapeur se côtoient et acheminent les marchandises d'une région à l'autre.

Le long des rivières et du fleuve, plusieurs rapides compliquent le transport des marchandises. La construction de canaux devient vite nécessaire afin de permettre aux embarcations de poursuivre leur route. À partir des années 1820, plusieurs canaux sont creusés : celui de Lachine, complété en 1824, de même que le canal Rideau et le canal Welland. De plus gros bateaux en provenance des Grands Lacs peuvent maintenant atteindre Montréal.

Bois équarri : Bois taillé en poutre, de forme carrée.

LE PONT VICTORIA EN 1860.

Ouvert en 1859, le pont Victoria est le premier pont à franchir le Saint-Laurent, reliant Montréal aux réseaux ferroviaires nord-américains. Il appartient aux propriétaires du Grand Tronc. Plus de 3000 personnes sont embauchées pour participer à sa construction, qui s'échelonne sur 5 ans.

S. Russel, *Compagnie de chemin de fer du Grand Tronc du Canada, pont Victoria, traversant le fleuve Saint-Laurent à Montréal,* 1860.

2 L'AGRANDISSEMENT DU CANAL DE LACHINE EN 1877.

Le canal de Lachine est inauguré en 1824. On procède à son élargissement en 1877 afin de permettre le passage de plus grosses embarcations.

Eugene Haberer, *Améliorations au canal de Lachine, Montréal,* 1877.

3 LES CANAUX ET LE RÉSEAU DE CHEMINS DE FER VERS 1860.

L'industrialisation entraîne le développement des chemins de fer, ainsi que la modernisation et la construction de canaux.

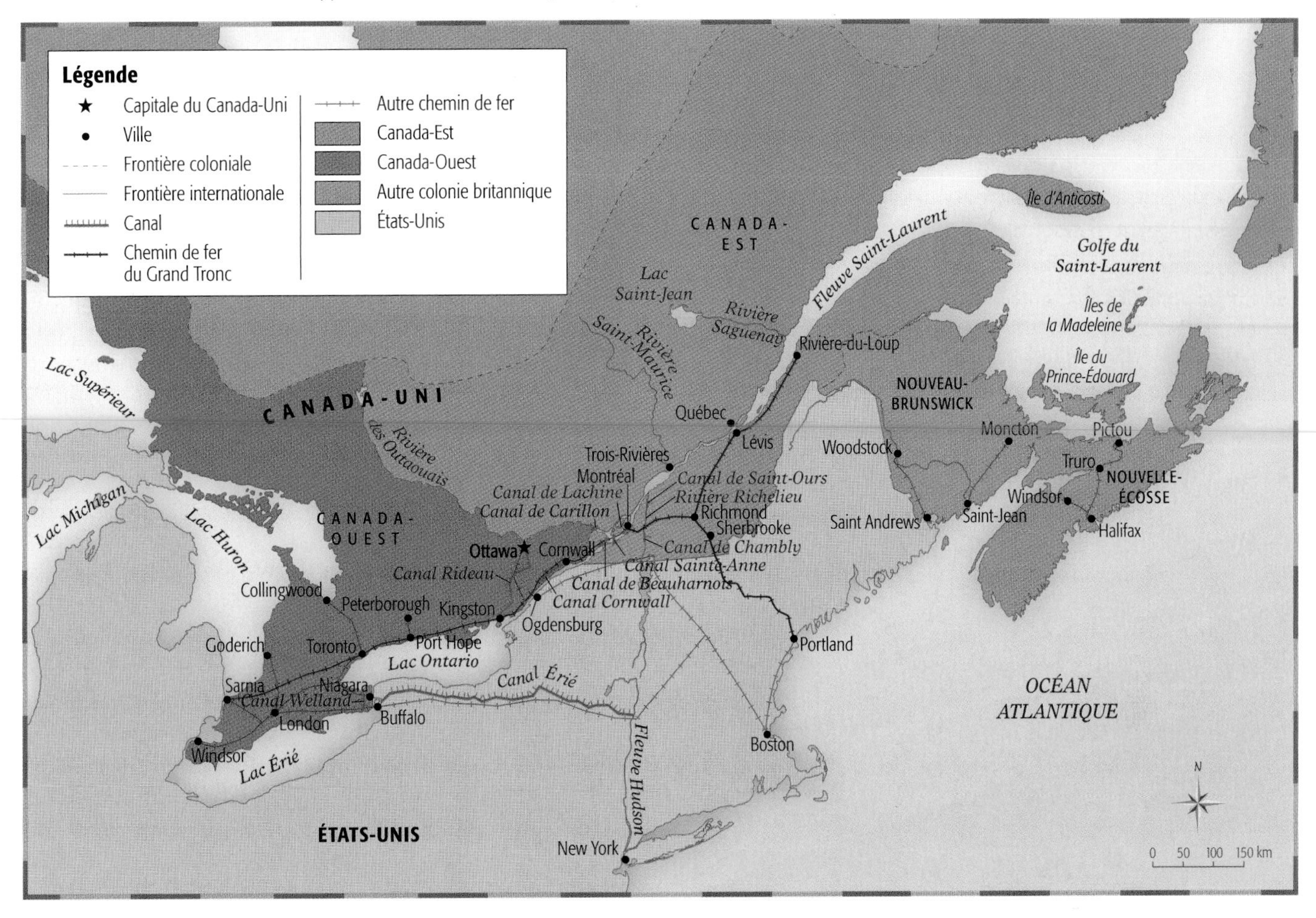

L'aide des chemins de fer

Entre 1850 et 1867, la fièvre des chemins de fer s'empare des deux Canadas. Les premières voies ferrées servent au transport des marchandises entre les rivières et le fleuve, et évitent ainsi de longs détours. La toute première au Canada est inaugurée en 1836. Elle relie Saint-Jean-sur-Richelieu à La Prairie, sur la rive sud du Saint-Laurent, près de Montréal. Il devient bientôt nécessaire de créer une véritable ligne de transport ouverte 12 mois par année et débouchant sur la mer. Une première grande ligne, le Grand Tronc, relie les villes de Sarnia, en Ontario, à Rivière-du-Loup, au Québec. La voie ferrée est ensuite prolongée jusqu'à Portland, aux États-Unis, via Sherbrooke. Avec la ligne du Grand Tronc, complétée en 1860, le port de Montréal se trouve ainsi directement relié à la mer, à Portland, dans le Maine. Les colonies britanniques rêvent bientôt de créer un grand marché national qui serait relié par un chemin de fer. Ce rêve d'union de toutes les colonies britanniques de l'Amérique du Nord mène à la Confédération de 1867. En 1850, on compte seulement une centaine de kilomètres de voies ferrées au Canada, mais 10 ans plus tard, le réseau s'étend sur 3500 km, dont 925 au Québec seulement. En comparaison, les États-Unis disposent de 25 000 km de voies en 1855.

QUESTIONS

1. Comment le développement des chemins de fer peut-il aider le commerce extérieur ? le commerce intérieur ?
2. La construction des canaux avantage-t-elle Québec ou Montréal ? Justifiez votre réponse.
3. Quel matériau la construction des chemins de fer exige-t-elle ?

Méthodologie

4. [Doc. 3]
Quelles villes sont situées aux extrémités du chemin de fer du Grand Tronc ?

Réflexion

5. Que pouvez-vous faire pour mieux comprendre le rapport entre le commerce et le développement des chemins de fer ?

L'économie agricole entre croissance et crise

Entre 1765 et 1800, la demande de la Grande-Bretagne en blé et en farine encourage les agriculteurs à augmenter leur production de blé. Toutefois, à partir de la fin des années 1820, l'agriculture au Bas-Canada connaît de multiples problèmes. D'une part, la concurrence s'accroît avec le Haut-Canada dont les terres neuves et riches produisent du blé à meilleur prix. D'autre part, le froid qui sévit dans les régions entre Trois-Rivières et Québec pendant la décennie 1810 provoque une baisse dramatique des récoltes. De plus, durant cette même période, le blé est attaqué par la mouche de Hesse qui détruit les plants dans toutes les régions, et ce, avant même la récolte.

La population continue cependant d'augmenter rapidement et de nouvelles terres sont défrichées en marge des anciennes terres de la plaine du Saint-Laurent. Les villes prennent également de l'expansion. L'augmentation de la population entraîne une hausse de la demande de pommes de terre, un plus grand marché pour la viande de boucherie et l'élevage de chevaux. Les agriculteurs opèrent alors graduellement un virage dans leurs productions. De la culture du blé, on passe à l'élevage du bétail et à la culture des fourrages (avoine, foin) et de la pomme de terre.

Ce virage ne touche pas toutes les régions rurales de la même façon. Ce sont surtout les fermes situées près des villes qui continuent d'être prospères. Par ailleurs, l'augmentation rapide de la population rurale provoque une baisse du nombre de terres disponibles au milieu du 19e siècle. De nouvelles régions s'ouvrent à la colonisation, comme le nord de la vallée du Saint-Laurent, le Saguenay et le Lac-Saint-Jean, mais ces terres sont moins fertiles pour le blé et plus éloignées des grands centres urbains. La géographie du Québec impose donc des limites au développement agricole.

1 LES PRODUITS DES CHAMPS, DE 1831 À 1871.

Les diagrammes montrent le type de production agricole à trois moments du 19e siècle.

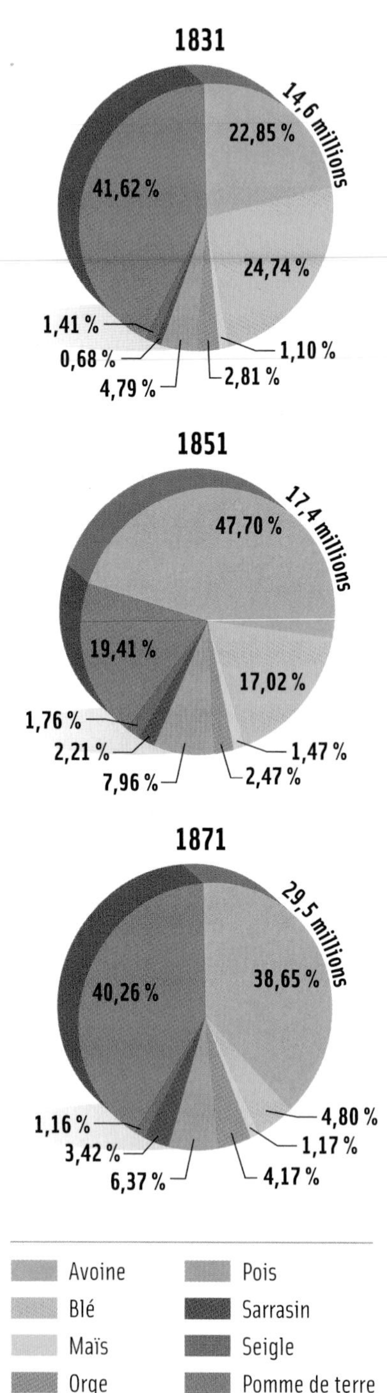

Source : Serge COURVILLE, J.-C. ROBERT et N. SÉGUIN, *Atlas historique du Québec, Le pays Laurentien au XIXe siècle, les morphologies de base*, Québec, Presses de l'Université Laval, 1995, p. 66.

2 LA COLONISATION D'UNE NOUVELLE TERRE À CHATHAM, PRÈS DE LA RIVIÈRE DES OUTAOUAIS, VERS 1865.

Afin de pouvoir cultiver sa terre, le colon doit d'abord la défricher, c'est-à-dire qu'il doit arracher les arbres qui s'y trouvent.

Monter au chantier ou partir aux «États»

Tous les agriculteurs doivent améliorer leurs revenus par un travail saisonnier en forêt, car ils ne peuvent pas subvenir à tous leurs besoins avec l'agriculture. Par conséquent, les hommes montent aux chantiers pour y être bûcherons durant l'hiver. Pendant plusieurs décennies, l'économie agroforestière marquera l'économie et l'imaginaire québécois.

Bientôt, les nouvelles terres ouvertes à la colonisation ne suffisent plus à combler les besoins, car la population augmente sans cesse. À partir de 1850, les gens quittent les campagnes et tentent de trouver un emploi ailleurs. Les villes de Québec et de Montréal ont peu d'emplois à offrir, car la révolution industrielle n'est pas encore commencée. Il y a trop de travailleurs pour les emplois disponibles. C'est le début de l'exode vers les États de la Nouvelle-Angleterre, où sont installées plusieurs industries textiles. Ce mouvement migratoire vers les États-Unis se poursuivra jusque dans les années 1920.

TÉMOINS DE L'HISTOIRE

LES DRAVEURS

Avec le printemps arrive le temps de la drave. Les draveurs exercent un métier périlleux qui consiste à conduire d'immenses troncs d'arbres flottant sur les rivières vers les usines de transformation du bois. À la fin de l'hiver, des mesureurs marquent les arbres coupés par les bûcherons au nom des compagnies forestières qui en sont propriétaires. Les charretiers jettent ensuite les troncs dans l'eau. Les draveurs sont chargés de mener la marchandise à bon port en tentant d'éviter la formation d'embâcles.

Contrairement aux *raftmen* qui descendent le bois cordé sur des radeaux, les draveurs doivent se tenir debout en équilibre tout en se déplaçant d'un billot à l'autre. À l'aide d'une longue perche en bois, ils veillent à décoincer les billots qui sont retenus par les rochers ou par la glace. Les risques de tomber dans l'eau glacée et de mourir écrasé par les troncs d'arbres sont élevés. D'ailleurs, beaucoup de draveurs ne savent pas nager et, malgré leur agilité, bon nombre d'entre eux meurent en faisant leur travail. Le métier de draveur n'existe plus, ce sont maintenant des camions qui effectuent le transport du bois depuis la forêt jusqu'aux usines.

4 DES DRAVEURS.

Le draveur commence sa journée de travail à l'aurore et ne s'arrête qu'au coucher du soleil.

3 AUTOUR DE L'INDUSTRIE DU BOIS.

Dans le roman *Maria Chapdelaine*, publié en 1914, Louis Hémon (1880-1913) décrit, entre autres, la vie difficile et périlleuse des bûcherons et des draveurs du Québec.

« Les chantiers, la drave, ce sont les deux chapitres principaux de la grande industrie du bois, qui pour les hommes de la province de Québec est plus importante encore que celle de la terre. D'octobre à avril les haches travaillent sans répit et les forts chevaux traînent les billots sur la neige jusqu'aux berges des rivières glacées ; puis, le printemps venu, les piles de bois s'écroulent l'une après l'autre dans l'eau neuve et commencent leur longue navigation hasardeuse à travers les rapides. Et à tous les coudes des rivières, à toutes les chutes, partout où les innombrables billots bloquent et s'amoncellent, il faut encore le concours des draveurs forts et adroits, habitués à la besogne périlleuse, pour courir sur les troncs demi-submergés, rompre les barrages, aider tout le jour avec la hache et la gaffe à la marche heureuse des pans de forêt qui descendent. »

Source : Louis HÉMON, *Maria Chapdelaine*, Montréal, Bibliothèque québécoise, 1990 (1914), p. 67.

QUESTIONS

1. Quelle production agricole est en chute libre dans la décennie 1810 ? Pour quelles raisons ?
2. Vers quelles nouvelles activités s'oriente l'agriculture québécoise ?
3. Indiquez à quelles solutions recourent les agriculteurs de la vallée du Saint-Laurent qui n'ont pas de terres pour assurer leur subsistance.

Méthodologie

4. [Doc. 1]
   a) Nommez trois secteurs qui connaissent une croissance entre 1831 et 1851.
   b) Quelles cultures décroissent entre 1851 et 1871 ?

L'activité industrielle en transition

De 1765 à 1820, le mode de production demeure artisanal. La majorité des produits sont fabriqués dans de petits ateliers selon des méthodes traditionnelles et sont destinés à la consommation locale. Ces ateliers artisanaux sont souvent de petites entreprises familiales où œuvrent parfois des aides et des apprentis. Le maître artisan fabrique des articles à la demande directe de ses clients.

Entre 1815 et 1850, la croissance des villages et de la population en général amène la création d'un plus grand nombre d'ateliers. De nombreux moulins à farine et des scieries font leur apparition. Ces bâtiments utilisent la force de l'eau comme énergie motrice. On trouve aussi des **fonderies** et des **distilleries** qui embauchent une partie de la main-d'œuvre ouvrière. Tous ces commerces s'installent surtout en milieu rural afin de profiter des ressources en eau (en particulier les moulins) et de tirer parti des matières premières.

Surtout à partir des années 1850, des **manufactures** apparaissent en milieu urbain et plusieurs dizaines d'employés travaillent dans chacune d'elles. Cette fois, la source d'énergie motrice n'est plus l'eau, mais le charbon et la machine à vapeur. Les premières grandes industries montréalaises sont la meunerie de William Watson Ogilvie, la distillerie et la brasserie de John Molson et la raffinerie de sucre de John Redpath. La plupart des manufactures s'installent le long du canal de Lachine, à Montréal, qui se trouve au cœur de la révolution industrielle.

Les nouvelles activités économiques se concentrent de plus en plus à Montréal. En 1881, cette grande ville produit 52 % des biens manufacturés au Québec, alors que la ville de Québec n'en produit que 9,3 %. En raison de son réseau de chemin de fer plus développé et de ses grands canaux, Montréal est en contact constant avec l'Ouest canadien et devient la plaque tournante du commerce international. D'autre part, le commerce du blé et celui du bois, ainsi que les chantiers de construction navale, assurent la prospérité de Québec et contribuent à la croissance de sa population jusqu'au milieu du 19e siècle.

1 LE PROGRÈS ET LA MÉCANISATION.

La mécanisation entraîne la disparition de l'artisan au profit de l'ouvrier. Le premier travaille dans un petit atelier et en est souvent le propriétaire. Le second est ouvrier dans une manufacture de chaussures. Ne pouvant faire face à la baisse du prix de la chaussure produite en manufacture, les cordonniers deviennent des réparateurs de souliers ou vont travailler dans les manufactures.

John Henry Walker, *The Old Style* et The *New Way* [La vieille manière et La nouvelle manière], 1880.

Fonderie : Usine dans laquelle des métaux ou des alliages sont fondus pour en faire des objets spécifiques à l'aide de moules.

Distillerie : Industrie qui fabrique de l'eau-de-vie.

Manufacture : Établissement où des employés effectuent des opérations précises dans le but de fabriquer un produit.

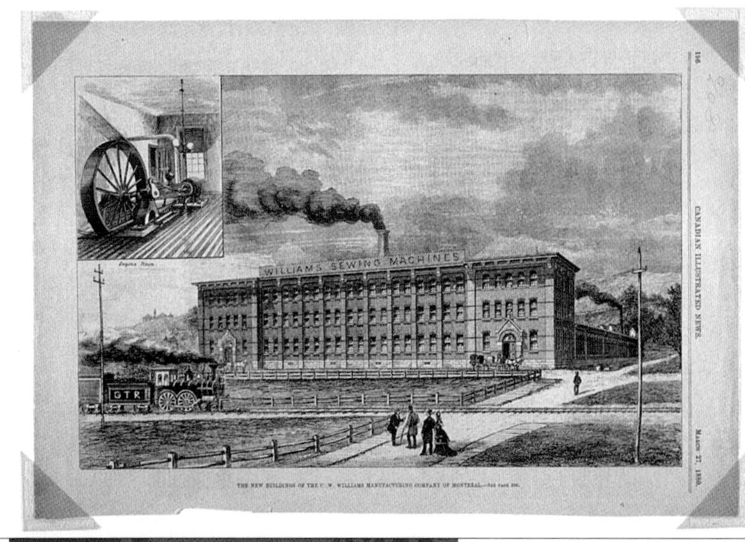

2 LA MANUFACTURE DE MACHINES À COUDRE WILLIAMS MANUFACTURING CO., EN 1880.

Au 19e siècle, les industries montréalaises s'établissent le long du canal de Lachine. Au total, plus de 600 entreprises occupent les terrains avoisinant le canal depuis sa construction jusqu'à aujourd'hui.

Eugene Haberer, *Les nouveaux bâtiments de la C. Williams Manufacturing Company of Montreal*, 1880.

LA BANQUE DE MONTRÉAL AU MILIEU DU 19e SIÈCLE.

La première succursale de la Banque de Montréal ouvre en 1817, à Montréal sur la rue Saint-Paul. Fondée par des représentants des plus grands commerces de l'époque, elle sert de banque centrale du Canada jusqu'en 1934, année de la fondation de la Banque du Canada.

Les premières institutions financières

Les premières banques créées au début du 19e siècle, comme la Banque de Montréal en 1817 et la Banque de Québec en 1818, se spécialisent seulement dans les **opérations de change** associées au grand commerce. Afin de faire face aux demandes de crédit des manufacturiers, ces banques modifient leurs services en incluant les prêts et l'épargne. Toute une variété d'institutions financières voient le jour au cours du siècle : compagnies d'assurances, sociétés de prêts hypothécaires, Bourse de Montréal, etc. Les plus importantes institutions sont établies à Montréal. Pour les membres de la **bourgeoisie d'affaires** canadienne-française, il est toutefois difficile d'obtenir du crédit auprès des institutions financières associées aux capitaux anglais. Entre 1835 et 1874, ces gens d'affaires fondent donc une dizaine de petites banques, dont la Banque du peuple. Ces institutions sont établies tentent de soutenir leurs clients, mais leur capital est bien inférieur à celui des institutions anglaises. Ces petites banques disparaissent pour la plupart entre 1880 et 1910.

Opération de change : Action de convertir la monnaie d'un pays en monnaie d'un autre pays.

Bourgeoisie d'affaires : Classe d'individus qui cherchent à s'enrichir au moyen du commerce et des affaires.

La disparité des classes sociales

De 1765 à 1840, une classe de riches marchands et de négociants, dont les plus importants sont d'origine britannique, font leur apparition. Cette bourgeoisie d'affaires est la nouvelle élite urbaine, puissante tant sur le plan économique que sur le plan politique. Elle exerce le contrôle sur le commerce avec le Haut-Canada.

D'autre part, une moyenne bourgeoisie, composée de marchands canadiens-français, établit sa fortune en finançant le transport des marchandises et le flottage du bois sur le fleuve, entre Québec et Montréal. Certains s'intéressent au commerce local entre les villages et prennent des compagnies en charge pendant de nombreuses décennies.

Grâce à l'enrichissement du monde rural, une petite bourgeoisie se développe, composée de marchands et de professionnels, comme les médecins, les notaires et les avocats. Tous ces gens jouent un rôle important dans le monde politique du 19e siècle : ils se font les défenseurs des intérêts de leur classe et de ceux des Canadiens français.

De plus en plus nombreux, au fur et à mesure que s'agrandissent les ateliers et qu'apparaissent les manufactures, les artisans se transforment en ouvriers et délaissent ainsi les ateliers artisanaux. Ils vivent dans des conditions beaucoup plus misérables qu'au siècle précédent. Le rythme du travail et les nombreuses heures de travail dans les usines en sont responsables. Sans syndicat pour les protéger, leur situation se dégrade dans la seconde moitié du 19e siècle.

QUESTIONS

1. Selon le texte, la révolution industrielle a-t-elle démarré au Québec avant 1867 ? Justifiez votre réponse.
2. Dans quelle ville sont concentrées les nouvelles activités industrielles ?
3. Quelle relation ce développement industriel a-t-il avec les transports ?
4. Quel groupe domine le monde financier montréalais ?
5. Quel groupe social disparaît avec l'avènement de la révolution industrielle ?

Réflexion

6. Que pouvez-vous faire pour améliorer votre compréhension de la transition du Québec vers le capitalisme ?

4 Une ère de croissance

À la fin du 19e siècle, des conditions favorables à l'industrialisation se présentent. Les Canadiens français sont de plus en plus exclus du pouvoir économique, en raison de la concentration des entreprises et de la prédominance des capitaux étrangers. À partir de 1960, les Québécois se donnent des outils pour jouer un rôle plus actif dans le développement économique de la province. Comment y parviennent-ils ? Quelles sont leurs actions ?

Une économie en transition

La fin du 19e siècle est marquée par la première grande crise économique internationale. Pour protéger son industrie naissante et relancer l'économie du pays, le gouvernement canadien adopte la Politique nationale en 1878. Cette politique comprend trois aspects: la hausse des tarifs douaniers, l'extension du réseau ferroviaire et l'intensification de l'immigration. La hausse des tarifs douaniers permet d'augmenter de façon significative les revenus de l'État, de diminuer les importations, de stimuler les industries canadiennes et, ainsi, de créer des milliers d'emplois. Les revenus provenant du tarif douanier servent à financer la construction d'un réseau ferroviaire transcontinental. Enfin, l'intensification de l'immigration permet de peupler l'Ouest, créant un nouveau marché de consommateurs pour les industries du Québec.

1 LA VALEUR, EN DOLLARS, DES PRINCIPAUX PRODUITS MANUFACTURÉS AU QUÉBEC, DE 1871 À 1891.

Tout au long du 19e siècle, le secteur de l'alimentation domine le marché de la production manufacturée.

Secteur	1871	1881	1891
Alimentation	18 650 000	22 440 000	34 700 000
Bois	11 690 000	12 790 000	18 500 000
Cuir	14 330 000	21 680 000	18 900 000
Équipement de transport	2 910 000	3 600 000	9 900 000
Fer et acier	3 130 000	4 220 000	7 600 000
Papier et pâte	540 000	1 342 000	2 300 000
Tabac	1 430 000	1 750 000	3 600 000
Textile	1 340 000	2 400 000	4 300 000
Vêtement	5 850 000	10 040 000	13 600 000

Source : Jean HAMELIN et Yves ROBY, *Histoire économique du Québec 1851-1896*, Montréal, Fides, 1971, p. 267.

L'industrialisation et l'urbanisation

L'industrialisation amorcée vers 1850 se poursuit, stimulée par un marché qui s'agrandit sans cesse. L'importance de cette augmentation réside dans le fait que la population des villes ne peut suffire à ses besoins comme celle des campagnes et qu'elle consomme davantage. Ainsi, les citadins achètent leur nourriture au marché, approvisionné par les agriculteurs du voisinage, et se procurent les autres biens de consommation chez les détaillants spécialisés.

Les industries légères, comme le textile, le cuir et le tabac, constituent les principaux secteurs du premier système manufacturier. Ces industries nécessitent un moindre apport en technologie et en capital. Quelques industries lourdes fournissent les produits nécessaires à la construction des chemins de fer, comme l'acier et le fer. Elles supposent l'utilisation d'une machinerie coûteuse et d'une grande quantité d'énergie, et impliquent de gros investissements en capitaux.

L'industrialisation a un impact majeur sur l'urbanisation. Montréal devient la métropole du Canada grâce à ses industries situées le long du canal de Lachine. La moitié de la valeur de la production manufacturière du Québec est fabriquée sur son territoire. Parallèlement, de nouvelles villes industrielles naissent dans des zones rurales, car on y trouve une main-d'œuvre abondante et à bon marché. Ainsi se développent les villes de Sherbrooke, de Salaberry-de-Valleyfield, de Hull et de Saint-Hyacinthe. Les investisseurs du secteur des textiles savent que les agriculteurs et les autres ruraux doivent trouver un revenu d'appoint. C'est pourquoi ils ouvrent leurs manufactures dans les villages situés près des réseaux ferroviaires.

Les activités commerciales

À la fin du 19e siècle, l'économie du Québec change considérablement avec l'industrialisation. Le blé et les fourrures perdent leur rôle de produits moteurs et sont nettement en déclin. Le bois continue d'être exporté, surtout le bois d'œuvre, principalement à cause de la demande américaine. Les exportations des produits de la pêche en Gaspésie et dans les régions du golfe du Saint-Laurent demeurent stables. Cependant, la concurrence de Terre-Neuve et de la Nouvelle-Écosse est défavorable aux pêcheurs québécois.

Le Québec change de client principal pour son commerce extérieur, passant du Royaume-Uni aux États-Unis. Il diversifie aussi son marché extérieur en traitant avec l'Allemagne, la France et les Antilles. Le grand commerce extérieur se fait maintenant à Montréal, où sont acheminés les produits de l'Ouest canadien, les biens manufacturés et les importations. Cette concurrence nuit au port de Québec.

2 LE PORT DE MONTRÉAL EN 1884.

À la fin du 19e siècle, avec l'essor des industries et de l'agriculture dans l'Ouest ainsi que l'expansion du réseau ferroviaire, le port de Montréal devient rapidement le principal point d'exportation du pays.

Le commerce intérieur, même s'il est mal desservi par les routes, subit aussi des transformations. Les régions éloignées peuvent recevoir plus régulièrement des marchandises de toutes sortes grâce aux voies ferrées. La vente par catalogue fait son apparition. Ce nouveau moyen mis en place par les grands magasins permet de rejoindre la clientèle rurale. Dans les campagnes, le magasin général reste la principale source d'approvisionnement des produits en provenance des manufactures. Un commis voyageur apporte des échantillons au commerçant qui prépare alors sa commande. De cette manière, les tissus, vêtements, chaussures produits dans les manufactures peuvent être dirigés vers les magasins généraux.

3 L'INTÉRIEUR DU MAGASIN GÉNÉRAL LAURENTIDE PULP MILLS, À GRAND-MÈRE, EN MAURICIE, VERS 1900.

Dans les petits centres urbains, le magasin général et les logements ouvriers appartiennent souvent à la compagnie qui contrôle l'économie locale. Parfois, les employés sont payés en coupons, lesquels servent à payer le loyer et à se procurer des marchandises au magasin général.

QUESTIONS

1. Comment se nomme la politique que le gouvernement canadien adopte pour protéger ses industries ?
2. Quel effet le développement industriel a-t-il sur l'occupation territoriale ?
3. Pourquoi Montréal devient-elle le centre du grand commerce extérieur ?

Méthodologie

4. [Doc. 1]
Quels sont les trois secteurs industriels qui connaissent la plus forte hausse à cette époque ?

Réflexion

5. Quelles informations vous ont permis de comprendre le phénomène de l'industrialisation ?

Les transformations sociales

À la fin du 19e siècle, le développement des industries enrichit la grande bourgeoisie d'affaires, essentiellement d'origine britannique, établie à Montréal. Cette classe sociale possède des capitaux importants et contrôle les institutions économiques dominantes, comme le Canadien Pacifique et la Banque de Montréal. Grâce à leur participation aux conseils d'administration, ces gens d'affaires orientent les investissements vers les secteurs qui les intéressent.

La moyenne bourgeoisie, plus nombreuse, joue davantage un rôle régional. Elle compte des gens d'origine française, britannique, écossaise et irlandaise qui jouent un rôle important dans le développement économique. Ceux-ci possèdent aussi leurs banques, de moindre envergure, qui sont en activité entre 1860 et 1900. Cette classe sociale est particulièrement active dans le commerce de gros et de détail ainsi que dans certains secteurs industriels, comme la chaussure.

La petite bourgeoisie, encore plus nombreuse, manque par contre de gros capitaux. Les petits commerçants, notaires, médecins ou avocats, constituent souvent l'élite d'un quartier, d'une paroisse, d'une petite ville ou d'un village. Ces notables jouent un rôle important dans les décisions locales.

L'industrialisation et l'urbanisation entraînent à leur suite des contrastes saisissants. La misère humaine côtoie souvent la richesse. Le développement rapide des quartiers ouvriers ne permet pas la construction de logements décents et les familles s'entassent à proximité des usines dans des logements trop petits et insuffisamment isolés pour un climat aussi rigoureux. Pour assurer leur survie, plusieurs membres de la famille doivent travailler, parfois même les femmes et les enfants. Aucune loi ne régit les conditions de travail des ouvriers. Cette période de l'industrialisation est l'une des plus sombres de l'histoire du Québec.

1 LA RUE D'UN QUARTIER OUVRIER DE MONTRÉAL, À LA FIN DU 19e SIÈCLE.

Les conditions de vie, dans les quartiers ouvriers, sont particulièrement difficiles. Les familles ouvrières doivent faire face à la surpopulation, à l'insalubrité, à la pollution industrielle et à l'absence de mesures sanitaires, comme la collecte de déchets.

2 L'INTÉRIEUR D'UNE RÉSIDENCE BOURGEOISE, À MONTRÉAL, EN 1896.

Les plus riches et influentes familles du Canada se font construire de somptueuses demeures dans les quartiers bourgeois de Québec et surtout de Montréal, comme le *Golden Square Mile*, ou Mille Carré Doré, situé sur le flanc sud du mont Royal.

Une commission d'enquête pour les travailleurs

En 1885, la Commission royale d'enquête sur les relations entre le capital et le travail est créée. Cette commission met en lumière les abus des manufacturiers canadiens. On apprend que les ouvriers sont régulièrement mis à l'amende, punis et envoyés au cachot, surtout les femmes et les enfants. Il arrive qu'à la fin d'une semaine de travail, un ouvrier ayant insuffisamment produit, été trop bavard ou turbulent, ne reçoive pas un sou. À la suite des résultats de l'enquête, la Commission recommande plusieurs mesures législatives qui ne commencent à être appliquées que 10 ans plus tard.

À la fin du 19e siècle, les syndicats défendent les ouvriers au grand jour, en s'adressant autant aux dirigeants des manufactures qu'aux politiciens, afin d'obtenir l'adoption de lois protectrices. Il reste beaucoup à faire avant d'améliorer les conditions de vie de la classe ouvrière.

3 UN PATRON DANS L'EMBARRAS.

En 1888, des enfants ouvriers de la manufacture de cigares J.M. Fortier témoignent. Certains affirment avoir été battus et envoyés au cachot. Appelé à témoigner, le propriétaire J.M. Fortier se défend.

« Je n'ai pas personnellement connaissance qu'on ait battu ces garçons, mis à part ce qu'ils méritaient en raison des torts qu'ils ont commis [...] la plupart des parents qui n'arrivaient pas à s'entendre avec leurs enfants, parce que ceux-ci étaient indisciplinés et méchants garçons, venaient me voir en tant que fabricant de cigares, et j'essayais de les aider du mieux que je le pouvais. Ils me les confiaient, incapables de les corriger eux-mêmes. »

Source : Rapport de la Commission royale d'enquête sur les relations entre le capital et le travail, 1889.

4 UNE OUVRIÈRE TÉMOIGNE.

Une jeune employée de la manufacture de cigares J.M. Fortier décrit comment son employeur l'a battue parce qu'elle n'a pas pu produire les 100 cigares qu'il lui avait demandé de fabriquer.

« J'étais assise et il m'a empoignée par le bras et il a essayé de me jeter à terre ; il m'a jetée par terre et il m'a battue avec le couvert du moule.

– Vous a-t-il battue étant par terre ?

– Oui, j'ai essayé de me lever, et il me tenait par terre. »

Source : Rapport de la Commission royale d'enquête sur les relations entre le capital et le travail, 1889.

5 LE TRIAGE DU MINERAI À LA MINE DE CUIVRE DE HUNTINGDON, EN 1867.

Dans certains secteurs comme les mines ou le textile, les femmes et les enfants constituent une main-d'œuvre recherchée, entre autres parce qu'ils sont beaucoup moins payés que les hommes.

6 LE SALAIRE HEBDOMADAIRE DANS CERTAINES USINES DE MONTRÉAL EN 1889.

En 1889, alors que le revenu moyen d'une famille est de 9,00 $ par semaine, le salaire hebdomadaire d'un homme se situe entre 4,80 $ et 16,00 $, celui d'une femme entre 1,50 $ et 7,00 $ et celui d'un jeune garçon entre 1,50 $ et 5,00 $.

Type d'usine	Homme	Femme	Enfant
Filature de coton	4,80 $ à 6,00 $	4,50 $ à 4,80 $	1,50 $ à 1,80 $
Manufacture de chaussures	6,00 $ à 16,00 $	1,50 $ à 7,00 $	–
Manufacture de tabac	6,00 $ à 8,50 $	1,50 $ à 3,75 $	1,50 $ à 5,00 $

Source : Rapport de la Commission royale d'enquête sur les relations entre le capital et le travail, 1889.

QUESTIONS

1. Relevez trois conditions qui rendent pénible la vie des familles ouvrières de l'époque.
2. Vers la fin du siècle, quels organismes se consacrent à la défense des ouvriers ?

Méthodologie

3. [Doc. 3]
Comment ce patron justifie-t-il les corrections données aux enfants ?

Connexion

4. [Doc. 1 et 2]
Qu'est-ce qui distingue l'extérieur des habitations ouvrières de l'intérieur de la résidence bourgeoise ?

Réflexion

5. Exprimez en quelques mots ce que vous avez appris des effets de l'industrialisation sur les classes sociales.

1 L'ÉCOLE DE LAITERIE DE SAINT-HYACINTHE.

Cette école, qui ouvre en 1892, forme des inspecteurs ainsi que des fromagers et des baratteurs pour les fabriques du Québec.

L'économie agricole et le monde rural

L'un des changements majeurs de la seconde moitié du 19e siècle réside dans la réorientation en profondeur de la production agricole vers l'industrie laitière. Même si les agriculteurs continuent de faire de l'élevage et de produire principalement du foin et de l'avoine, ils ne tardent pas à augmenter considérablement leur cheptel de vaches laitières. Des fabriques de beurre et de fromage ouvrent un peu partout dans la province.

De même que l'on avait pris soin de former les agriculteurs lors de la mécanisation de l'agriculture, il faut maintenant veiller à améliorer la qualité des produits laitiers. Les autorités provinciales essaient de mieux former les agriculteurs en ouvrant des écoles d'agriculture, en publiant des journaux et en multipliant les cercles agricoles.

HÉRITAGE DU PASSÉ

L'école d'agriculture de Sainte-Anne-de-la-Pocatière

L'école d'agriculture de Sainte-Anne-de-la-Pocatière est la première école d'agriculture au Canada. Elle est fondée en 1859 par l'abbé François Pilote (1811-1886). Au début, l'école a de la difficulté à recruter des élèves, à cause de la pauvreté des parents qui refusent de perdre une main-d'œuvre gratuite au sein de l'exploitation familiale. Les élèves qui s'y inscrivent sont âgés d'au moins 16 ans, savent lire et écrire, et possèdent les notions de base de l'arithmétique. La formation dispensée dure deux ans et permet aux élèves d'aborder tous les aspects de l'agriculture et de s'initier aux meilleures pratiques de culture sur la ferme annexée à l'école. Les candidats proviennent d'abord de la localité, mais le recrutement s'étend ensuite à l'ensemble du Québec. Malgré les difficultés, le projet est soutenu par le gouvernement, si bien qu'en 1912, l'école d'agriculture offre un programme universitaire et compte 573 diplômés. En 1962, elle est intégrée à la Faculté d'agriculture de l'Université Laval. L'établissement abrite aujourd'hui un institut de technologie agroalimentaire qui dispense une formation de niveau collégial.

L'ÉCOLE D'AGRICULTURE DE SAINTE-ANNE-DE-LA-POCATIÈRE.

Fondée en 1859 par l'abbé François Pilote, cette école d'agriculture est la plus vieille institution du genre au Canada.

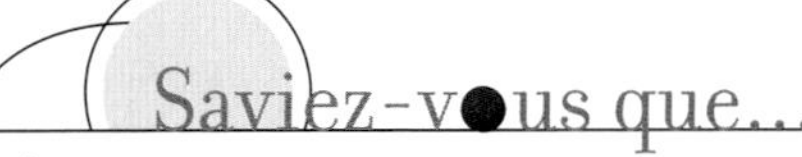

Le développement du monde rural

La vie sociale d'un village reflète les activités économiques de ses habitants. D'une part, les marchands procurent aux habitants ce qui vient de la ville. D'autre part, les artisans fournissent le marché local : ce sont des cordonniers, bouchers, boulangers, **maréchaux-ferrants**. Il faut aussi compter les travailleurs sans terre qui offrent leurs services comme journaliers un peu partout dans les fermes. Les plus importants cultivateurs jouent également un rôle économique dans leur communauté en fournissant des produits alimentaires aux villageois. Le monde rural s'industrialise à son tour avec la multiplication des petites fabriques de beurre et de fromage, de même que celle des moulins à scie. Par contre, comme le réseau routier est nettement déficient, les agriculteurs ne peuvent livrer leur production laitière bien loin.

Plusieurs producteurs laitiers manquent toutefois de savoir-faire. Les acheteurs se plaignent souvent de la qualité du beurre et du fromage. Devant la montée de ce secteur, les gouvernements réagissent en offrant une formation aux producteurs. Le problème se résout de lui-même lorsque les petites fabriques disparaissent au profit de plus grosses.

Saviez-vous que...

À la fin du 19e siècle, le lait non pasteurisé est l'une des principales causes de la mortalité infantile élevée, à Montréal. À cause des conditions de transport et de conservation déficientes, des bactéries se développent dans le lait, ce qui est à la source de plusieurs épidémies.

Maréchal-ferrant : Artisan chargé de forger des fers et d'en garnir les sabots des chevaux.

UNE FROMAGERIE À SAINT-PRIME, AU LAC-SAINT-JEAN, À LA FIN DU 19e SIÈCLE.

Cette fromagerie, l'une des premières au Québec, est fondée en 1890 par Adélard Perron. En 1989, ce bâtiment est classé monument historique.

4 LES FROMAGERIES ET LES BEURRERIES AU QUÉBEC, À LA FIN DU 19e SIÈCLE.

Au cours des années 1870-1875, la fabrication du beurre et du fromage, grâce à l'amélioration de sa qualité, passe d'un mode artisanal à une véritable industrie. Les agriculteurs délaissent la culture du blé et des autres produits céréaliers au profit de la production laitière.

Année	Nombre d'établissements	Nombre d'employés
1871	25	77
1881	162	377
1891	728	1220
1901	1992	3630

Source : Recensement du Canada, 1901.

QUESTIONS

1. Quel changement fondamental se produit-il dans la production agricole dans la seconde moitié du 19e siècle ?
2. Quels groupes sociaux sont établis en milieu rural ?

Méthodologie

3. [Doc. 4]
De 1871 à 1901, quelle décennie montre la plus forte progression en pourcentage du nombre d'établissements ?

L'ère du capitalisme

La période qui s'étend de 1900 à 1929 est sans conteste celle de l'âge d'or du capitalisme industriel basé sur l'énergie électrique. Alors qu'il était nettement désavantagé à l'époque où le charbon représentait l'unique source d'énergie, le Québec tire maintenant un grand avantage de ses ressources en énergie électrique.

L'industrialisation et l'urbanisation

Au début du 20e siècle, les nouveaux barrages hydroélectriques du Québec font bondir l'industrialisation de la province. Ils aident à alimenter les industries en électricité. Des usines sont construites à proximité des ressources naturelles ou des centrales électriques. Cette situation entraîne une conséquence majeure sur l'occupation territoriale : des zones jusqu'alors peu peuplées se développent rapidement, comme l'Abitibi, le Lac-Saint-Jean et la Mauricie.

L'extension des chemins de fer se poursuit. Malgré ses faibles moyens financiers, le gouvernement du Québec favorise le développement du réseau ferroviaire en donnant des subventions aux compagnies de chemins de fer. Il assume la construction de certaines lignes, comme le « Québec, Montréal, Ottawa et Occidental » (QMOO), qui coûte plus de 14 millions de dollars. Les chemins de fer qui traversent les villes et les villages contribuent à leur développement économique. Après la Première Guerre mondiale, en 1918, le gouvernement doit revoir tout le réseau routier avec l'apparition des automobiles, des camions et des autobus.

1 LES RICHESSES NATURELLES DU QUÉBEC VERS 1930.

Dans le premier quart du 20e siècle, le paysage québécois est transformé par un nouveau type d'industries centré sur l'exploitation des ressources naturelles. Des industries liées aux ressources hydroélectriques et forestières (pâtes et papiers, aluminium, chimie) se développent rapidement dans les anciennes régions de colonisation.

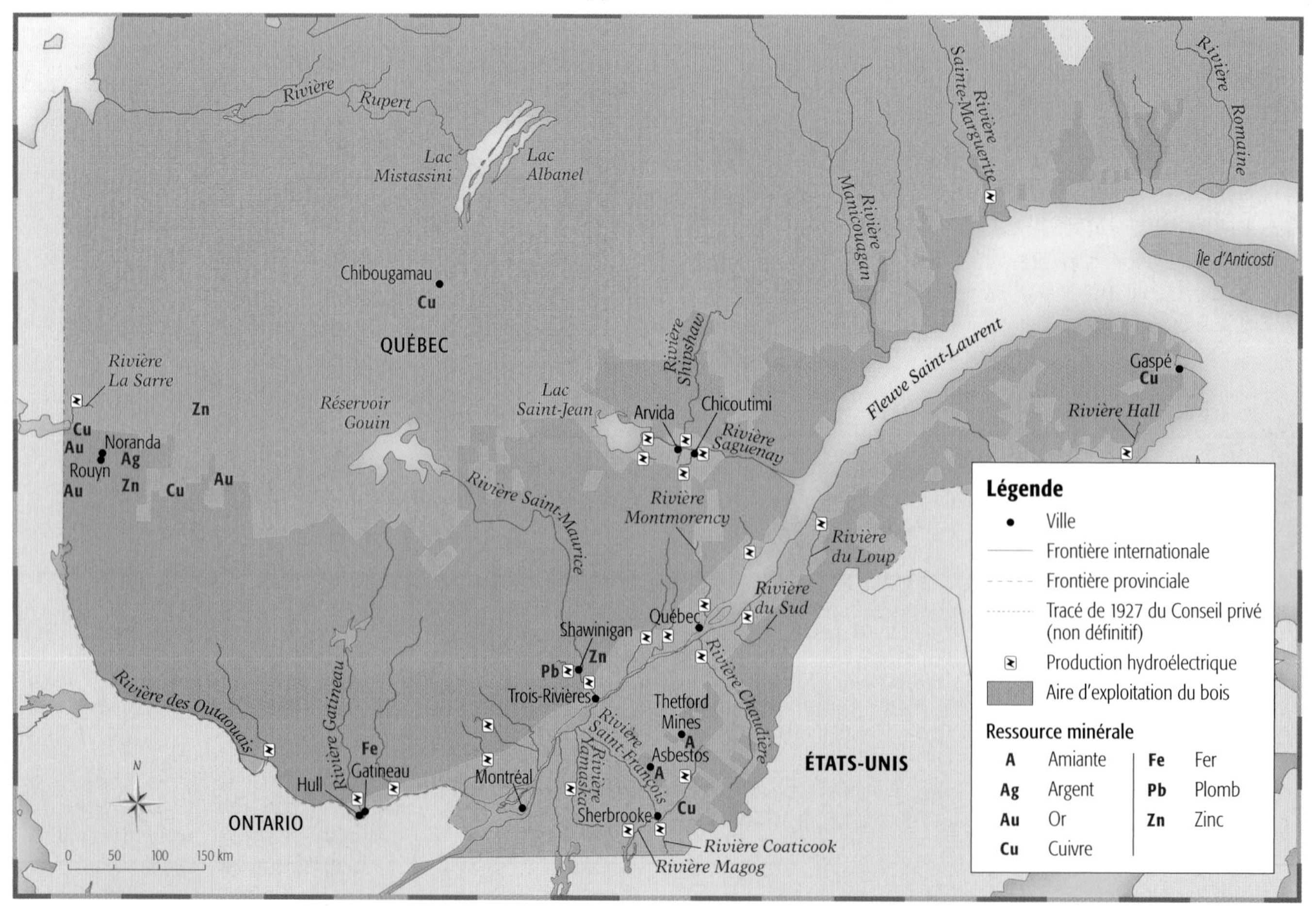

LE BARRAGE HYDRO-ÉLECTRIQUE DE LA COMPAGNIE SHAWINIGAN WATER AND POWER, À SHAWINIGAN, EN 1917.

L'installation du barrage entraîne l'implantation, en Mauricie, de nombreuses usines de textile, de pâtes et papiers et de fabrication d'aluminium.

Les activités commerciales

Avec la création de nouvelles industries basées sur l'exploitation et la transformation des ressources naturelles, le gouvernement du Québec change sa politique économique. En tant que propriétaire des terres, des richesses du sous-sol et des ressources hydrauliques, le Québec tente d'attirer les investisseurs en cédant ou en vendant ses richesses. Pour contourner les aspects protectionnistes de certaines politiques gouvernementales, les Américains viennent installer des industries au pays. Cette stratégie favorise le contrôle américain sur le développement économique du Canada.

Le premier quart du 20e siècle est aussi marqué par une forte tendance à la concentration des entreprises. Le désir de contrôler le marché pour réaliser davantage de profits amène les plus grandes entreprises à utiliser des stratégies qui visent à éliminer leurs concurrents. Par exemple, une entreprise baisse ses prix de vente pendant plusieurs mois, afin d'attirer la clientèle de ses concurrents. Ces derniers baissent les prix à leur tour, mais étant déjà financièrement affaiblis par la concurrence, ils ne peuvent se remettre de leurs pertes. Ils sont alors rachetés par l'entreprise qui a lancé cette lutte sauvage. Une entreprise peut aussi, par exemple, tenter de contrôler les matières premières qui servent à la fabrication de son produit ou les transports de ces matières premières. De cette façon, elle détient le monopole du secteur de production dans lequel elle fait affaire. On parle alors de capitalisme de monopole où la concurrence est contrôlée par quelques grandes entreprises.

LA RÉPARTITION EN POURCENTAGE DES INVESTISSEMENTS ÉTRANGERS AU CANADA DE 1900 À 1930.

L'augmentation des investissements américains et britanniques signifie un contrôle accru de l'étranger sur l'économie du Canada.

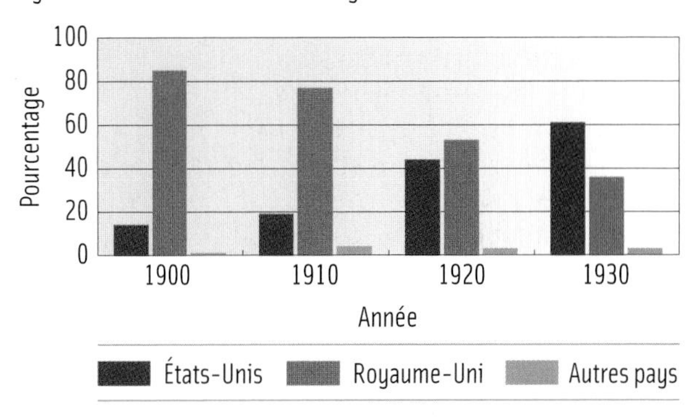

Source : Paul-André LINTEAU, René DUROCHER et Jean-Claude ROBERT, *Histoire du Québec contemporain*, tome 1, coll. Boréal compact, Montréal, Boréal, 1989, p. 443.

4 ***EMPARONS-NOUS DE L'INDUSTRIE.***

L'intellectuel Errol Bouchette critique l'absence des Canadiens français dans les hautes sphères de l'économie du Québec. Dans son essai, publié en 1901, il encourage les Canadiens français à s'emparer de l'industrie afin d'acquérir l'indépendance économique.

« Où sont les industriels, les armateurs et surtout les ingénieurs canadiens-français? Qui construit et exploite les chemins de fer dont le pays est sillonné et pour lesquels nous avons fourni l'argent? Les noms canadiens-français figurent en bien petit nombre sur les listes d'actionnaires, de gérants et d'employés. Qui exploite les forêts, la source principale de notre richesse, et que nous sommes si fortement intéressés à ne pas vouloir tarir? Ici encore l'élément français est en minorité tandis qu'il devrait constituer l'immense majorité en tenant compte de sa valeur numérique. Il en est de même pour les mines, les pêcheries et toutes les autres branches de l'industrie. »

Source : Errol BOUCHETTE, *Emparons-nous de l'industrie*, Ottawa, L'imprimerie générale, 1901, p. 10.

QUESTIONS

1. Durant la période 1900-1930, quels sont les deux principaux facteurs qui influencent la localisation des usines ?
2. Pourquoi les Américains viennent-ils établir des filiales de leurs compagnies au Canada ?

Méthodologie

3. [Doc. 3]
   Décrivez en une courte phrase l'évolution des investissements étrangers au Canada de 1900 à 1930.

Réflexion

4. Déterminez des moyens d'améliorer votre connaissance des changements apportés à la société québécoise par le capitalisme du début du 20e siècle.

Les transformations sociales

La bourgeoisie d'affaires profite grandement de la deuxième phase d'industrialisation des premières décennies du 20e siècle. Cette classe domine les hautes sphères commerciales, industrielles et financières du pays. Elle exerce toujours son pouvoir sur l'orientation économique de la province. Les membres de cette bourgeoisie, qui sont à la tête des institutions financières, doivent s'entendre avec les Américains, puisque les capitaux qu'ils ont investis leur donnent un droit de regard sur le développement de l'économie du Québec.

La concentration des entreprises déstabilise la moyenne bourgeoisie. Les institutions bancaires, les compagnies d'assurances et diverses sociétés de prêts fusionnent, ce qui fait disparaître les petites institutions où la moyenne bourgeoisie avait ses entrées. Pour les gens de cette classe, cela signifie la perte de leurs outils économiques et l'impossibilité de concurrencer les grosses entreprises. Leurs contacts avec la grande bourgeoisie se font plus rares et leur champ d'action devient plus régional ou local. La moyenne bourgeoisie demeure tout de même présente dans le secteur des industries légères, celles qui présentent moins d'intérêt pour les grands financiers.

1 LES ACTIFS DES BANQUES, DE 1913 À 1929.

Les institutions financières sont grandement affectées par la concentration des entreprises. En 1913, plusieurs banques indépendantes ayant leur siège social au Québec se partagent les **actifs**. En 1929, seules six banques survivent au Québec.

Banque	1913	1923	1929
Banque de Montréal	241 991 $	663 661 $	896 936 $
Bank of British North America	63 975 $	–	–
Merchants Bank	83 217 $	–	–
Molson's Bank	50 302 $	73 261 $	–
Banque Royale du Canada	178 624 $	536 778 $	962 028 $
Banque de Québec	21 179 $	–	–
Banque Canadienne nationale	–	–	154 539 $
Banque d'Hochelaga	32 530 $	71 593 $	–
Banque Nationale	24 213 $	52 864 $	–
Banque Provinciale du Canada	13 077 $	36 939 $	53 424 $
Union Bank of Canada	79 567 $	–	–
Barclay's Bank	–	–	4542 $
Total des actifs	**788 675 $**	**1 435 096 $**	**2 071 469 $**

Source : Paul-André LINTEAU, René DUROCHER et Jean-Claude ROBERT, *Histoire du Québec contemporain*, tome 1, coll. Boréal compact, Montréal, Boréal, 1989, p. 466.

Actif : Ensemble des valeurs dont une personne ou une entreprise a la libre disposition.

Quant à la petite bourgeoisie, elle aussi trouve difficile de survivre dans ce contexte de monopole. L'ouverture des succursales des grands magasins métropolitains fait du tort aux petits commerçants. Plusieurs doivent trouver une autre façon de gagner leur vie.

La classe ouvrière continue d'augmenter et les conditions de travail des ouvriers restent très pénibles. Les propriétaires des entreprises fusionnées ignorent, pour la plupart, les difficultés que doivent affronter leurs employés. Leur principal souci est de chercher une main-d'œuvre à bon marché.

Les conditions de travail

Les progrès dans la lutte pour l'amélioration des conditions de travail sont lents, car la résistance des autorités politiques et la force du capitalisme à monopole retardent les efforts en ce sens. Ainsi, en 1920, seulement 14 % de la main-d'œuvre peut compter sur un syndicat. Entre 1900 et 1925, les quelques législations qui portent sur les accidents de travail, le travail des femmes et des enfants et le nombre d'heures de travail à respecter sont difficilement appliquées, faute d'inspecteurs, ou sont trop vagues pour avoir quelque effet que ce soit.

Une nouvelle organisation du travail

Dans les années 1920, le nombre d'heures de travail par semaine demeure très élevé, soit en moyenne 55 heures. Cependant, les salaires augmentent sensiblement grâce à l'organisation scientifique du travail, appelée «taylorisme». Un des objectifs du taylorisme est d'augmenter la productivité des travailleurs. Pour y arriver, il faut réduire les mouvements exécutés par l'ouvrier lors d'une tâche. Quand l'ouvrier doit se déplacer pour aller chercher un outil, puis les éléments de l'objet à confectionner, il perd de précieuses secondes chaque fois. La chaîne de montage permet de restreindre les pertes de temps en amenant le travail à proximité de l'ouvrier. Celui-ci n'a plus qu'à répéter les mêmes gestes. Cette nouvelle organisation du travail entraîne une baisse des coûts de production et une augmentation de la productivité de la main-d'œuvre et des profits. En fin de compte, le prix de vente de l'objet est plus bas. La chaîne de montage représente toutefois un désavantage pour l'ouvrier à cause de la division extrême du travail et de la répétition à l'infini des mêmes gestes.

Le monde du travail prend un nouveau tournant. La qualité de vie en ville s'améliore grâce aux innovations dans les transports, surtout après la Première Guerre mondiale. Les tramways, les autobus, les camions et les automobiles facilitent les déplacements des travailleurs, ce qui leur permet d'habiter graduellement dans des quartiers plus éloignés de l'usine.

LE TRAVAIL À LA CHAÎNE DANS UNE USINE AMÉRICAINE DE PIÈCES AUTOMOBILES EN 1913.

En 1913, Henry Ford inaugure l'installation de la première chaîne de montage automobile dans l'une de ses usines. Ce nouveau modèle d'organisation du travail connaîtra une grande diffusion à travers le monde.

UN PROSPECTUS QUI MET DE LA POUDRE AUX YEUX.

Au début de la crise économique des années 1930, la Shawinigan Water and Power publie un prospectus pour attirer de nouvelles industries dans la région.

« Nulle part au monde trouvons-nous d'aussi bonnes conditions ouvrières que dans la province de Québec, tout spécialement dans la région de Shawinigan Water and Power Company. Il serait difficile de trouver un peuple plus heureux et satisfait sur terre. Le sentiment de satisfaction du peuple canadien-français constitue un élément très important pour les employeurs de cette région ; cette valeur humaine étant directement attribuable à la direction sage et avisée de leurs pères confesseurs, les prêtres catholiques. Dans cette région, pendant des siècles, le premier principe de la religion des habitants a voulu que l'on soit heureux de son sort. Les syndicats locaux font des demandes modérées... De plus, la dimension proverbiale de la famille canadienne-française constitue un facteur d'importance dans la disponibilité de la main-d'œuvre. Puisque tous doivent se nourrir, tous doivent travailler et les manufactures disposent ainsi d'une main-d'œuvre féminine et masculine à portée de la main ; et, puisque tous doivent travailler, les salaires demandés sont extrêmement bas. »

Source : Prospectus de la Shawinigan Water and Power, cité dans John A. DICKINSON et Brian YOUNG, *Brève histoire socio-économique du Québec*, Sillery, Éditions du Septentrion, 2003, p. 243.

QUESTIONS

1. Quelle classe profite de la concentration des entreprises au début du siècle ?
2. Quels sont les deux principaux avantages économiques liés à l'application de la chaîne de montage ?

Méthodologie

3. [Doc. 1]
   Quelles sont les deux banques québécoises qui totalisent plus de la moitié des actifs bancaires ?
4. [Doc. 3]
   Selon ce prospectus, pourquoi les Canadiens français sont-ils de bons ouvriers ?

La modernisation agricole et le monde rural

Grâce aux efforts mis en place par les gouvernements, la petite bourgeoisie et le clergé, le monde rural se modernise à son tour. Les écoles d'agriculture et les cercles agricoles obtiennent des résultats encourageants puisqu'ils parviennent, malgré un nombre réduit d'agriculteurs, à augmenter la production agricole dans le premier tiers du 20e siècle. Il faut dire que les réseaux de transport aident considérablement à faciliter les échanges entre les villes et les campagnes. La production laitière, l'élevage, la culture du foin, de l'avoine et du tabac constituent toujours les fondements de l'économie agricole.

1 ***LE BULLETIN DES AGRICULTEURS* D'OCTOBRE 1939.**

Les journaux agricoles et les revues spécialisées sont une source importante de renseignements pour les agriculteurs québécois.

MONTRÉAL OCTOBRE 1939
LE BULLETIN
des Agriculteurs
REVUE ANNUELLE
DE L'INDUSTRIE ANIMALE

Prenant son essor au début du siècle, le coopératisme, inspiré du mouvement des caisses populaires, rejoint les producteurs de fromage, de beurre et de lait. Les coopératives présentent de nombreux avantages : ses membres peuvent rassembler les capitaux suffisants en vue d'atteindre leur objectif commun, répartir les risques, mais aussi les profits. Elles favorisent l'exploitation des ressources par la collectivité plutôt que par des intérêts étrangers ; elles renforcent le sentiment d'appartenance de chacun à son milieu. Enfin, ses membres peuvent s'initier au monde des affaires et développer un savoir-faire.

Influencés par les mouvements syndicaux et les unions qui apparaissent à cette époque, comme le syndicalisme catholique, les cultivateurs créent l'Union catholique des cultivateurs (UCC) en 1924.

Les années qui suivent la Première Guerre mondiale sont éprouvantes, car le marché extérieur européen cesse ses activités. Les prix chutent dramatiquement et les plus petits producteurs doivent abandonner leur vocation commerciale. La mécanisation de l'agriculture, essentielle pour se maintenir dans la concurrence, coûte cher. À la fin des années 1920, les agriculteurs trouvent enfin du crédit pour acheter de la machinerie agricole grâce à leurs propres épargnes qui, peu à peu, pendant 20 ans, permettent aux caisses populaires d'obtenir un actif de 11 millions.

2 **LE POURCENTAGE DES REVENUS AGRICOLES EN 1920 ET EN 1929.**

Les revenus agricoles proviennent principalement des produits des cultures, comme le blé et l'avoine, ainsi que des produits laitiers. L'importance de la production laitière dans les revenus agricoles est de plus en plus marquée.

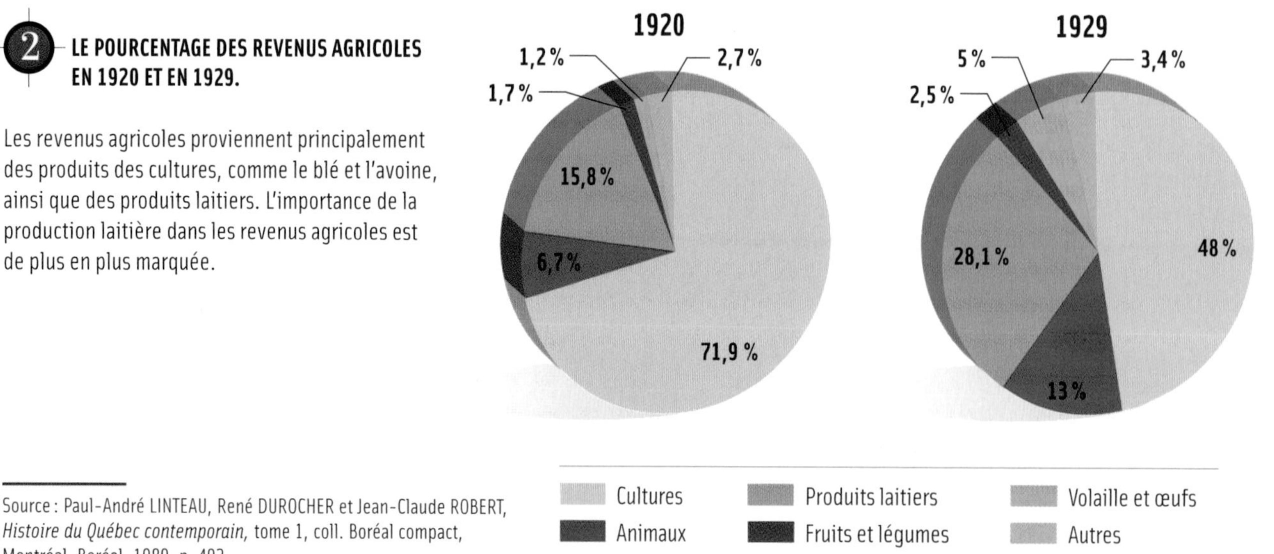

Source : Paul-André LINTEAU, René DUROCHER et Jean-Claude ROBERT, *Histoire du Québec contemporain*, tome 1, coll. Boréal compact, Montréal, Boréal, 1989, p. 493.

L'influence de la ville sur le monde rural

Le monde rural, c'est plus qu'une ferme et ses dépendances. Ce sont aussi des villages et un territoire plus grand encore que celui qu'occupent les villes. En 1931, sur 1 million de personnes qui vivent à la campagne, 27 % habitent ailleurs que dans une ferme. L'influence de la ville est de plus en plus présente grâce à la diffusion des journaux, des catalogues et l'essor de l'automobile qui multiplie les contacts entre les villes et les campagnes.

Saviez-vous que...

C'est en 1906 que les permis de conduire deviennent obligatoires au Québec. En 1933, le ministère de la Voirie du Québec impose aux automobilistes une limite de vitesse de 30 km/h dans les villes et de 50 km/h en milieu rural.

TÉMOINS DE L'HISTOIRE

ALPHONSE DESJARDINS

À Lévis, le 6 décembre 1900, Alphonse Desjardins fonde la toute première caisse populaire au Québec. Pourtant, rien ne le prédestine à une carrière dans la finance, sinon quelques cours de commerce au collège de Lévis. Né en 1854 dans une famille pauvre qui compte 15 enfants, Alphonse Desjardins entame plutôt une carrière de journaliste. Il est rédacteur au journal *Canadien* et également l'éditeur des *Débats de la législature de la province de Québec*. Il devient fonctionnaire d'État et occupe pendant 25 ans un poste de sténographe parlementaire francophone à la Chambre des communes à Ottawa.

Grâce aux débats de l'Assemblée législative, Alphonse Desjardins se familiarise avec les modèles de coopération financière développés en Europe à la même époque. À la fin du 19e siècle, le Québec connaît une crise économique liée au déclin de l'agriculture. Les banques ne prêtent qu'aux grandes compagnies, ce qui mine l'initiative locale des petites entreprises.

Une telle situation porte Alphonse Desjardins à réfléchir aux moyens d'établir des coopératives au Québec. Contrairement aux banques ordinaires, les membres s'associent pour mettre en commun leurs épargnes et s'offrir un crédit mutuel qui est réinvesti localement. Le Mouvement Desjardins compte aujourd'hui parmi les institutions financières les plus importantes du Canada.

3 ALPHONSE DESJARDINS (1854-1920).

De son vivant, Alphonse Desjardins participe à la mise en place de 187 caisses populaires au Québec, 18 en Ontario et 9 aux États-Unis. Le jour de l'ouverture de la première caisse à Lévis, les versements totalisent le montant de 26,40 $.

4 QUAND LA VILLE INFLUENCE LA CAMPAGNE.

Dans son roman *La campagne canadienne*, publié en 1925, Adélard Dugré fait une description des transformations qui s'opèrent en milieu rural avec l'essor de l'automobile et des moyens de communication.

« Les campagnes elles-mêmes ne sont plus un refuge assuré pour nos vieilles coutumes. Depuis longtemps déjà, mais surtout depuis l'invasion de nos paisibles paroisses par la grosse presse, l'automobile et les catalogues des grosses maisons d'affaires, nos bonnes gens s'enorgueillissent d'adopter le langage, les modes et les mœurs de la ville, qui sont une imitation de la langue, des modes et des mœurs américaines. La ville, les États-Unis, fascinent l'imagination de nos bonnes populations campagnardes et les poussent à se déguiser en citadins des États. »

Source : Adélard DUGRÉ, *La campagne canadienne : Croquis et leçons*, Montréal, Imprimerie du Messager, 1925, p. 6.

QUESTIONS

1. Donnez trois exemples de l'influence de la société industrielle sur le monde rural.
2. Quel facteur de production coûte de plus en plus cher aux agriculteurs ?

Méthodologie

3. [Doc. 2]
Nommez le secteur de production agricole dont les revenus s'accroissent le plus entre 1920 et 1929. Trouvez une hypothèse qui explique ce fait.
4. [Doc. 4]
L'auteur de ce texte semble-t-il en faveur des valeurs modernes ou des valeurs traditionnelles ? Justifiez votre réponse.

1 L'AMÉNAGEMENT DU TUNNEL WELLINGTON, SOUS LE CANAL DE LACHINE, EN 1934.

Pendant la crise économique, le gouvernement met en place des programmes de travaux publics qui permettent aux chômeurs de gagner un peu d'argent.

De la crise à la prospérité

Au moment de la crise économique de 1929, la politique du laisser-faire qui existe depuis un siècle est dénoncée à grands cris. Les différents paliers gouvernementaux interviennent d'abord modérément dans les affaires économiques en mettant sur pied de grands travaux publics, puis en portant un intérêt plus appuyé au développement industriel et agricole. Peu à peu, la conception du rôle de l'État dans l'économie change, les gouvernements s'impliquent davantage, en particulier le gouvernement fédéral.

La Seconde Guerre mondiale amène le gouvernement fédéral à intervenir directement dans l'activité économique, notamment dans la gestion de la production et la fixation des prix. À la fin de la guerre, il retire plusieurs de ses politiques, mais il conserve son rôle interventionniste dans les domaines économiques. Au Québec, le gouvernement de Maurice Duplessis maintient les interventions de l'État à un niveau minimum.

L'économie en crise

La crise de 1929 dépasse en difficulté toutes les autres périodes semblables qu'a connues le système capitaliste depuis le 19e siècle. Née de l'écroulement du marché financier aux États-Unis, la crise se transforme en crise industrielle, puis en véritable drame social. Ses répercussions ne tardent pas à se faire sentir au pays, étant donné la dépendance du Québec et du Canada à l'égard de l'économie américaine. En 1933, le quart des travailleurs du Québec se retrouvent sans emploi et sans revenu. Les commerces et les services voient leur clientèle disparaître dans la masse des chômeurs. Les agriculteurs sont moins touchés que la population des villes, car ils peuvent assurer leurs besoins essentiels à même les produits de la ferme. N'empêche que la baisse des prix de leurs produits sur les marchés rend leur situation plus précaire.

Saviez-vous que...

Dans les années 1950, la croissance du nombre de véhicules force les autorités à adapter les vieilles routes et à en construire de nouvelles. Aussi, jusqu'au milieu des années 1980, il faut payer pour utiliser certaines autoroutes afin de financer le réseau routier. Le coût du passage d'une voiture est de 25 sous. En 1959, la première de ces nouvelles voies rapides payantes est l'autoroute des Laurentides.

2 LA CRISE ET LE RETOUR À LA TERRE.

Pendant la crise économique du début des années 1930, l'agriculture est perçue comme étant le seul secteur social à l'abri de la misère urbaine. Dans un article publié dans *La terre de chez nous* en 1932, Esdras Minville recommande le retour à la terre.

« L'établissement des chômeurs sur des terres coûte cher. Personne n'en doute ! Mais il faudrait voir, en premier lieu, s'il en coûte moins cher de les faire vivre dans les villes [...] et, en second lieu, s'il ne serait pas possible d'instituer une politique d'établissement dans les régions nouvelles de tous les aspirants agriculteurs, qui permettrait aux pouvoirs publics de rentrer éventuellement, sinon dans la totalité, du moins dans une bonne partie de leurs avances. [...] Pourquoi, au lieu d'affecter les fonds de chômage comme on l'a fait jusqu'ici à des travaux improductifs, d'une utilité souvent hypothétique, au lieu surtout de les distribuer, comme on le projette maintenant, en secours directs, les pouvoirs publics n'en consacreraient-ils pas la plus forte partie au défrichement et à l'aménagement, sous leur propre surveillance, de terres dans les régions nouvelles, quitte à disposer ensuite de celles-ci par la vente directe ou au plus enchérisseur ? »

Source : Esdras MINVILLE, « La crise et le retour à la terre », *La terre de chez nous*, 15 et 22 juin 1932.

Le retour à la prospérité

La Seconde Guerre mondiale produit l'effet inverse à celui de la crise. Tous les secteurs de production destinés aux besoins des civils sont dorénavant orientés vers la production de guerre. Le chômage disparaît et les salaires sont à la hausse. La valeur de la production industrielle triple entre 1940 et 1945, en raison des activités reliées à l'effort de guerre.

Pendant ce temps, le monde urbain se remet de la léthargie des années de la crise au point que bientôt, on manque de logements. L'urbanisation reprend, accompagnée par une hausse de la construction de logements. La structure urbaine de l'ensemble du Québec reste pourtant la même. Montréal et Québec demeurent les deux seules grandes villes de plus de 100 000 habitants.

À la fin de la Seconde Guerre mondiale, les investissements augmentent et, après les 15 ans d'interruption, la consommation explose littéralement, suscitant une demande considérable de biens manufacturés. La production s'améliore dans presque tous les secteurs.

Après la crise et la guerre, le secteur de l'industrie légère demeure le secteur le plus important. En 1950, 54,2 % des ouvriers québécois y travaillent et il fournit 48,6 % de la valeur totale de la production industrielle. Cependant, les pâtes et papiers, les produits chimiques et l'exploitation des ressources naturelles, comme les mines, connaissent un nouvel essor après 1950 et jouent un rôle moteur dans l'économie.

Le gouvernement fédéral met en chantier de grands travaux comme la construction de l'autoroute transcanadienne et l'aménagement de la voie maritime du Saint-Laurent, qui relie les Grands Lacs à l'océan Atlantique. Ces grands projets permettent de réduire les coûts de transport et d'acheminer plus rapidement les matières premières.

LA VOIE MARITIME DU SAINT-LAURENT AU DÉBUT DES ANNÉES 1960.

La voie maritime du Saint-Laurent est ouverte à la navigation en avril 1959. Dorénavant, les bateaux peuvent atteindre les Grands Lacs sans être obligés de s'arrêter à Montréal.

L'IMPORTANCE, EN POURCENTAGE, DE CERTAINES INDUSTRIES DANS LE PRODUIT INTÉRIEUR BRUT (PIB) AU QUÉBEC, DE 1926 À 1975.

Si l'agriculture est en constant déclin, les alumineries demeurent un des secteurs forts de l'économie.

Industrie	1926	1951	1975
Agriculture	20 %	7,6 %	2,8 %
Forêt, mine, électricité	10 %	5 %	8,9 %
Bois et papier	17 %	12 %	10,2 %
Réduction et affinage des métaux non ferreux (aluminium)	1,7 %	4 %	5 %

Source : Statistique Canada, *Produit intérieur brut provincial par industrie*, 2001.

5 LA PROSPÉRITÉ D'APRÈS-GUERRE.

La fin de la Seconde Guerre mondiale inaugure une ère de prospérité qui permet le développement de la société de consommation.

« Jusqu'aux années 1940, une grande partie de la population a connu la vraie pauvreté, ne parvenant même pas à atteindre un "minimum de bien-être" chichement calculé. Pour les travailleurs, la misère était synonyme de mises à pied saisonnières, de maisons surpeuplées, de mauvaises récoltes, de chômage cyclique et de vieillesse indigente. Après 1945, les allocations familiales, l'assurance-chômage et, par-dessus tout, une croissance économique remarquable atténuent bon nombre de ces difficultés. »

Source : Craig BROWN, dir., *Histoire générale du Canada*, coll. Boréal compact, Montréal, Boréal, 1990, p. 579.

QUESTIONS

1. Donnez trois effets économiques positifs de l'économie de guerre.

Méthodologie

2. **[Doc. 2]**
   a) Quel passage du texte montre qu'Esdras Minville n'est pas d'accord avec la politique des grands travaux du gouvernement ?
   b) Quelle solution propose-t-il ?

1 UNE PUBLICITÉ D'APPAREIL ÉLECTROMÉNAGER DU DÉBUT DES ANNÉES 1950.

Les années 1950 voient apparaître la consommation de masse. Les appareils électroménagers, les automobiles, les appareils radio et les téléviseurs sont les objets les plus convoités.

Frigidaire

POÊLES ÉLECTRIQUES

De grande renommée... Indispensables à la cuisinière moderne.

MODELE RK4

Conçu pour être placé dans la cuisine la plus compacte, ce magnifique nouveau Poêle Electrique Frigidaire RK-4 offre presque toutes les caractéristiques fondamentales des poêles plus gros. Les propriétaires des maisons de rapport de même que les locataires apprécient son efficacité hors pair pour la cuisson, sa commodité et son coût d'operation minime.

Prix: $231.00

- Unités de Surface "Radiantube" à 5 degrés de chaleur.
- Deux éléments dans le four spacieux à chaleur répartie.
- Gril à Braiser ultra-rapide — à votre portée.
- Porcelaine qui dure toute une vie — Intérieur et Extérieur.
- Seulement 21¼" de largeur.
- Isolant épais en laine de verre.
- Lignes aérodynamiques.

SUPERBE MODELE DE LUXE RK 60

Un appareil renfermant les dernières améliorations pour la cuisson électrique AUTOMATIQUE. Fameux mecanisme "Cookmaster" à réglage automatique qui facilite la cuisson sans surveillance. Contrôle automatique pour régler la chaleur du jour. Série de signaux lumineux et cloche d'avertissement pour décrire les progrès de la cuisson. Prises de courant additionnelles, pour connecter d'autres accessoires. Grande lumière fluorescente de 24 pcs. Tiroirs spacieux pour accessoires.

PRIX: $392.00

TERMES FACILES SUIVANT LE PLAN BUDGETAIRE ARCHAMBAULT

En montre à notre rayon d'accessoires électriques

Ed. Archambault INC

500 est, rue STE-CATHERINE — MA. 6201

Ouvert jusqu'à 9 heures le vendredi soir

Les transformations sociales

La crise des années 1930 affecte profondément les travailleurs du Québec. Plusieurs font face à la pauvreté et parviennent difficilement à combler leurs besoins essentiels. C'est seulement lors de la Seconde Guerre mondiale que la situation s'améliore sensiblement, même si après 1939, les Québécois subissent encore des restrictions. La guerre crée plusieurs emplois, ce qui permet à de nombreuses familles de gagner un revenu. Puisque beaucoup d'hommes partent au front en Europe, les responsabilités des femmes deviennent plus exigeantes. Elles doivent travailler à l'extérieur et veiller en même temps aux tâches ménagères.

Après tant d'années de restrictions, une extraordinaire explosion de consommation se manifeste dans les décennies qui suivent la signature de la paix. Vanté par la radio, la télévision et la publicité, l'idéal de l'*American way of life*, c'est-à-dire le mode de vie américain orienté vers la consommation, se diffuse à travers la population. La hausse des salaires, combinée à la faible **inflation**, permet l'achat de nouveaux biens. L'automobile devient plus accessible, de même que les appareils électroménagers, comme les machines à laver ou les réfrigérateurs.

Pour remédier à la crise du logement, des maisons munies de tout le confort moderne, comme le chauffage central et les salles de bain tout équipées, sont construites à Montréal et en banlieue. Les marchands et les institutions financières facilitent l'accès au crédit à ceux qui n'ont pas les moyens de s'offrir ces biens. Par conséquent, l'endettement des Québécois augmente aussi de façon considérable durant ces années.

Inflation : Augmentation des prix qui se traduit par une perte du pouvoir d'achat.

2 LE BOUM ÉCONOMIQUE DES ANNÉES 1950.

La prospérité économique des années 1950 transforme les habitudes de consommation de la population.

« La décennie 1950 marque un point tournant dans l'histoire du Québec. En 10 ans, les Québécois des classes moyennes vont non seulement entrer dans la modernité, mais aussi vouloir rattraper le temps perdu et assumer pleinement leur appartenance au continent nord-américain. [...] s'ouvre alors une période de prospérité où on n'hésite pas à dépenser les économies faites durant la guerre ou à utiliser cette nouveauté qu'est le crédit pour accéder à la propriété. [...] le bungalow et son milieu de prédilection, la banlieue, transforment notre paysage bâti. Dans son sillage, on verra apparaître la station-service, le centre commercial, le motel et le *fast-food* avec service à l'auto. [...] de 1948 à 1960, il y eut 400 000 unités de logement mises en chantier au Québec, la maison individuelle comptant alors pour 80 % des maisons construites. Ce boum immobilier accélère le phénomène de la banlieue. »

Source : Danielle PIGEON, « Éloge du bungalow », *Cap-aux-Diamants*, n° 84, hiver 2006, p. 16.

Saviez-vous que...

Dans les années 1950, de jeunes adultes qui souhaitent sortir, danser et s'amuser ont accès à un autobus privé pour se déplacer. Il suffit de ne pas avoir une idée trop précise du lieu où l'on désire passer notre soirée, car la destination reste inconnue jusqu'à l'arrivée ! Cela explique pourquoi on surnomme ces autobus les « nowheres ». Le concept fait fureur dans les milieux populaires et vient s'ajouter à la panoplie de divertissements qui sont créés pour la jeunesse de l'époque.

L'essor du secteur tertiaire

Le développement du **secteur tertiaire** fournit une base économique à une nouvelle classe d'affaires qui contribue aussi au développement de la classe moyenne. Les interventions gouvernementales dans l'économie d'après-guerre soutiennent mieux le secteur tertiaire. Elles participent à son essor par le développement de la fonction publique, comme l'éducation, les services sociaux et la santé. Par exemple, dans le monde financier, la création de la Banque du Canada, en 1934, vise à mieux contrôler le système monétaire et financier. La croissance de la fonction publique permet aussi à l'économie du secteur tertiaire de progresser. Au Québec, l'essor du secteur tertiaire se fait surtout dans les années 1950, quoique le gouvernement de Maurice Duplessis en retarde le développement. En 1951, la fonction publique représente 11 % de la main-d'œuvre et 14 % en 1961.

Dans cette nouvelle ère de consommation, le commerce de gros et de détail croît aussi, favorisant la venue de multiples commerces indépendants et de grandes chaînes de magasins. Les chemins de fer se spécialisent maintenant dans le transport de marchandises, puisque les voyageurs disposent de moyens plus variés comme l'automobile et l'avion. Tout le réseau routier est à revoir et à améliorer. Les communications engendrent également leur part de revenus dans l'économie avec le développement de la télévision et des stations de radio. En 1960, 97 % des ménages ont au moins un appareil radio et 89 % possèdent un téléviseur.

LES PRINCIPAUX MANDATS DE LA BANQUE DU CANADA.

Créée en 1934, la Banque du Canada est d'abord une institution privée avant de devenir, quatre ans plus tard, une institution d'État.

- Assurer la stabilité financière du pays.
- Conserver une monnaie sûre et garantie.
- Maintenir un faible taux d'inflation.
- Gérer la dette publique.
- Gérer les fonds publics.
- Concevoir et distribuer les billets de banque canadiens.

Secteur tertiaire : Champ d'activité qui comprend tous les commerces et entreprises qui offrent des services à leur clientèle ou qui font du commerce de gros ou de détail.

UNE AFFICHE DU CARNAVAL DE QUÉBEC DATANT DE 1959.

La croissance du secteur tertiaire est particulièrement marquée au milieu des années 1950. Avec le retour à la prospérité, l'industrie touristique prend un nouvel essor. Le Carnaval de Québec, dont la première édition a lieu en 1955, joue un rôle économique important dans l'industrie touristique de la ville de Québec.

QUESTIONS

1. Quelle conséquence l'accès facile au crédit entraîne-t-il pour les Québécois ?
2. Quelles sont les deux classes sociales qui profitent du développement du secteur tertiaire ?
3. De quelle façon les gouvernements contribuent-ils à la croissance du secteur tertiaire ?

Réflexion

4. Vous savez maintenant que le mode de vie des Québécois a été fortement influencé par l'*American way of life*. Comment cela vous aidera-t-il à mieux comprendre la société québécoise actuelle ?

5 UNE STATION D'ESSENCE DANS LE BAS-SAINT-LAURENT VERS 1950.

À partir des années 1950, la vente d'automobiles prend un essor considérable, entraînant l'ouverture de nombreux concessionnaires d'automobiles et de stations d'essence.

1 L'INFÉRIORITÉ ÉCONOMIQUE DES FRANCOPHONES.

En 1965, la publication du rapport préliminaire de la Commission royale d'enquête sur le bilinguisme et le biculturalisme (commission Laurendeau-Dunton) révèle que l'anglais est la véritable langue du commerce et des affaires au Québec.

Dans les manufactures québécoises, 80 % des hauts postes sont occupés par des anglophones.

83 % des administrateurs et des cadres du Québec sont anglophones.

À instruction égale, les francophones gagnent moins que tous les autres groupes linguistiques.

Le revenu moyen d'un francophone est de 35 % inférieur à celui d'un anglophone.

Le commerce et le contrôle étranger

Les décennies 1950 et 1960 transforment le paysage économique du Québec. Les activités industrielles sont à la hausse. Les grandes sociétés concentrent leurs activités et tendent au monopole, au détriment des petites sociétés. L'investissement de capitaux étrangers augmente également de façon considérable. En 1960, ces investissements atteignent plus de 22 milliards de dollars, dont 75 % proviennent des États-Unis.

Le commerce extérieur dépend fortement des États-Unis, qui achètent les matières premières du Québec et lui revendent les produits finis. Pour ce qui est du commerce intérieur, Montréal attire de plus en plus d'investisseurs américains qui viennent y installer des filiales. En s'établissant au Québec, les Américains produisent les biens sur place, ce qui leur permet d'accéder directement au marché en contournant les barrières douanières. De même, en achetant des entreprises déjà existantes ou en établissant leurs sociétés, les investisseurs américains prennent le contrôle d'une part importante de l'industrie québécoise. La croissance industrielle que connaissent le Québec et le Canada est ainsi étroitement liée aux investissements étrangers.

Les capitaux anglophones et la minorité francophone

Ces années de prospérité affectent considérablement le rôle des Canadiens français sur la scène économique. Jusqu'à cette période, le monde des affaires était principalement dominé par l'élite anglophone montréalaise. D'ailleurs, certains intellectuels se questionnent sur «l'infériorité économique des Canadiens français». Ils tentent de comprendre les raisons pour lesquelles les Canadiens français ont été écartés du pouvoir économique depuis la Conquête britannique. Les entrepreneurs francophones, qui sont en minorité, ont besoin d'importants ajustements pour rattraper leur retard. Ils doivent également être prêts à faire face à la concentration et à la monopolisation des industries. Ce n'est qu'à partir de la Révolution tranquille que les Canadiens français commencent à jouer un rôle plus actif dans le développement économique du Québec.

Si l'élite capitaliste et économique compte peu de francophones, la situation est bien différente au sein de la moyenne bourgeoisie. Celle-ci se compose de gens d'affaires et d'intellectuels. On les rencontre au sein des chambres de commerce locales. Ces associations comprennent majoritairement des commerçants et des personnes exerçant des professions libérales, comme les avocats ou les notaires. Elles leur permettent de tisser des liens entre le pouvoir économique, politique et intellectuel. Entre 1945 et 1960, le nombre de chambres de commerce passe de 82 à 180.

LE CONGRÈS DES MEMBRES DE L'UNION DES CHAMBRES DE COMMERCE DE L'OUEST DU QUÉBEC, VERS 1950.

Les chambres de commerce permettent aux gens d'affaires de se rencontrer afin de discuter des questions économiques et des problèmes qui concernent les villes où elles sont implantées.

La croissance du syndicalisme

Avec la prospérité économique des années 1950, le nombre de personnes syndiquées n'a cessé de croître, de même que le nombre de syndicats. Après la crise des années 1930, les travailleurs sont mieux organisés et plus conscients de la valeur de leur travail. Par conséquent, ils revendiquent, par de nombreuses grèves, de meilleurs salaires et une amélioration de leurs conditions de travail. La syndicalisation touche surtout le milieu industriel. Des milliers de travailleurs du secteur tertiaire, comme ceux qui travaillent dans les commerces, ne possèdent cependant aucune autre protection que celle prévue par les lois gouvernementales.

LA CROISSANCE DU NOMBRE DE TRAVAILLEURS SYNDIQUÉS DES CENTRALES SYNDICALES, DE 1960 À 1970.

Durant la décennie 1960, le nombre de travailleurs syndiqués croît considérablement. Leurs conditions de travail s'améliorent et leurs droits sont de plus en plus respectés.

Année	Confédération des syndicats nationaux (CSN)	Fédération des travailleurs et travailleuses du Québec (FTQ)	Centrale de l'enseignement du Québec (CEQ)
1960	94 000	100 000	28 000
1966	200 000	150 000	55 000
1970	245 000	230 000	70 000

Source : Collectif, *Histoire du mouvement ouvrier au Québec (1825-1976), 150 ans de lutte,* Montréal, CSN, CEQ, 1979.

LA GRÈVE DES EMPLOYÉS DE DUPUIS FRÈRES, À MONTRÉAL, EN 1952.

Le 2 mai 1952, les employés du grand magasin Dupuis Frères déclenchent une grève afin de défendre leurs intérêts. Trois mois plus tard, ils acceptent une nouvelle convention collective qui comprend, entre autres, une hausse salariale.

5 LES PRINCIPALES GRÈVES AU QUÉBEC DANS LES ANNÉES 1950.

Les nombreuses grèves des années 1950 contribuent à renforcer le mouvement syndical, qui devient de plus en plus critique envers les abus des entreprises.

Année	Entreprise	Secteur	Lieu	Nombre de grévistes	Durée de la grève
1952	Associated Textile	Textile	Louiseville	850	11 mois
1952	Dupuis Frères	Commerce de détail	Montréal	800	3 mois
1952	Dominion Textile	Textile	Montréal et Salaberry-de-Valleyfield	6000	3 mois
1953-1954	Noranda Mines	Mines	Noranda	2000	5 mois
1957	Gaspé Copper	Mines	Murdochville	1000	8 mois
1957	Alcan	Métallurgie	Arvida	7000	4 mois
1959	Radio-Canada	Communications	Montréal	2000	2 mois

QUESTIONS

1. Pourquoi le commerce extérieur dépend-il fortement des États-Unis ?
2. Pourquoi les Américains installent-ils des filiales au Québec ?
3. Dans quel secteur le syndicalisme se concentre-t-il ?

Méthodologie

4. [Doc. 5]
Quels sont les deux secteurs où se sont déroulées les principales grèves ?

Réflexion

5. Que devriez-vous faire pour mieux comprendre le rôle des États-Unis dans l'économie québécoise ?

Saviez-vous que...

Le premier Cercle des fermières a ouvert il y a déjà plus de 90 ans au Québec. Ce ne sont pas des femmes qui le fondent en 1915, mais bien deux hommes qui souhaitent freiner l'exode rural. Alphonse Désilets et Georges Bouchard réunissent des femmes de Chicoutimi pour qu'elles socialisent entre elles afin de solidifier leur sentiment d'appartenance à leur communauté. La même année, on forme les cercles de Roberval et de Trois-Rivières. L'initiative est un succès et s'étend rapidement à travers la province.

L'économie agricole et le monde rural

Au cours des années 1950 et 1960, les coopératives agricoles continuent de se développer. La mécanisation de l'agriculture donne d'aussi bons résultats que la machinerie dans les usines et, combinée à l'utilisation plus généralisée des engrais, augmente la production agricole.

La modernisation de l'agriculture est intensifiée par une importante innovation : l'électrification des fermes. Les villes et les usines profitent déjà des avantages de l'électricité pour se chauffer et s'éclairer. Les campagnes sont, quant à elles, laissées pour compte jusqu'à la fin de la Seconde Guerre mondiale. Le contraste entre les villes et les campagnes se fait encore plus sentir. Afin d'atténuer cette disparité, une vaste campagne pour l'électrification est entreprise entre 1945 et 1960. En 1945, l'Office de l'électrification rurale est créé. Cette initiative entraîne la création de coopératives qui ont pour tâche de construire des réseaux de distribution dans les milieux ruraux. L'arrivée de l'électricité permet aux fermiers de s'éclairer et de développer de nouvelles techniques de conservation, dont la réfrigération. Leur productivité s'accroît en raison de la mécanisation du matériel agricole. Par exemple, une trayeuse alimentée à l'électricité favorise un rendement plus élevé tout en diminuant le besoin en main-d'œuvre. L'électricité constitue donc un enjeu fondamental pour la modernisation de l'agriculture.

À partir des années 1950, les meilleures terres du Québec sont grugées par l'extension des banlieues. La main-d'œuvre agricole diminue constamment, attirée par les salaires plus élevés offerts dans les villes. Dans les années 1970, une série de réglementations gouvernementales tentent de freiner le déclin agricole. Le gouvernement provincial adopte en 1978 la Loi sur la protection du territoire et des activités agricoles, dite «loi verte». Cette loi empêche que l'on utilise les terres cultivables à d'autres fins que celles de l'agriculture. Par ailleurs, la tendance à restreindre la production agricole à l'industrie laitière et à l'élevage se poursuit. Les fermes se transforment en véritables entreprises commerciales.

L'ÉLECTRIFICATION EN MILIEU RURAL VERS 1950.

Grâce à la Loi de l'électrification rurale, les agriculteurs accèdent à cette forme d'énergie devenue indispensable.

LA MODERNISATION AGRICOLE AU QUÉBEC, DE 1931 À 1961.

Les mesures adoptées par le gouvernement pour moderniser l'agriculture mettent l'accent sur l'électrification rurale et la mécanisation.

Sujet	1931	1941	1951	1961
Fermes	135 957	154 669	134 336	95 777
Tracteurs	2 417	5 869	31 971	70 697
Moissonneuses-batteuses	0	55	420	3 046
Pourcentage des fermes qui ont l'électricité	14 %	nd[1]	67 %	97 %

1. nd : Donnée non disponible.

Source : John A. DICKINSON et Brian YOUNG, *Brève histoire socio-économique du Québec*, Sillery, Éditions du Septentrion, 2003, p. 308.

TÉMOINS DE L'HISTOIRE

JOSEPH-ARMAND BOMBARDIER

Joseph-Armand Bombardier est né en 1907, à Valcourt, au Québec. Dès l'âge de 15 ans, il conçoit son tout premier modèle de véhicule motorisé permettant de se déplacer sur la neige. Les résultats ne sont pourtant pas concluants, puisque sa motoneige menace de se renverser à tout instant ! Grâce à son expérience à titre d'apprenti horloger et de mécanicien, il parvient finalement à inventer une motoneige qu'il fait breveter en 1937. Le premier modèle de motoneige de type récréatif voit le jour en 1957 et connaît un succès fulgurant, particulièrement au sein des communautés inuites. À sa mort en 1964, Joseph-Armand Bombardier aura révolutionné le transport non seulement sur la neige, mais aussi sur la terre ferme. Aujourd'hui, l'entreprise de renommée internationale se spécialise également dans le transport sur rail et dans l'aéronautique.

3 JOSEPH-ARMAND BOMBARDIER (1907-1964).

En plus de la motoneige, Joseph-Armand Bombardier conçoit divers types de véhicules industriels.

La transformation du travail en forêt

Les années qui suivent la crise de 1929 amènent un regain de la colonisation des terres situées au nord du Québec. Au cours de ces années, les emplois deviennent rares dans les villes. Pour échapper à la précarité et au chômage, plusieurs quittent les milieux urbains et la misère grandissante avec l'espoir d'accéder à de meilleures conditions de vie. Le gouvernement subventionne et adopte des programmes spéciaux afin d'organiser la colonisation de certaines régions de l'Abitibi, de la Gaspésie, du Bas-Saint-Laurent et du Lac-Saint-Jean.

Ce mouvement de population est cependant de courte durée. La prospérité d'après-guerre ramène plusieurs individus et familles dans les centres urbains. Cette décision a d'autres motifs que les difficultés causées par l'éloignement et l'aridité du climat de ces régions éloignées. À partir des années 1950, le secteur forestier est en effet soumis à une restructuration qui force de nombreux travailleurs à abandonner le travail en forêt.

Dans la seconde moitié du 20e siècle, le travail agricole devient de moins en moins associé au travail forestier. Avant, il était courant de voir un agriculteur quitter ses terres pour les chantiers une fois ses récoltes terminées. Mais, à partir des années 1950, le travail en forêt doit être exécuté selon des normes. Cette transformation signifie qu'il faut désormais savoir utiliser des outils performants, mécanisés et plus complexes. Le maniement de la scie mécanique et les techniques de coupe et de transport du bois sont plus difficiles à maîtriser. De plus, afin d'accroître la production, le travail se fait sur une base annuelle, et non plus saisonnière.

La restructuration forestière fait ainsi disparaître le monde des chantiers, ce qui prive les travailleurs agricoles de leur principal revenu d'appoint. Les milieux ruraux tentent de s'adapter à la disparition du travail en forêt en exploitant de nouvelles avenues dans l'industrie du tourisme. Certains colons et agriculteurs se transforment en villégiateurs, artisans ou entrepreneurs. Ces nouvelles ressources sont très appréciées des voyageurs qui sont de plus en plus nombreux à visiter le monde rural.

4 UN BÛCHERON QUÉBÉCOIS DANS LES ANNÉES 1950.

Au cours des années 1950, les méthodes de travail en forêt se transforment. La scie mécanique et les machineries perfectionnées remplacent les outils traditionnels. La mécanisation de la coupe du bois et du transport engendre une hausse importante de la productivité.

QUESTIONS

1. Quelle innovation contribue largement à la modernisation des fermes après la guerre ?
2. Quelle menace la plus sérieuse plane sur l'existence des terres agricoles de la région de Montréal ?

Méthodologie

3. [Doc. 2] Quelle conclusion pouvez-vous tirer en observant ce tableau ?

1 ***FER ET TITANE* DE GILLES VIGNEAULT.**

Dans la chanson *Fer et titane,* Gilles Vigneault exprime les transformations qui s'opèrent dans le Québec des années 1960.

« Vingt bateaux de cent mille tonnes
Qui arrivent qui sont partis
Débarqué vingt mille hommes
Sur dix quais qu'on a bâtis
Des machines et des outils
Qui viennent de tous les pays
Cinq rivières détournées
Les barrages sont commencés
Les chemins de fer de trois cent milles
De Knob Lake jusqu'aux Sept-Îles
Corroyeurs et hauts fourneaux
Dynamites et dynamos
Faut creuser, couper, casser
Faut miner, tracer, passer

Refrain
Sous les savanes
Du nickel et du cuivre
Et tout c'qui doit suivre
Capital et métal
Les milliards et les parts
Nous avons la jeunesse
Et les bras pour bâtir
Nous savons le temps presse
Un travail à finir
Nous avons la promesse
Du plus brillant avenir

Pas le temps de sauver les sapins
Les tracteurs vont passer demain
Des animaux vont périr
On n'a plus le temps de s'attendrir
L'avion, le train, l'auto
Les collèges, les hôpitaux
Et de nouvelles maisons
Le progrès seul a raison
À la place d'un village
Une ville et sa banlieue
Dix religions, vingt langages
Les petits vieux silencieux
Puis regarde-moi bien dans les yeux
Tout ce monde à rendre heureux »

Source : Gilles VIGNEAULT, *Fer et titane,* Les éditions du vent qui vire, 1965.

Croissance, crises et restructurations

À partir des années 1960, une des principales préoccupations du gouvernement est de remédier à l'infériorité économique des francophones du Québec. La majeure partie des entreprises québécoises appartiennent et sont dirigées par des Américains ou des Anglo-Canadiens. Il est difficile pour les Québécois de langue française d'obtenir une promotion sans connaître l'anglais. Par conséquent, ils se trouvent plus souvent au bas de l'échelle économique. Depuis la Révolution tranquille, plusieurs mesures sont mises de l'avant pour corriger ce problème.

- La nationalisation de certaines compagnies d'électricité et la création d'entreprises gérées par l'État dans les domaines de la sidérurgie, de l'exploitation forestière et de l'exploration minière procurent des débouchés à une toute nouvelle génération d'administrateurs et d'ingénieurs francophones.
- La mise en place d'institutions financières gouvernementales, comme la Société générale de financement (SGF) et la Caisse de dépôt et placement du Québec, a pour effet de soutenir des entreprises locales et de les garder sous contrôle québécois.
- La promotion de l'usage de la langue française dans les entreprises de moyenne et de grande taille permet à plus de Québécois de travailler en français et en a incité plusieurs à apprendre cette langue.

Grâce à ces mesures, les francophones du Québec contrôlent désormais une plus grande partie de l'économie de la province.

L'ère des grands projets

Dans les années 1970, l'État renforce ses organismes et sa gestion en donnant la priorité à l'essor économique. La fièvre qui suit la construction de barrages hydroélectriques s'étend à tout le territoire du Québec. Des régions, telle que la Baie-James, sont convoitées pour leur potentiel hydroélectrique.

Qualifié de « projet du siècle », le chantier de barrages hydroélectriques de la Baie-James procure des milliers d'emplois au Québec. Le barrage Daniel-Johnson est inauguré en 1968 et le complexe La Grande se développe entre 1971 et 1985.

2 **LA CONSTRUCTION DU SIÈGE SOCIAL D'HYDRO-QUÉBEC À MONTRÉAL.**

L'édifice d'Hydro-Québec, construit en 1962, est un gratte-ciel de 100 mètres de haut, qui comporte 27 étages.

À la suite d'une injonction accordée aux autochtones en 1975 dans le but de faire cesser tous les travaux dans la région de la Baie-James, une convention est signée entre l'État, les Cris et les Inuits : la Convention de la Baie-James et du Nord québécois. Cette convention dédommage financièrement les autochtones en plus de leur accorder des droits de propriété sur certaines terres, des droits exclusifs de chasse, de pêche et de piégeage. Elle met aussi en place une administration régionale et transfère aux Cris l'administration de certains services.

L'économie en difficulté

Après une brève amélioration, l'économie se détériore en 1973 avec une importante crise pétrolière, faisant passer le prix du baril de pétrole de 2 $ à 10 $. Dépendante du pétrole, l'industrie doit dépenser davantage pour produire, ce qui fait augmenter le prix des produits. La récession économique du début des années 1980, avec sa hausse des taux d'intérêt, accroît le poids de la dette publique des gouvernements. L'État commence progressivement à se désengager de certains secteurs économiques. Il procède à d'importantes compressions budgétaires dans la santé, l'aide sociale, l'assurance-chômage et l'éducation. De plus, il accorde moins de subventions, privatise certaines sociétés d'État et encourage les organismes sans but lucratif à se financer eux-mêmes. L'heure est à la privatisation et à la rationalisation.

LA VILLE DE GAGNON AU DÉBUT DES ANNÉES 1980.

La ville minière de Gagnon n'a existé qu'une vingtaine d'années. Lors de sa fermeture, en 1985, toutes les installations minières, les résidences et les édifices ont été détruits.

L'industrialisation et les régions

La modernisation des industries a un impact direct sur l'étalement urbain. Les zones rurales situées à proximité des villes importantes disparaissent peu à peu. De 1900 à 1970, les régions se développent, mais leur essor diminue considérablement à partir des années 1970. Plusieurs multinationales qui exploitent les ressources naturelles quittent le Québec et vont s'installer ailleurs. Des régions qui dépendaient de capitaux étrangers, comme la Côte-Nord, l'Abitibi, la Mauricie, la Gaspésie et le Saguenay–Lac-Saint-Jean, perdent leur soutien financier. La ville de Shawinigan, avec ses usines d'aluminium, de produits chimiques, de pâtes et papiers, voit ainsi fermer ses industries les unes après les autres. Les villes de Schefferville et de Gagnon, créées lors de la montée en flèche de l'industrie minière après la Seconde Guerre mondiale, sont fermées, l'une en 1982, l'autre en 1985. Actuellement, plusieurs régions tentent de reprendre en main leur développement.

La mondialisation de l'économie

Avec la mondialisation de l'économie, qui prend de l'ampleur dans les années 1990, l'heure est au libre-échange et aux alliances économiques à l'échelle internationale. Le Canada n'échappe pas à ce nouvel état de fait. En 1988, il conclut avec les États-Unis un accord de libre-échange (ALE), auquel se joint, en 1994, le Mexique, avec l'Accord de libre-échange nord-américain (ALENA). À partir de ce moment, un immense marché s'ouvre, que les industries québécoises mettent à profit. Pour certaines, cependant, cet accord signifie la fin de leur existence. Plusieurs entreprises doivent fermer leurs portes, alors que d'autres, contraintes de diminuer leurs coûts de main-d'œuvre, vont s'installer ailleurs.

QUESTIONS

1. Durant les décennies 1960 et 1970, le gouvernement du Québec intervient massivement dans le développement économique. Au début des années 1980, quel événement contribue à remettre en cause ces interventions ?
2. Quelle conséquence l'Accord de libre-échange nord-américain entraîne-t-il pour la majorité des industries québécoises ? pour une minorité d'entre elles ?

Méthodologie

3. [Doc. 1]
Relevez un passage qui montre que Gilles Vigneault demeure critique vis-à-vis des transformations qui frappent le Québec.

Réflexion

4. Que pouvez-vous faire pour améliorer votre compréhension des crises et des restructurations qui surviennent au Québec depuis les années 1980 ?

L'Accord de libre-échange nord-américain (ALENA)

Depuis toujours, le Québec et le Canada comptent sur le commerce international pour assurer une partie de leur prospérité. L'exportation de matières premières représente leur principale source de richesse. Après la Seconde Guerre mondiale, la plupart des pays industrialisés adoptent le libre-échange pour multiplier les débouchés pour leurs produits. Des négociations se tiennent dans le but de libéraliser le commerce au niveau international. Ainsi, les producteurs de nombreux pays ont accès à des marchés de plus en plus étendus.

Au début des années 1980, le gouvernement fédéral met en place une commission pour étudier l'avenir économique du Canada. Il en résulte un changement de stratégie : il faut dorénavant miser sur les échanges commerciaux avec les autres pays, à commencer par les États-Unis, qui possèdent un marché 10 fois plus grand que le marché canadien. Les premières mesures à prendre pour faciliter le commerce : diminuer les droits de douane et abolir les règles qui restreignent l'entrée au Canada de produits étrangers. Toutefois, cette solution paraît risquée. Les industries canadiennes pourront-elles faire face à la concurrence ou devront-elles fermer leurs portes ? Devront-elles réduire les salaires et les conditions de travail de leurs employés ? Les gouvernements perdront-ils toute capacité d'action dans les domaines économique et social ? Pour leur part, les partisans du libre-échange sont d'avis que les entreprises canadiennes pourraient accroître leur productivité ou se spécialiser dans des domaines où elles sont plus productives. En ayant accès à plus de clients, elles augmenteraient leur production et créeraient ainsi de l'emploi. Les produits se vendraient à plus bas prix et les consommateurs canadiens en sortiraient gagnants.

UNE USINE DE TEXTILE AU MEXIQUE.

Avec l'entrée en vigueur de l'ALENA, en 1994, les échanges commerciaux entre le Canada, les États-Unis et le Mexique ont connu une croissance considérable.

Le libre-échange continental

En 1988, le Canada et les États-Unis signent l'Accord de libre-échange (ALE) entre le Canada et les États-Unis. Puis, le Canada demande à faire partie de l'accord que les États-Unis s'apprêtent à signer avec le Mexique. Cette entente mène, en 1994, à l'ALENA. Les conséquences donnent autant raison aux partisans qu'aux adversaires du libre-échange, car le Canada et le Québec font face à divers avantages et inconvénients. Aujourd'hui, le libre-échange est bien en place et le Canada ne peut revenir en arrière. Il cherche donc à conclure d'autres accords **bilatéraux** ou **multilatéraux**, en l'occurrence avec l'Europe et l'ensemble des pays des Amériques. Toutefois, les **altermondialistes** continuent de dénoncer les effets de la mondialisation de l'économie et manifestent leur désaccord lors des rencontres des chefs d'État.

LES PRINCIPAUX ENGAGEMENTS DES PAYS MEMBRES DE L'ALENA.

En signant l'ALENA, le Canada, les États-Unis et le Mexique s'engagent à poursuivre certains objectifs communs.

- Éliminer les barrières douanières entre les pays membres.
- Contribuer au développement, à l'essor du commerce mondial et à l'expansion de la coopération internationale.
- Créer un marché plus vaste pour les produits et les services offerts par les pays membres.
- Augmenter la compétitivité des entreprises sur les marchés internationaux.
- Créer de nouveaux emplois et améliorer les conditions de travail.
- Promouvoir le développement durable.
- Protéger, accroître et faire respecter les droits fondamentaux des travailleurs.

QUELQUES FAITS SUR LES ÉCHANGES COMMERCIAUX EN VERTU DE L'ALENA EN 2006.

L'ALENA a créé la plus grande zone de libre-échange du monde. Le commerce entre le Canada et le Mexique a triplé depuis l'entrée en vigueur de l'Accord.

Fait	États-Unis (en $)	Mexique (en $)
Échanges commerciaux bilatéraux avec le Canada	577 milliards	20,4 milliards
Exportations canadiennes de marchandises	359,3 milliards	4,4 milliards
Importations canadiennes de marchandises	217,6 milliards	16 milliards

Source : Ministère des Affaires étrangères et du Commerce international du Canada, 2006.

L'ALENA, UN TRAITÉ, UN AXE, UN PASSÉ, UN AVENIR.

Plus de 10 ans après l'entrée en vigueur de l'ALENA, le ministère des Affaires étrangères et du Commerce international du Canada fait un bilan positif.

« L'Accord de libre-échange nord-américain (ALENA), conclu entre le Canada, les États-Unis et le Mexique en janvier 1994, a donné lieu à la création d'une vaste zone de libre-échange. Ce traité comporte un ensemble de règles qui régissent la conduite du commerce entre les trois pays signataires en vue d'accroître les échanges commerciaux et les investissements. [...] Quelque 10 années plus tard, les échanges commerciaux entre le Canada, les États-Unis et le Mexique se portent plutôt bien. Ainsi, les échanges de biens et de services entre le Canada et les États-Unis avoisinent les deux milliards de dollars par jour. De même, les exportations de produits canadiens à destination du Mexique ont doublé tandis que les importations de produits mexicains au Canada ont triplé. La capitalisation sur cet axe régional de développement s'est révélée tout particulièrement bénéfique pour le Canada, dont l'économie n'a cessé de croître au taux annuel moyen de 3,8 % depuis l'entrée en vigueur de l'ALENA. L'ALENA a contribué, à coup sûr, à rehausser la qualité de vie des Canadiens. Il a également créé des débouchés pour les entreprises canadiennes aux États-Unis et au Mexique. Au surplus, l'ALENA a fait ses preuves en tant que moyen de stimuler le commerce, l'investissement et la concurrence. »

Source : Ministère des Affaires étrangères et du Commerce international du Canada, 23 juin 2003.

Bilatéral : Qui se passe entre deux partenaires.

Multilatéral : Qui se passe entre plusieurs partenaires.

Altermondialiste : Militant qui lutte en faveur d'une mondialisation de l'économie qui tient compte de valeurs comme la justice économique et la sauvegarde de l'environnement.

QUESTIONS

1. Nommez cinq objets de consommation que vous ou votre famille vous êtes procurés récemment. Où ces objets ont-ils été fabriqués ?
2. Relevez deux arguments avancés par les Canadiens qui se sont opposés au libre-échange avec les États-Unis.

Méthodologie

3. [Doc. 2] Certains engagements des pays membres de l'ALENA vont au-delà des aspects économiques. Donnez-en deux exemples.

Le contrôle étranger et la concentration des entreprises

La Révolution tranquille a des effets bénéfiques sur la participation des Québécois francophones dans l'économie. La part des investissements étrangers diminue à cause du rôle joué principalement par la Caisse de dépôt et placement du Québec et le régime d'épargne-actions. Parallèlement, les années 1970 sont marquées par les efforts du gouvernement fédéral pour donner plus d'autonomie au Canada vis-à-vis du contrôle américain sur l'économie. À partir des années 1980, ces efforts sont bouleversés par la mondialisation des marchés.

Pacte de l'automobile Canada–États-Unis : Accord de libre-échange entre le Canada et les États-Unis éliminant les tarifs douaniers sur les véhicules, pneus et pièces pour véhicules automobiles dans le but de faire un seul marché de fabrication automobile nord-américain.

Le phénomène de concentration des entreprises débute vers 1900 au Canada. Cependant, personne n'aurait pu croire que des entreprises déjà géantes à la fin du 20e siècle puissent être davantage concentrées. Pourtant, les fusions entre les «géants» de l'industrie ou des finances continuent de faire la une de l'actualité. Ainsi, en 2007, l'Abitibi-Consolidated Inc., une grande papetière canadienne, fusionne avec une société américaine et devient la troisième société en importance de pâtes et papiers en Amérique du Nord. Leurs activités se déroulent à l'échelle internationale. Ces grandes sociétés se préoccupent d'abord d'accroître leurs profits afin de faire face à la concurrence internationale. Pour y arriver, elles doivent souvent fermer des usines au Québec.

Le commerce et le secteur tertiaire

Le commerce extérieur conserve ses structures : le Québec continue d'exporter ses ressources naturelles avec, comme principal acheteur, les États-Unis. Le Québec exporte davantage de produits finis depuis la fin des années 1960. Le **Pacte de l'automobile Canada—États-Unis**, en 1965, et l'essor de l'aéronautique ont permis ces exportations. La dépendance envers les États-Unis reste très grande, car la moitié des achats du Québec proviennent du marché américain.

Le commerce intérieur est marqué par plusieurs changements. Dans les années 1970, les petits commerces indépendants et les grands magasins à rayons doivent s'habituer à la concurrence avec le développement des centres commerciaux. Dans les années 1990, les magasins-entrepôts offrent aux consommateurs des bas prix qui mettent en péril l'avenir des commerçants locaux ou régionaux.

Depuis la Révolution tranquille, le secteur tertiaire est le secteur économique le plus important. Le secteur financier, tout comme le secteur industriel, répond aux exigences de l'époque : concentration et diversification. Ainsi, la Banque Nationale du Canada naît de la fusion de plusieurs institutions québécoises dont la Banque Provinciale et la Banque Canadienne Nationale. Quant aux caisses populaires, elles augmentent à la fois leurs actifs et leurs membres. Les institutions bancaires diversifient leurs activités en offrant des assurances, des services financiers de placements et de crédits industriels, etc. Les Québécois francophones y participent activement.

L'AVIONNERIE À MONTRÉAL.

Le secteur aéronautique occupe une place importante à Montréal, mais il doit affronter une forte concurrence internationale.

LA DISTRIBUTION DE LA MAIN-D'ŒUVRE QUÉBÉCOISE DANS LE SECTEUR TERTIAIRE PAR DOMAINES D'ACTIVITÉ, DE 1976 À 2006.

Les services de santé et d'éducation, de même que le commerce, occupent la plus grande part de la main-d'œuvre du secteur tertiaire. La part cumulée de la santé et de l'éducation est devenue en 20 ans plus importante que celle du commerce.

Secteur tertiaire	1976	1981	1991	2001	2006
Commerce	24,4 %	23,2 %	23,3 %	22,8 %	21,9 %
Transport et entreposage	9,2 %	8,4 %	6,5 %	6,7 %	5,8 %
Finance, assurances, immobilier et location	7,5 %	8,6 %	8,5 %	7,1 %	7,8 %
Services professionnels, scientifiques et techniques	4,0 %	4,2 %	5,7 %	7,7 %	8,4 %
Services aux entreprises, services relatifs aux bâtiments et autres services de soutien	2,4 %	2,4 %	3,0 %	4,3 %	4,9 %
Information, culture et loisirs	4,8 %	4,8 %	4,9 %	5,6 %	5,6 %
Hébergement et services de restauration	6,7 %	7,8 %	8,0 %	7,9 %	8,5 %
Services d'enseignement	11,1 %	10,0 %	8,8 %	8,6 %	9,1 %
Soins de santé et assistance sociale	12,6 %	13,6 %	14,9 %	14,6 %	15,9 %
Administrations publiques	9,6 %	9,6 %	9,7 %	8,1 %	7,5 %
Autres services	7,7 %	7,4 %	6,7 %	6,6 %	4,6 %

Source : Serge COURVILLE, *Le Québec, genèse et mutations du territoire,* Québec, Presses de l'Université Laval, 2001, p. 424. Statistique Canada, 2006.

LA RÉPARTITION DES TRAVAILLEURS QUÉBÉCOIS SELON LES FORMES D'EMPLOI, EN 1976 ET EN 2003.

Les emplois à statut précaire sont de plus en plus nombreux au Québec.

Forme d'emploi	1976	2003
Salariés	90,5 %	87,3 %
Autonomes (travailleurs à leur compte et employeurs)	9,5 %	12,7 %
Un seul emploi	98,5 %	96,3 %
Cumul d'emplois	1,5 %	3,7 %

Source : Statistique Canada, *Enquête sur la population active,* 2004.

Les transformations sociales

Grâce au nouveau rôle de l'État pendant la Révolution tranquille, les Québécois francophones participent activement au développement économique du Québec. Ils ont maintenant des fondations industrielles et financières d'envergure et forment une nouvelle classe dirigeante. De plus, nombreux sont les Québécois francophones qui s'illustrent au niveau national et international, dans le monde des affaires.

Les années 1990 voient le marché de l'emploi se transformer. On trouve une plus grande diversité de travailleurs. Plusieurs ont des emplois très bien rémunérés et font partie d'associations syndicales. D'autres, très nombreux, sont non syndiqués et soumis aux fluctuations du marché de l'emploi. Les travailleurs de bureau, ceux de la vente et des services, comme ceux de l'alimentation, sont moins bien rémunérés. Les emplois à statut précaire augmentent considérablement, alors que les postes permanents deviennent de plus en plus rares. La proportion de travailleurs autonomes ne cesse de croître.

Au cours des années 1990, la mondialisation et la rationalisation dans les entreprises font grimper le taux de chômage. Le travail à temps partiel devient plus fréquent, ce qui élargit le fossé entre les riches et les pauvres, de même qu'entre les jeunes et les gens bien établis. Les emplois les moins bien payés sont le plus souvent occupés par les femmes, les immigrants et les jeunes.

QUESTIONS

1. Au cours des années 1990, deux phénomènes provoquent une forte hausse du chômage au Québec. Lesquels ?
2. Quelle banque québécoise est née de la fusion d'autres banques ?

Méthodologie

3. [Doc. 2]
   Dans quels domaines du secteur tertiaire remarque-t-on une augmentation entre 1976 et 2006 ?
4. [Doc. 3]
   Quelle transformation du marché de l'emploi observez-vous de 1976 à 2003 entre les travailleurs à temps plein et ceux à temps partiel ?

La Côte d'Ivoire

Capitale : Yamoussoukro
Population : 17,3 millions d'hab.
Langue officielle : français

La Côte d'Ivoire est un pays d'Afrique de l'Ouest. Il est baigné au sud par le golfe de Guinée, situé dans l'océan Atlantique. Sa superficie de 322 460 km² équivaut à un cinquième de celle du Québec. Sa population dépasse 17,3 millions d'habitants. La Côte d'Ivoire est un pôle économique important en Afrique, mais sa stabilité politique a été récemment compromise.

La géopolitique de la Côte d'Ivoire

Après avoir obtenu son indépendance de la France en 1960, la Côte d'Ivoire a été pendant longtemps un symbole de stabilité économique en Afrique de l'Ouest. Cependant, les conflits politiques qu'elle a connus dans les années 1990 ont considérablement réduit sa croissance économique. Bien que la paix soit revenue, l'économie reste aujourd'hui vulnérable tant aux conflits internes qu'aux incertitudes du commerce international.

Abidjan, qui compte 3,8 millions d'habitants, est le centre économique du pays. D'ailleurs, plus du tiers de la population ivoirienne est concentré dans la région des lagunes où est située la ville. L'ouverture du canal de Vridi, en 1950, fait d'Abidjan un port important et un grand centre financier. Longtemps capitale de la Côte d'Ivoire, elle perdit ce titre en 1983 au profit de Yamoussoukro, située dans le centre du pays.

Véritable mosaïque ethnique, la Côte d'Ivoire compte plus de 60 ethnies différentes. De plus, près du tiers de la population du pays est d'origine étrangère et vient principalement des pays voisins, comme le Burkina Faso ou le Ghana, mais aussi d'Europe. Le français demeure la langue officielle du pays. On y dénombre aussi une grande diversité de langues, soit plus de 70, qui sont parlées dans le pays. Le dioula est l'une des langues les plus importantes du pays. Elle sert de **langue véhiculaire,** notamment dans le commerce. Elle est la langue maternelle de 15 % des Ivoiriens et la langue seconde de près de la moitié de ceux-ci.

Langue véhiculaire : Langue qui permet à des communautés de langues différentes de communiquer ensemble.

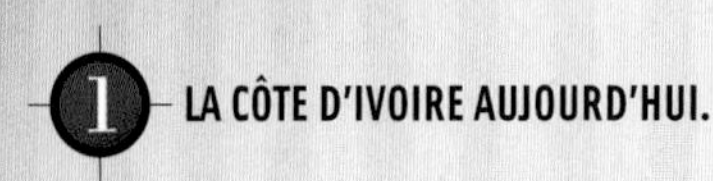

LA CÔTE D'IVOIRE AUJOURD'HUI.

La Côte d'Ivoire est un pays ouvert sur la mer, et bordé par le Liberia, la Guinée, le Mali, le Burkina Faso et le Ghana.

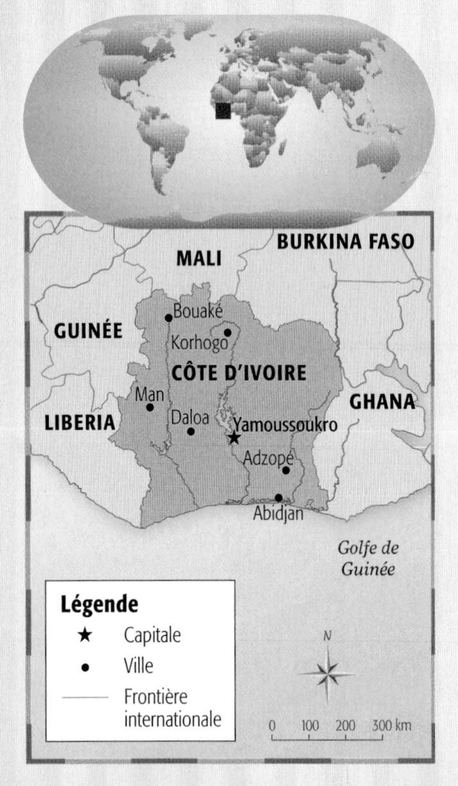

2 DU MIRACLE AU NAUFRAGE ÉCONOMIQUE.

L'économie de la Côte d'Ivoire a subi plusieurs fluctuations, freinant la croissance économique du marché ivoirien.

« Le miracle économique ivoirien [...] débuté à l'aube de l'indépendance en 1960, a subi plusieurs coups durs qui ont mis à mal la stabilité économique du pays. C'est d'abord la chute du cours du cacao au début des années 1980, due à l'entrée de nouveaux producteurs notamment en provenance d'Asie du Sud-Est, qui donne le premier coup d'arrêt à la croissance du marché ivoirien. La fluctuation des cours du cacao, dans un pays presque exclusivement tourné vers cette culture, où l'industrie est très peu développée, met à mal l'économie ivoirienne. Cette première crise s'accompagne d'un gonflement de la dette publique qui pousse la Côte d'Ivoire dans les programmes d'ajustements structurels des institutions [...] et leur lot de privatisations et de licenciements de fonctionnaires. [...] Ces programmes portent un nouveau coup à l'économie ivoirienne. »

Source : Réseau des centres de documentation et d'information pour le développement et la solidarité internationale, *Les questions clés de la crise ivoirienne*, CDTM Montpellier, 2007.

L'économie de la Côte d'Ivoire depuis la fin du 19e siècle

La Côte d'Ivoire devient une colonie française en 1893. Déjà à cette époque, ses relations économiques reposent sur le commerce des produits agricoles, en particulier le café. De 1904 à 1958, la Côte d'Ivoire fait partie, avec sept autres colonies françaises d'Afrique de l'Ouest, de l'Afrique occidentale française. La période coloniale a un profond impact sur l'économie ivoirienne. L'indépendance de la Côte d'Ivoire est proclamée en 1960, mais ses relations économiques avec la France demeurent encore aujourd'hui très étroites.

Félix Houphouët-Boigny devient président de la Côte d'Ivoire en 1960 et le demeure jusqu'à sa mort, en 1993. Il apporte une stabilité politique au pays, ce qui favorise sa croissance économique. Le pays récolte ses revenus des exportations, dont celles du café, du cacao, du coton et du gaz naturel. Grâce au cours favorable des prix mondiaux, la Côte d'Ivoire devient l'un des pays les plus prospères d'Afrique, ce qui attire beaucoup d'immigrants en provenance des pays voisins.

Toutefois, l'économie ne se diversifie pas suffisamment durant cette période. Elle repose presque exclusivement sur l'exportation des ressources primaires. Elle reste donc dépendante du commerce international. Lorsque les cours des prix mondiaux du café et du cacao chutent au début des années 1980, le pays sombre dans une grave crise économique. Les conditions de vie et la richesse par habitant diminuent alors considérablement. Les difficultés économiques du pays accroissent les tensions sociales et, lorsque le président Félix Houphouët-Boigny meurt en 1993, la Côte d'Ivoire entre dans une longue période de crises politiques.

Bien que la croissance économique reprenne à partir de 1994, grâce au redressement des prix du café et du cacao, aux investissements étrangers et à la découverte de gisements de pétrole, le climat politique du pays continue de se dégrader, au point de mener, au début des années 2000, à une guerre civile.

L'économie ivoirienne aujourd'hui

Aujourd'hui, l'économie de la Côte d'Ivoire repose principalement sur l'agriculture (café, cacao, huile de palme, bananes, ananas, mangues, etc.). Les productions agricoles constituent la majeure partie des exportations. Environ 68 % de la main-d'œuvre du pays travaille dans ce secteur.

L'économie de la Côte d'Ivoire est donc très sensible aux conditions météorologiques et aux fluctuations du marché mondial. À la suite de la crise économique des années 1980 et de la mondialisation des marchés, la majorité de la population ivoirienne s'est appauvrie. Les inégalités économiques se sont aggravées avec l'appauvrissement de la population, ce qui a entraîné des tensions sociales encore plus vives. La Côte d'Ivoire dépend toujours des capitaux étrangers et du commerce international, notamment avec la France, pour développer son économie.

3 LA VILLE D'ABIDJAN.

Le port d'Abidjan, construit aux débuts des années 1950, a grandement contribué au développement économique de la ville.

4 LES PRINCIPALES PRODUCTIONS DE LA CÔTE D'IVOIRE EN 2005 ET LEUR RANG MONDIAL.

La Côte d'Ivoire est un important producteur de ressources premières, principalement les produits agricoles.

Production	Rang mondial
Cacao	1
Caoutchouc	8
Café	11
Riz	20

Source : *Le Robert encyclopédique des noms propres*, 2008.

QUESTIONS

1. Quelle est l'importance de la ville d'Abidjan pour la Côte d'Ivoire ?
2. Qu'est-ce qui provoque la crise économique au début des années 1980 ?
3. Quel est le principal secteur d'activité économique en Côte d'Ivoire ?

Méthodologie

4. [Doc. 4]
Quel rang mondial la production du cacao occupe-t-elle ?

Réflexion

5. Que pouvez-vous faire pour améliorer votre compréhension de l'économie de la Côte d'Ivoire ?

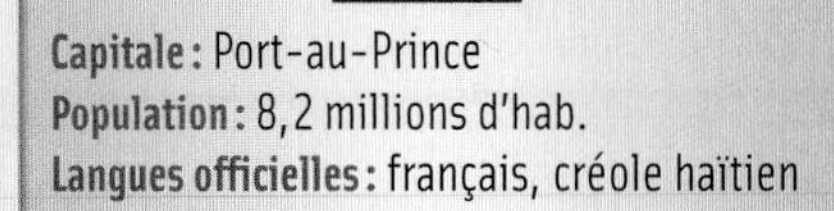

Capitale : Port-au-Prince
Population : 8,2 millions d'hab.
Langues officielles : français, créole haïtien

Haïti

L'État d'Haïti compte 8,2 millions d'habitants qui se partagent un territoire d'une superficie de 28 000 km². Près de 80 % de la population haïtienne vit sous le seuil de la pauvreté et 54 % dans une extrême pauvreté, ce qui fait d'Haïti le pays le plus pauvre d'Amérique. Bien que la situation économique tende à s'améliorer depuis le retour à la démocratie, en 2006, l'économie haïtienne est dépendante de l'aide internationale.

LES TAP-TAPS.

Les tap-taps sont de vieux véhicules recyclés en autobus en commun ou en voitures-taxis.

L'évolution économique d'Haïti

Avant l'indépendance d'Haïti, en 1804, l'économie de cette ancienne colonie française est l'une des plus prospères du Nouveau Monde. La France s'en est emparée en 1697. Elle porte alors le nom de Saint-Domingue et occupe le tiers occidental de l'île d'Hispaniola. La partie orientale de l'île, la future République dominicaine, est une colonie espagnole. L'exploitation forestière, la culture de la canne à sucre, du tabac et celle de l'indigo, fondées sur le système esclavagiste, font la prospérité de l'île qui était la plus riche colonie française d'Amérique. À la fin du 18e siècle, on compte plus de 700 000 esclaves pour environ 50 000 Français. La Révolution française, qui éclate en 1789, bouleverse l'ordre social et économique de la colonie. Les Noirs, sous la direction de Toussaint-Louverture, se révoltent. L'esclavage est aboli en 1794. En 1800, il proclame l'indépendance d'Haïti. Mais l'envoi de soldats français chargés de rétablir l'ordre en retarde l'application. Toussaint-Louverture est capturé par surprise, emmené en France et emprisonné. Jean-Jacques Dessalines lui succède et réussit à chasser définitivement les Français en 1804. De ce fait, la proclamation de l'indépendance du pays est alors effective. Celui-ci prend alors le nom d'Haïti et devient la première république noire.

Haïti connaît une grande instabilité politique et sociale au cours des 19e et 20e siècles en raison, principalement, de la lutte entre l'aristocratie mulâtre et les Noirs pour le contrôle du pays, tandis que d'insurmontables difficultés, dues en partie au remplacement de la culture de la canne à sucre par celle du café, affaiblissent d'autant son économie. La situation est à ce point grave que les États-Unis occupent militairement Haïti de 1915 à 1934, contrôlent son économie et rétablissent un certain ordre. Plusieurs entreprises américaines s'installent alors dans le pays, ce qui amène une certaine prospérité, tandis que s'améliorent les infrastructures. Mais la vie politique reste très instable, notamment avec la dictature du président François Duvalier, qui prend le pouvoir en 1957, à qui son fils Jean-Claude succède en 1971.

HAÏTI AUJOURD'HUI.

L'État d'Haïti est la deuxième île de la mer des Antilles par sa superficie.

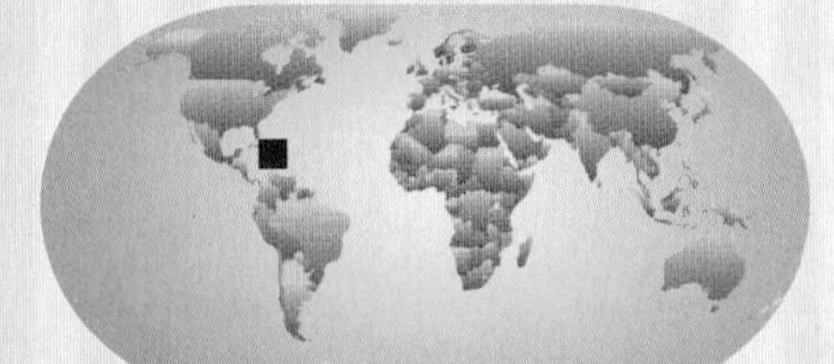

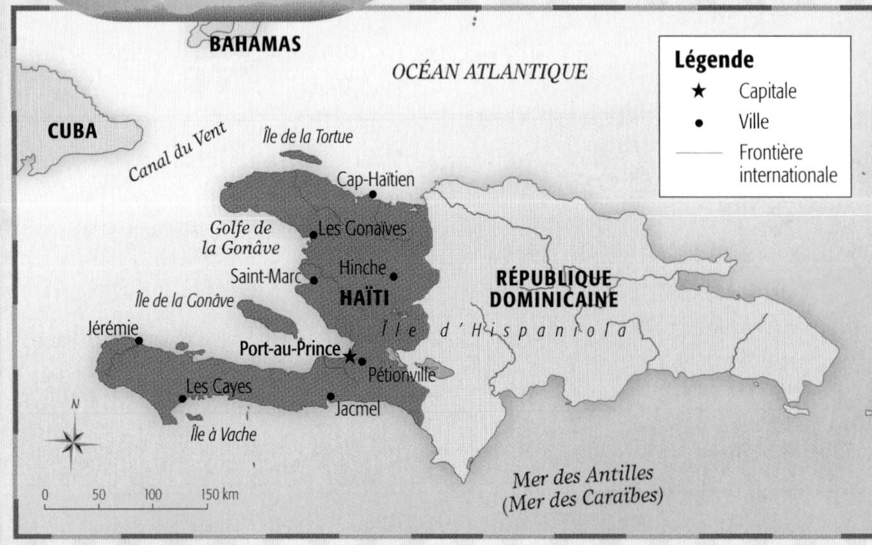

3 UN QUARTIER PAUVRE DE PORT-AU-PRINCE, CAPITALE D'HAÏTI.

Une part importante de la population de Port-au-Prince vit dans une grande pauvreté.

Pendant le régime politique des Duvalier, de 1957 à 1986, le chômage augmente, tout comme le coût de la vie, tandis que le développement industriel du pays reste limité et que la corruption envahit le système politique. L'aide financière internationale n'arrive pas à diminuer la pauvreté et à faire remonter l'économie. Lors du retour à la démocratie, en 1986, la situation économique demeure encore très précaire.

Dans les années 1980 et au début des années 1990, les institutions financières internationales font pression pour qu'Haïti procède à des réformes. Ces réformes devaient favoriser le développement du secteur privé, libéraliser l'économie et favoriser la croissance économique. Mais ces pressions ne donnent pas les résultats espérés et un coup d'État, en 1991, bouleverse à nouveau l'économie du pays. Les sanctions économiques des États-Unis et l'embargo des Nations unies, en 1994, laissent l'économie du pays en ruine. L'élection de René Préval, en 2006, permet d'espérer un redressement de l'économie du pays, en dépit du poids des erreurs du passé qui nuisent grandement à son développement futur.

4 L'ÎLE À VACHE, EN HAÏTI.

Située au large des Cayes, cette île de 52 km² au sud-ouest d'Haïti a longtemps été un repaire de pirates avant d'être annexée à la colonie de Saint-Domingue. En 1863, pendant la guerre de Sécession, plus d'un millier de Noirs américains sont venus s'y installer.

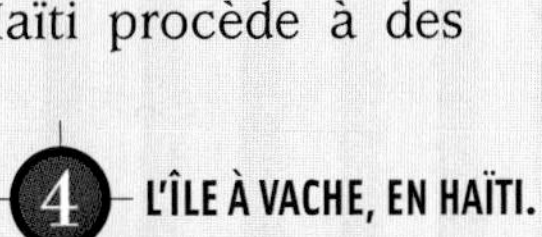

L'économie haïtienne aujourd'hui

L'économie haïtienne repose principalement sur l'agriculture de subsistance, qui occupe plus de 60 % de la population. Toutefois, la surexploitation des terres entraîne une forte dégradation des sols. Le besoin de combustible et de nouvelles terres conduit à la déforestation de presque tout le territoire, ce qui aggrave l'érosion des sols et la dévastation causée par les nombreux ouragans et les inondations. De plus, les ressources minières du pays sont pratiquement épuisées. Le secteur industriel est peu développé et se limite principalement à l'industrie textile et à celles de la construction et de l'alimentation. La majorité des industries du pays se concentrent dans la capitale, Port-au-Prince. Elle compte aujourd'hui plus de deux millions d'habitants et constitue le cœur politique et économique du pays. La capitale d'Haïti présente des contrastes saisissants où des milieux extrêmement pauvres voisinent avec de riches quartiers résidentiels.

À Haïti, les infrastructures et les voies de communication sont très peu développées, ce qui nuit au développement industriel du pays. De même, l'instabilité politique qui règne compromet l'implantation d'entreprises étrangères et freine le développement du secteur des services, notamment le tourisme, qui a déjà été un moteur important de l'économie haïtienne. Le manque de capitaux, le faible pouvoir d'achat des Haïtiens et l'exode des travailleurs limitent les possibilités de développement futur.

QUESTIONS

1. Quelle transformation affecte l'économie haïtienne au 19e siècle ?
2. Quel élément apporte une stabilité à l'économie haïtienne au début du 20e siècle ?
3. Quel est l'impact de la dictature des Duvalier sur l'économie haïtienne ?
4. En 1994, deux interventions étrangères mettent le pays en crise. Lesquelles ?
5. Nommez trois problèmes auxquels l'économie haïtienne est aujourd'hui confrontée.

Le Mexique

Capitale : Mexico
Population : 106,3 millions d'hab.
Langue officielle : espagnol

L'économie du Mexique est l'une des plus prospères du monde, bien qu'une grande partie de ses 106 millions d'habitants vivent toujours dans la pauvreté. Le Mexique est l'un des plus vastes pays d'Amérique latine, avec une superficie de 1 958 200 km^2. Depuis l'entrée en vigueur de l'Accord de libre-échange nord-américain (ALENA), l'économie mexicaine est de plus en plus intégrée à l'économie nord-américaine, mais cet accord a aussi des impacts négatifs sur la société.

L'évolution de l'économie mexicaine

Agrarien : Partisan du partage et de la redistribution des terres entre les agriculteurs.

Après la conquête de l'Empire aztèque par les Espagnols, en 1525, l'ordre colonial espagnol règne au Mexique. Pendant près de 300 ans, l'économie mexicaine est contrôlée par l'Espagne. L'économie mercantiliste de la colonie repose alors sur l'exploitation des mines d'or et d'argent, ainsi que sur celles des grandes propriétés agricoles.

L'indépendance du pays, en 1821, bouleverse l'économie mexicaine. Une longue période d'instabilité politique s'installe, durant laquelle le Mexique perd la moitié de son territoire, qui est progressivement annexé par les États-Unis, entre 1823 et 1853. L'économie mexicaine ne se modernise qu'au cours de la seconde moitié du 19e siècle. L'industrialisation prend alors son essor, grâce aux nombreux investissements étrangers et à la mise en place d'un réseau ferroviaire. Mais le développement économique demeure très inégalitaire, si bien que la majorité de la population mexicaine vit dans la pauvreté. Ces inégalités provoquent des tensions sociales et une révolution éclate, en 1910, lorsque les paysans se soulèvent pour obtenir une réforme agraire, c'est-à-dire un partage plus équitable des terres. Le pays connaît alors une longue guerre civile qui affaiblit grandement son économie.

Après des difficultés économiques engendrées par la révolution, puis par la crise économique des années 1930, l'économie mexicaine connaît une forte période de croissance qui dure jusqu'aux années 1980. Le Mexique, dirigé par un parti nationaliste, socialiste et **agrarien,** adopte alors un modèle de développement économique protectionniste et interventionniste qui favorise l'industrialisation pour pallier l'impact des importations. L'État procède aussi à la nationalisation de plusieurs secteurs-clés de l'économie, met en place des réformes sociales et intervient pour favoriser le développement des entreprises nationales.

LE MEXIQUE AUJOURD'HUI.

Le Mexique comprend 32 États ainsi que le district fédéral de la ville de Mexico. Il partage ses frontières au nord avec les États-Unis, et au sud avec le Guatemala et le Belize.

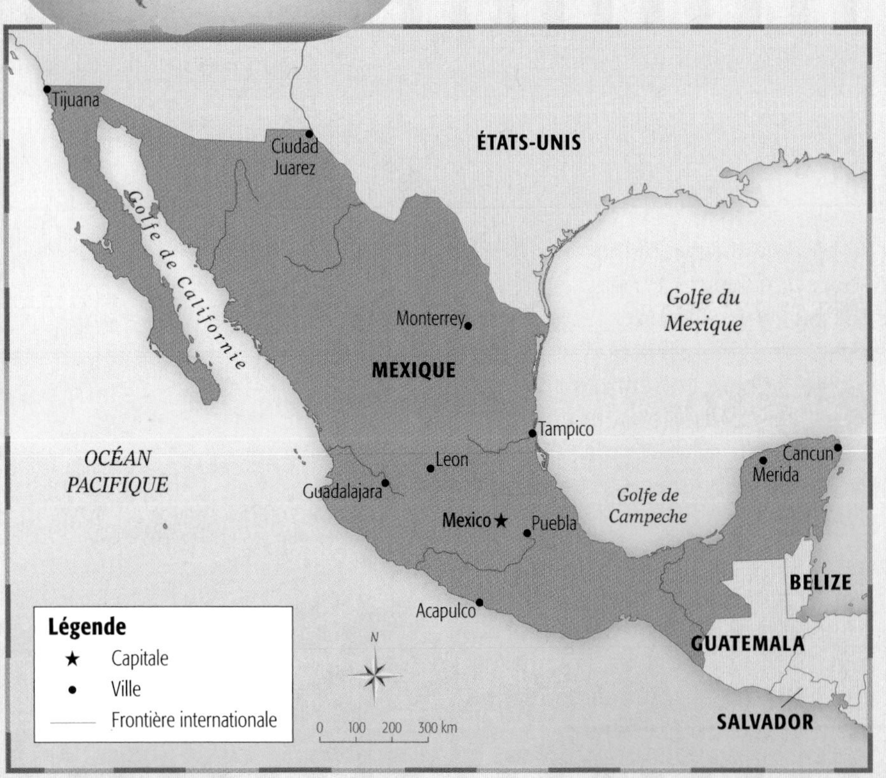

Le **dirigisme** de l'État mexicain favorise le développement d'une économie nationale et plus diversifiée. Mais le poids de la dette extérieure et le laisser-aller dans la gestion de l'État entraînent une crise économique en 1982. L'inflation et la dévaluation de la monnaie, le peso, provoquent un changement dans le modèle économique du Mexique : l'État cesse alors d'intervenir dans l'économie et laisse la place à la libre entreprise et au secteur privé. Après la dernière crise économique, en 1994, le Mexique abandonne définitivement son protectionnisme économique et ouvre son marché intérieur à l'économie mondiale.

2 **LA PYRAMIDE DE KUKULCAN.**

La pyramide de Kukulcan, dite « El Castillo », est située sur le site archéologique de Chichen Itza, au Yucatan. Il s'agit de l'un des plus anciens vestiges de la période précolombienne du Mexique.

3 **FAUT-IL SAUVER LES *MAQUILADORAS* ?**

Les *maquiladoras* ont été l'un des moteurs de l'économie mexicaine, mais leur rôle dans l'économie est aujourd'hui remis en cause, notamment à cause des conditions de travail qui y sont mises en place.

« Apparues au début des années 1960, les *maquiladoras* ont véritablement pris leur essor grâce à l'Accord de libre-échange nord-américain (ALENA). Établies dans des zones franches concentrées le long de la frontière américaine mais aussi présentes un peu plus au sud, sur la route de Mexico, ainsi que dans la péninsule du Yucatan, ces usines profitent du précieux avantage d'être exemptées des taxes mexicaines à la condition d'exporter leur production. [...] ces usines se sont d'abord adonnées à la production de jouets et de vêtements bon marché avant d'étendre graduellement leur savoir-faire à l'assemblage d'appareils électroniques et de voitures. Elles comptent aujourd'hui pour 50 % des exportations mexicaines, qui ont elles-mêmes plus que triplé depuis l'entrée en vigueur de l'ALENA, en 1994 [...] On n'a pas manqué de faire remarquer que ces usines, souvent construites au milieu de nulle part, coûtent bien cher à l'État en infrastructures sans lui rapporter un sou en taxes. On les a surtout accusées à maintes reprises de purement et simplement exploiter leurs employés [...] La plupart des Mexicains n'en remettent pas pour autant en cause l'expérience des *maquiladoras*. On souhaite toutefois que celle-ci s'accompagne d'une série d'autres initiatives qui répondraient notamment aux besoins des régions qui n'ont pas le privilège d'être à proximité de la frontière américaine. »

Source : Éric DESROSIERS, « Faut-il sauver les *maquiladoras* ? », *Le Devoir*, 14-15 décembre 2002.

Dirigisme : Système économique dans lequel l'État gère les différents mécanismes de l'économie.

***Maquiladoras* :** Usines d'assemblage situées à proximité de la frontière américaine et dont la production est destinée à l'exportation.

4 **NUEVO LAREDO, AU MEXIQUE.**

Depuis le début des années 1960, les *maquiladoras* jouent un rôle important dans l'économie mexicaine. Avec la signature de l'ALENA, leur nombre s'est multiplié.

QUESTIONS

1. Pourquoi la révolution mexicaine éclate-t-elle en 1910 ?
2. Quelle est la politique économique du gouvernement mexicain entre 1930 et 1980 ?
3. Quelles sont les causes de la crise économique de 1982 ?

LES PRINCIPALES PRODUCTIONS DU MEXIQUE EN 2005 ET LEUR RANG MONDIAL.

L'économie mexicaine repose principalement sur l'agriculture, l'industrie et les services.

Production	Rang mondial
Argent	1
Avocats	1
Citrons	1
Café	6
Canne à sucre	6
Oranges	3
Pétrole	5
Plomb	5

Source : *Le Robert encyclopédique des noms propres*, 2008.

L'économie mexicaine aujourd'hui

L'économie mexicaine compte parmi les plus importantes, se classant au 14e rang mondial. Elle repose à la fois sur l'agriculture, l'industrie et les services, et compte en bonne partie sur l'exportation, principalement vers les États-Unis. Les exportations de pétrole représentent entre 7 % et 10 % des recettes du Mexique.

Les accords de libre-échange ont eu un impact important sur l'économie mexicaine, surtout depuis l'entrée en vigueur de l'ALENA en 1994. Les échanges commerciaux avec le Canada et les États-Unis ont triplé depuis la signature de cet accord. Ces deux pays sont les principaux partenaires du Mexique en termes d'exportations : plus de 87 % des exportations sont destinées au marché américain.

Malgré une croissance économique soutenue depuis la fin des années 1990, le Mexique connaît une profonde crise sociale qui se reflète dans le monde politique depuis l'élection présidentielle de 2006. Cette crise provient en grande partie des inégalités économiques présentes dans tout le pays, héritées d'un long passé colonial, mais aussi des réformes limitant l'intervention de l'État qui ont suivi les crises économiques des années 1980 et de 1994.

Métropole : Ville qui exerce la plus grande influence économique sur le pays ou la partie du monde où elle se situe.

Les effets de l'activité économique sur la société et le territoire

Le Mexique est l'un des pays du monde où la répartition de la richesse est la plus inégale. La Banque mondiale estime que plus de 45 % de la population vit sous le seuil de la pauvreté. L'écart entre les riches et les pauvres entraîne plusieurs conséquences, dont un taux de criminalité élevé. La ville de Mexico, qui est le cœur économique du pays, est relativement prospère. Avec plus de 22 millions d'habitants, elle est l'une des plus grandes **métropoles** du monde. Les régions en périphérie, dont l'État du Chiapas et d'Oaxaca, sont plus pauvres et moins développées que le reste du pays.

L'ÉTAT DU CHIAPAS.

Situé à l'extrémité sud du Mexique, le Chiapas est depuis le 19e siècle l'une des régions les plus pauvres et les moins industrialisées du Mexique. Les Amérindiens représentent 25 % de la population.

3 LE MEXIQUE ET LES IMPACTS DE L'ALENA.

Quatorze ans après l'entrée en vigueur de l'ALENA, la journaliste mexicaine Claudia Martinez dresse un bilan des impacts sociaux de cet accord sur la situation économique des Mexicains.

« Depuis l'entrée en vigueur de l'Accord de libre-échange nord-américain (ALENA) en 1994, entre le Canada, le Mexique et les États-Unis, on ne cesse de nous répéter dans les médias de masse que cet accord convient aux trois parties et que chacune y trouve son compte. Or, lorsqu'on regarde la détérioration de la situation économique et sociale au Mexique [...], force est de constater que l'application des politiques néolibérales a des conséquences catastrophiques sur la qualité de vie des Mexicains, particulièrement au niveau de la sécurité alimentaire et de la survie de la paysannerie. En fait, l'ALENA n'a bénéficié qu'à une minorité de grands producteurs du nord du pays qui avaient le capital, les instruments, la technologie et les infrastructures pour pouvoir être compétitifs, pendant que se dégrade jour après jour la qualité de vie de l'immense majorité.

Les chiffres démontrent que les promesses qui ont été faites sur les avantages de l'ALENA au Mexique ne se sont pas accomplies. On a dit que les aliments seraient moins chers, qu'il allait y avoir plus d'emplois et que les emplois allaient être mieux rémunérés. Rien de tout cela ne s'est avéré. C'est exactement le contraire qui s'est produit. »

Source : Claudia MARTINEZ, « Les impacts de la nouvelle phase de l'ALENA au Mexique », *Alternatives international,* 8 janvier 2008.

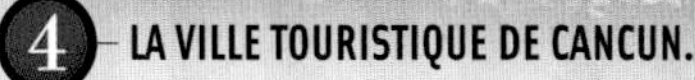

4 LA VILLE TOURISTIQUE DE CANCUN.

La ville de Cancun s'est ouverte au tourisme en 1969. Auparavant, Cancun n'était qu'un petit village où vivaient une centaine de pêcheurs. Aujourd'hui, plus de 4 millions de personnes y habitent. Le tourisme représente 60 % des revenus de Cancun.

5 LA VILLE DE MEXICO.

Située à plus de 2200 mètres d'altitude, la ville de Mexico est construite sur l'ancienne capitale aztèque Tenochtitlan. Malgré la prospérité de la ville, la disparité entre les riches et les pauvres y est frappante. La majorité de la population vit sous le seuil de la pauvreté.

QUESTIONS

1. Sur quelles activités économiques repose l'économie du Mexique ?

Méthodologie

2. [Doc. 3]
Quelle constatation la journaliste fait-elle à propos des promesses liées à l'adoption de l'ALENA ?

Connexion

3. [Doc. 4 et 5]
À l'aide des photographies, décrivez brièvement ce qu'on entend par la disparité entre les riches et les pauvres.

Réflexion

4. L'économie du Mexique se caractérise à la fois par son traditionalisme et par sa modernité. Que faut-il savoir pour déterminer lequel de ces deux aspects l'emporte ?

La République populaire de Chine

Capitale : Beijing (Pékin)
Population : 1,4 milliard d'hab.
Langue officielle : chinois (mandarin)

La Chine est devenue l'une des grandes puissances économiques du monde. Propulsée par une croissance économique annuelle frôlant les 10 % depuis plus d'une décennie, et par une population de 1,3 milliard d'habitants, la Chine connaît un développement économique sans précédent.

Collectivisation : Appropriation des terres par l'État pour en faire une propriété collective.

L'économie chinoise depuis le 19e siècle

Jusqu'au 19e siècle, l'économie chinoise est la première en importance au monde. L'intervention des puissances étrangères, au cours du 19e siècle, provoque la ruine de l'économie chinoise et l'effondrement de l'empire de la dynastie Qing, en 1911. Le déclin de cet empire survient lors des deux guerres de l'Opium (1839-1842 et 1856-1860). Ces guerres entraînent la cession de l'île de Hong-Kong aux Britanniques et l'ouverture de plusieurs ports au commerce européen. Jusqu'en 1949, les ambitions territoriales des Européens et des Japonais sur la Chine et les années de guerre civile désintègrent progressivement l'économie et le système politique chinois.

La victoire communiste, en 1949, marque le début d'une nouvelle ère en Chine. Le Parti communiste prend le contrôle de la vie économique, sociale et politique du pays. Une réforme de l'économie chinoise, inspirée du modèle communiste de l'Union des républiques socialistes soviétiques (URSS), est instaurée pour moderniser et industrialiser le pays. La planification de l'économie par l'État, la **collectivisation** des terres agricoles et la nationalisation des entreprises privées en sont les éléments les plus importants. Bien que la Chine s'industrialise, les politiques économiques du Grand Bond en avant (1958-1959), puis la Révolution culturelle, en 1966, affaiblissent la production du pays. De plus, son isolement au niveau international contribue à la stagnation de l'économie chinoise qui dure jusqu'à la mort de Mao Zedong en 1976.

1 LA CHINE AUJOURD'HUI.

Le territoire de la Chine est le quatrième au monde pour sa superficie, et sa géographie est très variée. La grande majorité de la population réside sur le littoral, où se trouvent la plupart des grandes villes.

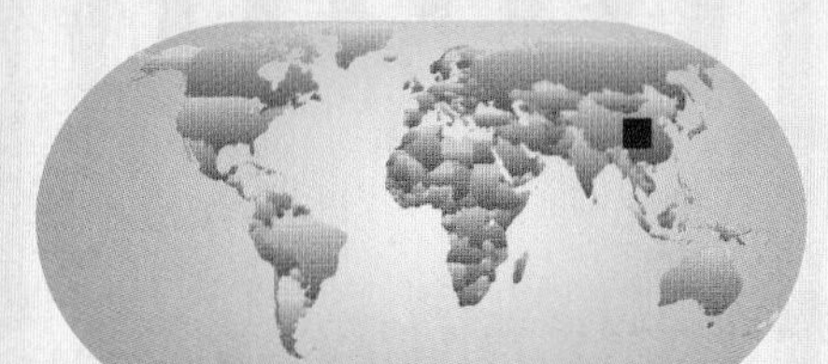

La nouvelle économie chinoise

Dès l'arrivée au pouvoir de Deng Xiaoping, en 1978, la Chine entreprend progressivement la modernisation et la libéralisation de son économie. La réforme du système socialiste, hérité de la période maoïste, est motivée par le retard économique du pays, notamment par rapport à la croissance économique fulgurante de certains de ses voisins, comme Taiwan et Singapour. L'ouverture de la Chine sur le monde extérieur par une libéralisation de son économie devient alors le principal moteur des réformes économiques.

Pendant les années 1980, le régime chinois abandonne graduellement le système de collectivisation des terres et permet la création de petites entreprises. Une lente transition vers l'économie de marché et la privatisation des entreprises commence alors.

L'ouverture aux investissements étrangers et la création de zones économiques spéciales, à des conditions favorisant les investissements, entraînent un essor de la production industrielle. La libéralisation du commerce se manifeste par l'entrée de la Chine au sein de l'Organisation mondiale du commerce (OMC) en 2001.

La nouvelle économie chinoise, baptisée « économie socialiste de marché » en 1992, est dualiste : elle conjugue l'héritage de l'économie communiste avec la libéralisation économique. Ainsi, l'État abandonne l'idée d'une économie planifiée et cesse d'intervenir dans les entreprises, tout en maintenant un régime politique autoritaire aux orientations socialistes.

2 LA RIZICULTURE EN CHINE.

La Chine est le premier producteur mondial de riz. Le riz est l'aliment le plus cultivé et consommé en Chine.

3 DES TRAVAILLEURS CHINOIS À LA SORTIE D'UNE MINE DE CHARBON.

Avec l'augmentation de la production, les besoins en énergie de la Chine croissent sans cesse. L'abondance du charbon permet de produire 69 % de l'électricité.

QUESTIONS

1. Quelles sont les causes de l'effondrement de l'économie chinoise avant la victoire communiste de 1949 ?
2. En quoi consiste l'économie socialiste de marché ?

Méthodologie

3. [Doc. 3] Sur quelle ressource repose la production de l'électricité en Chine ?

L'impact de la nouvelle économie chinoise

Depuis les années 1980, la Chine affiche un taux de croissance annuel avoisinant les 10 % par année. Cette croissance fait aujourd'hui de la Chine la troisième puissance commerciale au monde. La transformation de l'économie chinoise, qui a entraîné cette grande croissance économique, a des impacts importants, tant sur la société chinoise que sur l'ordre économique mondial.

L'augmentation de la population active, de 350 millions en 1953 à 890 millions en 2000, favorise grandement le décollage économique du pays. De plus, l'exode rural vers les villes, estimé à huit millions de personnes par année, procure aux entreprises chinoises une main-d'œuvre bon marché. La population des villes est ainsi passée de 211 millions en 1982 à 459 millions en 2004. Mais l'intégration de cette abondante main-d'œuvre à l'économie représente un défi constant pour le pays. Le chômage, apparu dans les années 1980, atteint plus de 10 % aujourd'hui.

Bien que, depuis 1978, le revenu par habitant ait augmenté de 6 % par année, les inégalités sociales persistent. La consommation et l'épargne personnelle croissent considérablement, mais de façon inégale, selon les classes sociales et les régions. Les régions du littoral, ouvertes aux entreprises étrangères, connaissent un grand développement alors que plusieurs régions à l'intérieur des terres demeurent très pauvres. Les réformes entraînent une montée de la corruption qui contribue à creuser les inégalités sociales. De plus, l'industrialisation exagérée des dernières décennies, qui s'est faite sans encadrement, a nui à l'environnement. En effet, la consommation d'énergie nécessite une grande quantité de charbon et son utilisation massive aggrave la dégradation du milieu naturel.

La montée en puissance de la Chine a un impact considérable sur l'économie mondiale, bouleversant l'organisation et l'équilibre des marchés mondiaux. Grâce au rythme de son développement économique, qui est supérieur à celui des pays européens et des États-Unis, la Chine va sans doute devenir la première puissance économique du monde au cours du 21e siècle.

1 L'ÉVOLUTION DU PIB PAR GRANDS SECTEURS DE 1978 À 2004.

Les réformes économiques ont modifié le système de production en Chine. Le poids de l'agriculture dans l'économie a chuté depuis 1978, alors que le secteur des services est en pleine expansion.

Secteur	1978	1993	2004
Agriculture	28 %	19 %	13 %
Industrie et bâtiments	48 %	46 %	46 %
Services	24 %	35 %	41 %

Source : China Statistical Yearbook, 2005, cité dans Françoise LEMOINE, *L'économie de la Chine*, Paris, La Découverte, 2006 (1990), p. 51.

2 HONG-KONG AUJOURD'HUI.

Le Royaume-Uni remet Hong-Kong à la Chine en 1997. Elle est aujourd'hui la deuxième ville de Chine sur le plan économique.

3 LA CHINE, UNE MÉGAPUISSANCE.

En l'espace de quelques décennies, la Chine est passée du statut de pays en voie de développement à celui de superpuissance économique de tout premier plan. L'ouverture de la Chine au monde et au libéralisme économique bouleverse l'ordre géopolitique mondial et ouvre une nouvelle ère.

« "Le jour où la Chine s'éveillera...", disait-on naguère, en laissant planer une menace géante sur la planète. Or cet immense pays s'est bel et bien éveillé. [...] Fondé sur l'abondance d'une main-d'œuvre peu payée, sur l'accueil d'usines d'assemblage, sur l'exportation de produits bon marché et sur l'afflux d'investissements étrangers, son modèle de développement fut longtemps considéré comme «primitif», caractéristique d'un pays arriéré et tenu d'une main de fer par un parti unique. Non seulement la Chine – toujours communiste – cessa pourtant de faire peur, mais, dans l'euphorie de la globalisation commençante, elle fut alors présentée par des centaines de firmes qui y délocalisaient leurs usines [...] comme une véritable aubaine pour investisseurs avisés. En peu de temps, grâce au réseau de "zones économiques spéciales" installées le long de sa façade maritime, elle devenait une puissance exportatrice phénoménale. Et prenait la tête des exportateurs mondiaux de textile-habillement, de chaussures, de produits électroniques et de jouets. Ses produits envahissaient le monde. [...] Ce "communisme démocratique de marché" a entraîné aussi, pour des millions de foyers, une augmentation du pouvoir d'achat et du niveau de vie. Et a favorisé la montée d'un véritable capitalisme chinois. L'État, dans le même élan, s'est lancé dans une modernisation du pays à marche forcée multipliant la construction d'infrastructures : ports, aéroports, autoroutes, voies de chemin de fer, ponts, barrages, gratte-ciel, stades pour les Jeux olympiques de Pékin en 2008, installations pour l'Exposition universelle de Shanghai en 2010, etc. [...] la Chine est désormais l'une des plus grandes économies du monde – précisément la sixième. Elle tire la croissance planétaire et tout soubresaut chez elle a un impact immédiat sur l'ensemble de l'économie mondiale. »

Source : Ignacio RAMONET, « Chine, mégapuissance », *Le Monde diplomatique*, août 2004, p. 1.

4 UNE RUE DU CENTRE DES AFFAIRES DE BEIJING (PÉKIN), AUJOURD'HUI.

Beijing est aujourd'hui la capitale de la Chine et la deuxième ville en importance, après Shanghai. Depuis l'annonce des Jeux olympiques d'été de 2008, la ville s'ouvre de plus en plus à la modernité.

En 2008, le salaire moyen d'un ouvrier chinois d'une manufacture de Shanghai est de 40 cents de l'heure. C'est 6 fois moins qu'un ouvrier mexicain, et 20 fois moins qu'un ouvrier québécois.

5 LE BARRAGE DES TROIS GORGES EN CHINE.

Ce barrage, en opération depuis 2008, est la plus puissante centrale hydroélectrique du monde. Sa construction a entraîné le déplacement de près de deux millions d'habitants.

QUESTIONS

1. Quelle réalité a favorisé le décollage économique ?
2. Relevez trois problèmes liés au développement économique de la Chine.

Méthodologie

3. [Doc. 1]
   a) Quel secteur a le plus augmenté depuis 1978 ?
   b) Quel secteur a conservé la même importance relative ?

Réflexion

4. Déterminez des moyens d'améliorer votre connaissance de l'accroissement de la puissance de la Chine.

LES ENJEUX ÉCONOMIQUES DU QUÉBEC ACTUEL

Le développement économique constitue un enjeu important pour l'avenir du Québec. Il importe de bien répartir la richesse, car une trop grande disparité de revenus peut entraîner des effets négatifs sur la société. Les acteurs impliqués dans le développement économique doivent donc conserver un sens de l'équité, de la justice et de la solidarité. Cependant, à l'heure de la mondialisation de l'économie, les décisions ne dépendent plus seulement des acteurs locaux. Le Québec se voit ainsi contraint de faire face à de nombreux défis et de s'adapter au contexte international.

Adrien Hébert (1890-1967)

Artiste peintre

Adrien Hébert est né à Paris en 1890. Il est le fils de Louis-Philippe Hébert, un sculpteur qui a travaillé sur une série de sculptures destinées à décorer la façade du Parlement à Québec. Ce peintre réaliste aime reproduire la modernité et la vie urbaine. Il est maître dans l'art de la composition et joue habilement avec les masses cubiques et la perspective.

DANS LE PORT DE MONTRÉAL (S.S. MONTCALM).
La grande période artistique d'Adrien Hébert se déroule de 1924 à 1950. Il a peint, entre autres, de nombreuses toiles illustrant le port de Montréal, le lieu d'une activité économique importante.

Source : Adrien Hébert, *Dans le port de Montréal (S.S. Montcalm)*, 1925.

Produire et répartir la richesse

L'économie est avant tout une discipline qui porte sur la production, la répartition, la distribution et la consommation des richesses d'une société. L'économie peut également être vue comme la gestion efficace des ressources. Dans une économie capitaliste, la richesse est principalement créée par des entreprises privées qui se font concurrence dans la recherche du profit. Dans ce contexte, la création de richesses est une condition du développement économique. Pour y arriver, il est nécessaire d'accroître la productivité en investissant dans l'équipement de production et la qualification de la main-d'œuvre. La production économique est divisée en trois secteurs : primaire, secondaire et tertiaire.

1 UNE MANUFACTURE DE TEXTILE.

Le secteur secondaire englobe la transformation des produits, principalement l'industrie manufacturière.

2 L'INDUSTRIE FORESTIÈRE.

Le secteur primaire correspond à l'exploitation des ressources telles que l'agriculture, la pêche, les mines, la foresterie, etc.

3 LA BOURSE DE MONTRÉAL.

Le secteur tertiaire comprend les services, comme les transports, les finances, le commerce, le tourisme, etc.

Un développement économique équitable

Le progrès économique ne tient pas seulement à la production. Si la richesse n'est pas bien répartie entre les groupes sociaux, entre les régions, entre les villes et les campagnes, entre les hommes et les femmes, on dit qu'il y a disparité. Ainsi, tous ne sont pas également en mesure de consommer les produits et services disponibles. Une certaine redistribution de la richesse peut se faire par des organisations privées, comme des organismes de charité ou des fondations, ou publiques, comme les ministères, les entreprises d'État ou les organismes communautaires subventionnés. Depuis les années 1960, les gouvernements québécois et canadiens sont plus actifs dans ce domaine. Par exemple, des mesures de soutien du revenu, un programme de prêts et bourses pour les étudiants et des organismes d'entraide communautaires ont été mis en place.

Le Québec en comparaison

Le portrait économique du Québec est bien différent d'autrefois. Durant le 20e siècle, l'industrie manufacturière et les ressources naturelles ont été les moteurs de la croissance économique. Aujourd'hui, la prospérité du Québec est basée sur l'innovation, les industries de haute technologie et les services.

Si on compare l'économie du Québec sans tenir compte du reste du Canada, elle se situe parmi les plus fortes du monde. Par contre, l'économie du Québec se classe derrière celles du Canada et des États-Unis.

4 LE RANG DU PRODUIT INTÉRIEUR BRUT (PIB) DU QUÉBEC COMPARÉ AUX PAYS MEMBRES DE L'ORGANISATION DE COOPÉRATION ET DE DÉVELOPPEMENT ÉCONOMIQUES (OCDE) EN 2002.

Si on compare le PIB du Québec à celui des 30 pays membres de l'OCDE, il se classe au 10e rang. Par contre, le PIB du Québec se situe au 53e rang sur 60 dans l'ensemble des États américains et des provinces canadiennes.

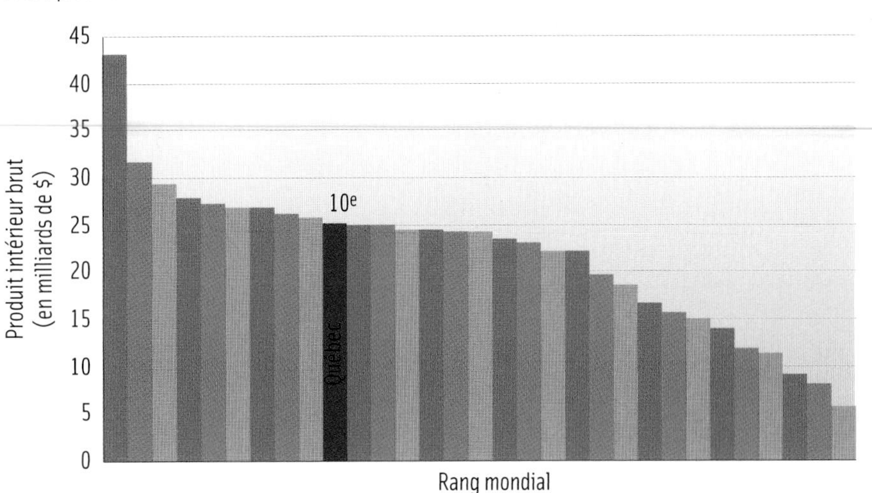

Source : Jean-François LISÉE, « Un mauvais procès au modèle québécois. Étude des pièces à conviction », dans Michel VENNE, dir., *Justice, démocratie et prospérité*, Montréal, Québec Amérique, 2003, p. 37.

5 LE RETARD ÉCONOMIQUE DU QUÉBEC.

Malgré une économie dynamique et un niveau de vie enviable, le Québec subit un retard économique face à certains de ses concurrents.

« Le Québec a fait un bond économique remarquable depuis la Révolution tranquille. Puis, au cours des cinq dernières années, la création d'emplois a battu des records et la productivité s'est accrue à un rythme rapide. Au plan du niveau de vie, le Québec se classerait au 10e rang parmi les pays membres de l'OCDE (qui regroupe 30 des pays les plus riches de la planète), devançant notamment la France, le Royaume-Uni et la Suède. Ces données sont réconfortantes, mais il n'en demeure pas moins que l'économie du Québec n'a toujours pas comblé le retard important qui la sépare de celle de ses principaux concurrents, en particulier l'Ontario et les États-Unis, malgré les progrès des dernières années. Si rien n'est fait, ce retard pourrait s'accentuer, notamment parce que les tendances démographiques nous sont particulièrement défavorables. Aussi, la pire erreur que pourraient faire les Québécois serait de se laisser rassurer par leurs réussites passées et par une embellie en bonne partie conjoncturelle. Tomber dans ce piège, ce serait risquer de vivre un avenir sombre sur les plans économique, social et politique. »

Source : J.-Y. DUCLOS, J. FACAL, C. GODBOUT, R. LACROIX et R. ROYER, *Un Québec au travail ! Stratégie pour une société plus prospère*, Comité stratégique *La Presse* pour le développement économique du Québec, 21 février 2004, p. 4.

QUESTIONS

1. Quels sont les deux principaux moyens d'accroître la productivité ?
2. Qu'entend-on par la disparité ?
3. Dans quel domaine d'activité les emplois du secteur primaire sont-ils généralement concentrés ?
4. Nommez trois emplois du secteur tertiaire.
5. Pourquoi ne considère-t-on plus les secteurs primaire et secondaire comme les moteurs de l'économie québécoise ?

Réflexion

6. Que feriez-vous pour améliorer votre compréhension de la répartition de la richesse dans un pays capitaliste ?

Les défis économiques à l'heure de la mondialisation

Pays émergent : Pays en développement qui s'industrialise rapidement grâce à la mondialisation.

Toutes les économies occidentales font face aux mêmes défis. Les tendances lourdes de la mondialisation font peser des contraintes sur les États et les entreprises. Ainsi, les gouvernements sont limités dans leur action par les règles du libre-échange, leurs limites budgétaires et la nécessité de veiller au bien commun, c'est-à-dire en maintenant les services publics, les programmes sociaux et en sauvegardant l'environnement. Les gouvernements encouragent donc un développement économique équitable et durable. Quant aux entreprises affectées par les mouvements des marchés mondiaux, comme la concurrence féroce, la fluctuation du prix des matières premières et des monnaies, elles sollicitent l'aide de l'État, tout en lui réclamant plus de marge de manœuvre afin d'être concurrentielles.

LA CONSTRUCTION DE WAGONS À L'USINE DE BOMBARDIER, À SAHAGUN, AU MEXIQUE.

Des entreprises québécoises transfèrent leur production dans des usines installées à l'étranger, là où le coût de la main-d'œuvre est moins élevé. C'est ce qu'on appelle la « délocalisation ».

Les conséquences de la mondialisation sur l'économie du Québec

L'Accord de libre-échange nord-américain (ALENA) et l'Accord général sur les tarifs douaniers et le commerce (GATT), un accord mondial, ont eu des conséquences majeures sur l'économie canadienne et québécoise. Ces accords ont restreint les gouvernements canadien et québécois sur certaines politiques protectionnistes comme les droits de douane et certaines subventions versées aux producteurs locaux. Des entreprises, notamment celles spécialisées dans la fabrication industrielle nécessitant beaucoup de travailleurs, ont dû fermer leurs portes, car les salaires versés étaient beaucoup trop élevés et ne pouvaient concurrencer ceux offerts par les **pays émergents** comme la Chine, le Mexique et l'Inde. Exposées à la concurrence internationale, les entreprises québécoises et canadiennes ont dû s'ajuster puisque beaucoup d'emplois ont été perdus dans plusieurs secteurs d'activité économique. Les gouvernements canadien et québécois ont cherché à atténuer les effets des fermetures d'entreprises et à appuyer leur adaptation à la nouvelle économie.

Pour s'adapter à la mondialisation économique, certaines industries québécoises ont transféré une partie de leur production à l'étranger et ont conservé certaines opérations ici, comme c'est le cas pour l'entreprise Bombardier. Certaines d'entre elles ont préféré augmenter leur productivité en investissant et en modernisant leur machinerie. D'autres ont proposé à leurs employés des réductions de salaire et des modifications de leurs conditions de travail.

Toutefois, le Québec profite de son expertise dans des secteurs de pointe, comme l'aéronautique et la pharmacologie. Le développement constant des services compense les pertes d'emplois survenues dans d'autres secteurs. L'économie québécoise s'adapte au nouveau contexte et obtient souvent des gains de marché et d'emploi surtout lorsque l'économie mondiale est en croissance.

Le rôle de l'État dans l'économie des entreprises

En cette époque de mondialisation économique, les partisans d'un rôle actif pour l'État pointent du doigt les entreprises à propriété étrangère. Ces entreprises sont souvent peu impliquées dans leur milieu et ne cherchent qu'à faire du profit à court terme. Pendant plusieurs années, les gouvernements ont tenté d'attirer de grandes entreprises à l'aide de subventions, pour se rendre souvent compte que dès que la concurrence les rendait moins rentables, elles fermaient leurs portes, parfois sans rembourser l'aide qu'on leur avait consentie.

Dans le contexte d'une économie de concurrence, les entreprises cherchent à réduire leurs coûts de production. Deux stratégies sont alors possibles : réduire les salaires ou investir dans l'équipement de production, la recherche et l'innovation. Les gouvernements canadien et québécois préfèrent encourager les entreprises par diverses **mesures fiscales** ou **financières** qui visent à moderniser l'équipement, à former la main-d'œuvre et à la spécialiser dans des domaines techniques pour ensuite embaucher des travailleurs qualifiés. Aujourd'hui, le système d'éducation et la politique d'immigration sont liés au marché du travail. On cherche ainsi à assurer des emplois bien rémunérés pour tous.

Sur le plan politique, l'État québécois favorise une association entre les partenaires économiques afin d'assurer une bonne entente entre propriétaires et ouvriers et de faire en sorte que les entreprises se complètent. De plus, tant le gouvernement du Canada que celui du Québec font la promotion des entreprises à l'étranger, que ce soit par l'entremise des **ambassades** et des délégations ou grâce aux missions économiques de gens d'affaires.

Mesure fiscale : Politique d'aide par la réduction de taxes et d'impôts.

Mesure financière : Politique d'aide par les subventions ou les prêts d'argent.

Ambassade : Service représentant un gouvernement à l'étranger.

L'USINE DE MAGNÉSIUM MAGNOLA DE DANVILLE, AU QUÉBEC.

Cette usine a nécessité des investissements publics et privés de 1,25 milliard de dollars. Elle est entrée en opération en 2000, mais a interrompu ses activités en 2003, causant la perte de 380 emplois. L'industrie était incapable de concurrencer la Chine.

QUESTIONS

1. Dans quel secteur le Québec a-t-il dû fermer plusieurs entreprises en raison des salaires peu élevés des pays émergents ?
2. Quels secteurs connaissent un développement constant malgré les pertes subies dans les autres secteurs ?

Connexion

3. [Doc. 1 et 2]
Quelle raison explique à la fois la fermeture de l'usine Magnola et la construction de l'usine de Bombardier au Mexique ?

Réflexion

4. Avez-vous de la difficulté à comprendre les effets de la mondialisation sur le Québec ? Expliquez votre réponse.

L'État, la lutte contre la pauvreté et l'exclusion sociale

Bien que le Québec se classe parmi les sociétés les plus riches du monde, la pauvreté, l'injustice et l'exclusion sociale subsistent toujours au sein de la société. On compte aujourd'hui environ 10 % de personnes vivant sous le seuil de faible revenu au Québec. Les inégalités sociales qui résultent des différences de revenus ont des impacts négatifs sur la société, tant du point de vue des conditions de vie des individus qu'en ce qui concerne le développement économique du Québec.

Le rôle de l'État québécois

Depuis la Révolution tranquille, l'État québécois prend une part importante dans la lutte contre la pauvreté, les inégalités et l'exclusion sociale. L'État œuvre sur trois fronts principaux pour améliorer les conditions économiques et sociales des Québécois : la création et le maintien de l'emploi, la couverture sociale donnant droit aux services essentiels, comme la santé, l'éducation, le logement, et finalement l'assistance financière aux individus, comme l'aide sociale ou la réduction d'impôt aux personnes à faible revenu. L'un des rôles de l'État consiste aussi à favoriser et à soutenir les divers mouvements sociaux qui s'occupent de la progression de l'équité, de la justice et de la solidarité sociale.

Le projet de loi 112, adopté en décembre 2002 par l'Assemblée nationale, constitue la base de la Stratégie nationale de lutte contre la pauvreté et l'exclusion sociale du gouvernement du Québec. La politique du gouvernement en matière de lutte contre la pauvreté et l'exclusion sociale, qui tente de s'attaquer à la fois aux causes et aux conséquences de la pauvreté, est élaborée autour de quatre grands axes, soit :

- améliorer le bien-être des personnes en situation de pauvreté ;
- prévenir la pauvreté et l'exclusion sociale ;
- favoriser l'engagement de l'ensemble de la société ;
- assurer la cohérence et la constance de l'action.

La lutte contre la pauvreté et l'exclusion sociale est l'un des grands objectifs de la société québécoise afin de bâtir un monde meilleur, reposant sur l'équité, la justice et la solidarité. L'État a son rôle à jouer, mais il revient à chaque citoyen et citoyenne de faire sa part pour construire un monde meilleur.

1 LA LOI VISANT À LUTTER CONTRE LA PAUVRETÉ ET L'EXCLUSION SOCIALE

Cette loi, adoptée à l'unanimité le 13 décembre 2002, vise à lutter contre les inégalités sociales.

« Le gouvernement du Québec aura finalement adopté, après un long cheminement amorcé par la Fédération des femmes du Québec lors de la marche "Du pain et des roses" en juin 1995, une loi visant à lutter contre la pauvreté et l'exclusion sociale (loi 112). Avec cette loi, le Québec reconnaît que la pauvreté représente une menace pour les droits et libertés de ses citoyens, qu'à cet égard il lui faut intervenir pour protéger la dignité et les droits des personnes, et que la lutte contre la pauvreté et l'exclusion représente un "impératif national". [...] Cette loi fait du Québec une référence pour les pays qui, dans l'espace de la mondialisation des marchés, optent pour un modèle de protection et de développement de leur capital humain et social. Le Québec fait le pari que la réduction des inégalités sociales favorisera la paix, la justice et l'équité sociale nécessaire à son développement économique et social. [...] Près de 75 % des dispositions de la loi québécoise s'attaquent directement à la réduction de la pauvreté (formation, rehaussement des revenus, accès à un emploi, qualité des emplois, salaires et conditions de travail). »

Source : Camil BOUCHARD, « Lutte contre la pauvreté – Une loi exemplaire », *Le Devoir*, 6 janvier 2003.

L'économie sociale

Plusieurs mouvements sociaux, comme les coopératives et les associations, contribuent à leur manière à la lutte contre la pauvreté. Ces organismes, dont le but principal est de servir la communauté et de favoriser le développement social, forment ce que l'on nomme «l'économie sociale». L'économie sociale est bien enracinée au Québec et connaît un essor important depuis plus d'une décennie.

Ces organismes jouent un rôle capital dans la lutte contre la pauvreté, non seulement par leurs actions directes, mais aussi par leur impact sur l'État. C'est ainsi que la marche «Du pain et des roses», par exemple, a contribué à mettre à l'avant-scène la situation de la pauvreté et a amené l'État à encourager le développement de l'économie sociale.

LA MARCHE MONDIALE DES FEMMES, EN 2000.

À la suite de la marche «Du pain et des roses», en 1995, la mobilisation continue et différents groupes de femmes s'unissent pour améliorer leurs conditions.

UN PORTRAIT DES ENTREPRISES D'ÉCONOMIE SOCIALE DU QUÉBEC EN 2001.

Les entreprises d'économie sociale œuvrent dans plusieurs secteurs.

Secteur	Nombre d'entreprises	Nombre d'emplois	Chiffre d'affaires (en millions $)
Aide domestique	110	4 048	65,7
Culture	1 522	8 375	160,0
Médias communautaires et TIC	189	695	32,0
Centres de la petite enfance	915	22 420	797,0
Entreprises adaptées	43	3 400	117,0
Entreprises d'insertion	46	489	18,6
Forêt	83	5 916	435,1
Habitation	1 378	155	153,3
Loisir-tourisme	1 037	7 915	197,8
Périnatalité	10	61	3,2
Ressourcerie-récupération	47	732	17,2
Services funéraires	43	787	22,1
Agro-alimentaire	323	17 114	5 181,9
Scolaire	103	1 003	124,1
Services aux entreprises	107	635	10,4
Transport	48	1 341	73,2
Autres secteurs	327	3 206	158,9
Total	**6 331**	**78 292**	**7 567,5**

Source : Chantier de l'économie sociale, 2001.

QUESTIONS

1. Au Québec, quel est le pourcentage de personnes vivant sous le seuil de la pauvreté ?
2. Que peut faire l'État pour assurer une meilleure distribution des richesses à l'ensemble des Québécois ? Donnez deux exemples.

Méthodologie

3. [Doc.1]
   Résumez dans vos propres mots les grandes lignes de la loi visant à lutter contre la pauvreté et l'exclusion sociale.
4. [Doc.3]
   Nommez les trois secteurs de l'économie sociale qui créent le plus d'emplois.

Réflexion

5. Connaissez-vous des entreprises d'économie sociale établies dans votre collectivité ? Comment pouvez-vous les découvrir ?

Les points à retenir pour ce dossier :

Au Québec

LES PREMIERS OCCUPANTS

- **– 10 000** ▸ Arrivée des premiers Amérindiens au Québec.

LE RÉGIME FRANÇAIS

- **Vers 1545** ▸ Premiers échanges entre les autochtones et les pêcheurs européens.
- **1534** ▸ Arrivée de Jacques Cartier à Gaspé.
- **1601** ▸ Fondation de Tadoussac.
- **1663** ▸ Acquisition par les Sulpiciens de la seigneurie de l'île de Montréal.
- **1664** ▸ Fondation de la Compagnie française des Indes occidentales.
- **1670** ▸ Création de la Compagnie de la Baie d'Hudson.
- **1701** ▸ Fondation de la Louisiane.
- **1732** ▸ Établissement des chantiers maritimes du roi.
- **1737** ▸ Première route carrossable reliant Québec et Montréal, le chemin du Roy.
- **1738** ▸ Fondation des Forges du Saint-Maurice.

LE RÉGIME BRITANNIQUE

- **1777** ▸ Instauration du droit commercial anglais.
- **1783** ▸ Création de la Compagnie du Nord-Ouest.
- **1806** ▸ Accroissement de la demande en bois des Britanniques à la suite du blocus continental des guerres napoléoniennes.
- **1824** ▸ Ouverture du canal de Lachine.
- **1836** ▸ Premier chemin de fer reliant Saint-Jean-sur-Richelieu à La Prairie.
- **1851** ▸ Fondation de la compagnie de chemin de fer le Grand Tronc.
- **1854** ▸ Signature du Traité de réciprocité avec les États-Unis.
- **1878** ▸ Politique nationale.

LA PÉRIODE CONTEMPORAINE DE 1867 À NOS JOURS

- **1885** ▸ Création de la Commission royale d'enquête sur les relations entre le capital et le travail.
- **1929** ▸ Krach boursier à New York et début de la crise économique.
- **1934** ▸ Fondation de la Banque du Canada.
- **1936** ▸ Fondation de l'Office du crédit agricole.
- **1945** ▸ Création de l'Office de l'électrification rurale.

- **1962** ▸ Nationalisation de l'électricité.
- **1965** ▸ Création de la Caisse de dépôt et placement du Québec.
- **1975** ▸ Signature de la Convention de la Baie-James et du Nord québécois.
- **1985** ▸ Fermeture de la ville minière de Gagnon.
- **1994** ▸ Entrée en vigueur de l'Accord de libre-échange nord-américain (ALENA).

Ailleurs dans le monde

La Côte d'Ivoire

Territoire

La Côte d'Ivoire est un pays d'Afrique de l'Ouest bordé au sud par le golfe de Guinée. Ce pays partage ses frontières avec le Liberia, la Guinée, le Mali, le Burkina Faso et le Ghana.

Société

La société ivoirienne compte plus de 60 ethnies différentes. Près du tiers de sa population est d'origine étrangère.

Économie

Les productions agricoles de la Côte d'Ivoire constituent la majeure partie des exportations. Le pays dépend des capitaux étrangers et du commerce international pour développer son économie.

Enjeu

L'agriculture demeure la principale activité économique ivoirienne, malgré les efforts du gouvernement pour diversifier la production du pays.

La République populaire de Chine

Territoire

La Chine est située en Asie. Ce pays est bordé à l'est par la mer Jaune, la mer de Chine méridionale et la mer de Chine orientale.

Société

Malgré la forte croissance économique et une augmentation du revenu des habitants, les inégalités sociales, persistent.

Économie

L'économie de la Chine conjugue l'héritage de l'économie communiste avec la libéralisation économique.

Enjeu

L'intégration de la main-d'œuvre, en constante évolution, constitue un défi pour l'économie de la Chine.

Haïti

Territoire

L'État d'Haïti est situé sur l'île d'Hispaniola dans les Antilles. À l'est, il a pour voisine la République dominicaine. Il est bordé par l'océan Atlantique et la mer des Antilles.

Société

La société haïtienne est une des plus pauvres d'Amérique. Près de 80 % de ses habitants vivent sous le seuil de la pauvreté.

Économie

L'économie d'Haïti repose essentiellement sur l'agriculture de subsistance, qui emploie plus de 60 % de la population.

Enjeu

Le manque de capitaux, le faible pouvoir d'achat des Haïtiens et l'exode des travailleurs limitent le développement économique du pays.

Le Mexique

Territoire

Le Mexique est situé en Amérique du Nord. Il est bordé à l'ouest par l'océan Pacifique, et à l'est, par le golfe du Mexique. Il partage ses frontières avec les États-Unis au nord, et au sud avec le Guatemala et le Belize.

Société

Trois principaux groupes ethniques composent la société mexicaine : les Espagnols d'origine, les Amérindiens et les *mestizos* (métis), des gens d'origine mixte espagnole et amérindienne. Cette société connaît un très fort taux d'émigration clandestine vers les États-Unis.

Économie

L'économie mexicaine repose sur l'agriculture, l'industrie et les services. Les exportations jouent un rôle de premier plan dans l'économie du pays, particulièrement depuis l'entrée en vigueur de l'ALENA, en 1994.

Enjeu

Au Mexique, l'ALENA a suscité des attentes qui ne sont pas réalisées. Les denrées alimentaires sont chères, le nombre d'emplois a peu augmenté et ces derniers ne sont pas mieux rémunérés.

Activité synthèse

L'organisation économique

L'économie est la discipline qui étudie l'emploi, la transformation et la distribution des ressources collectives destinées à satisfaire les besoins de la société humaine. Dans un monde primitif, la nature répond à la majeure partie de ces besoins. Avec l'évolution, les ressources naturelles ne suffisant plus, les humains doivent donc les compléter par la production de biens et de services. Toutefois, satisfaire ce que l'on appelle désormais des « besoins économiques » a un coût.

L'organisation économique de la société a connu des développements majeurs des années 1500 aux années 2000.

1. À l'aide des informations présentées dans ce dossier, créez un tableau pour comparer les besoins économiques de la population des quatre périodes étudiées à la partie *Filière du temps* : 1) de 1500 à 1608 ; 2) de 1608 à 1760 ; 3) de 1760 à 1867 ; 4) de 1867 à nos jours.

2. Pour chaque période, donnez un minimum de quatre exemples de biens et de services produits pour satisfaire les besoins vitaux, comme se nourrir, se loger ou se vêtir, et les besoins secondaires. N'hésitez pas à consulter votre dossier.

3. Déterminez les ressources naturelles, humaines, financières et technologiques nécessaires pour produire ces biens ou services.

4. Indiquez les principaux acteurs intimement liés à cette activité de production. Par exemple, vous pouvez citer des entreprises, des catégories de travailleurs, des organismes d'État, etc.

Pour aller plus loin…

Activité 1 • Les caractéristiques d'une compagnie en 1900

1. Imaginez l'implantation d'une compagnie au Québec en 1900. Compte tenu de l'époque, spécifiez les caractéristiques de cette compagnie en répondant aux questions ci-dessous.

- Qui en est propriétaire?
- Nécessite-t-elle de gros investissements en capitaux?
- De quel secteur économique fait-elle partie?
- Quels biens ou services offre-t-elle?

2. Choisissez une des périodes suivantes: 1900-1930, 1930-1939, 1939-1950, 1950-1960, 1960-1970, 1970-1990, 1990-2005. Dans le contexte économique choisi, quels défis devra relever votre compagnie?

Utilisez l'information de votre manuel et, au besoin, consultez des ouvrages de référence ou des sites Internet fiables.

Activité 2 • Un échange virtuel

Supposez que vous travaillez dans une entreprise québécoise. Lors d'une séance de clavardage, vous faites la connaissance d'une jeune personne qui travaille dans l'une des quatre sociétés étudiées dans la section *Ailleurs dans le monde*. Cette personne originaire de la Côte d'Ivoire, d'Haïti, du Mexique ou de Chine possède les rudiments de la langue française. Vous entamez une courte discussion, car vous souhaitez tous les deux mieux connaître les activités de vos entreprises respectives et leurs effets sur l'économie et l'environnement dans le monde. Dans un style dynamique, rédigez le contenu de vos échanges en faisant ressortir les principaux points communs et les différences entre vos deux entreprises.

Pour en savoir plus…

DES LIVRES

DICKINSON, John A., et Brian YOUNG. *Brève histoire socio-économique du Québec*, Sillery, Septentrion, 2003 (1992), 456 p.

FORTIER, Yvan. *Menuisier charpentier: Un artisan du bois à l'ère industrielle*, Montréal, Boréal express, Ottawa, Musée national de l'homme, 1980, 176 p.

GERMAIN, Georges-Hébert. *Les coureurs des bois: La saga des indiens blancs*, Outremont, Libre expression, Ottawa, Musée canadien des civilisations, 2003, 158 p.

JULIEN, Fabienne. *Agathe de Repentigny, une manufacturière au XVIIe siècle* (biographie romancée), Montréal, XYZ, 1996, 210 p.

LEDUC, Adrienne. *Antoine, coureur des bois* (roman), Québec, Septentrion, 2007, 442 p.

PAQUET, Gilles, et Jean-Pierre WALLOT. *Un Québec moderne, 1760-1840: Essai d'histoire économique et sociale*, Montréal, Hurtubise HMH, 2007, 740 p.

POULIN, Pierre. *Histoire du Mouvement Desjardins*, Montréal, Québec/Amérique, 1990, trois tomes.

REFORD, Alexander. *Au rythme du train, 1859-1970*, Québec, Publications du Québec: Archives nationales du Québec, 2002, 193 p.

RINGUET. *Trente arpents* (roman), Montréal, Flammarion, 2001 (1938), 288 p.

SAVARD, Félix-Antoine. *Menaud, maître draveur* (roman), Montréal, Bibliothèque québécoise, 1990 (1937), 187 p.

DES FILMS

L'erreur boréale (documentaire), réalisateur: Richard Desjardins, Québec, 1999.

Les tisserands du pouvoir (fiction), réalisateur: Claude Fournier, Québec/France, 1988.

Pour la suite du monde (documentaire), réalisateur: Pierre Perrault, Québec, 1962.

Roger Toupin, épicier variété (documentaire), réalisateur: Benoît Pilon, Montréal, 2004.

DOSSIER 3

Culture et mouvements de pensée

La culture est l'ensemble des comportements et des idées qui caractérisent une société. Au fil de l'histoire sont nés des mouvements de pensée, allant des croyances autochtones jusqu'aux courants du 20e siècle, tels le néolibéralisme, l'altermondialisme ou l'écologie. Issus d'influences multiples et de résistance, ils ont donné lieu à des modes d'expressions spécifiques très divers : les particularités linguistiques, la peinture, la sculpture, la littérature, la cuisine, la chanson. Ce sont les manifestations artistiques ou quotidiennes de ces mouvements de pensée qui construisent le patrimoine culturel. À l'heure de la mondialisation, quel rôle peuvent jouer les citoyens pour freiner l'homogénéisation de la culture ?

-10 000 Arrivée des premiers Amérindiens au Québec

1610 Parution de *Conversion des Sauvages qui ont été baptisés en la Nouvelle-France*

Vers 1660 Adaptation de la maison d'inspiration normande aux rigueurs du climat canadien

1663 Fondation du Séminaire de Québec

1702 Parution du *Catéchisme du diocèse de Québec* écrit par Mgr de Saint-Vallier

1778 Parution de la *Gazette littéraire pour la ville et district de Montréal* par Fleury Mesplet

1500 1600 1700

Culture

1800

1834
Fondation à Montréal de la Société Saint-Jean-Baptiste par Ludger Duvernay

1845
Publication du premier tome de l'*Histoire du Canada depuis sa découverte jusqu'à nos jours,* écrit par François-Xavier Garneau

1863
Publication du roman *Les anciens Canadiens,* écrit par Philippe Aubert de Gaspé (père)

1890
Construction du siège social de la compagnie d'assurance Sun Life

1900

1937
Publication des recueils de *La bonne chanson*

1960
Publication des *Insolences du frère Untel,* écrit par Jean-Paul Desbiens

1967
Ouverture de l'Exposition universelle, Expo 67

1978
Présentation de la pièce de théâtre *Les fées ont soif,* écrite par Denise Boucher

2000

2005
Ouverture du nouvel édifice de la Grande Bibliothèque à Montréal

2008
Célébrations du 400e anniversaire de la fondation de Québec

Culture et mouvements de pensée

Réalité sociale

Culture et mouvements de pensée

Angle d'entrée

L'influence des idées sur les manifestations culturelles

LA FILIÈRE DU TEMPS

Objet d'interprétation

Culture et mouvements de pensée, de la présence autochtone, vers 1500, à nos jours

Au cours des siècles, de quelle manière les idées ont-elles laissé des marques sur les manifestations culturelles?

LE MONDE D'AUJOURD'HUI

Objet d'interrogation

Culture et mouvements de pensée, aujourd'hui, au Québec

Comment la culture et les idées ont-elles évolué au cours des siècles?

ENGAGEMENT CITOYEN

Objet de citoyenneté

Préservation du patrimoine culturel et homogénéisation de la culture

Comment préserver les richesses patrimoniales du Québec devant l'homogénéisation de la culture?

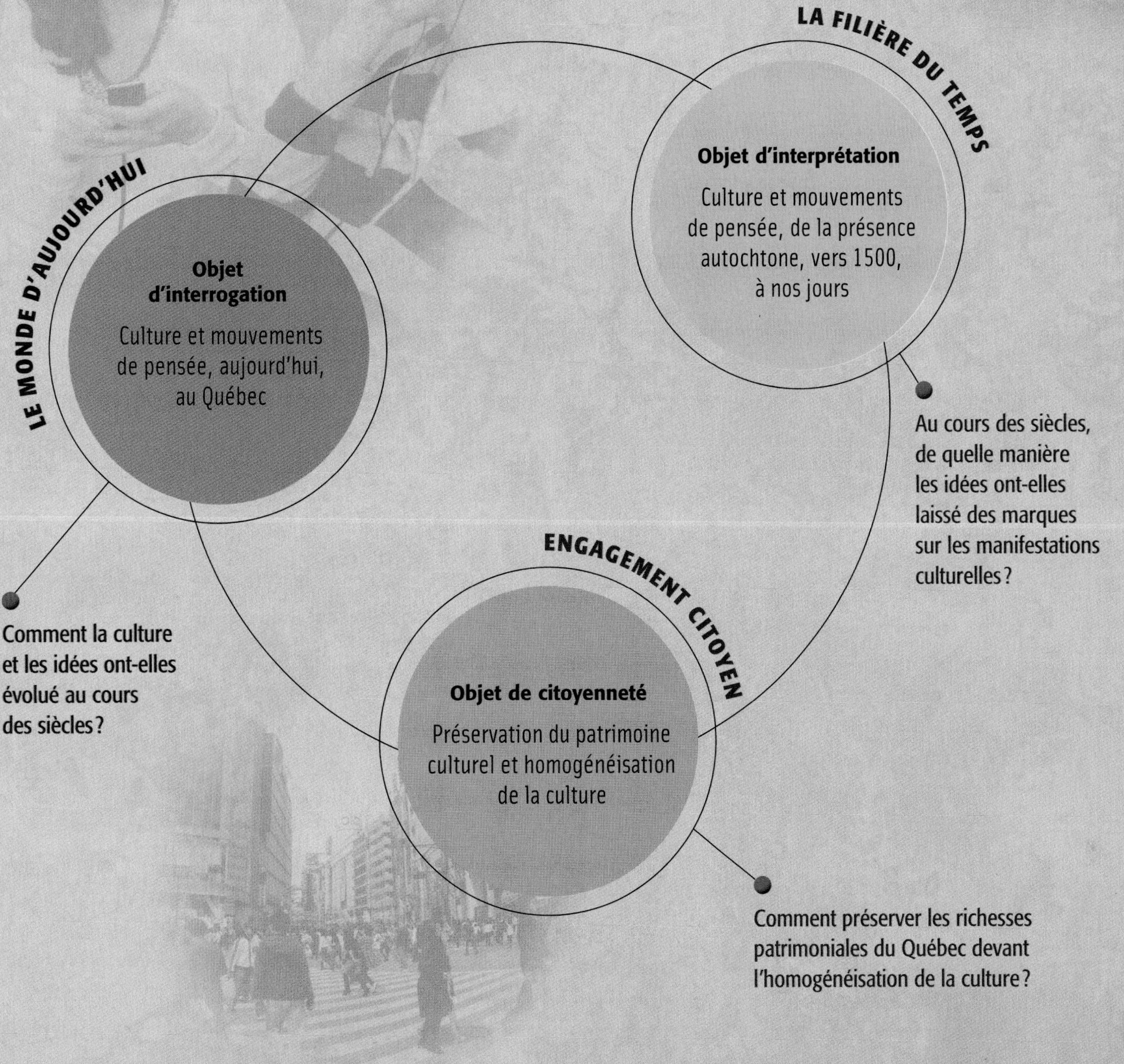

LE QUÉBEC EN CULTURE ET EN PENSÉE

Dans le Québec d'aujourd'hui, la culture est plus vivante que jamais. Elle s'exprime et prend sa place sur la scène internationale. Cependant, le Québec contemporain, comme d'autres sociétés, doit relever les nouveaux défis lancés par les phénomènes de mondialisation et d'homogénéisation de la culture. De nouvelles idées, de nouveaux courants de pensée apparaissent constamment et offrent des solutions à ces défis.

Jean Paul Riopelle (1923-2002).

Artiste peintre

Jean Paul Riopelle étudie à l'École Polytechnique de Montréal, puis fréquente l'École nationale du meuble et de l'ébénisterie où il fait la connaissance de Paul-Émile Borduas. Dans les années 1950, il adopte un mode d'expression qu'il fera sien : l'abstraction lyrique. Il est reconnu pour ses grands tableaux aux couleurs vibrantes et peints à la spatule.

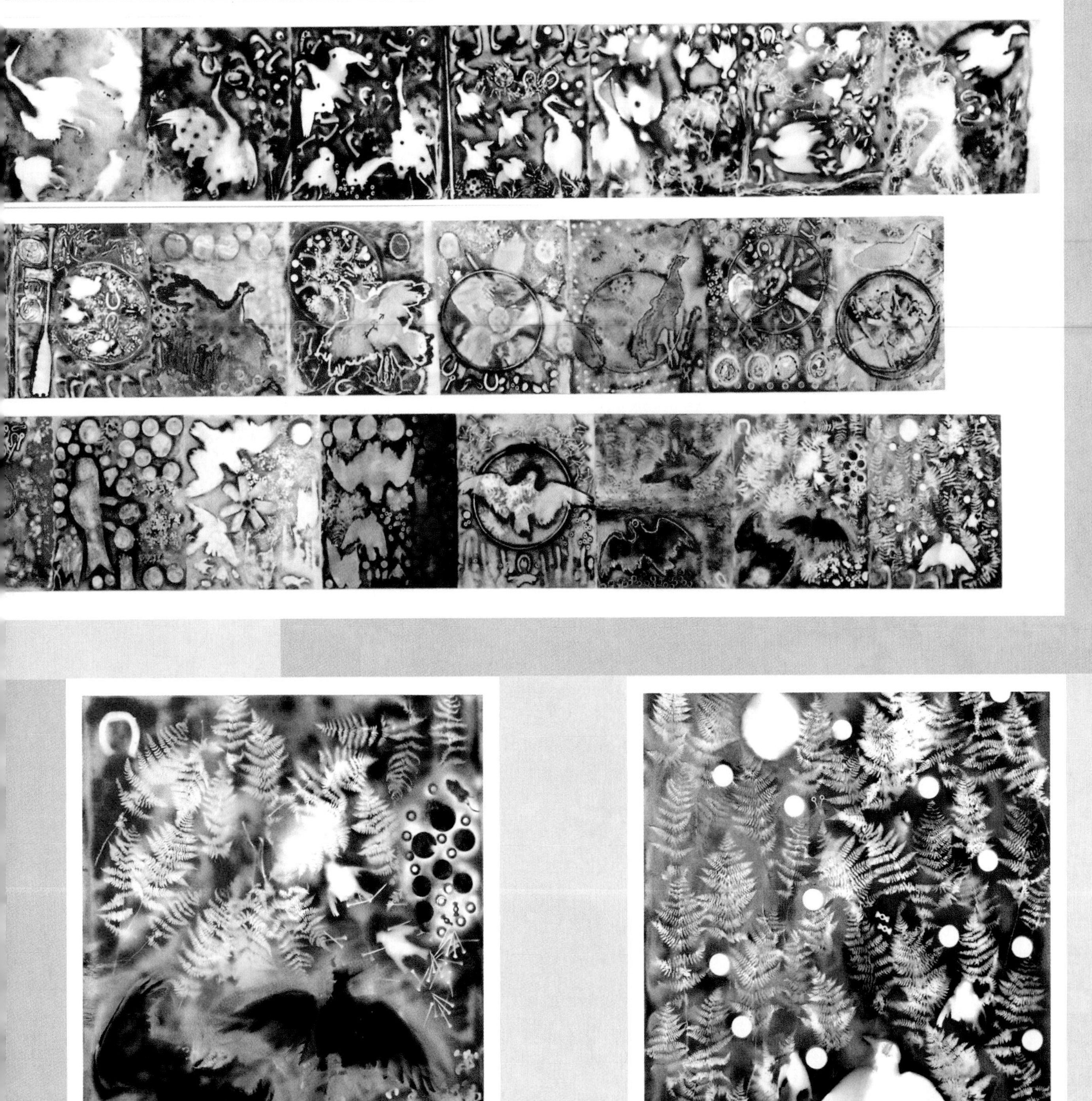

HOMMAGE À ROSA LUXEMBOURG.
À partir des années 1950, Jean Paul Riopelle peint de grandes mosaïques. Pour sa plus grande œuvre, *Hommage à Rosa Luxembourg,* il utilise le pochoir et la bombe aérosol. Cette fresque haute de 1,55 mètre et longue de 40 mètres comporte 3 sections qui intègrent 30 tableaux.

Jean Paul Riopelle, *Hommage à Rosa Luxembourg,* 1992.

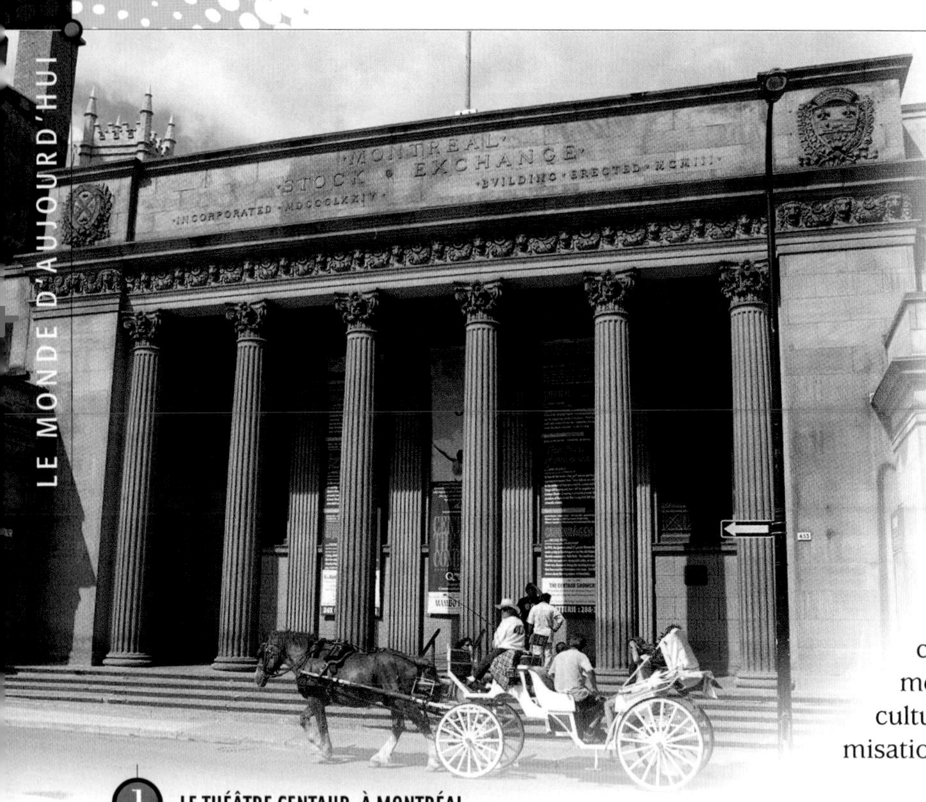

La culture québécoise aujourd'hui

La maturité et l'épanouissement de la culture québécoise reflètent des changements sociaux de plus en plus rapides. Historiquement, l'identité culturelle résulte d'influences multiples : autochtone, française, britannique et américaine, et l'apport culturel des nouveaux arrivants vient constamment l'enrichir.

De nombreux phénomènes planétaires influencent aussi la culture québécoise. Par exemple, la mondialisation accélère et intensifie les échanges économiques et culturels. D'un côté, elle permet un élargissement des marchés et la diffusion des produits culturels, et de l'autre, elle contribue à l'uniformisation de ces mêmes produits.

1 LE THÉÂTRE CENTAUR, À MONTRÉAL.

Le théâtre Centaur, créé en 1969, a pour site l'ancien bâtiment de la Bourse, dans le Vieux-Montréal. Il a pour mission de promouvoir la dramaturgie anglophone locale, nationale et internationale.

2 LA MARCHANDISATION DE LA CULTURE.

Cet article traite des conséquences de la marchandisation de la culture.

« Les industries culturelles, par leurs moyens financiers, ont favorisé à un certain niveau le développement de la culture et l'accessibilité de l'information. En investissant dans différentes technologies, il devient plus facile de produire des disques, des films ou de présenter des reportages qui ont été filmés à l'étranger. Cependant, la pression marchande fait en sorte qu'elle édulcore la création. On peut voir une tendance vers la standardisation, l'homogénéisation des produits de la culture. Un contenu qui devient de plus en plus pauvre [...] la marchandisation de la culture a aussi des conséquences importantes sur les artistes qui œuvrent dans les différents domaines culturels. [...] D'une part, les industries culturelles utilisent un grand nombre d'artistes, qu'elle [la marchandisation] place en concurrence, avec des salaires très bas. Mais elle est aussi capable de surpayer des artistes qui sont surmédiatisés. [...] Par exemple, dans le cinéma, il va y avoir 300 acteurs de soutien qui vont gagner des cachets minables à côté de quelqu'un qui gagne des millions. [...] Les formes marchandes [...] s'installent dans une quotidienneté qui fait en sorte que les gens n'ont pas vraiment le choix d'entrer en contact avec elles. C'est le radio-réveil le matin, la lecture d'un journal, quelques bouquins, la télévision le soir. Notre mode de vie général fait en sorte que nous n'avons pas le choix. »

Source : Geneviève OTIS-DIONNE, « Industries culturelles – Faut-il faire le procès de la "marchandisation" culturelle ? », *Le Devoir*, 2-3 novembre 2002.

3 LA LANGUE ET LA MUSIQUE CHEZ LES JEUNES.

Malgré l'augmentation du nombre de produits musicaux francophones, les jeunes préfèrent les productions anglophones. L'anglais demeure la langue d'écoute dominante chez les jeunes de 15 à 24 ans.

4 *LE HIBOU ENCHANTÉ* DE KENOJUAK ASHEVAK (NÉE EN 1927).

La gravure inuite est un art qui s'est développé dans les années 1950. Les motifs des gravures s'inspirent souvent des légendes, des animaux et des modes de vie ancestraux.

Kenojuak Ashevak, *Le hibou enchanté*, 1960.

5 LES DÉPENSES ANNUELLES MOYENNES DES MÉNAGES QUÉBÉCOIS POUR LES LOISIRS CULTURELS, DE 2002 À 2005.

La population du Québec consacre une part importante de ses dépenses aux activités culturelles de toutes sortes.

Activité culturelle	2002	2003	2004	2005
Radio, chaîne stéréo et télévision	814 $	796 $	824 $	835 $
Sorties (cinéma, spectacles en salle, musées et autres expositions)	203 $	192 $	207 $	202 $
Matériel de lecture et autres imprimés (journaux, revues et périodiques, livres et brochures)	248 $	256 $	249 $	229 $
Total	**1265 $**	**1244 $**	**1280 $**	**1266 $**

Source : Institut de la statistique, Québec, 2005.

6 LA CULTURE QUÉBÉCOISE EN ÉTAT DE CRISE ?

Selon l'écrivain Jacques Godbout, la culture québécoise est en « perpétuelle mutation ».

« Je ne crois pas que la culture au Québec – ou dans les sociétés occidentales en général – se trouve particulièrement en état de crise. Une culture vivante est en perpétuelle mutation, et c'est tant mieux. D'ailleurs de quelle culture parlons-nous entre intellectuels? De celle que chaque génération souhaite conserver et transmettre, donc de mémoire, d'histoire, d'œuvre partagées. Il peut y avoir, à ce sujet, apparence de crise: les jeunes gens d'aujourd'hui ont accès au monde entier et ne sauraient accorder à la littérature classique, par exemple, l'importance qu'on lui réservait au milieu du 20e siècle. Le livre n'est plus seul. Je suis né dans un curriculum du 19e perpétué par les pères jésuites. Mes petits-fils habitent un autre monde, une nouvelle morale, et possèdent des références scientifiques du 21e. Des auteurs peuvent s'en désoler, proposer des correctifs, établir des listes d'œuvres essentielles, mais personne ne reculera dans le temps. Ce n'est pas la culture qui est en crise, ce sont les auteurs nostalgiques. »

Source : Jacques GODBOUT, dans Gérard BOUCHARD et Alain ROY, *La culture québécoise est-elle en crise ?*, Montréal, Boréal, 2007, p. 179.

QUESTIONS

1. Qu'est-ce que la culture québécoise ? Pour vous aider, donnez des exemples de manifestations de la culture québécoise dans divers domaines.

Méthodologie

2. [Doc. 2] Selon cet article, quelles sont les conséquences de la marchandisation de la culture ?
3. [Doc. 5] Dans quel genre d'activités culturelles les ménages québécois dépensent-ils le plus ?
4. [Doc. 6] Selon l'auteur, pourquoi la culture québécoise n'est-elle pas en crise ?

Réflexion

5. En quoi ces documents vous aident-ils à mieux comprendre les enjeux de la culture québécoise actuelle ?

Les mouvements de pensée au Québec aujourd'hui

De nombreux courants de pensée ont façonné le Québec et contribué à bâtir ce que l'on appelle «l'identité québécoise». Hérités du passé, des mouvements comme le nationalisme, le libéralisme, le laïcisme et le féminisme ont provoqué de grands changements et donné lieu à différentes productions culturelles. Certains mouvements existent toujours, mais se transforment en fonction des nouvelles préoccupations qui surgissent dans l'espace public québécois. Pour chaque défi lancé, pour chaque question qui agite l'actualité, les différents acteurs, groupes sociaux, syndicaux, patronaux, féministes, environnementalistes, artistes, étudiants et bien d'autres proposent des solutions originales. Ainsi, ils participent à leur tour à la transformation des mentalités.

1 LOCO LOCASS.

Quelques artistes considèrent l'art comme un moyen privilégié de sensibiliser le public à certaines causes. Le groupe Loco Locass, par exemple, s'affiche clairement en faveur de la souveraineté du Québec.

2 LE RENOUVEAU DE L'ART ENGAGÉ.

De nombreuses manifestations culturelles témoignent de l'engagement social de leurs créateurs. Pour certains, l'étiquette d'artiste « engagé » peut faire peur.

« Des films qui parlent de problèmes d'immigration et de chômage, un metteur en scène conspuant les commanditaires qui transforment le théâtre en divertissement [...], un groupe rap qui publie un manifeste politique, des chanteuses "à texte" qui se multiplient, des artistes visuels qui descendent dans la rue et se transforment en travailleurs sociaux... Assistons-nous à un renouveau de l'art dit "engagé"? On pourrait en effet postuler que les jeunes artistes sont très préoccupés de montrer qu'ils ont conscience de ce qui se passe dans la société. [...] S'il y a retour de l'engagement, l'époque des grandes causes collectives semble toutefois révolue. [...] Si certains, comme les Loco Locass, n'ont pas peur d'affirmer haut et fort leur engagement politique, l'étiquette "engagé" inspire de la méfiance chez beaucoup d'artistes. Plusieurs jeunes artistes ne se sentent pas engagés politiquement au sens partisan du terme. Par contre, ils se sentent totalement engagés d'un point de vue social, comme citoyen. »

Source : Archives de Télé-Québec, *Chasseurs d'idées*, 23 septembre 2001.

3 UNE MANIFESTATION ALTERMONDIALISTE.

Le mouvement altermondialiste est apparu à la fin des années 1990. Il s'oppose, entre autres, au phénomène de libéralisation des échanges économiques et à la diminution des interventions de l'État dans l'économie. Il propose des valeurs comme la sauvegarde de l'environnement, la justice sociale et une participation accrue des citoyens aux décisions économiques.

4 « TUER LA UNE... »

L'éditorialiste Mario Roy relate comment, dans les médias, le thème de l'environnement a enseveli d'autres préoccupations pressantes.

> « Le thème de l'environnement est devenu l'enfant chéri des médias québécois. Cela confirme une constatation empirique que nous avons déjà faite [...] : l'écologisme jouit d'un battage médiatique d'une ampleur jamais vue depuis l'invention de l'imprimerie. [...] On subodore que ce tsunami médiatique a, dans une écrasante proportion, déferlé à sens unique. [...] Aussi, le thème de l'environnement a littéralement enseveli d'autres préoccupations que l'on peut estimer au moins aussi pressantes. [...] De fait, les médias québécois ont perdu de l'intérêt pour la pauvreté, par exemple (moins 44 %). Ou pour le sort des personnes âgées (moins 67 %). Ou, de façon générale, pour les idées politiques dites de gauche (moins 80 %). »
>
> Source : Mario ROY, « Tuer la une... », *La Presse*, 24 janvier 2008, p. A-24.

6 LA MODE ET LE RECYCLAGE.

Plusieurs jeunes stylistes tentent de concilier leurs préoccupations environnementales et leur intérêt pour la mode en créant des vêtements avec des tissus ou d'autres matériaux recyclés. De plus en plus populaire, ce nouveau marché de la mode écologique prend plusieurs formes.

5 LA SIMPLICITÉ VOLONTAIRE.

La simplicité volontaire est un mode de vie dont les adeptes cherchent à moins consommer.

Caractéristique
Une façon de vivre qui cherche à être moins dépendante de l'argent et de la vitesse, et moins gourmande des ressources de la planète.
La découverte que l'on peut vivre mieux avec moins.
Un processus individualisé pour alléger sa vie de tout ce qui l'encombre.
Un recours plus grand à des moyens collectifs et communautaires.
Le choix de privilégier l'être plutôt que l'avoir, les relations humaines plutôt que les biens matériels, la participation citoyenne active plutôt que la consommation marchande passive.
La volonté d'une plus grande équité entre les individus et les peuples dans le respect de la nature et de ses capacités pour les générations à venir.

Source : Dominique BOISVERT, *L'ABC de la simplicité volontaire*, Montréal, Écosociété, 2005, p. 18-19.

7 LE MANIFESTE *POUR UN QUÉBEC LUCIDE.*

Dans le manifeste *Pour un Québec lucide*, des citoyens issus de divers milieux témoignent de leurs inquiétudes devant les immenses défis auxquels le Québec doit faire face.

> « Nous sommes inquiets. Inquiets pour le Québec que nous aimons. Inquiets pour notre peuple qui a survécu contre vents et marées, mais qui ne semble pas conscient des écueils qui menacent aujourd'hui son avenir. [...] Malheureusement, au moment précis où nous devons opérer un changement radical de notre façon de nous voir et de voir le monde qui nous entoure, la moindre évolution dans le fonctionnement de l'État, le moindre projet audacieux, le moindre appel à la responsabilité, la moindre modification dans nos confortables habitudes de vie sont accueillis par une levée de boucliers, une fin de non-recevoir, au mieux par l'indifférence. Cette espèce de refus global du changement fait mal au Québec parce qu'il risque de le transformer en république du statu quo, en fossile du 20e siècle. À l'heure actuelle, le discours social québécois est dominé par des groupes de pression de toutes sortes, dont les grands syndicats, qui ont monopolisé le label "progressiste" pour mieux s'opposer aux changements qu'impose la nouvelle donne. »
>
> Source : Lucien BOUCHARD, et autres, *Pour un Québec lucide*, 2005.

QUESTIONS

1. Nommez les mouvements de pensée présentés dans ces documents.
2. Quand ces mouvements de pensée sont-ils apparus au Québec ?

Méthodologie

3. [Doc. 4]
   Quelle place occupe la question environnementale dans les médias québécois ? Qu'en pensez-vous ?

Réflexion

4. Exprimez en quelques mots ce que vous avez appris sur la diversité des mouvements de pensée au Québec aujourd'hui.

UNE CULTURE ET DES IDÉES EN MOUVEMENT

Tout au long de son histoire, la société québécoise subit de multiples influences. Tout d'abord celle des autochtones, qui enseignent aux premiers colons français à survivre durant les hivers rigoureux. Puis celle des soldats britanniques, qui prennent possession de la colonie après la Conquête et auxquels se joignent plus tard les loyalistes en fuite des Treize colonies. Finalement, celle des immigrants de toutes origines qui, d'hier à aujourd'hui, choisissent de faire du Québec leur terre d'accueil.

James Pattison Cockburn (1779-1847)

Officier britannique et aquarelliste

James Pattison Cockburn étudie l'art du paysage à L'Académie royale militaire en Angleterre. Officier en service au Canada durant une décennie, il profite de tournées d'inspection ou de promenades pour peindre de nombreuses scènes d'extérieur. Ses œuvres nous renseignent sur l'architecture des villes et sur la vie quotidienne des habitants du Bas-Canada et du Haut-Canada.

LA CHUTE MONTMORENCY (AVEC QUÉBEC AU LOIN).
L'aquarelliste James Pattison Cockburn observe les faits et gestes parfois amusants des gens et les transpose dans son œuvre. Il utilise de préférence l'aquarelle, la mine de plomb et la gouache.

James Pattison Cockburn, *La chute Montmorency (avec Québec au loin)*, 1833.

1 La culture des autochtones

La culture des autochtones du territoire québécois est riche et diversifiée. Il n'existe cependant pas une, mais bien plusieurs cultures autochtones, puisque chaque nation a la sienne. Toutefois, des similitudes sont aisément repérables entre elles. Quels sont les points communs entre les cultures algonquienne, inuite et iroquoienne ? Qu'est-ce qui les distingue ?

1 UN SAVOIR GRANDEUR NATURE.

L'Algonquin Dominique Rankin parle du savoir des aînés autochtones.

« Aujourd'hui, quand je veux en savoir davantage sur la vie de mes ancêtres et sur les événements importants qui ont façonné l'histoire de mon peuple, je m'adresse sans hésiter à mon père ou à un sage de mon village. J'ai toujours été impressionné par l'ampleur de leurs connaissances dans des domaines aussi variés que la flore, la faune, les phénomènes cosmiques, la médecine, la géologie. En fait, leur savoir est infini, et leurs jugements sont justes. Chaque fois que j'en ai l'occasion, je donne ce conseil aux jeunes et moins jeunes de toutes les nations qui viennent me voir ou que je rencontre: "Parlez avec les aînés, ils sauront vous encourager, vous soutenir et éclairer votre route." Nos sages, je les compare à des bibliothèques ou à des encyclopédies vivantes. »

Source : Dominique RANKIN, *Rencontre de deux mondes,* Québec, Musée de la civilisation, 1992, p. 7.

Le respect et l'harmonie

Toutes les sociétés humaines entretiennent un rapport à la nature qui leur est propre. Pour les autochtones, ce rapport est très étroit, car leur mode de vie est intimement lié à la nature. Ils y vivent, se nourrissent de ce qu'elle offre, la parcourent à pied, en canot ou en traîneau, et y trouvent un jour la mort. Cette proximité avec la nature leur inspire un grand respect pour leur environnement. Ils s'efforcent de vivre en harmonie avec la nature, et leur vie spirituelle est tout entière tournée vers la recherche de cette harmonie.

2 L'ARCHIPEL DE MINGAN.

Il y a au moins 2000 ans, des groupes amérindiens se sont installés sur l'archipel de Mingan. Depuis 1984, cet ensemble d'îles situé dans le golfe du Saint-Laurent est devenu réserve de parc national. Ce statut est donné à ce territoire pour faire respecter son intégrité écologique, c'est-à-dire son évolution naturelle, et ainsi favoriser sa sauvegarde.

La vie spirituelle

L'**animisme**, c'est-à-dire la croyance qu'un esprit habite chaque élément de la nature, caractérise la vie spirituelle des autochtones. Selon eux, les animaux et les choses matérielles comme la terre, les rochers, les arbres, les cours d'eau et les objets fabriqués possèdent tous un esprit. Il en est de même pour les manifestations de la nature telles que le vent, la pluie, le tonnerre ou les aurores boréales. Les êtres humains doivent chercher à vivre en harmonie avec la nature, car les esprits peuvent aussi bien nuire à ceux qui rompent cette harmonie qu'apporter des bienfaits à ceux qui la respectent. Par exemple, l'animal se laissera tuer et permettra ainsi au chasseur de nourrir ses proches.

Pour s'assurer d'une bonne relation avec ces esprits qui évoluent dans un monde parallèle au monde visible, les autochtones cherchent par divers moyens à entrer en contact avec eux. Tous y arrivent par leurs rêves la nuit, qu'ils interprètent au matin, ou par certains rituels. Mais c'est le chaman, plus que tout autre au sein du groupe, qui a un don particulier pour établir un contact avec le monde invisible. Les autochtones croient qu'il parvient à influencer les esprits, à prédire l'avenir et à guérir les maladies naturelles, celles engendrées par l'âme et celles attribuées aux sortilèges.

3 LA NATURE ET LA SPIRITUALITÉ.

La nature est au cœur de la vie spirituelle des autochtones.

Animisme : Croyance selon laquelle chaque élément de la nature a une âme.

4 UN TAMBOUR ET UN HOCHET IROQUOIS.

Les tambours, tout comme le tabac et les hochets de danse, sont des objets permettant aux chamans de créer des liens symboliques avec les esprits.

QUESTIONS

1. Sur quelle croyance repose la vie spirituelle des autochtones ?
2. Selon les autochtones, par quoi chaque élément de la nature est-il habité ?
3. Expliquez dans vos mots ce qu'est l'animisme.

Méthodologie

4. [Doc. 1]
Quelles métaphores emploie l'auteur pour qualifier le savoir des sages ?

1 LA DIVISION DU TRAVAIL SELON LES SEXES.

Voici comment la division du travail est établie dans les communautés autochtones à cette époque.

> « Cette division était très rigide. À moins de circonstances exceptionnelles, jamais on ne voyait les hommes participer aux travaux des femmes, ni les femmes partager ceux des hommes. Les tâches exigeant des déplacements importants revenaient aux hommes, tandis que les activités plus sédentaires étaient réservées aux femmes. [...] Ainsi les femmes sèment, cultivent, cuisinent, cousent, entretiennent les maisons, font la cueillette et élèvent les enfants, alors que les hommes abattent les arbres, pêchent, chassent, commercent et construisent des canots, les maisons et les fortifications, et font la guerre. »

Source : Denys DELÂGE, *Le pays renversé. Amérindiens et Européens en Amérique du Nord-Est 1600-1664*, Montréal, Boréal, 1991, p. 61.

Des rapports sociaux égalitaires

Les sociétés autochtones inuites, algonquiennes et iroquoiennes ne fonctionnent pas toutes exactement de la même manière. Leurs rapports sociaux sont néanmoins guidés par les mêmes valeurs.

L'une de ces valeurs est l'égalité. Dans ces sociétés, il n'existe pas de hiérarchie sociale stricte : il n'y a ni riches ni pauvres. Le concept de « propriété privée » n'existe à peu près pas chez les autochtones avant l'arrivée des Européens. La terre est la propriété collective de la communauté. Toutefois, on reconnaissait deux types de propriétés foncières : les potagers, de propriété individuelle, et les champs, de propriété collective. La propriété strictement privée se limite généralement aux outils, aux armes et aux vêtements personnels.

Même s'il n'existe aucune obligation de travail, tous les membres de la communauté contribuent aux diverses activités liées à la subsistance et tous en bénéficient de façon équitable. La seule division du travail se fait entre les sexes : les hommes et les femmes n'exécutent pas les mêmes travaux. De plus, dans ces sociétés peu hiérarchisées, les chefs sont généralement choisis pour leur courage et leur sagesse. Ils ont normalement pour rôle de guider et non celui d'imposer leurs décisions.

Comme dans toutes sociétés, les communautés autochtones vivent aussi des conflits. Mais, lorsque survient un conflit au sein de la communauté, il n'est jamais réglé par la violence. En fait, aucune forme de violence n'est tolérée, pas même le fait de punir un enfant. Si un membre commet une faute, des mesures sont alors rapidement prises pour que la situation ne dégénère pas en conflit. La violence est cependant utilisée à l'endroit d'individus à l'extérieur du groupe, au cours de guerres ou par la torture d'ennemis faits prisonniers.

2 DES IROQUOIENNES CHASSANT LES OISEAUX.

Une des nombreuses tâches des Iroquoiennes consiste à protéger les champs de maïs contre le pillage des oiseaux.

Seth Eastman, *American Indians/Cornfield* [Des Amérindiennes dans un champ de maïs], 1853.

Les multiples usages des cadeaux

Pour vivre en bonne entente avec les siens au sein du groupe ainsi qu'avec les communautés voisines et les autres peuples, il existe divers mécanismes. Les cadeaux, les échanges, le partage en sont quelques-uns. L'usage du cadeau est multiple. Entre les membres du groupe, il scelle une amitié, résout un conflit ; entre les peuples, il est symbole d'alliance, de paix. Quant au partage, il assure une redistribution équitable des richesses de la collectivité à tout un chacun.

3 UN COLLIER DE LA NATION HURONNE-WENDAT, VERS 1790.

Ce collier fabriqué à partir de perles de coquillages peut être offert comme don, cadeau ou échange. Chez les autochtones, tous les objets fabriqués sont issus de matériaux provenant de l'univers vivant.

La transmission des savoirs

Vers 1500, les sociétés autochtones transmettent leurs savoirs oralement, car elles ne connaissent pas l'écriture. Toutefois, l'acquisition de connaissances et la transmission des savoirs ne passent pas nécessairement par le langage verbal. Les autochtones apprennent aussi par l'observation, l'imitation et la participation. La discussion prend aussi beaucoup d'importance, et de longs discours précèdent toute prise de décision. La culture et la mémoire du passé sont communiquées verbalement à travers de nombreux contes et légendes. Les aînés occupent d'ailleurs une place privilégiée chez les autochtones, car ils constituent de précieuses sources de connaissances. Ils sont les gardiens des valeurs qu'ils transmettent aux jeunes générations.

UNE DISCUSSION.

Chaque clan a un chef militaire et un chef civil.
Les chefs se consultent entre eux pour arriver à une entente.

Ernest Dominique; *Réunion au sommet*, année inconnue.

5 LES RESPONSABILITÉS DE CHACUN.

Les sociétés autochtones sont organisées de façon à ce que chaque individu ait un rôle à jouer.

« Les aînés des sociétés autochtones perpétuaient le savoir en intégrant leur système de croyances à la vie de tous les jours. Vivant en symbiose avec la terre, ils montraient aux jeunes les principes et valeurs essentiels à leur survie. Grands gardiens de la sagesse, on leur vouait un immense respect, parce que sans eux, le savoir se serait à jamais perdu. [...] Avec une infinie patience, on observait les animaux, les plantes, le temps, les marées, les étoiles et le vent pour prédire les conditions propices à la chasse ou à la pêche, à la plantation et à la cueillette. Les femmes voyaient au confort de chacun en s'occupant de préparer la nourriture et les concoctions médicinales, de confectionner les vêtements, les abris et les objets d'utilité. Les plus jeunes avaient aussi leurs responsabilités : ils cueillaient des racines, prélevaient l'écorce, ramassaient les mollusques et faisaient leur part de portage lors des déplacements. Ils assimilaient ainsi le savoir et apprenaient à l'adapter aux nouvelles situations. »

Source : ONF, *Visions autochtones* [en ligne]. (Consulté le 21 avril 2008.)

QUESTIONS

1. Nommez une valeur importante sur laquelle reposent les rapports sociaux chez les autochtones.
2. Comment se transmettent la culture et la mémoire du passé chez les autochtones ?

Méthodologie

3. [Doc. 1]
   D'après l'auteur, qu'est-ce qui distingue fondamentalement les activités réservées aux femmes de celles réservées aux hommes ?

Réflexion

4. Exprimez en quelques mots ce que vous avez appris sur la communication dans une société sans écriture.

2 Le roi, l'Église et les Canadiens en Nouvelle-France

1 JACQUES BÉNIGNE BOSSUET (1627-1704).

Jacques Bénigne Bossuet, théologien français et prédicateur, est l'auteur d'une vingtaine d'ouvrages à caractère philosophique et religieux.

Hyacinthe Rigaud, *Portrait de Jacques Bénigne Bossuet*, 1702.

La vie spirituelle et politique de la colonie se déroule sur deux plans : celui du catholicisme et celui de la monarchie qui se dit de droit divin. Entre ces deux univers, la culture est lente à prendre racine. Il y a peu de productions littéraires et artistiques. Malgré tout, les habitants développent une identité qui leur est propre. Quels traits différencient les Canadiens des Français ? Comment se développe la culture canadienne ?

La monarchie absolue de droit divin

La Nouvelle-France se développe principalement sous le règne de trois rois: Louis XIII, Louis XIV et Louis XV. En théorie, le pouvoir du roi est limité par le droit féodal, la coutume, les libertés seigneuriales et les privilèges de la noblesse. Mais, dans la pratique, ces remparts ne sont guère utiles pour contrer les désirs de toute-puissance du roi.

Pour renforcer davantage son pouvoir, le roi affirme tenir son trône de Dieu. De foi chrétienne, il s'appuie sur un principe énoncé par saint Paul voulant que tout pouvoir vient de Dieu. Le roi se trouve donc à la tête de ce qu'on appelle une «monarchie absolue de droit divin». Quiconque lui désobéit contrevient à la loi divine et commet un péché. Dans une société fortement imprégnée de religion, une telle menace impressionne la population et l'incite à respecter l'autorité royale.

Conscient que la Nouvelle-France ne se développe pas suffisamment sous le régime des compagnies, le roi Louis XIV leur retire leurs pouvoirs politiques et prend directement en main le développement de la colonie. Souhaitant y reproduire le modèle absolutiste qui le sert si bien en France, il fait de la Nouvelle-France, en 1663, une colonie royale.

2 LA MONARCHIE ABSOLUE DE DROIT DIVIN SELON BOSSUET.

Fervent défenseur de la monarchie absolue de droit divin et du **gallicanisme**, Jacques Bénigne Bossuet explique, dans cet extrait, que le pouvoir du roi lui vient de Dieu.

« Toute puissance vient de Dieu.

Les princes agissent donc comme ministres de Dieu, et ses lieutenants sur la terre. C'est par eux qu'il exerce son empire.

C'est pour cela que nous avons vu que le trône royal n'est pas le trône d'un homme, mais le trône de Dieu même.

Il paraît de tout cela que la personne des rois est sacrée, et qu'attenter sur eux, c'est un Sacrilège.

Considérez le prince dans son cabinet. [...] C'est l'image de Dieu qui, assis dans son trône au milieu des Cieux, fait aller toute la nature. »

Source : Jacques Bénigne BOSSUET, *La politique tirée de l'Écriture sainte*, 1709.

Gallicanisme : Principe voulant que l'Église catholique de France jouisse d'une certaine indépendance par rapport au pape.

Le pouvoir absolu dans la colonie

Au moment où le pouvoir absolu est remis en question en France et que des réformes sont entreprises en Grande-Bretagne pour limiter le pouvoir du roi, la Nouvelle-France semble se tenir à l'écart de ces idées politiques. Les deux principales causes sont l'interdiction d'imprimerie, donc l'impossibilité de publier des livres et des journaux, et le fort taux d'analphabétisme, qui est environ de 45 % en ville et de 20 % dans les campagnes. En conséquence, les écrits des philosophes qui plaident pour un changement de régime sont rares et très peu lus dans la colonie.

Saviez-vous que...

En Nouvelle-France, environ la moitié de la population savait lire et écrire. La majorité des habitants possédaient des documents écrits, comme l'acte de concession leur garantissant le droit d'habiter et de cultiver leur terre, ou encore leur contrat de mariage. Parfois, des erreurs se glissaient dans ces documents importants. Par exemple, le seigneur Robert Giffard voulut écrire dans le contrat d'engagement de deux de ses censitaires qu'il « cédait à chacun *d'eux* mille arpents de terre ». Malheureusement, il avait commis une simple faute d'orthographe, et les censitaires avaient lu que le seigneur Giffard leur « cédait à chacun *deux* mille arpents de terre ». La différence était considérable entre 1000 et 2000 arpents ! Il fallut 50 ans de procès pour conclure l'affaire en faveur du seigneur.

Le palais de l'intendant à Québec

Les fouilles archéologiques dans un parc du centre-ville de Québec mettent au jour un morceau de l'histoire de la Nouvelle-France : le palais de l'intendant. En 1668, cet emplacement est occupé par la brasserie de l'intendant Jean Talon et change de vocation 20 ans plus tard. Après la construction d'un quartier du palais, le bâtiment devient, en 1688, le siège de l'intendance. Un autre aménagement suit : la construction de fortifications pour contrer la menace britannique. Cette enceinte de protection demeure jusqu'à la Conquête, en 1760. Durant les siècles suivants, des habitations et des bâtiments commerciaux se côtoient sur ce site. Les derniers vestiges sont ceux de la brasserie Dow, démolie en 1970.

3 LE SITE DU PREMIER PALAIS DE L'INTENDANT.

Le site archéologique du palais de l'intendant se trouve en plein cœur de la ville de Québec, dans son arrondissement historique.

QUESTIONS

1. Quel lien existe-t-il entre l'absolutisme et le gallicanisme ?
2. Quels facteurs limitent la circulation des nouvelles idées politiques en Nouvelle-France ?
3. En 1663, quel est l'objectif du roi Louis XIV concernant sa colonie de la Nouvelle-France ?

Méthodologie

4. [Doc. 2]
   D'où vient la puissance ou le pouvoir politique du roi selon Jacques Bénigne Bossuet ?

Réflexion

5. Quelle notion liée à la question du droit divin souhaiteriez-vous approfondir ? Pourquoi ?

La religion catholique romaine en Nouvelle-France

La Nouvelle-France, selon la volonté des autorités françaises, est une colonie catholique. En conséquence, la religion y occupe une place de premier ordre. La vie religieuse est encadrée par une seule institution : l'Église catholique romaine. En principe, le pape gouverne l'Église à partir de Rome et donne ses directives à l'ensemble du clergé. Dans les faits, le pape ne décide pas de tout. En France, par exemple, où le gallicanisme s'applique, le roi a le privilège de nommer les évêques. Ainsi, quand le pape fonde le diocèse de Québec en 1674, c'est le roi Louis XIV qui nomme Mgr de Laval à la tête du diocèse. Ce dernier devient alors la plus haute autorité religieuse catholique en Amérique du Nord.

1 UNE ICÔNE DE MGR FRANÇOIS DE MONTMORENCY-LAVAL (1623-1708).

Premier évêque de la Nouvelle-France, Mgr de Laval a également fondé le Séminaire de Québec en 1663.

La religion au quotidien

En Nouvelle-France, toutes les grandes étapes de la vie d'un individu prennent une dimension religieuse : dès sa naissance l'enfant est baptisé, les mariages sont célébrés à l'église, le mourant demande pardon pour ses fautes et reçoit du prêtre l'**extrême-onction**. La vie quotidienne est aussi marquée par la religion : prière au moment des repas, messe du dimanche, cloches de l'église marquant le rythme des journées, etc. En plus de leur rôle spirituel, les communautés religieuses jouent un important rôle social en s'occupant de l'éducation, des malades et, en général, des plus démunis de la société.

Extrême-onction : Un des sept sacrements de l'Église catholique. Il est administré juste avant la mort et délivre le mourant de ses péchés.

2 LE *CATÉCHISME DU DIOCÈSE DE QUÉBEC*.

Le catéchisme est un livre destiné à l'enseignement de la doctrine religieuse de l'Église catholique. Mgr de Saint-Vallier, deuxième évêque de Québec, fait imprimer en France le premier catéchisme du diocèse de Québec en 1702. Il souhaite uniformiser la manière d'enseigner la foi catholique. En 1777, un supérieur sulpicien décide d'imprimer séparément un grand et un petit catéchisme. Le petit catéchisme est ensuite largement diffusé. Écrit sous forme de questions et de réponses, il sert aux leçons de catéchisme dans les paroisses et les écoles du Québec jusque dans les années 1950.

« **Que doit faire un chrétien tous les jours de sa vie?**

Pour vivre saintement, un chrétien doit, tous les jours de sa vie

1. En s'éveillant, le matin, faire le signe de la croix, et dire : Mon Dieu, je vous donne mon cœur ;
2. Après s'être habillé modestement, se mettre à genoux et faire la prière du matin ;
3. Entendre la messe, s'il le peut commodément ;
4. Vaquer aux occupations auxquelles son état l'appelle ;
5. Prendre ses repas avec sobriété et tempérance, ayant soin de dire le Bénédicité et les Grâces ;
6. Assister les pauvres, selon son moyen ;
7. Faire, à la fin de la journée, et en famille autant qu'il se peut, l'examen de conscience et la prière du soir. »

Source : *Le catéchisme des provinces ecclésiastiques de Québec, Montréal et Ottawa*, Québec, La librairie de l'Action catholique, 1948, p. 110.

***3 CONVERSION DES SAUVAGES* DE MARC LESCARBOT.**

L'avocat français Marc Lescarbot passe plus d'un an au Canada. À son retour à Paris, il écrit, entre autres ouvrages, *Histoire de la Nouvelle-France* (1609), puis, *Conversion des Sauvages qui ont été baptisés en la Nouvelle-France* (1610).

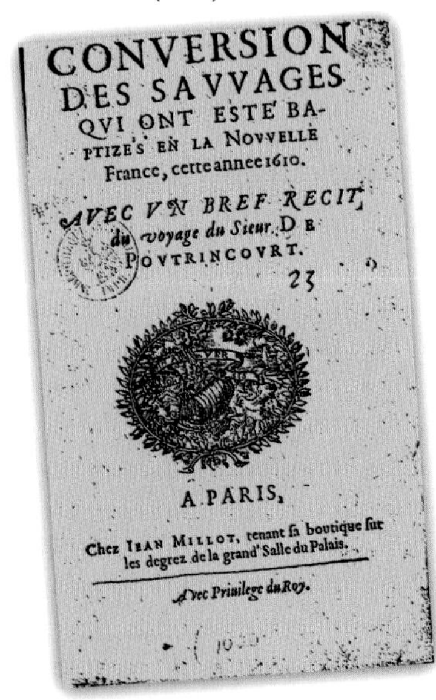

CONVERSION DES SAVVAGES QVI ONT ESTÉ BAPTIZÉS EN LA NOVVELLE France, cette annee 1610.

AVEC VN BREF RECIT du voyage du Sieur D E POVTRINCOVRT.

A PARIS,

Chez IEAN MILLOT, tenant sa boutique sur les degrez de la grand' Salle du Palais.

Avec Privilege du Roy.

4 LES ARTS AU SERVICE DE LA VIE RELIGIEUSE.

Cette peinture intitulée *L'ange gardien* est l'œuvre d'un récollet, le frère Luc (1614-1685), né Claude François. À la fois peintre et architecte, il reçoit le titre de « peintre du roi », sous Louis XIV, et travaille deux ans à la décoration du Louvre. Durant son séjour en Nouvelle-France, de 1670 à 1671, il peint plusieurs toiles pour les églises de la colonie.

Claude François (frère Luc), *L'ange gardien* (détail), 1671.

La religion et la culture

La religion imprègne la vie culturelle de la Nouvelle-France. Les artistes sont bien souvent au service de l'Église et de la vie religieuse : musique des cérémonies religieuses, sculptures de personnages saints, de Jésus ou de la Vierge, tableaux d'églises représentant des scènes de la Bible, etc. Par contre, l'Église empêche parfois la colonie d'avoir une vie culturelle plus diversifiée. Ainsi, en 1694, Mgr de Saint-Vallier s'oppose à la présentation de *Tartuffe*, une pièce de Molière. Cette œuvre, que le gouverneur Frontenac souhaite présenter, est perçue par l'évêque comme une attaque contre la religion catholique. La production littéraire dans la colonie est, quant à elle, très restreinte. Une bonne partie des œuvres littéraires proviennent de religieux et de religieuses. À ce titre, la correspondance de l'ursuline Marie de l'Incarnation et les *Relations* des Jésuites sont des documents essentiels pour ceux qui s'intéressent aux débuts de l'aventure française en Amérique.

Des protestants en terre catholique

Officiellement, l'entrée en Nouvelle-France est interdite aux **protestants**. Dans les faits, les autorités civiles les tolèrent et ne contrôlent pas systématiquement leurs allées et venues, malgré les plaintes répétées des autorités religieuses catholiques. À la fin du Régime français, on estime à environ 2000 le nombre de protestants ayant séjourné dans la colonie. La Conquête de 1760 leur redonne leur liberté religieuse, la Grande-Bretagne étant un pays protestant.

Protestants : Chrétiens appartenant à l'un ou l'autre des multiples groupes issus de ce qu'on appelle la « Réforme », et qui est en fait une série de scissions au sein de l'Église catholique. Les protestants rejettent l'autorité du pape.

5 DES PLAINTES DU CLERGÉ DE LA NOUVELLE-FRANCE.

Dans l'extrait suivant, l'intendant François Bigot s'adresse au ministre de la Marine.

« Monsieur l'évêque a voulu m'engager à avoir l'honneur de vous représenter comment il est préjudiciable à la colonie de souffrir que des protestants viennent y faire le commerce. Il m'a allégué là-dessus plusieurs raisons que j'ai combattues ; entres autres que ces gens inspiraient des sentiments au peuple contraires à notre religion [...]. M. l'évêque et M. le Gouverneur de la Jonquière m'ont chargé de vous demander un ordre du roi par lequel il fut défendu à tout protestant de passer en Nouvelle-France. J'ai répondu à ces messieurs que je n'étais point du tout de cet avis, que ce zèle pour la religion paraissait un peu outré [...] J'espère que vous jugerez que ce serait diminuer le commerce et l'abondance dans la colonie que d'accorder cette demande et que leur séjour ici ne peut faire aucun tort. »

Source : François BIGOT, Lettre au ministre, 3 octobre 1749.

QUESTIONS

1. Quel rapport existe-t-il entre la religion et la vie culturelle dans la colonie ?
2. Pourquoi l'Église catholique s'oppose-t-elle à la présence de protestants dans la colonie ?

Méthodologie

3. [Doc. 2]
   À quoi doit servir le catéchisme écrit par Mgr de Saint-Vallier ?
4. [Doc. 4]
   En quoi cette toile est-elle représentative du patrimoine culturel de cette époque ?

1 LA LANGUE FRANÇAISE.

La langue française s'est imposée rapidement comme seule langue d'usage dans la colonie. Elle a pris certains traits particuliers liés au contexte du pays. Ces particularités sont encore présentes aujourd'hui. Jean-Baptiste d'Aleyrac, un officier français qui a vécu dans la colonie de 1755 à 1760, décrit la langue des Canadiens à la fin du Régime français.

« Il n'y a pas de patois dans ce pays. Tous les Canadiens parlent un français pareil au nôtre. Hormis quelques mots qui leur sont particuliers, empruntés d'ordinaire au langage des matelots, comme amarrer pour attacher, hâler pour tirer non seulement une corde mais quelque autre chose. Ils en ont forgé quelques-uns comme une tuque ou une fourole pour dire un bonnet de laine rouge (dont ils se servent couramment). Ils disent une poche pour un sac, un mantelet pour un casaquin sans pli (habillement ordinaire des femmes et des filles), une rafale pour un coup de vent, de pluie ou de neige; tanné au lieu d'ennuyé, chômer pour ne manquer de rien; la relevée pour l'après-midi; chance pour bonheur; miette pour moment; paré pour prêt à. L'expression la plus ordinaire est: de valeur, pour signifier qu'une chose est pénible à faire ou trop fâcheuse. »

Source: Jean-Baptiste d'ALEYRAC, *Aventures militaires au XVIIIe siècle d'après les mémoires de Jean-Baptiste d'Aleyrac*, publ. par Charles Coste, Paris, Éd. Berger-Levrault, 1935.

De Français à Canadiens

Le contexte dans lequel se développe la Nouvelle-France marque profondément le visage de la nouvelle société française en Amérique du Nord. Cette société prend rapidement des traits différents de ceux de la métropole: les Français deviennent des Canadiens.

L'aide des autochtones et l'adaptation des Canadiens

À cause des rigueurs du climat et de l'immensité du territoire, les Français n'auraient probablement pas réussi à s'établir de façon permanente en Amérique sans l'aide des autochtones. C'est grâce à eux que les Français apprennent à se déplacer en canot d'écorce sur les lacs et les rivières, ou en raquette sur la neige, et à se vêtir adéquatement. Au fil du temps, ils deviennent moins dépendants des autochtones. Les Français ont leurs habitudes alimentaires, leur manière de bâtir des maisons et tout un bagage culturel qu'ils adaptent aux conditions locales.

Peu à peu, les habitants commencent à se définir non plus comme des Français, mais comme des Canadiens. L'usage de la langue française est généralisé en Nouvelle-France, ce qui n'est pas le cas à cette époque dans toutes les régions de la France. L'éloignement de la France, les conditions de vie et la rigueur du climat sont des facteurs qui accentuent les différences entre la manière dont vivent les habitants de la colonie et ceux de la métropole. Les envoyés du roi et les visiteurs qui séjournent dans la colonie le remarquent d'ailleurs à peu près tous: les Canadiens ne sont plus des Français.

L'esprit d'indépendance des Canadiens

Un des traits culturels qui semble distinguer les Canadiens est leur relative indépendance par rapport aux autorités civiles et religieuses. À diverses occasions, on voit des individus qui tentent de résister aux autorités, par exemple en refusant de payer la dîme. Il ne faut cependant pas exagérer ce trait, car, globalement, les Canadiens respectent les autorités civiles et religieuses, et les manifestations importantes ou organisées de mécontentement sont plutôt rares durant toute la période du Régime français.

UNE MAISON CANADIENNE D'INSPIRATION NORMANDE.

La maison canadienne, d'inspiration normande, est adaptée au climat du Québec. Son orientation lui permet d'être éclairée et réchauffée par le soleil, tandis que sa toiture pointue permet à la neige de glisser. Dans un environnement rural, les autres bâtiments comme la grange et l'étable sont disposés de façon à protéger la maison du vent froid.

UNE FAMILLE DE CANADIENS.

Au 18e siècle, les Canadiens nés en Nouvelle-France constituent la majorité de la population. Ils développent une culture qui leur est propre, inspirée de la métropole française et du mode de vie des Amérindiens.

Cornelius Krieghoff, *Habitants*, 1852.

DES CANADIENS TYPIQUES.

Voici comment Mgr Albert Tessier décrit les Canadiens à l'époque de la Nouvelle-France.

« On a souvent remarqué et étalé les costumes paysans de l'époque. Soulignons simplement que ceux-ci sont fabriqués par eux. Plus résistants qu'élégants, on ne craint pas de donner du ton à ces rugueux vêtements ; bien sûr, la somptueuse ceinture fléchée, la tuque de laine, bleue à Montréal, rouge à Québec et blanche à Trois-Rivières. Le costume des femmes est agrémenté de mantelets, de coiffes, de mouchoirs au col soigneusement choisis. Leur coiffure est soignée. Pour protéger leur visage exposé au soleil, plusieurs d'entre elles utilisent du jus de betterave (colorant naturel qui a l'avantage de ne rien goûter). »

Source : Mgr Albert TESSIER, cité dans *Marcel Tessier raconte... : Chroniques d'histoire, tome II*, Montréal, Éditions de l'Homme, 2004, p. 81.

QUESTIONS

1. À quelles difficultés les Français font-ils face en s'installant dans la colonie ?
2. Quelles personnes aident les Français à s'établir en Amérique et que leur apprennent-elles ?
3. Quels facteurs contribuent à creuser un fossé entre la Nouvelle-France et la France ?

Méthodologie

4. **[Doc. 3]**
   Quels indices cette peinture vous donne-t-elle sur le mode de vie des Canadiens français ?

3 Un siècle de luttes sous le Régime britannique

La Conquête et la présence britannique affectent grandement l'évolution de la culture française. Durant cette période, le libéralisme s'impose dans la colonie. De leur côté, les Canadiens luttent pour préserver leur identité. La deuxième moitié du 19e siècle, marquée par l'ultramontanisme et la présence de plus en plus marquée de l'Église catholique dans la société, voit naître un courant anticlérical. Comment l'équilibre se fera-t-il parmi toutes les forces en présence ?

Le libéralisme

La Conquête britannique survient alors que l'Occident est traversé par de nouveaux courants d'idées : c'est le siècle de la raison, le siècle des « lumières ». Si le changement d'empire apporte son lot de difficultés, il permet néanmoins la diffusion de nouvelles idées au Québec. Un courant de pensée s'impose de plus en plus dans les esprits : le **libéralisme**.

Libéralisme : Courant de pensée qui met l'accent sur la raison humaine, la liberté individuelle, l'égalité des droits, la tolérance et le progrès.

L'origine de la pensée libérale

La pensée libérale apparaît d'abord en Angleterre, principalement sous la plume du philosophe John Locke (1632-1704), l'un des fondateurs du libéralisme. D'autres philosophes, comme le baron de Montesquieu (1689-1755), en France, participe aussi à son élaboration.

Les penseurs libéraux accordent une très grande importance à l'individu. Ils affirment que chacun possède des droits que nul, pas même le roi, ne peut lui enlever. Parmi ces droits, citons le droit à la vie, à la liberté et à la propriété privée. Le libéralisme prône aussi la liberté et l'égalité des droits pour les individus, et prêche une certaine tolérance envers la diversité des opinions politiques et des croyances religieuses.

Sur le plan politique, le libéralisme débouche sur une critique de la monarchie absolue et contribue au développement du parlementarisme et des principes démocratiques.

1 LE PARLEMENT D'OTTAWA

Situé sur la Colline du Parlement à Ottawa, le Parlement du Canada est le bâtiment qui abrite le Sénat et la Chambre des communes.

FLEURY MESPLET ET LA *GAZETTE LITTÉRAIRE POUR LA VILLE ET DISTRICT DE MONTRÉAL*, 1778.

En 1778, l'imprimeur Fleury Mesplet fait paraître le premier journal unilingue français : la *Gazette littéraire pour la ville et district de Montréal,* qui deviendra plus tard le quotidien *The Gazette* de Montréal. Fleury Mesplet voue son existence à une seule cause, la liberté. C'est pour cette raison qu'on le surnomme « l'imprimeur des libertés ».

Nº. VII. (25) (1779.)

GAZETTE
LITTERAIRE,
Pour la Ville & District de MONTREAL.

MERCREDI, 17 FEVRIER.

Aux différents Auteurs du Papier périodique.

Sçavez-vous que la guerre que vous faites ne peut pas durer. Pourquoi ? parce que vous n'avez pas assez de ménagement les uns pour les autres. Les forts oppriment les foibles, & les foibles trouvent leur unique défense dans les injures. Si vous aviez plus de déférence mutuelle vous vous entretiendriez plus librement & plus poliment ; mais vous êtes toujours le poing levé, vous ne pouvez pas vous souffrir, la moindre petite faute est suivant vous tous un crime. On s'apperçoit même par vos différentes dictions que vous vous haïssez. Le Canadien curieux vient de vomir grossièrement sa bile, & celui qui quinze jours avant étoit son idole, est l'objet de son mépris. Quelle inconstance. Croyez-moi, reprenez vos sens, & combattez plus poliment, je me mettrai de la partie. LE PRUDENT.

A L'HOMME RENDU.

Est-ce bien le vrai portrait de Clarice que vous avez fait dans votre Adresse du 3 du courant ? est-il bien exact ! Si cela est vous êtes heureux, & Clarice est le Phœnix de son Sexe. Mais l'Amour que vous dites malin ne vous joueroit-il pas un tour de son métier ; qui sçait si pour vous engager il n'auroit pas jetté un voile sur les défauts de Clarice pour ne vous laisser entrevoir que ses vertus. Une fois pris par le piège le voile se leve, l'on n'apperçoit que l'ombre des vertus & la réalité des vices : nous envisageons ce qui nous flatte avec des yeux *aveugles*. Vous trouvez une beauté vive, mais cette vivacité n'est-elle jamais altérée par même les plus légers contre-temps ! vous ne vous en êtes pas encore apperçu, je le crois : vous ne la regardez que du côté avantageux. Cette douceur qui ne promet rien, qui cependant engage, n'est-elle pas feinte, ou la suite d'un caractère timide dans le temps, & qui attend l'occasion favorable de vous faire sentir la supériorité. Mais, direz-vous, je n'ai reconnu que des vertus : pourquoi supposer en elle des défauts qu'elle n'aura peut-être jamais ! Vivez donc tranquille sur un peut-être puisqu'il vous plaît. Quant à moi je suis résolu de ne pas me rendre, & je suis encore plus difficile que vous, parce que je suis INDIFFERENT.

Tome II.

A L'AMI DU CANADIEN CURIEUX.

J'ai reçu & lu votre Ecrit du 10 du courant, adressé à l'Observateur ; je n'ai pas cru devoir le rendre public, tant par ce que je dois au Public qu'à moi-même. Ne croyez pas que je donne aisément dans le faux ; je vous observe tous, & je sçais quoi penser : peut-être pensé-je pas juste, mais qu'importe, telle est mon idée. Vous qui vous dites seulement l'Ami du Canadien curieux, ne seriez-vous pas l'un & l'autre ; je pourrois me tromper. Vous croyez que le Spectateur tranquille est sous différens noms dans le Papier Périodique, vous errez : le Logographe [illegible] n'est point de lui, & la découverte, signée le *Discret* est de moi. Vous voyez que je ne vous cele rien. Le morceau que vous trouvez pillé n'est point, comme vous dites de *Desforges Maillard*, mais parodié de J. F. Guichard.

Vous avez tort de vous inquiéter de l'existence & de la réalité de l'Académie de Montréal, ceci doit vous importer peu.

Votre plainte à Apollon (suivant moi ignorant) n'est ni Prose ni Vers ; aussi j'ai mis le tout dans un petit lieu que nous appellons, en terme de l'Art, *l'oubli*. Vous devez m'avoir obligation de ma discrétion à votre égard. L'IMPRIMEUR.

A V I S

A un jeune Militaire, contenant quelques réflexions morales & critiques sur divers sujets ; par M. DE LA [illegible].

Audi, tacere, verba [illegible]

HEUREUX qui du flambeau de la saine raison
Eclaira sa jeunesse !
Le flambeau qui nous luit dans la vieille saison
N'éclaire que notre foiblesse.
Des douceurs de l'amour défendez votre cœur :
Dans l'âge fait pour la tendresse
L'habitude devient mollesse ;
Et la mollesse éternise l'erreur.
A la beauté rendez un juste hommage ;

G

LA DEVANTURE DU JOURNAL *THE GAZETTE*, À MONTRÉAL.

Le journal *The Gazette* est le plus ancien quotidien québécois. Ses bureaux sont situés sur la rue Sainte-Catherine à Montréal.

Le libéralisme dans la *Province of Quebec*

En 1764, les autorités britanniques permettent l'arrivée de l'imprimerie dans la colonie, ce qui rend possible la publication de journaux et de brochures, et favorise la diffusion des idées libérales et le développement d'une opinion publique. Les gens discutent plus librement des questions politiques, ce qui était pratiquement impossible sous le Régime français.

La bourgeoisie anglophone fraîchement débarquée, puis les loyalistes britanniques fuyant la Révolution américaine de 1776-1783, propagent tout d'abord les idées libérales. Puis celles-ci fascinent de plus en plus la bourgeoisie canadienne-française. Au nom de ces idées, des groupes réclament plus de pouvoirs politiques dans la *Province of Quebec,* ce qui entraîne des luttes, et des revendications politiques et économiques. En 1791, à la suite de demandes répétées, la Grande-Bretagne accorde finalement un Parlement au Bas-Canada.

Des députés canadiens et anglophones épris d'idées libérales perdent rapidement leurs illusions. Ils découvrent qu'en situation coloniale, la liberté parlementaire est limitée. Pendant près d'un demi-siècle, ils réclament des réformes démocratiques au gouvernement britannique, mais elles leur sont refusées pour la plupart. En 1837 et en 1838, la résistance des autorités coloniales aux demandes des parlementaires mène à une rébellion contre le gouvernement britannique.

QUESTIONS

1. Quels sont les trois droits fondamentaux sur lesquels repose le libéralisme ?
2. Quels changements la diffusion des idées libérales amène-t-elle dans *la Province of Quebec?*

Méthodologie

3. [Doc. 2]
Pour quelle raison surnomme-t-on Fleury Mesplet « l'imprimeur des libertés » ?

Réflexion

4. Exprimez en quelques mots ce que vous avez compris du libéralisme.

Les débuts du nationalisme

Conciliation : Recherche d'un accord entre deux parties.

Nationalisme : Courant de pensée qui vise à promouvoir ou à défendre une nation.

En 1763, les Canadiens craignent pour leur avenir. Citoyens d'expression française et de confession catholique, ils se retrouvent sujets d'une puissance dont les représentants s'expriment en anglais et sont de confession protestante. La Grande-Bretagne fait certes quelques gestes de **conciliation** envers les Canadiens, en les autorisant à pratiquer leur religion et en maintenant les lois civiles françaises, mais les nouveaux sujets britanniques perdent le contrôle des rouages de la vie économique, de même que celui de leurs institutions politiques, à moins qu'ils ne consentent à renoncer à leur foi. De plus, plusieurs marchands britanniques, députés ou bureaucrates de l'administration coloniale ne cachent pas leur mépris et leur volonté d'assimiler les Canadiens.

Saviez-vous que...

L'expression populaire « ça prend pas la tête à Papineau » fait allusion à l'intelligence remarquable de Louis-Joseph Papineau.

L'éveil d'une conscience nationale

À la fin du Régime français, les habitants de la Nouvelle-France se percevaient déjà comme une nation, sentiment qui se reflète dans leur choix de se dire Canadiens. Cette conscience identitaire les amène à vouloir préserver leur culture, en fait, à protéger tout ce qui les définit comme Canadiens. Un **nationalisme** canadien commence à prendre racine.

Un nationalisme naissant

Au début du 19e siècle, le nationalisme prend une forme très politique. Il est défendu essentiellement par les députés du Parti canadien, le futur Parti patriote, qui réunit des francophones et quelques anglophones épris d'idées libérales. À la fin des années 1830, ils comprennent qu'il leur sera impossible d'atteindre leur objectif. L'idée que le Bas-Canada doit obtenir son indépendance fait de plus en plus d'adeptes. La prise des armes par les patriotes en 1837 et en 1838 vise donc à défendre des idées tant libérales, démocratiques que nationalistes.

1 LOUIS-JOSEPH PAPINEAU ET LES RÉBELLIONS DE 1837-1838.

Les rébellions de 1837-1838 sont perçues comme un moment déterminant dans l'histoire du Canada français. Ainsi, une station de métro, décorée d'un mur peint à la mémoire des patriotes, porte le nom de Papineau.

George Juhasz, *Patriotes de 1837-1838*, année inconnue.

Un nationalisme culturel

Avant 1840, le clergé catholique combat les idées libérales et nationalistes. Il condamne même la rébellion des patriotes et montre une grande loyauté envers la Couronne britannique. Les rébellions sont brutalement réprimées et l'Acte d'Union, qui s'ensuit en 1840, laisse présager l'assimilation des francophones. L'Église, qui désapprouve l'Union, reprend alors le flambeau nationaliste en le dépouillant toutefois de son aspect politique. Dorénavant, le clergé se fait le porte-parole de la nation canadienne-française et veille à mettre en valeur ses caractéristiques culturelles: la langue française et la foi catholique. Le nationalisme prend donc un aspect culturel plutôt que politique.

Une vie culturelle plus riche

Au milieu du 19e siècle, l'éveil d'une conscience nationale s'accompagne d'un développement culturel. En 1834, le journaliste Ludger Duvernay fonde une organisation patriotique, la Société Saint-Jean-Baptiste, pour la défense de la langue française. La production littéraire en langue française connaît de timides débuts en 1837 avec la parution du roman *L'influence d'un livre* de Philippe Aubert de Gaspé, fils. Puis, en 1863, c'est au tour de Philippe Aubert de Gaspé, père, de publier un roman, *Les anciens Canadiens*. L'écrivain et poète François-Xavier Garneau fait œuvre d'historien en publiant, de 1845 à 1852, les trois volumes de son *Histoire du Canada depuis sa découverte jusqu'à nos jours.*

L'immigration et la culture

L'immigration en provenance des îles Britanniques, peu abondante au lendemain de la Conquête, s'accélère après 1815. Les nouveaux arrivants apportent avec eux une culture riche et dynamique, qui s'exprime à travers les journaux, les arts, les associations culturelles, politiques ou scientifiques. Dès 1821, une université est créée à Montréal, l'Université McGill. En 1835, Montréal devient même majoritairement anglophone.

TÉMOINS DE L'HISTOIRE

FRANCES BROOKE

Née en Grande-Bretagne, Frances Brooke réside au Canada de 1763 à 1768 afin d'y rejoindre son mari, alors ministre anglican des troupes britanniques à Québec. Elle s'inspire de son expérience pour publier *The history of Emily Montague (L'histoire d'Emily Montague)* en 1769, le premier roman dont l'action se déroule au Canada. Ce roman, composé de 235 lettres fictives rédigées par plusieurs personnages, raconte une histoire d'amour entre une femme et un officier britannique à la retraite. Dans le roman de Frances Brooke se trouve également une description des coutumes des habitants du Canada.

À son retour à Londres, Frances Brooke poursuit sa carrière d'écrivaine et de traductrice. Elle est considérée comme une figure importante de la scène littéraire londonienne de la fin du 18e siècle et devient l'une des premières femmes à vivre de sa plume.

2 FRANCES BROOKE (1724-1789).

Frances Brooke est considérée comme l'auteure du premier roman canadien.

Catherine Read, *Frances Brooke*, vers 1771.

3 *LES ANCIENS CANADIENS.*

Ce roman de Philippe Aubert de Gaspé, père, mélange les faits historiques aux légendes pour tracer un portrait de la vie au Canada français à la fin du 18e siècle et au début du siècle suivant.

« Après des privations bien cruelles pendant l'espace de sept longues années, la paix, le bonheur même commençaient à renaître dans l'âme de toute la famille d'Haberville. Il est vrai qu'une maison d'assez humble apparence avait remplacé le vaste et opulent manoir que cette famille occupait avant la Conquête; mais c'était un palais, comparé au moulin à farine qu'elle venait de quitter depuis le printemps. Les d'Haberville avaient pourtant moins souffert que bien d'autres dans leur position; aimés et respectés de leurs censitaires, ils n'avaient jamais été exposés aux humiliations dont le vulgaire se plaît à abreuver ses supérieurs dans la détresse. »

Source : Philippe AUBERT DE GASPÉ père, *Les anciens Canadiens,* Ottawa, Beauchemin, 1899, p. 280.

QUESTIONS

1. Quelle attitude certains membres de la bourgeoisie britannique établis à Montréal affichent-ils envers les Canadiens français ?
2. Quel événement politique marque le passage du nationalisme politique au nationalisme culturel ?
3. Qu'ont en commun Philippe Aubert de Gaspé père et François-Xavier Garneau ?

Saviez-vous que...

La municipalité de Piopolis, près du lac Mégantic, en Estrie, est nommée ainsi en l'honneur du pape Pie IX et parce qu'en 1871, une dizaine de zouaves pontificaux revenus d'Italie s'y installent. Le nom est d'abord donné uniquement à une paroisse, puis, en 1958, à la municipalité.

L'ultramontanisme

Au 19e siècle, la religion catholique influence profondément toute la société canadienne-française. Pourtant, dès le début du siècle, le clergé sent sa position menacée par la diffusion des idées libérales. Certains chefs religieux canadiens-français décident d'agir, convaincus qu'une réaction énergique s'impose. Cette réaction prendra la forme d'un courant de pensée intransigeant : l'ultramontanisme.

Les ultramontains recommandent l'obéissance absolue du clergé envers le pape ainsi que la soumission du pouvoir politique au pouvoir religieux. L'ultramontanisme ne fait pas l'unanimité dans le clergé, mais il joue un rôle majeur dans la redéfinition de la place de l'Église dans la société québécoise après 1840. Le terme « ultramontanisme » signifie « au-delà des monts ». Il est d'abord utilisé en France pour faire référence à l'autorité du pape. Il désigne un courant de pensée au sein de l'Église catholique qui combat le gallicanisme, terme qui vient du mot « gaulois » et qui renvoie à l'autonomie française. Les gallicans revendiquent une certaine autonomie par rapport à l'autorité du pape. Les ultramontains, au contraire, exigent une soumission à cette autorité.

UN SOLDAT CANADIEN-FRANÇAIS DU RÉGIMENT DES ZOUAVES PONTIFICAUX.

En 1861, la campagne militaire pour l'unification de l'Italie menace l'existence des États pontificaux. Au Québec, Mgr Bourget recrute des volontaires pour joindre les rangs des zouaves pontificaux, les soldats qui défendent le pape. En 1868, 135 Canadiens français s'enrôlent et reviennent d'Italie 3 ans plus tard.

La religion comme programme politique

Les ultramontains sont convaincus que l'État doit être soumis aux volontés de l'Église. Les libéraux, quant à eux, réclament plutôt l'autonomie du pouvoir politique, c'est-à-dire la séparation de l'Église et de l'État. En 1864, le pape Pie IX condamne le libéralisme dans l'encyclique *Quanta Cura*, accompagnée du *Syllabus Errorum*, une liste des « erreurs modernes » où figure l'idée de séparation de l'Église et de l'État. Les ultramontains imposent leur vision du monde en intervenant dans les débats politiques. Ils invitent les électeurs à voter pour les candidats conservateurs partisans des idées ultramontaines, au détriment des candidats libéraux. Au sein de l'Église, cette façon de faire ne plaît pas à tous. Par exemple, l'archevêque de Québec, Mgr Elzéar-Alexandre Taschereau, s'oppose fermement aux ultramontains. Il aborde avec modération les débats sur le libéralisme, sur l'influence du clergé en politique et sur les relations entre l'Église et l'État.

2 LE *PROGRAMME CATHOLIQUE* DE 1871.

En vue des élections provinciales de 1871, des ultramontains publient à l'intention des électeurs un texte intitulé *Programme catholique*, dans lequel est établi la position de l'Église par rapport aux candidats. Le *Programme* reçoit l'appui des Mgrs Ignace Bourget et Louis-François Richer Laflèche, respectivement évêques des diocèses de Montréal et de Trois-Rivières.

« Il est impossible de le nier, la politique se relie étroitement à la religion, et la séparation de l'Église et de l'État est une doctrine absurde et impie. [...] L'adhésion pleine et entière aux doctrines catholiques romaines en religion, en politique et en économie sociale, doit être la première et la principale qualification que les électeurs catholiques devront exiger du candidat catholique. [...] Dans la situation politique de notre pays, le Parti conservateur étant le seul qui offre des garanties sérieuses aux intérêts religieux, nous regardons comme un devoir d'appuyer loyalement les hommes placés à sa tête. »

Source : *Le journal des Trois-Rivières*, 20 avril 1871.

HÉRITAGE DU PASSÉ

La cathédrale Marie-Reine-du-Monde

Située à l'angle du boulevard René-Lévesque et de la rue Mansfield, à Montréal, la cathédrale Marie-Reine-du-Monde est aujourd'hui la troisième église en importance au Québec et le siège de l'archidiocèse de Montréal.

Un grand incendie, en 1852, a détruit la cathédrale Saint-Jacques-le-Majeur, située à l'angle des rues Sainte-Catherine et Saint-Denis. Mgr Ignace Bourget, alors évêque de Montréal, décide de la reconstruire plus à l'ouest, en plein cœur d'un quartier riche et protestant. Après d'interminables discussions et de longs préparatifs, la construction débute en 1870. Par manque de fonds, les travaux s'échelonnent sur environ 20 ans. La nouvelle cathédrale est finalement inaugurée le jour de Pâques, en 1894. En 1919, le pape Benoît XV consacre la cathédrale basilique sous le nom de cathédrale Saint-Jacques. En 1955, à la demande du cardinal Paul-Émile Léger, le pape Pie XII accepte un changement de nom et consacre la cathédrale à Marie, Reine du Monde. En 2006, le gouvernement canadien la proclame lieu historique national du Canada. La façade de la cathédrale est ornée des statues des 12 apôtres, ainsi que des saints patrons de 13 paroisses montréalaises. À l'intérieur, des tableaux illustrent des épisodes de l'histoire de Montréal.

3 LA CATHÉDRALE MARIE-REINE-DU-MONDE ET SAINT-JACQUES-LE-MAJEUR DE MONTRÉAL.

L'héritage de l'Église catholique est bien présent dans le paysage architectural québécois. Mgr Bourget fait construire, à partir de 1870, une réplique de la basilique Saint-Pierre de Rome : la cathédrale Marie-Reine-du-Monde et Saint-Jacques-le-Majeur.

L'œuvre de Mgr Bourget

En 1840, Ignace Bourget devient évêque du diocèse de Montréal. Pendant près de 40 ans, il s'impose comme le principal chef de file de l'ultramontanisme. Mgr Bourget constate que le clergé manque d'effectif pour accomplir correctement sa mission. Il s'empresse donc de faire former de nouveaux prêtres qui pourront prendre en charge les paroisses. Il déploie aussi de grands efforts pour ramener de France des ordres religieux qui viendront prêter main-forte au clergé local. Les communautés religieuses s'occupent notamment des hôpitaux et des œuvres de charité. De plus, convaincue qu'une société véritablement catholique se forme sur les bancs d'école, l'Église fait de l'éducation l'une de ses principales préoccupations. Pour répandre les idées ultramontaines et faire échec à l'influence des journaux libéraux, Mgr Bourget lance un journal catholique, *Mélanges religieux* (1841-1852), puis, en 1867, il reprend le combat, cette fois en publiant *Nouveau Monde*, pendant près d'un quart de siècle.

QUESTIONS

1. Que fait le chef de file des ultramontains, Mgr Bourget, pour renforcer la place de l'Église dans la société ?

Méthodologie

2. **[Doc. 2]**
D'après le *Programme catholique*, sur quel critère un électeur catholique doit-il baser son vote ?

Réflexion

3. Que pouvez-vous faire pour comprendre l'emprise de l'ultramontanisme sur la société canadienne de la deuxième moitié du 19e siècle ?

Les « rouges » et l'anticléricalisme

En 1844, de jeunes libéraux de la région de Montréal fondent l'Institut canadien, un lieu d'échanges sur les questions politiques, littéraires et scientifiques. Plusieurs des animateurs de l'Institut sont des libéraux radicaux, héritiers de Louis-Joseph Papineau. Ils n'acceptent pas l'union du Haut-Canada et du Bas-Canada de 1840 et luttent en faveur d'un régime plus démocratique. Pour promouvoir leurs idées, ils fondent des journaux comme *L'Avenir* (1847) et *Le Pays* (1852). En 1848, ils créent un parti, le Parti démocratique ou Parti rouge.

1 L'INSTITUT CANADIEN DE QUÉBEC, FONDÉ EN 1848.

Après la création de l'Institut canadien de Montréal, des instituts semblables sont fondés dans plusieurs villes du Québec. L'Institut canadien de Québec, contrairement à celui de Montréal, accepte de se conformer aux demandes du clergé concernant les livres de la bibliothèque mis à la disposition de ses membres. Un comité de censure s'assure que les livres de l'Institut sont conformes « aux règles de la morale et de la foi ».

Augustus Kollner, *Parliament House* [L'Institut canadien au Parlement], 1848.

Rapidement, l'Institut canadien adopte une attitude qui ne plaît pas au clergé catholique. L'Institut possède une bibliothèque qui compte plusieurs livres jugés dangereux et mis à l'**Index** par l'Église. De plus, les « rouges », comme on les appelle désormais, sont anticléricaux : ils s'opposent fermement à l'intervention des membres du clergé dans les affaires politiques et ils réclament la séparation complète de l'Église et de l'État.

Le clergé, en particulier l'évêque ultramontain de Montréal, Mgr Bourget, s'engage alors dans une lutte féroce contre l'Institut canadien, sa bibliothèque, certains de ses membres les plus en vue et leurs journaux. La lutte entre « rouges » et ultramontains s'étalera sur un quart de siècle et atteindra son apogée avec l'affaire Guibord.

Index : Liste des livres interdits par l'Église catholique romaine consignée dans l'*Index librorum prohibitorum*.

TÉMOINS DE L'HISTOIRE

ÉTIENNE PARENT

Étienne Parent est reconnu comme une figure importante de l'élite politique et intellectuelle francophone au 19e siècle. Né à Beauport en 1802, aîné d'une famille de cultivateurs, il étudie au collège de Nicolet et au Séminaire de Québec avant de collaborer au journal *Le Canadien* en 1822, tout en poursuivant des études en droit. Dans ses articles, il milite contre le projet d'unir les deux Canadas. De 1833 à 1835, il est directeur de la bibliothèque de l'Assemblée nationale, qu'il souhaite rendre accessible à tous les citoyens.

En 1837, le climat politique est bouillonnant, et les résolutions de Russell anéantissent les espoirs des patriotes du Bas-Canada. Déçu, le défenseur de la liberté des Canadiens français écrit dans son journal : « Le vaisseau de nos libertés a été jeté sur les récifs de l'arbitraire britannique, et les débris sont épars sur la plage. » Toutefois, bien qu'il appuie les 92 Résolutions des patriotes, Étienne Parent s'oppose à Louis Joseph Papineau en se prononçant contre la rébellion armée.

Pacifiste, ce père de cinq enfants, à la fois journaliste, essayiste, député et maître de conférences publiques, soutient l'idée d'un nationalisme culturel démocratique. Patriotique jusqu'à sa mort à Ottawa en 1874, il influence la pensée politique libérale de la fin du 19e siècle.

ÉTIENNE PARENT (1802-1874).

Étienne Parent est détenu à l'hiver 1838 avec d'autres patriotes à la prison de Québec.

L'affaire Guibord

À plusieurs reprises, l'Église catholique met en garde les membres de l'Institut canadien contre «les livres et les journaux contraires à la foi et la morale» et menace de leur refuser les sacrements et l'inhumation dans un cimetière catholique s'ils ne démissionnent pas. En 1869, Mgr Bourget frappe un grand coup dont l'Institut canadien ne se relève pas: il obtient de Rome la mise à l'Index du catalogue des livres de la bibliothèque de l'Institut. Quelques mois plus tard, un membre de l'Institut, l'imprimeur Joseph Guibord, meurt. **Excommunié** pour son refus de démissionner, il ne peut donc être enterré dans un cimetière catholique. Au terme d'une longue saga judiciaire, les tribunaux donnent raison à la famille Guibord: le corps sera inhumé au cimetière Côte-des-Neiges. Mais Mgr Bourget trouve une façon d'annuler la décision de la Cour: il fait en sorte d'abolir le caractère sacré de la parcelle de terre où est enterré Joseph Guibord.

Avec le temps, faute d'appui populaire, le libéralisme radical des «rouges» s'éteint au profit d'un courant libéral plus modéré, représenté par Wilfrid Laurier. Leurs adversaires ultramontains connaîtront éventuellement le même sort, et un courant clérical moins intransigeant s'établira. À partir de la fin du 19e siècle, malgré des tensions toujours présentes, le clergé et les politiciens trouveront leur compte dans une attitude de compromis plutôt que d'affrontement.

3 L'INHUMATION DE JOSEPH GUIBORD AU CIMETIÈRE CÔTE-DES-NEIGES, EN 1875.

La question de l'inhumation du corps de Joseph Guibord, en 1869, donne lieu à une bataille vigoureuse entre l'évêque de Montréal, Mgr Bourget, et l'Institut canadien.

Henri Julien, *L'enterrement de Joseph Guibord*, 1875.

Le développement de l'instruction publique

Dès les débuts de la colonie, l'éducation est le monopole de l'Église catholique. À l'aube du 19e siècle, la majorité de la population est non scolarisée. Un des principaux freins au développement d'un réseau scolaire est le caractère rural de la société et donc l'éparpillement de la population sur un vaste territoire. L'implantation d'écoles de paroisses sous l'autorité des curés, en 1824, a peu d'effets, car la majorité des paroisses n'ont pas les ressources financières nécessaires pour entretenir une école. En 1829, une loi instaure la création de commissions scolaires laïques. L'Église réagit en déployant diverses stratégies pour maintenir sa chasse gardée.

Parvenue à s'imposer, l'Église supervise, en 1840, l'ensemble de la vie sociale des Canadiens. Son pouvoir sur l'éducation est de nouveau acquis. Une nouvelle loi confirme, en 1841, les commissions scolaires dans leur rôle de gestionnaires des écoles et confie au clergé la responsabilité d'élaborer le programme d'enseignement. Ce programme scolaire, dans lequel l'étude du catéchisme occupe une place prépondérante, se résume alors à l'apprentissage de la lecture, de l'écriture, de quelques notions de géographie et de rudiments d'arithmétique. Pour asseoir encore davantage sa domination, le clergé catholique s'impose dans le corps professoral. Déjà, dans la seconde moitié du 19e siècle, 88 % des hommes qui exercent la profession de maître d'école sont des clercs de l'Église. Par ailleurs, le clergé veille au choix des valeurs véhiculées à l'école en sélectionnant les manuels scolaires, voire en les rédigeant lui-même.

Excommunier : Action d'exclure une personne de l'Église catholique.

QUESTIONS

1. Quelle menace l'Église catholique fait-elle peser sur les membres de l'Institut ?

Méthodologie

2. [Doc. 1]
Comment l'Institut canadien de Québec s'assure-t-il que les livres de sa bibliothèque sont conformes aux règles de la morale et de la foi ?

Réflexion

3. En quoi la victoire du clergé sur les « rouges » vous aide-t-elle à comprendre l'emprise du clergé sur la société ?

4 Les trajectoires des idées et de la culture depuis 1867

Les premières décennies de la nouvelle fédération canadienne sont marquées par une philosophie de conciliation et de cohabitation. Un peu plus tard, des changements s'amorcent et donnent lieu à un éclatement culturel dont les effets se font sentir encore aujourd'hui. Comment, au fil du temps, ces mouvements de pensée ont-ils influencé le paysage culturel québécois ? Comment les idées actuelles cohabitent-elles avec celles héritées du passé ?

Impérialiste : Au Canada, partisan du maintien ou du renforcement du lien impérial.

Le nationalisme et l'impérialisme au Canada anglais

En 1867, le Dominion du Canada devient un pays partiellement indépendant : autonome pour ses affaires internes, mais toujours soumis à l'Empire britannique pour ses affaires externes. La plupart des anglophones du Canada conservent un très fort sentiment d'appartenance identitaire à l'Empire britannique. La conviction d'être des Canadiens à part entière n'apparaît que progressivement.

Au tournant du siècle, le désir d'édifier un sentiment national canadien émerge au Canada anglais. Bon nombre de personnes veulent voir le Canada s'affirmer davantage comme nation adulte et se distinguer des États-Unis. Paradoxalement, l'affirmation du Canada passe par le maintien de liens étroits avec l'Empire britannique, dans lequel le Canada devrait jouer un rôle plus important. Ce courant de pensée est donc à la fois nationaliste et **impérialiste**.

DES SOLDATS CANADIENS DURANT LA GUERRE DES BOERS (1899-1902).

Des soldats du Régiment royal canadien en position d'attaque contre des Boers, en Afrique du Sud.

Les guerres et l'identité canadienne

En 1899 débute la guerre des Boers. Le Royaume-Uni sollicite l'appui de ses colonies. Sous la pression d'une bonne partie de l'opinion publique canadienne-anglaise, très attachée à l'Empire, le premier ministre fédéral Wilfrid Laurier autorise l'envoi d'un premier contingent de 1000 soldats. Cette mesure, jugée timide au Canada anglais, suscite la colère chez de nombreux Canadiens français. Henri Bourassa, alors député du Parti libéral à Ottawa, démissionne de son poste en guise de protestation.

Les tensions entre partisans du maintien du lien impérial et partisans d'une plus grande indépendance du Canada se poursuivent durant des années et atteignent leur paroxysme lors de la Première Guerre mondiale avec la crise de la conscription.

Les Canadiens anglais et les Canadiens français sont divisés sur l'opportunité de participer à une guerre qui ne concerne pas directement le Canada. Après la guerre, le courant impérialiste décline au Canada anglais. La participation à la guerre a renforcé l'identité du Canada en tant que pays, mais aggrave les tensions entre francophones et anglophones.

2 LES GRANDES ÉTAPES VERS L'AUTONOMIE DU CANADA.

Pendant plus d'un siècle, une suite d'événements mène à l'autonomie du Canada et à son indépendance vis-à-vis du Royaume-Uni.

Année	Événement
1867	Création de la fédération canadienne par l'Acte de l'Amérique du Nord britannique : le Canada reste dépendant du Royaume-Uni pour ses affaires extérieures.
1919	Participation du Canada à la Société des Nations (SDN) : le Canada y siège de façon autonome.
1923	Traité du flétan : premier traité signé et négocié par le Canada avec un autre pays, sans l'intermédiaire du Royaume-Uni. Il concerne les droits de pêche du Canada et des États-Unis dans le Pacifique Nord.
1926	Conférence impériale : reconnaissance de l'égalité du Royaume-Uni et des dominions.
1931	Statut de Westminster : confirmation de l'autonomie du Canada dans ses affaires intérieures et extérieures.
1947	Loi sur la citoyenneté canadienne : les Canadiens ne sont plus des sujets britanniques, mais des citoyens canadiens.
1949	Accession de la Cour suprême du Canada au statut de la plus haute cour de justice, ce qui met fin aux appels devant le Comité judiciaire du Conseil privé de Londres.
1982	Rapatriement de la Constitution ou Loi constitutionnelle de 1982 : le Canada peut modifier seul sa constitution.

3 LE RECRUTEMENT POUR LA PREMIÈRE GUERRE MONDIALE.

Malgré les campagnes de publicité, les recrues sont moins nombreuses chez les Canadiens français que chez les anglophones.

4 UNE MANIFESTATION CONTRE LA CONSCRIPTION À MONTRÉAL, EN 1917.

Durant la Première Guerre mondiale, le recrutement s'essouffle. Le Parlement canadien vote la Loi sur le service militaire obligatoire le 24 juillet 1917. Pour protester contre cette loi, des manifestations ont lieu entre autres à Montréal et à Québec.

QUESTIONS

1. En 1867, le Canada devient un pays partiellement indépendant. Expliquez cette affirmation.
2. Quelle est l'opinion du Canada anglais au sujet du nationalisme et de l'impérialisme ?
3. Quelle attitude les Canadiens français et les Canadiens anglais ont-ils respectivement adoptée vis-à-vis de la guerre des Boers et de la Première Guerre mondiale ?

Méthodologie

4. **[Doc. 2]** Lequel de ces événements a permis au Canada d'obtenir davantage d'autonomie ? Justifiez votre réponse.

1 À LA DÉFENSE DU NATIONALISME CANADIEN.

En 1904, Henri Bourassa publie dans le journal *Le Nationaliste* un article qui décrit sa vision du nationalisme canadien.

« Notre nationalisme à nous est le nationalisme canadien [...]. Nous travaillons au développement du patriotisme canadien, qui est à nos yeux la meilleure garantie de l'existence des deux races et du respect mutuel qu'elles se doivent. Les nôtres sont les Canadiens français ; mais les Anglo-Canadiens ne sont pas des étrangers [...]. La patrie, pour nous, c'est le Canada tout entier. »

Source : Henri BOURASSA, *Le Nationaliste*, 3 avril 1904.

Le nationalisme au Canada français

Après la Confédération en 1867, les tensions s'intensifient entre les Canadiens français et les Canadiens anglais. La rébellion des Métis au Manitoba en 1870, la pendaison de leur chef Louis Riel en 1885, la question des écoles catholiques au Manitoba en 1890, en Saskatchewan en 1905 ainsi qu'en Ontario en 1912, la guerre des Boers de 1899 à 1902 et la Première Guerre mondiale de 1914 à 1918 sont autant de moments de crise qui soulignent les tensions et l'incompréhension entre francophones et anglophones.

Le nationalisme canadien d'Henri Bourassa

Au tournant du 20e siècle, Henri Bourassa devient le principal porte-parole du nationalisme canadien-français. Toutefois, pour lui, ce nationalisme est insuffisant. Il propose plutôt un nationalisme canadien. Son programme et celui du journal *Le Nationaliste* (1904-1910) se résument ainsi : autonomie du Canada envers le Royaume-Uni, autonomie des provinces dans le Canada, respect des droits des minorités et reconnaissance de l'égalité des Canadiens français et des Canadiens anglais qui forment une seule nation, la nation canadienne.

Le nationalisme traditionaliste canadien-français

Durant les années 1920 et jusque dans les années 1950, un nouveau leader nationaliste se manifeste : l'abbé Lionel Groulx. Prêtre catholique et historien, l'abbé Groulx développe un discours nationaliste davantage centré sur le Québec et qui prône les valeurs traditionnelles : famille, respect de la hiérarchie, éducation religieuse, agriculture et mode de vie rural. Toute sa vie, par le recours à l'histoire et le rappel de figures héroïques du passé comme Dollard des Ormeaux, il cherche à stimuler la fierté nationale de ses compatriotes.

Agriculturiste : En faveur d'un mouvement de pensée faisant la promotion d'un mode de vie rural.

Au début des années 1920, le Québec est majoritairement urbain et s'industrialise rapidement. Les nationalistes redoutent les effets de l'industrialisation et de l'urbanisation qui mettent en péril ce qu'ils considèrent être les fondements de la nation, soit la foi catholique, la langue française et la vie agricole en milieu rural. En ville, le clergé redoute de perdre son pouvoir, car les curés ne peuvent plus autant surveiller leurs paroissiens. Certaines femmes travaillent désormais à l'extérieur de leur foyer plutôt que de se confiner à leur rôle de mère de famille. Plusieurs emplois exigent l'exercice de la langue anglaise et les nationalistes craignent l'anglicisation rapide des citadins. De plus, la pauvreté est omniprésente dans les villes et touche surtout les francophones. En réponse à ces problèmes, plusieurs nationalistes développent un discours **agriculturiste** qui fait la promotion de la vie rurale.

UN BUSTE DE DOLLARD DES ORMEAUX.

En 1923, Alfred Laliberté a réalisé ce buste en bronze. Beaucoup d'artistes de cette époque représentaient des héros historiques ou des figures saintes.

Alfred Laliberté, *Dollard des Ormeaux*, 1923.

Le nationalisme traditionaliste canadien-français est un courant de pensée qui va au-delà de la défense des droits des Canadiens français. C'est aussi une réponse à l'inquiétude soulevée par la modernisation rapide de la société. Sur le plan politique, ce nationalisme ne visait pas l'indépendance du Québec, même si la tentation a pu exister.

TÉMOINS DE L'HISTOIRE

LIONEL GROULX

Surnommé «grain de sel» par sa famille, le futur abbé et chanoine Lionel Groulx naît près de Vaudreuil en 1878. Il fait ses études au Séminaire de Sainte-Thérèse et poursuit sa formation théologique en tant qu'étudiant et professeur au collège de Valleyfield.

Au Colisée de Québec, en 1937, il déclare: «Notre État français, nous l'aurons!» Par sa déclaration, l'abbé entend promouvoir la culture française tout en revendiquant la reconquête des droits politiques et économiques des Canadiens français. La langue, la religion catholique et le patrimoine culturel représentent ainsi les trois éléments articulant la pensée nationaliste de Lionel Groulx.

Auteur prolifique, Lionel Groulx écrit de nombreux ouvrages, dont *L'appel de la race,* en 1922, et *Notre maître, le passé,* en 1924.

3 LIONEL GROULX (1878-1967).

Prêtre, historien, professeur et homme de lettres, Lionel Groulx a été l'un des plus ardents porte-parole de l'identité nationale de la première moitié du 20e siècle.

4 LE NATIONALISME CRITIQUÉ.

Dans ce texte, Jean-Charles Harvey critique le nationalisme et ses conséquences chez les Canadiens français.

« Ce peuple que nous aimons, on l'a trop souvent nourri de mensonges. [...] On lui avait sans cesse proposé, comme moyen de progrès et de bonheur, deux grands mots vides: tradition et nationalité. À force de lui faire manger du traditionnel et du national, on a fait de lui un des groupes humains où il y a le moins de vie, le moins de désir de progrès, le plus de dégénérescence et le plus de sotte résignation. »

Source: Jean-Charles HARVEY, «Nous avons fait nos dents», *Le Jour*, 17 septembre 1938, p. 1.

5 *L'APPEL DE LA RACE,* DE LIONEL GROULX.

En 1922, sous le pseudonyme d'Alonié de Lestres, Lionel Groulx publie *L'appel de la race,* un roman à saveur nationaliste.

« Il se rappelait aussi une parole terrible du Père Fabien, un jour que tous deux discutaient le problème des mariages mixtes :

– Qui sait, avait dit le Père, avec une franchise plutôt rude, qui sait si notre ancienne noblesse canadienne n'a pas dû sa déchéance au mélange des sangs qu'elle a trop facilement accepté, trop souvent recherché? Certes, un psychologue eût trouvé le plus vif intérêt à observer leurs descendants. Ne vous paraît-il pas, mon ami, qu'il y a quelque chose de trouble, de follement anarchique, dans le passé de ces vieilles familles? Comment expliquez-vous le délire, le vertige avec lequel trop souvent les rejetons de ces nobles se sont jetés dans le déshonneur et dans la ruine? »

Source: Lionel GROULX, *L'appel de la race*, Montréal, Librairie Granger Frères, 1922, p. 64-65.

L'antinationalisme et la «bonne entente»

Au Québec, le nationalisme ne fait pas l'unanimité. Certains, comme l'abbé Arthur Maheux, souhaitent au contraire favoriser le rapprochement entre Canadiens français et Canadiens anglais grâce au mouvement de la «bonne entente». D'autres, comme le politicien et journaliste Télésphore-Damien Bouchard ou encore l'écrivain et journaliste Jean-Charles Harvey, critiquent le nationalisme de façon plus virulente. Ce dernier fonde un hebdomadaire, *Le Jour* (1936-1945), où il exprime son antinationalisme et ses valeurs libérales: la primauté de l'individu, la tolérance et le progrès. Selon lui, le nationalisme accorde trop d'importance au groupe et pas assez à l'individu, il dégénère trop souvent en haine des autres au détriment de la tolérance et il ignore l'avenir et le progrès.

QUESTIONS

1. Selon les nationalistes traditionalistes, quels sont les cadres qui assurent la survivance de la nation canadienne-française?

Méthodologie

2. [Doc. 1] Qu'apporterait le développement du nationalisme canadien selon Henri Bourassa?
3. [Doc. 4] Que critique Jean-Charles Harvey dans cet extrait?

Réflexion

4. Comparez le nationalisme de la première moitié du 20e siècle avec ce que vous connaissez du nationalisme d'aujourd'hui. Indiquez ce qui les différencie et ce qu'ils ont en commun.

1 UNE RÉSIDENCE DU MILLE CARRÉ DORÉ.

Le Mille carré doré est situé à Montréal, sur le flanc sud du mont Royal. Cette enclave, remplie de magnifiques demeures comme celle d'Herbert Samuel Holt que l'on voit sur cette photographie, est habitée par la grande bourgeoisie britannique qui s'est grandement enrichie durant le boom économique des années 1896 à 1919.

Le libéralisme économique

Au 20e siècle, en Occident, on assiste au triomphe du libéralisme économique. Le Québec ne fait pas exception. Le libéralisme économique est bien implanté dans la bourgeoisie d'affaires anglophone du Québec, mais s'impose un peu plus lentement chez les Canadiens français.

Les partisans du libéralisme

Au début du 20e siècle, le libéralisme classique est dominant. Ses partisans sont convaincus que l'État ne doit pas intervenir dans l'économie, sauf pour assurer les conditions nécessaires à son bon fonctionnement. Selon eux, le laisser-faire, le libre jeu des forces du marché, apportera le progrès et l'enrichissement général de la société. C'est ce qui se produit jusqu'à la fin des années 1920.

Les penseurs du Québec ne sont pas tous de grands défenseurs du libéralisme économique. Les gouvernements et les journaux associés aux partis politiques, ainsi que les hommes d'affaires en général, adhèrent au libéralisme économique. La plupart des leaders nationalistes y sont toutefois opposés. À cette époque, le monde des affaires est principalement contrôlé par la bourgeoisie anglophone, et les Canadiens français possèdent peu de capitaux. Aussi ces derniers cherchent-ils d'autres moyens pour assurer leur réussite économique. En 1901, Errol Bouchette, dans un essai intitulé *Emparons-nous de l'industrie*, propose que l'État québécois soutienne les entrepreneurs canadiens-français. Le gouvernement de Lomer Gouin, au pouvoir de 1905 à 1920, rejette cette proposition au nom du libéralisme économique.

TÉMOINS DE L'HISTOIRE

SIR RODOLPHE FORGET

Au début du 20e siècle, Rodolphe Forget (1861-1919) est un riche homme d'affaires canadien-français. À cette époque, il fait figure d'exception, car les anglophones dominent l'industrie et le monde des affaires. Dès l'âge de 15 ans, il commence son apprentissage en travaillant pour son oncle dans la plus importante compagnie de courtage de Montréal. L'activité hydroélectrique est alors en pleine expansion. Rodolphe Forget construit sa richesse et sa réputation en investissant dans ce secteur. Il tisse des liens avec des politiciens et des financiers influents et, rapidement, détient le monopole du marché hydroélectrique montréalais.

L'influence de Rodolphe Forget dépasse les limites de Montréal et de Québec. En effet, il participe également au développement économique de Charlevoix en y établissant un chemin de fer, une usine de pâtes et papiers et le manoir Richelieu.

2 LE VILLAGE DE SAINT-IRÉNÉE.

La villa de Rodolphe Forget est située dans le village de Saint-Irénée, dans la région de Charlevoix.

Une solution : la formule coopérative

Hormis le secteur agricole, les Canadiens français exercent peu de contrôle sur l'économie au début du 20e siècle. Pour remédier à cette situation, des Canadiens français favorisent la formule coopérative.

Une coopérative est une entreprise associative gérée à égalité par ses membres afin d'en retirer les meilleurs services et profits. L'objet des coopératives est très varié : l'épargne, le crédit ou l'assurance, l'exploitation agricole, forestière, etc.

En milieu rural, l'un des grands problèmes des Canadiens français est la difficulté d'obtenir du crédit des banques, entre autres parce qu'elles sont majoritairement concentrées en ville. Des coopératives d'épargne et de crédit sont créées dans le but de venir en aide aux Canadiens français, et en particulier à ceux qui vivent en milieu rural. Durant la crise économique des années 1930, le mouvement coopératif prend de la vigueur, appuyé par l'Église et une partie du mouvement syndical. En 1939, le père Georges-Henri Lévesque fonde le Conseil supérieur de la coopération, une association regroupant les coopératives québécoises.

3 DE LA MACHINERIE AGRICOLE.

En 1920, le Canada compte environ 12 000 tracteurs. Plusieurs agriculteurs n'ont cependant pas les moyens d'en acquérir un.

Saviez-vous que...

Au début du 21e siècle, le Québec compte plus de 3200 coopératives qui emploient près de 81 000 personnes. Leur chiffre d'affaires total est de 20 milliards de dollars.

4 UNE COOPÉRATIVE DE LIN À KAMOURASKA.

Cette coopérative de lin est créée au début de la Seconde Guerre mondiale. Le lin est très en demande, car il sert à la fabrication de sacs de toile, de sous-matelas et de tentes pour les soldats.

QUESTIONS

1. Selon les partisans du libéralisme, quel devrait être le rôle de l'État dans l'économie ?
2. Nommez une des solutions adoptées pour réduire l'infériorité économique des Canadiens français.

Méthodologie

3. [Doc. 1]
   Que suggère cette photographie au sujet des conditions de vie des habitants de ce quartier ?

Réflexion

4. Indiquez ce que vous avez appris sur les débuts du coopératisme au Québec.

La doctrine sociale de l'Église et le corporatisme

Au début des années 1930, la crise économique frappe le Québec de plein fouet, entraînant une forte remise en question du libéralisme économique. L'Église catholique participe à cette critique en réaffirmant sa vision, appelée la **doctrine sociale de l'Église**.

La doctrine sociale de l'Église est exposée dans deux textes importants : l'encyclique *Rerum novarum* (Des choses nouvelles, 1891) du pape Léon XIII et l'encyclique *Quadragesimo anno* (La quarantième année, 1931) du pape Pie XI. L'Église y dénonce à la fois l'incapacité du capitalisme à corriger ses excès et les solutions avancées par les socialistes. Elle propose donc une troisième voie entre capitalisme et socialisme : une économie plus humaine, fondée sur les principes chrétiens.

Au Québec, cette doctrine trouve un écho dans le Programme de restauration sociale de 1933 de l'École sociale populaire, un groupe de réflexion catholique et nationaliste. Ce programme inspire Paul Gouin qui fonde en 1934 un nouveau parti politique, l'Action libérale nationale. Le Programme de restauration sociale propose entre autres l'établissement d'un régime corporatiste pour résoudre les problèmes issus du capitalisme.

1 UNE SÉRIE DE BROCHURES PRODUITES PAR L'ÉCOLE SOCIALE POPULAIRE.

En 1911, l'École sociale populaire est fondée afin de répondre au désir de l'Église de mieux s'adapter au modernisme urbain.

Doctrine sociale de l'Église : Ensemble des positions de l'Église catholique sur les questions sociales et économiques.

HÉRITAGE DU PASSÉ

La basilique Sainte-Anne-de-Beaupré

Dès 1658, une chapelle dédiée à sainte Anne est érigée sur le territoire de l'actuelle municipalité de Sainte-Anne-de-Beaupré, non loin de Québec. Endommagée par la marée, cette chapelle est reconstruite plus loin du fleuve en 1661. Bâtie en bois, elle ne résiste pas à la rigueur du climat et, en 1676, une église en pierre la remplace. De nouveau en ruine en 1876, elle est rebâtie en 1878.

En 1886, le pape Léon XIII lui confère le titre de basilique mineure. En 1922, un incendie ravage l'édifice. La construction de la basilique telle que nous la connaissons aujourd'hui débute en 1923. Le cardinal Maurice Roy la consacre en 1976. De style néoroman, la basilique est décorée de 240 vitraux et de nombreuses œuvres d'art récupérées après l'incendie. Soutenue par d'imposantes colonnes, la basilique est remarquable par son clocher, lui aussi préservé de l'incendie.

2 LA BASILIQUE SAINTE-ANNE-DE-BEAUPRÉ.

Sainte-Anne-de-Beaupré est un lieu de pèlerinage depuis les débuts de la Nouvelle-France.

La promotion du corporatisme

Le corporatisme est un type d'organisation sociale, économique et politique appliqué sous différentes formes dans quelques pays européens durant les années 1930. L'objectif est de former dans chaque secteur d'activité économique, comme l'agriculture ou l'industrie, des corporations qui rassemblent patrons et ouvriers. En obligeant ces derniers à collaborer, on souhaite éviter les conflits sociaux. Le développement économique est davantage orienté vers la création d'une société plus juste. Dans l'esprit des promoteurs de cette théorie, tel l'économiste Esdras Minville, le corporatisme permettrait aux Canadiens français de reprendre la maîtrise de leur économie. Ce mouvement de pensée n'a cependant jamais vraiment été appliqué au Québec, car le libéralisme occupait une trop grande place.

DES EMPLOYÉS D'UNE MANUFACTURE.

Le corporatisme vise à établir des relations de travail basées sur la collaboration entre patrons et ouvriers.

LETTRE OUVERTE À ESDRAS MINVILLE.

Marcel Hamel adresse une lettre ouverte à l'économiste Esdras Minville à propos de la réalisation du corporatisme au Québec.

« Au Canada français, pays catholique et latin, la querelle s'est engagée autour du corporatisme. [...] Ce corporatisme est irréalisable chez nous. L'utopie n'est pas dans l'emprunt – ce qui peut s'accomplir sans la perte de notre personnalité – mais dans l'entêtement à vouloir naturaliser dans le Québec un *homo politicus* inassimilable. Les obstacles à cette concrétisation sont visibles à l'examen des pays fascistes et du nôtre. L'Italie, le Portugal et l'Autriche sont des pays libres. Le Québec est la neuvième fraction du Dominion du Canada. Eux sont maîtres de leur législation commerciale et tarifaire. Nous, nous avons abandonné au gouvernement central les facteurs vitaux de notre libération politique : commerce, immigration, défense nationale, fisc, etc. et notre gouvernement provincial ne ressemble plus [...] qu'à un vaste conseil municipal. Inutile de pousser plus loin l'analyse. »

Source : Marcel HAMEL, « Lettre ouverte à Esdras Minville », *La Nation*, 22 avril 1937, p. 3.

QUESTIONS

1. Que propose l'Église pour mettre un frein aux excès du capitalisme et aux solutions proposées par le socialisme ?
2. De quelle façon le corporatisme prévoit-il régler les conflits de travail ?

Méthodologie

3. [Doc. 4]
D'après ce document, pourquoi le corporatisme ne peut-il pas être implanté au Canada français ?

Réflexion

4. Que pourriez-vous faire pour trouver des renseignements supplémentaires sur le corporatisme ?

1 LA LOI DU CADENAS DE 1937.

La Loi du cadenas permet de fermer tout bâtiment utilisé pour propager les idées communistes et de détruire tout document imprimé faisant la promotion de telles idées.

« 1. La présente loi peut être citée sous le titre de *Loi concernant la propagande communiste.* [...]

3. Il est illégal pour toute personne qui possède ou occupe une maison dans la province de l'utiliser ou de permettre à une personne d'en faire usage pour propager le communisme ou le bolchevisme par quelque moyen que ce soit. [...]

12. Il est illégal d'imprimer, de publier de quelque façon que ce soit ou de distribuer dans la province un journal, une revue, un pamphlet, une circulaire, un document ou un écrit quelconque propageant ou tendant à propager le communisme ou le bolchevisme. »

Source : « La législation communiste dans le monde », *L'œuvre des tracts*, nº 307, Montréal, août 1939, p. 28-31.

LES CONSÉQUENCES DE LA CRISE ÉCONOMIQUE DES ANNÉES 1930.

Certains chômeurs adhèrent au socialisme dans les années 1930. Ils voient dans ce mouvement une solution de rechange au capitalisme, qu'ils tiennent responsable de leur situation difficile.

Des mouvements plus radicaux

Dans l'Europe du 19e siècle, des mouvements de pensée plus radicaux se développent en réaction aux effets néfastes de la révolution industrielle sur la classe ouvrière.

Le socialisme

Les socialistes dénoncent les inégalités sociales engendrées par le capitalisme. Pour défendre les ouvriers, ils créent des syndicats. Durant la crise économique des années 1930, les socialistes recrutent des partisans parmi les chômeurs des grandes villes. Dans leur programme, les socialistes proposent que l'État nationalise les entreprises importantes et redistribue la richesse au moyen de prestations sociales comme l'assurance-chômage, l'assurance maladie, etc. Un gouvernement socialiste élu démocratiquement devrait mener les réformes nécessaires à l'égalité sociale.

Le communisme

Il existe un courant socialiste plus radical : le communisme. Les communistes veulent abolir le capitalisme et les classes sociales. Une société communiste ne distingue pas les bourgeois des ouvriers : tous doivent participer également à la production et recevoir leur part de profits. Selon les communistes, seule une révolution peut créer cette société idéale, comme en Russie, en 1917, lors de la Révolution d'octobre.

Le socialisme et le communisme au Québec

Au Québec, les socialistes et les communistes connaissent peu de succès. Les gouvernements du Canada et du Québec réprouvent ces mouvements de pensée. Le premier ministre Maurice Duplessis les combat en permanence et, en 1937, leur impose la Loi protégeant la province contre la propagande communiste, dite « loi du cadenas ». Pour sa part, le clergé voit dans le communisme une source de désordre social. Au Canada anglais, la Cooperative Commonwealth Federation (CCF), fondée en 1932, obtient un plus grand succès en faisant élire quelques députés. Ce parti prendra même le pouvoir en Saskatchewan en 1944.

Au début des années 1960, les idées socialistes et communistes sont associées au nationalisme indépendantiste. Par exemple, la revue *Parti pris* (1963-1968) réunit des intellectuels de gauche engagés dans la cause de l'indépendance du Québec. Autre exemple, le Front de libération du Québec (FLQ), fondé en 1963, est un groupe radical de québécois qui prône la séparation du Québec. Leur but est de renverser le gouvernement du Québec, de libérer les Québécois du Canada et d'établir une société de travailleurs.

Durant les années 1970, le mouvement communiste connaît un bref regain de vie au Québec, puis disparaît presque complètement au début des années 1980.

Le fascisme en Europe

Les bouleversements économiques et sociaux de l'entre-deux-guerres entraînent la montée de mouvements fascistes dans plusieurs pays européens. Des gouvernements fascistes sont portés au pouvoir, comme ceux de Benito Mussolini en Italie dès 1922, d'Antonio de Oliveira Salazar au Portugal en 1932 et d'Adolph Hitler en Allemagne en 1933.

Le fascisme est une idéologie fondée sur la haine du libéralisme, de la démocratie et du communisme. Les fascistes manifestent souvent un nationalisme agressif et font la promotion de la guerre. De plus, l'idéologie fasciste est généralement imprégnée de racisme et d'hostilité. S'appuyant souvent sur un chef **charismatique**, un régime fasciste cherche à installer une **dictature** sous prétexte de mener la nation vers la gloire. Il supprime les libertés individuelles et réprime toute opposition.

BENITO MUSSOLINI (1883-1945).

Chef charismatique, Benito Mussolini établit une dictature fasciste en Italie, de 1922 à 1943.

Le fascisme au Canada

En 1934, au Canada, le journaliste Adrien Arcand dirige le Parti national social chrétien, un parti fasciste. Durant sa courte existence, ce parti recrute peu de membres: de 700 à 4000 selon les années, jusqu'en 1940. Certains aspects de la pensée fasciste attirent une partie de la population, notamment des jeunes déçus par la société et méfiants à l'égard du libéralisme.

Charismatique: Qui possède une personnalité exceptionnelle exerçant un fort pouvoir d'attraction sur les individus et les foules.

Dictature: Concentration de tous les pouvoirs dans les mains d'un individu ou d'un petit groupe qui dirige sans opposition.

LE DÉTAIL D'UNE FRESQUE REPRÉSENTANT MUSSOLINI À L'ÉGLISE NOTRE-DAME-DE-LA-DÉFENSE, À MONTRÉAL.

L'artiste québécois d'origine italienne Guido Nincheri (1885-1973) est interné durant la Seconde Guerre mondiale. Peu de temps avant, il avait peint sur commande une fresque commémorant la signature des accords du Latran par Benito Mussolini en 1929.

Guido Nincheri, *Sans titre*, 1933.

QUESTIONS

1. Que dénoncent les socialistes ?
2. Comment réagissent les gouvernements du Canada et du Québec face aux socialistes et aux communistes ?
3. Y a-t-il eu un parti fasciste au Canada ? Si oui, en quelle année ?

Méthodologie

4. [Doc. 1]
   Résumez en quoi consiste « la Loi du cadenas ».

1 UN TAILLEUR FÉMININ AU DÉBUT DU 20e SIÈCLE.

À la fin du 19e siècle, les femmes s'inspirent de plus en plus de la mode masculine. Pour celles qui sont sur le marché du travail, le tailleur est un vêtement à la fois pratique et élégant.

Le féminisme

En 1893 apparaît la première association féminine : la Montreal Local Council for Women. En 1907, les femmes francophones et catholiques s'en détachent et fondent la Fédération nationale Saint-Jean-Baptiste. Ces associations cherchent à améliorer la situation des femmes et des mères de famille, et, par extension, celle de toute la société. Elles s'intéressent d'abord aux questions d'hygiène et de santé publique qui touchent de près les familles : bains publics, pasteurisation du lait et salubrité de l'eau.

Jusqu'aux années 1950, les femmes impliquées dans les mouvements féministes sont surtout issues de la classe bourgeoise. Outre les questions de santé publique, elles revendiquent l'égalité des droits avec les hommes. Leurs revendications sont nombreuses, mais les gains restent limités. À cette époque, les femmes sont à peu près exclues de la vie publique. Les seuls postes importants où elles peuvent faire valoir leurs talents se trouvent dans les communautés religieuses féminines.

Suffragette : Militante d'un mouvement qui réclame le droit de vote (suffrage) pour les femmes.

LES FEMMES SONT DES PERSONNES !

Ce monument nommé *Les femmes sont des personnes !* commémore un jugement de 1929 rendu en faveur de cinq d'entre elles ; ce dernier reconnaissait les femmes en tant que personnes selon l'Acte de l'Amérique du Nord britannique.

Les suffragettes

Les femmes obtiennent le droit de vote au niveau fédéral en 1918. Elles doivent cependant continuer à lutter pour obtenir ce droit sur la scène provinciale. Durant les décennies 1920 et 1930, les **suffragettes** revendiquent le droit de vote de façon répétitive. En 1940, le gouvernement d'Adélard Godbout accorde le droit de vote aux femmes, et ce, malgré l'opposition du clergé.

3 POUR LE SUFFRAGE FÉMININ.

Enseignante à l'Université McGill et candidate aux élections fédérales de 1930, Idola Saint-Jean milite en faveur du droit de vote des femmes sur la scène provinciale. Dans ce discours prononcé en 1931, elle s'adresse aux membres de l'Assemblée législative du Québec.

« En toute sincérité, Messieurs, dites-nous, est-il des questions que vos mères, vos épouses, vos filles ne peuvent pas comprendre, même si elles ont une instruction très rudimentaire ? Et dites-nous, dégagés de votre égoïsme, qui vous apporte moins de bonheur que vous semblez le croire, dites-nous si vous seriez satisfaits si, un jour, la femme se proclamait votre souverain arbitre, et se chargeait, comme vous le faites béatement depuis des siècles, de vous dicter totalement votre ligne de conduite, se constituant l'unique juge de votre destinée. Vous protesteriez à bon droit contre un tel état de choses, n'est-ce pas ? Eh bien, vous inspirant des paroles du souverain Maître, " Faites aux autres ce que vous voudriez qu'ils vous fassent. " Permettez-nous d'élire nos législateurs. »

Source : Idola SAINT-JEAN, *Pour le suffrage féminin*, 1931.

En marche vers l'égalité

Avec la Seconde Guerre mondiale, la situation des femmes change rapidement et elles investissent de plus en plus le marché du travail. Une revendication importante concerne le statut juridique des femmes mariées. Selon le Code civil du Québec de 1866, les femmes conservent après leur mariage un statut de mineures. Au fil des années, les femmes finiront par obtenir quelques améliorations de ce statut. En 1964, une réforme du Code civil instaure la véritable égalité – de droit – entre les hommes et les femmes au sein du couple.

Une autre petite révolution a lieu au début des années 1960 : la commercialisation de la pilule contraceptive permet aux femmes de décider d'avoir ou non des enfants et à quel moment. Au départ, ce moyen de contraception est difficile d'accès et le refus de la maternité demeure un sujet tabou dans la société canadienne-française.

La volonté de libération et d'émancipation des femmes augmente progressivement. Au début des années 1970 apparaît un féminisme dit « radical ». Ces femmes réclament l'égalité absolue avec les hommes. Elles dénoncent le sexisme, la pornographie et la violence faite aux femmes. Elles réclament le droit à l'avortement, qui n'est décriminalisé au Québec qu'en 1988. Traditionnellement confinées à des emplois subalternes et sous-payées, elles veulent accéder à des postes de pouvoir et réclament l'application du principe « à travail égal, salaire égal ».

Depuis les années 1980, le mouvement féministe, fort de ses victoires et de ses avancées, s'essouffle peu à peu. Toutefois, encore aujourd'hui, le féminisme reste un mouvement bien vivant, comme l'attestent la Marche des femmes contre la pauvreté « Du pain et des roses » en 1995 et le succès annuel de la Marche mondiale des femmes instaurée par la Fédération des femmes du Québec (FFQ) en 2000.

4 **LA COUVERTURE DU PREMIER NUMÉRO DE *LA VIE EN ROSE*, EN MARS 1980.**

Dans les années 1970, deux magazines, *Québécoises deboutte !* et *Les têtes de pioche* contribuent à la diffusion du féminisme au Québec. Le magazine *La vie en rose*, qui paraît de 1980 à 1987, poursuit dans la même veine en abordant des questions d'actualité sous un angle féministe.

5 ***LES FÉES ONT SOIF.***

Dans cette pièce de théâtre montée en 1978, la dramaturge Denise Boucher remet en question les modèles traditionnels féminins. La pièce met en scène trois femmes opposées à l'ordre établi. *Les fées ont soif* déclenche la colère des milieux catholiques. Elle est la dernière pièce de théâtre interdite par l'Église au 20e siècle.

> « Comment se parle, maman, la langue maternelle ? Ils ont dit qu'elle était une langue maternelle. C'était leur langue à eux. Ils l'ont structurée de façon à ce qu'elle ne transmette que leurs volontés à eux, leurs philosophies à eux. »

Source : Denise BOUCHER, *Les fées ont soif*, Montréal, Éditions de l'Hexagone, 1989 (1978), p. 77.

QUESTIONS

1. À quelle classe sociale appartiennent les premières féministes ?
2. Jusque dans les années 1950, que réclament les femmes impliquées dans les mouvements féministes ?
3. En quoi consiste le féminisme radical qui apparaît au début des années 1970 ?

Méthodologie

4. [Doc. 3]
Résumez les arguments d'Idola Saint-Jean en faveur du droit de vote des femmes.

Réflexion

5. Quelles notions concernant le féminisme avez-vous moins bien comprises ? Que pouvez-vous faire pour remédier à cette situation ?

Une culture entre tradition et modernité

Le Québec se modernise tout au long du 20e siècle, mais surtout à partir de la fin de la Seconde Guerre mondiale. L'influence de la culture de masse américaine se fait de plus en plus sentir. Modernisation et américanisme menacent la culture traditionnelle qui oppose toutefois une certaine résistance.

1 LE OUIMETOSCOPE À MONTRÉAL, EN 1906.

Le 1er janvier 1906, Léo-Ernest Ouimet ouvrait le Ouimetscope, premier cinéma permanent de Montréal.

L'américanisme et la culture de masse

Dans la première moitié du 20e siècle, l'arrivée du jazz, du cinéma, des danses comme le charleston et le swing, de nouvelles habitudes de consommation et de loisirs transforment la culture populaire urbaine. Ces nouveaux phénomènes, nés aux États-Unis, s'imposent dans la société québécoise, notamment grâce à l'apparition des médias de masse comme la radio et la télévision. Cette nouvelle culture de masse et ces divertissements font la promotion d'idées modernes, souvent ressenties comme une menace par les défenseurs des valeurs traditionnelles, telles que le clergé et les élites nationalistes.

TÉMOINS DE L'HISTOIRE

OSCAR PETERSON

Oscar Peterson est l'avant-dernier fils d'une famille antillaise émigrée à Montréal en 1919. Le futur pianiste de jazz grandit dans le quartier Saint-Henri, à Montréal.

Dans le salon familial trône l'orgue sur lequel Oscar Peterson apprend les leçons de piano classique données par sa grande sœur. Inspiré par des artistes tels que Nat King Cole, Oscar Peterson délaisse sa formation classique pour le jazz. Il se produit au Québec dans un groupe de musiciens blancs, le Johnny Holmes Orchestra. Quelques années plus tard, devant le public new-yorkais, Oscar Peterson monte pour la première fois sur la prestigieuse scène du Carnegie Hall. En 1963, alors en spectacle à San Francisco, il soutient publiquement Martin Luther King et le mouvement des droits civiques de la population noire.

En janvier 1960, Oscar Peterson fonde la Advanced School of Contemporary Music, à Toronto. Il s'investit dans l'enseignement tout en poursuivant sa carrière de pianiste. En groupe ou en solo, Oscar Peterson, l'un des musiciens les plus honorés au Canada, est aussi reconnu aux quatre coins de la planète.

2 OSCAR PETERSON (1925-2007).

Influencé par des musiciens américains, Oscar Peterson est un pianiste québécois qui a connu une carrière internationale.

Le déclin de la culture traditionnelle

Le développement de la culture de masse et des valeurs véhiculées par la société de consommation et par l'américanisme contribue au déclin de la culture traditionnelle. Celle-ci s'exprime dans des contes, des fêtes, des légendes et des chansons et diminue d'abord dans les villes, puis dans les campagnes où elle reste parfois vivante jusque dans les années 1930.

Les élites religieuses et nationalistes craignent la disparition de la culture traditionnelle et la montée des mouvements de pensée modernes qui menacent leur autorité. L'Église cherche alors à s'adapter à cette nouvelle réalité. Par exemple, à partir de 1937, l'abbé Charles-Émile Gadbois diffuse une série d'albums intitulés *La bonne chanson* qui présentent des paroles conformes aux valeurs catholiques. Pour promouvoir ses idées, l'Église accorde son appui aux journaux sympathiques à sa cause et distribue dans les écoles des livres qui font la promotion des valeurs catholiques.

Certains écrivains s'inspirent du monde rural et traditionnel. Claude-Henri Grignon publie en 1933 *Un homme et son péché*, qui raconte la vie dans un petit village des Laurentides à la fin du 19e siècle. Paradoxalement, même s'il décrit un mode de vie traditionnel, ce roman connaît un important succès populaire grâce aux médias de masse modernes. En effet, cette histoire est adaptée à la radio, à la télévision, puis au cinéma. D'autres auteurs décrivent également la vie rurale, comme Félix-Antoine Savard dans *Menaud, maître-draveur*, paru en 1937, et Germaine Guèvremont dans *Le survenant*, publié en 1945. Cette littérature dite «régionaliste» ou «du terroir» s'essouffle après la Seconde Guerre mondiale. La littérature se tourne alors vers le monde urbain et la modernité.

UNE SCULPTURE DE LOUIS JOBIN (1845-1928).

L'œuvre du sculpteur Louis Jobin témoigne de l'influence toujours présente de la religion catholique dans les arts au début du 20e siècle.

Louis Jobin, *Ange à la trompette*, 1885.

Les belles histoires des pays d'en haut, un téléroman tiré du roman *Un homme et son péché* de Claude-Henri Grignon, se déroulent à l'époque de la colonisation des Laurentides. Le curé Antoine Labelle, qui a réellement existé, est un personnage important de cette histoire. Il a été un ardent promoteur de la colonisation de cette région. En 1888, il est nommé sous-ministre de l'Agriculture et de la Colonisation.

LA BONNE CHANSON.

La bonne chanson est une société de diffusion mise sur pied par l'abbé Charles-Émile Gadbois en 1937. Elle se propose de diffuser un répertoire de chansons françaises en accord avec la morale de l'Église, mais aussi de promouvoir la culture et la langue des Canadiens français.

QUESTIONS

1. Quels phénomènes transforment la société québécoise dans la première moitié du 20e siècle ?
2. Pourquoi les élites nationalistes et religieuses se sentent-elles menacées ?
3. De quelle façon les valeurs traditionnelles et la vie rurale subsistent-elles dans la culture québécoise ?

Réflexion

4. **[Doc. 3]** En quoi le thème de cette statue est-il religieux ?

Un pas vers la modernité

Une certaine modernité culturelle commence à s'imposer à partir des années 1930, mais c'est surtout à partir de 1945 que les transformations s'accélèrent. La Seconde Guerre mondiale permet à Montréal de s'ouvrir sur le monde et de s'affirmer comme un des centres importants de la francophonie. Des artistes et intellectuels européens s'y installent, apportant des valeurs et des idées modernes, tandis que des artistes québécois en exil rentrent au pays.

1 ***L'ÉPOUVANTAIL DE MER*** **D'ALFRED PELLAN (1906-1989).**

L'art libre et avant-gardiste du peintre Alfred Pellan s'oppose à la rigidité académique.

Alfred Pellan, *L'épouvantail de mer*, 1952-1955.

La peinture

En 1940, le peintre Alfred Pellan revient de France où il a longtemps vécu. Il expose à Québec et à Montréal ses toiles d'inspiration cubiste et surréaliste, considérées comme avant-gardistes. Il devient professeur à l'École des beaux-arts de Montréal en 1943. Au même moment, un autre peintre, Paul-Émile Borduas, s'inspire du surréalisme et de la psychanalyse pour fonder le groupe des automatistes qui privilégie une approche spontanée, intuitive, abstraite et expérimentale. De jeunes peintres comme Marcelle Ferron, Jean Paul Riopelle, Pierre Gauvreau et Fernand Leduc rejoindront les automatistes. En 1948, Paul-Émile Borduas et 15 autres signataires publient *Refus global*, un manifeste dans lequel ils prônent un art moderne, réclament la liberté et s'insurgent contre l'immobilisme de la société.

LE *REFUS GLOBAL*.

Voici un extrait du manifeste artistique *Refus global*, publié en 1948 par Paul-Émile Borduas et 15 cosignataires, dont 7 femmes.

> « Rompre définitivement avec toutes les habitudes de la société, se désolidariser de son esprit utilitaire. Refus d'être sciemment au-dessous de nos possibilités psychiques et physiques. Refus de fermer les yeux sur les vices, les duperies perpétrées sous le couvert du savoir, du service rendu, de la reconnaissance due. »

Source : Paul-Émile BORDUAS et autres, *Refus global*, Montréal, Éditions Mycra-Mythe, 1948.

TÉMOINS DE L'HISTOIRE

FRANÇOISE SULLIVAN

Toute jeune, Françoise Sullivan manifeste le désir d'être artiste. En 1940, elle entre à l'École des beaux-arts de Montréal et joue un rôle important dans la formation du mouvement automatiste. Inspirée par le fauvisme et le cubisme, elle fait preuve d'originalité et cherche à rompre avec les conventions et l'esprit académique.

Aussitôt sa formation terminée, Françoise Sullivan part à New York suivre des cours de danse moderne. À son retour, elle monte des chorégraphies qui sont présentées dans des endroits non traditionnels. Elle devient ainsi l'une des responsables du développement de la danse moderne et avant-gardiste au Québec. Dans le manifeste *Refus global,* elle signe un essai sur le théâtre dans lequel elle souligne l'importance de la spontanéité et de l'inconscient.

Dans les années 1950, elle se tourne vers la sculpture. Elle travaille d'abord les métaux soudés, puis d'autres matériaux, comme le plexiglas. Les mouvements chorégraphiques inspirent souvent ses sculptures.

Depuis 1977, Françoise Sullivan enseigne la danse à l'Université Concordia. Dans les années 1980, elle revient à la peinture. Elle a reçu de nombreux prix comme le Prix du Gouverneur général en arts visuels et en arts médiatiques qu'elle reçoit en 2005.

FRANÇOISE SULLIVAN (NÉE EN 1925).

Artiste pluridisciplinaire, Françoise Sullivan est l'une des signataires du *Refus global*.

La musique

L'enseignement de la musique classique se développe grâce à la fondation de l'École de musique Vincent-d'Indy en 1932, puis à la création des conservatoires de musique de Montréal en 1943 et de Québec en 1944. Wilfrid Pelletier et son collaborateur Claude Champagne, pédagogue et musicien marquant de la première moitié du 20e siècle, dirigent ces deux conservatoires.

Pour ce qui est de la musique populaire, les chansonniers bénéficient dans les années 1950 d'un réseau de salles modestes, appelées «boîtes à chansons». Un public d'étudiants découvre Félix Leclerc, Gilles Vigneault, Raymond Lévesque, Claude Léveillée et Claude Gauthier. Les boîtes à chansons favorisent la découverte de jeunes artistes, mais elles permettent aussi la diffusion d'une véritable chanson québécoise, dans toutes les régions du Québec. Elles déclinent à la fin des années 1960, car certains chansonniers devenus très populaires se produisent dans des salles plus vastes. Les boîtes doivent alors s'adapter, notamment en s'ouvrant à d'autres styles de musique.

4 UN PAYSAGE GASPÉSIEN.

Dans *La symphonie gaspésienne*, composée en 1945, Claude Champagne tente de mettre en musique ses impressions visuelles et auditives ressenties lors d'un voyage en Gaspésie.

5 *QUAND LES HOMMES VIVRONT D'AMOUR* DE RAYMOND LÉVESQUE.

Composée en 1956 par Raymond Lévesque, cette chanson est l'un des premiers classiques de la chanson québécoise.

« Quand les hommes vivront d'amour,
Il n'y aura plus de misère
Et commenceront les beaux jours
Mais nous nous serons morts, mon frère

Quand les hommes vivront d'amour,
Ce sera la paix sur la Terre
Les soldats seront troubadours,
Mais nous nous serons morts, mon frère

Dans la grande chaîne de la vie,
Où il fallait que nous passions,
Où il fallait que nous soyons,
Nous aurons eu la mauvaise partie [...]

Nous qui aurons aux mauvais jours,
Dans la haine et puis dans la guerre
Cherché la paix, cherché l'amour,
Qu'ils connaîtront alors mon frère

Dans la grande chaîne de la vie,
Pour qu'il y ait un meilleur temps
Il faut toujours quelques perdants,
De la sagesse ici-bas c'est le prix »

Source : Raymond LÉVESQUE, *Quand les hommes vivront d'amour*, 1956.

6 FÉLIX LECLERC (1914-1988).

Poète et chansonnier, Félix Leclerc est l'un des premiers artistes québécois à être reconnu à l'étranger.

QUESTIONS

1. Qui sont les automatistes ?
2. À quoi ont servi les boîtes à chansons ?

Méthodologie

3. [Doc. 2]
Quels désirs les signataires du *Refus global* expriment-ils dans cet extrait ?

La littérature

Le paysage littéraire se transforme également. En 1945, le roman de Gabrielle Roy, *Bonheur d'occasion*, dépeint le côté urbain du Québec, pour la première fois dans la littérature canadienne-française. D'autres romans mettent en scène la vie urbaine des employés et des petits ouvriers, comme *Les Plouffe* de Roger Lemelin paru en 1948. Ces œuvres sont souvent teintées de critique sociale. Certains auteurs comme Anne Hébert optent pour le récit psychologique où les angoisses des personnages sont le reflet d'une société québécoise fermée et vivant sous l'emprise de l'Église et du clergé. La période qui s'étend de 1945 à 1960 marque également un renouveau dans le domaine de la poésie. Les poèmes de Claude Gauvreau, de Paul-Marie Lapointe et de plusieurs autres témoignent de l'entrée du Québec dans la modernité.

Les idées modernes n'arrivent pas seulement par l'entremise du roman. L'immobilisme de la société québécoise et l'emprise du clergé sont critiqués dans des essais littéraires et des revues. *Cité libre*, une revue fondée en 1950 par de jeunes intellectuels, dont Gérard Pelletier et Pierre Elliott Trudeau, remet en question les valeurs traditionnelles de la société québécoise et exige qu'on «ouvre les fenêtres». Cette publication valorise l'éducation et la démocratie, et condamne la corruption ainsi que le nationalisme.

1 GABRIELLE ROY (1909-1983) ENTOURÉE D'ENFANTS, À SAINT-HENRI, À MONTRÉAL, EN 1945.

Avant d'obtenir la reconnaissance avec son premier roman, *Bonheur d'occasion*, Gabrielle Roy est institutrice au Manitoba, sa province natale.

2 *BONHEUR D'OCCASION.*

Le roman *Bonheur d'occasion* met en scène les joies et les misères d'une famille d'un quartier ouvrier de Saint-Henri, à Montréal, pendant la Seconde Guerre mondiale.

> « Jean songea non sans joie qu'il était lui-même comme le bateau, comme le train, comme tout ce qui ramasse de la vitesse en traversant le faubourg et va plus loin prendre son plein essor. Pour lui, un séjour à Saint-Henri ne le faisait pas trop souffrir; ce n'était qu'une période de préparation, d'attente.
>
> Il arriva au viaduc de la rue Notre-Dame, presque immédiatement au-dessus de la petite gare de brique rouge. Avec sa tourelle et ses quais de bois pris étroitement entre les fonds de cours, elle évoquerait les voyages tranquilles de bourgeois retirés ou plus encore de campagnards endimanchés, si l'œil s'arrêtait à son aspect rustique. Mais au-delà, dans une large échancrure du faubourg, apparaît la ville de Westmount échelonnée jusqu'au faîte de la montagne dans son rigide confort anglais. Il se trouve ainsi que c'est aux voyages infinis de l'âme qu'elle invite. Ici, le luxe et la pauvreté se regardent inlassablement. »

Source : Gabrielle ROY, *Bonheur d'occasion*, Montréal, Stanké, 1977, p. 37-39.

3 *CITÉ LIBRE.*

Nourris par les idées libérales et démocratiques, les rédacteurs de la revue *Cité libre* défendent les droits individuels et critiquent l'emprise du clergé et du gouvernement de Maurice Duplessis sur la société québécoise.

> « S'il était bien clairement compris par tout le monde que, pour régler les problèmes purement temporels, une soutane n'est d'aucun secours particulier, qu'une tonsure n'est pas un signe d'immunité devant la loi et devant l'opinion publique, et qu'un doctorat en théologie n'est pas un certificat de compétence universelle et infaillible; s'il était entendu qu'un prêtre qui choisit de servir des forces profanes n'a pas plus de science ou d'autorité que n'importe quel citoyen, alors clercs et laïcs pourraient collaborer plus sereinement à l'édification d'une Église et d'une cité vraiment chrétienne. »

Source : Roger ROLLAND et Pierre Elliott TRUDEAU, « Matériaux pour servir à une enquête sur le cléricalisme », *Cité libre, une anthologie*, Montréal, Stanké, 1991, p. 189.

De nouveaux moyens de diffusion

À partir des années 1950, les artistes et créateurs bénéficient de plus en plus du soutien de la Société Radio-Canada (SRC) et de l'Office national du film (ONF), deux organismes fédéraux. Les créateurs y exercent différents métiers, ce qui leur permet de subvenir à leurs besoins. La Société Radio-Canada favorise la diffusion des arts et de l'information à un large public qui s'ouvre ainsi sur le monde. De 1956 à 1959, René Lévesque y anime *Point de mire*, une émission d'affaires publiques qui sensibilise les téléspectateurs à l'actualité internationale.

4 *POINT DE MIRE.*

De 1956 à 1959, Radio-Canada diffuse *Point de mire*, une émission de télévision consacrée à l'actualité nationale et internationale. Cette tribune révèle René Lévesque au grand public, qui apprécie ses talents de vulgarisateur.

TÉMOINS DE L'HISTOIRE

MAURICE RICHARD

Né dans une famille modeste, Maurice Richard grandit à Montréal, où il fait ses débuts de hockeyeur dans l'équipe de son école, puis dans celle de son quartier. En 1937, il entre dans le monde du hockey junior et, en 1940, au club-école des Canadiens de Montréal. Sa carrière dans la Ligue nationale de hockey se déroule de 1942 à 1960. Pendant toutes ces années, Maurice Richard joue uniquement pour le club de hockey Les Canadiens de Montréal.

Maurice Richard devient rapidement une vedette et l'idole des Canadiens français. Pour de nombreuses personnes, il incarne la réussite et la domination d'un francophone dans un monde anglophone. Il s'est toujours considéré comme un simple joueur de hockey, mais ses exploits sportifs revêtent un aspect social et politique.

En 1955, au cours d'une bataille l'opposant à un autre joueur, il frappe un juge de ligne. Il est suspendu pour les trois dernières parties de la saison et toutes les séries éliminatoires. Aux yeux de certains, la sanction est plus sévère parce qu'il est francophone. Quelques jours plus tard, au cours d'une partie au Forum de Montréal, une émeute éclate en signe de protestation contre la sanction. Cet événement, qui représente en quelque sorte la révolte des Canadiens français, préfigure pour nombre de personnes la Révolution tranquille.

MAURICE RICHARD (1921-2000).

Admiré en tant que joueur de hockey exceptionnel, Maurice Richard symbolise aussi la fierté de tout un peuple. En 2000, ses funérailles attirent près de 100 000 personnes.

Saviez-vous que...

C'est en 1893 que Lord Stanley, alors gouverneur général, a offert au Canada un nouveau symbole national : la coupe Stanley. Au départ, ce trophée récompensait le meilleur club de hockey amateur. Puis, en 1926, la Ligue nationale de hockey a retenu la coupe Stanley comme prix de championnat pour le hockey professionnel.

QUESTIONS

1. Résumez les transformations que connaît la littérature québécoise après la Seconde Guerre mondiale.
2. Mis à part le roman et la poésie, quels types de publications littéraires contribuent à la diffusion des idées modernes ?
3. Expliquez pourquoi la Société Radio-Canada et l'Office national du film jouent un rôle important auprès des créateurs à partir des années 1950.

Méthodologie

4. [Doc. 3]
   Quel est l'objet de la critique dans cet extrait ?

Réflexion

5. Expliquez avec vos mots la transformation culturelle qui s'amorce au Québec entre 1945 et 1960. Indiquez ce que vous avez moins bien compris.

Aux origines de la Révolution tranquille

Le Québec des années 1960 et 1970 est marqué par une effervescence culturelle sans précédent et par l'affirmation nationale des Québécois. La société québécoise prend alors ses distances avec le nationalisme traditionaliste. Durant cette période, on assiste au recul de l'influence cléricale dans la société. La pratique religieuse décline rapidement et les églises catholiques se vident de leurs fidèles. De nombreux hommes et femmes quittent la vie religieuse. La religion cesse d'être omniprésente dans la vie des gens à partir des années 1960.

1 UNE SCULPTURE D'ARMAND VAILLANCOURT, CRÉÉE EN 1971.

L'artiste québécois Armand Vaillancourt a créé cette énorme fontaine de béton, de 61 m de long, 43 m de large et 11 m de haut. Elle est située dans le quartier financier de San Francisco, aux États-Unis.

Le début d'un temps nouveau

Au cours de cette période, les «Canadiens français» deviennent des «Québécois». Les artistes affirment à leur manière leur fierté nationale, comme le poète et pionnier des boîtes à chansons, Félix Leclerc. D'autres chansonniers, comme Gilles Vigneault, Jean-Pierre Ferland, Georges Dor et Pauline Julien, parlent, entre autres, de leur appartenance au Québec. Des groupes, comme Harmonium, Beau Dommage, Octobre ou les Séguin, empruntent les mêmes thèmes. Pour sa part, Robert Charlebois se donne la liberté de faire du rock en français et d'utiliser des « sacres » dans ses chansons, illustrant délibérément la rupture entre la société et la religion. Un fort sentiment nationaliste colore tous les arts. Des écrivains se font connaître à l'étranger et remportent des prix : Marie-Claire Blais gagne le prix Médicis en 1965 avec le roman *Une saison dans la vie d'Emmanuel*. Le sculpteur Armand Vaillancourt crée des œuvres à l'étranger, notamment celle de San Francisco, en exprimant ses convictions politiques et sociales. La vie culturelle et artistique québécoise est désormais reconnue dans le monde entier.

2 LA SUPERFRANCOFÊTE À QUÉBEC, EN 1974.

Le Festival international de la jeunesse francophone, la Superfrancofête, a pour but de tisser des liens entre les communautés francophones du monde entier. Le spectacle d'ouverture *J'ai vu le loup, le renard, le lion,* auquel participent Félix Leclerc, Gilles Vigneault et Robert Charlebois, donne le coup d'envoi de ce festival.

Le français au cœur des débats

La langue française est toujours un sujet de préoccupation. Le «joual», la langue populaire du Québec, fait l'objet d'un grand débat. Certains critiquent son usage, comme Jean-Paul Desbiens (le frère Untel) dans son essai *Les insolences du frère Untel* paru en 1960. Par contre, le dramaturge et romancier Michel Tremblay défend le joual et le fait entendre pour une des premières fois sur scène au Théâtre du Rideau Vert en 1968 dans sa pièce *Les belles-sœurs* écrite en 1965.

Au cours des années 1970, la défense de la langue française est l'un des principaux sujets de débat qui agitent le Québec. La Commission Laurendeau-Dunton (1963-1971) confirme qu'au Canada, parler français est bien souvent synonyme d'infériorité économique. Le Québec urbain, en raison de l'affichage commercial, présente un visage anglophone. Les familles immigrantes, sensibles à l'attraction de l'anglais, envoient le plus souvent leurs enfants à l'école anglaise.

3 UNE REPRÉSENTATION DES *BELLES-SŒURS*, AU THÉÂTRE DU RIDEAU VERT, EN 1968.

Cette pièce de Michel Tremblay met en scène 15 femmes de milieu modeste qui tentent de fuir leur condition. Écrite en joual pour mieux exprimer les frustrations et le quotidien de ces personnages, la pièce sème la controverse, mais connaît le succès.

4 PARLER JOUAL.

Dans cet extrait du livre *Les insolences du frère Untel*, son auteur Jean-Paul Desbiens explique d'où vient le mot «joual».

> « Le 21 octobre 1959, André Laurendeau publiait une *Actualité* dans *Le Devoir*, où il qualifiait le parler des écoliers canadiens-français de "parler joual". C'est donc lui, et non pas moi, qui a inventé ce nom. Le nom est d'ailleurs fort bien choisi. Il y a proportion entre la chose et le nom qui la désigne. Le mot est odieux et la chose est odieuse. Le mot joual est une espèce de description ramassée de ce que c'est que le parler joual: parler joual, c'est précisément dire joual au lieu de cheval. »
>
> Source: Jean-Paul DESBIENS, *Les insolences du frère Untel*, Montréal, Éditions de l'Homme, 1960, p. 23.

5 QUELQUES ÉTAPES DE LA LÉGISLATION SUR LA LANGUE.

Les gouvernements disposent de mesures législatives pour protéger la langue française et promouvoir son utilisation.

Année	Loi	Caractéristique
1969	Loi pour promouvoir la langue française au Québec, dite «loi 63»	Les parents peuvent envoyer leurs enfants dans les écoles de leur choix, anglaises ou françaises. L'enseignement du français dans le réseau scolaire anglophone devient obligatoire.
1974	Loi sur la langue officielle, dite «loi 22»	Le français devient obligatoire dans l'affichage. Seuls les élèves connaissant suffisamment l'anglais ont accès aux écoles anglaises.
1977	Charte de la langue française, dite «loi 101»	Le français devient la langue exclusive de l'affichage et de la publicité. Les entreprises de 50 employés et plus doivent adopter des programmes de francisation. Seuls les enfants dont un des parents a reçu son enseignement primaire en anglais au Québec ont accès à l'école anglaise.
1988	Loi modifiant la Charte de la langue française, dite «loi 178»	La Cour suprême ayant jugé qu'interdire l'anglais dans l'affichage allait à l'encontre de la Charte canadienne des droits et libertés, Québec invoque la disposition de dérogation: il maintient l'usage exclusif du français dans l'affichage extérieur, mais permet l'usage d'une deuxième langue à l'intérieur des établissements, à la condition que le français prédomine.

QUESTIONS

1. À partir de la Révolution tranquille, quel mouvement de pensée les Québécois remettent-ils en cause?
2. Dans les années 1960 et 1970, quels signes révèlent que les arts du Québec entrent dans un temps nouveau?

Méthodologie

3. [Doc. 4]
   Comment Jean-Paul Desbiens qualifie-t-il le langage «joual»?

Réflexion

4. Que pouvez-vous faire pour améliorer votre compréhension des liens qui rattachent l'effervescence culturelle à l'affirmation nationale dans les années 1960 et 1970?

MOMENT *clé*

Expo 67

L'Exposition universelle de Montréal a eu lieu du 27 avril au 29 octobre 1967. Soixante-douze pays participent à cet événement. Cent treize pavillons nationaux, régionaux, thématiques et industriels ainsi que des centaines de spectacles font d'Expo 67 un musée vivant contemporain.

L'idée d'Expo 67 est évoquée pour la première fois lors de l'Exposition universelle et internationale de Bruxelles en 1958. À ce moment, les représentants du Canada affirment que le centenaire de la fédération canadienne est l'occasion idéale pour tenir une exposition de ce genre en Amérique du Nord, car elle servirait de vitrine à l'unité et à la diversité canadiennes.

L'arrivée de la télévision dans les années 1950, tout comme l'Exposition universelle, donne l'occasion aux Québécois de voir ce qui se passe dans le monde.

Les visiteurs voient parfois, après des heures d'attente, des pavillons tels que ceux des États-Unis et de l'URSS, les deux grandes puissances de l'époque. La structure du pavillon des États-Unis est un dôme qui ressemble à une grosse boule en verre. Il est le seul pavillon traversé par le minirail. Les deux principaux thèmes présentés sont la culture américaine et la conquête de l'espace. L'immense pavillon de l'URSS, à l'architecture moderne, est constitué d'un toit convexe et de murs en verre. D'autres pavillons permettent d'acquérir de nouvelles connaissances dans les arts, les spectacles, l'architecture, le design, la mode et la gastronomie.

1 LE PAVILLON DU QUÉBEC À EXPO 67.

Le pavillon du Québec possède une architecture impressionnante. Ses murs translucides réfléchissent l'environnement le jour et laissent voir l'intérieur la nuit. Les thèmes présentés privilégient le développement culturel et les beaux-arts.

Saviez-vous que...

Le maire de l'époque, Jean Drapeau, s'est inspiré du roman d'Antoine de Saint-Exupéry, *Terre des hommes*, pour définir le thème de l'Exposition universelle de Montréal. Saint-Exupéry confie ce que lui ont inspiré ses rencontres avec des gens du monde entier : « La Terre nous en apprend plus long sur nous-mêmes que tous les livres. »

UNE VUE DU SITE D'EXPO 67.

Plus de 50 millions de personnes, dont des journalistes accrédités venant de 82 pays, des célébrités et des chefs d'État, visitent l'Exposition universelle de Montréal en 1967.

Les retombées culturelles

Les retombées d'Expo 67 sont nombreuses et importantes. Les Québécois se font connaître du monde entier, et leur conception de l'étranger change. Parallèlement, Expo 67 fait découvrir à la planète un Québec moderne en train de s'affirmer. De plus, cet événement démontre aux Québécois qu'ils sont capables d'organiser un événement mondial. En somme, Expo 67 alimente l'effervescence culturelle et consolide l'identité québécoise.

L'après-Expo 67

De 1968 à 1981, le site est resté ouvert sous le nom de « Terre des hommes », thème original de l'Exposition. Aujourd'hui, le parc des Îles (Sainte-Hélène et Notre-Dame), où s'est tenue l'Exposition, est devenu le parc Jean-Drapeau, nommé ainsi en l'honneur de l'ancien maire de Montréal. Le parc d'attractions de La Ronde, inauguré en 1967, est toujours en activité.

3 EXPO 67 EN QUELQUES CHIFFRES.

Une exposition aussi importante nécessite une logistique considérable. La gestion des déchets et des objets perdus n'est pas une mince tâche.

LES DÉCHETS	LES OBJETS PERDUS	LES OBJETS RETROUVÉS NON RÉCLAMÉS
150 tonnes de déchets créées chaque jour et 4330 poubelles disponibles.	29 383 objets perdus et 12 251 retrouvés, dont plusieurs perruques d'homme, un porte-monnaie contenant 5000 $ et un coffret renfermant 25 000 $ de bijoux.	750 appareils photo, 500 parapluies, 1500 porte-monnaie et 250 montres.

Source : Yves JASMIN, *La petite histoire de l'Expo 67*, Montréal, Québec Amérique, 1997.

4 UN PASSEPORT D'EXPO 67.

Les visiteurs d'Expo 67 détenaient un « passeport » qu'ils faisaient estampiller à chaque visite d'un pavillon, comme s'ils entraient véritablement dans un nouveau pays.

5 LE MINIRAIL.

Les visiteurs peuvent faire le tour du site d'Expo 67 du haut des airs à bord du minirail.

QUESTIONS

1. Quelles ont été les retombées culturelles d'Expo 67 pour les Québécois ?

Méthodologie

2. [Doc. 1]
   Quels thèmes culturels le Québec a-t-il privilégiés pour son pavillon ?
3. [Doc. 4]
   À quelle idée correspond la création d'un passeport ?

Connexion

4. [Doc. 1, 2 et 5]
   Quels termes utiliseriez-vous pour décrire l'ensemble des bâtiments du site d'Expo 67 ?

Réflexion

5. Comment feriez-vous pour recueillir de l'information supplémentaire sur Expo 67 ?

Une culture en pleine maturité

L'effervescence culturelle des décennies 1960 et 1970 s'essouffle dans les années 1980. L'échec du référendum de 1980 et la récession économique qui frappe le monde entier dépriment la société québécoise. Malgré cette morosité, des artistes emblématiques rayonnent et annoncent l'épanouissement de la culture québécoise.

Dans le domaine de la musique et de la chanson, des artistes se démarquent, comme Diane Dufresne et Daniel Lavoie, né au Manitoba. Le parolier Luc Plamondon accumule les succès, particulièrement avec son opéra rock moderne *Starmania*. Céline Dion s'impose comme grande chanteuse populaire de renommée internationale, alternant les albums en anglais et en français à partir de 1990.

En 1984, le Cirque du Soleil fait ses premières armes à Québec et révolutionne l'art du cirque. Le succès est tel que cette formation devient en quelques années une entreprise multinationale dont les spectacles sont applaudis partout sur la planète.

La danse contemporaine québécoise, un art relativement jeune au Québec, atteint elle aussi une notoriété internationale grâce aux œuvres de nombreux chorégraphes ou danseurs, dont Jean-Pierre Perreault, Édouard Lock (créateur de la compagnie La La La Human Steps), Margie Gillis, Louise Lecavalier et Marie Chouinard.

1 DIANE DUFRESNE (NÉE EN 1944).

Durant les années 1960 et 1970, le Québec s'ouvre sur le monde, mais le monde s'ouvre aussi au Québec. En 1977 et en 1978, Diane Dufresne se produit en France dans de prestigieuses salles comme l'Élysée Montmartre et l'Olympia de Paris.

2 *JOE*, DE JEAN-PIERRE PERREAULT (1947-2002).

La carrière du chorégraphe Jean-Pierre Perreault a pris son envol avec la création de *Joe* en 1983. Sur scène, 32 danseurs illustrent la difficulté pour l'individu de s'extraire de la masse anonyme.

3 *MONOPOLIS*, UNE CHANSON DE LUC PLAMONDON.

Présenté pour la première fois en 1979, l'opéra rock *Starmania* dépeint un monde futuriste où les personnages sont confrontés à la solitude et à l'omniprésence des médias.

« De New York à Tokyo
Tout est partout pareil
On prend le même métro
Vers les mêmes banlieues
Tout le monde à la queue leu leu
Les néons de la nuit
Remplacent le soleil
Et sur toutes les radios
On danse le même disco
Le jour est gris, la nuit est bleue

Dans les villes de l'an 2000
La vie sera bien plus facile
On aura tous un numéro
Dans le dos
Et une étoile sur la peau
On suivra gaiement le troupeau
Dans les villes de l'an 2000

Monopolis
Il n'y aura plus d'étrangers
On sera tous des étrangers
Dans les rues de
Monopolis
Qui sont tous ces millions de gens?
Seuls...
Au milieu de...
Monopolis »

Source : Luc PLAMONDON, *Monopolis*, Polygram Music SARL/Éditions Mondon, 1978.

Une grande variété de styles

Le cinéaste Denys Arcand est récompensé au Québec comme à l'étranger pour trois de ses films, soit *Le déclin de l'empire américain* en 1986, *Jésus de Montréal* en 1989 et *Les invasions barbares* en 2003. Pour sa part, Rock Demers réalise dans les années 1980 une série de films visant un jeune public, qui marquent toute une génération : les *Contes pour tous*.

Dans le domaine théâtral, le dramaturge Robert Lepage signe des mises en scène intégrant la technologie, qui attirent les éloges du public dans le monde entier. Dans le domaine des arts visuels, le peintre Jean Paul Riopelle réalise en 1992 l'une de ses œuvres les plus remarquables : *Hommage à Rosa Luxembourg*.

À partir des années 1960, la littérature québécoise montre une exceptionnelle vitalité dans une grande variété de styles. En 1981, Yves Beauchemin publie *Le matou*. Traduit en 17 langues, ce roman se vend à plus d'un million d'exemplaires. En 1982, la romancière Anne Hébert reçoit le prix Fémina pour *Les fous de Bassan*.

Au milieu des années 1990, la culture américaine reste omniprésente et incontournable. Toutefois, la culture québécoise s'affirme si bien qu'on peut déclarer qu'elle a atteint sa maturité. Signe de cet épanouissement, elle s'exporte aujourd'hui beaucoup plus facilement.

L'AFFICHE DU FILM *C.R.A.Z.Y.*, RÉALISÉ PAR JEAN-MARC VALLÉE EN 2005.

Ce film trace le portrait d'une famille typique dans le Québec des années 1960 et 1970. Il a reçu plusieurs prix dans des festivals internationaux.

L'AVALÉE DES AVALÉS.

Le premier roman de Réjean Ducharme, *L'avalée des avalés*, paru en 1966, aborde dans un style inventif l'enfance et son hostilité vis-à-vis du monde des adultes, des thèmes qui sont toujours présents dans ses œuvres.

« Mon père est juif, et ma mère catholique. La famille marche mal, ne roule pas sur des roulettes, n'est pas une famille dont le roulement est à billes. Quand ils se sont mariés, ils se sont mis d'accord sur une sorte de division des enfants qu'ils allaient avoir. Ils ont même signé un contrat à ce sujet, devant notaire et devant témoins. Je le sais : j'écoute par le trou de la serrure quand ils se querellent. D'après leurs arrangements, le premier rejeton va aux catholiques, le deuxième aux juifs, le troisième aux catholiques, le quatrième aux juifs, et ainsi de suite jusqu'au trente et unième. Premier rejeton, Christian est à Mme Einberg, et Mme Einberg l'emmène à la messe. Second et dernier rejeton, je suis à M. Einberg, et M. Einberg m'emmène à la synagogue. [...] J'ai mis du temps à comprendre ça. Ça n'a pas l'air difficile à comprendre, mais, quand j'étais plus petite, je trouvais que ça ne tenait pas debout, que c'était impossible que mes parents ne puissent pas s'aimer et nous aimer comme je les aimais. »

Source : Réjean DUCHARME, *L'avalée des avalés*, Paris, Gallimard, 1966, p. 7-10.

QUESTIONS

1. La culture québécoise s'exporte désormais dans le monde entier. Nommez deux artistes issus des communautés culturelles du Québec qui se sont illustrés à l'étranger.
2. [Doc. 3]
   Résumez dans vos mots de quelle façon Luc Plamondon décrit les villes de l'an 2000.

Réflexion

3. Qu'avez-vous appris au sujet de la culture québécoise des décennies 1980 et 1990 ?

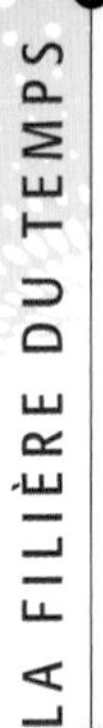

La culture autochtone aujourd'hui

1 LE GROUPE MONTAGNAIS KASHTIN.

En 1989, Florent Vollant et Claude McKenzie du groupe Kashtin se font connaître avec des chansons comme *E Uassiuian* (Mon enfance) et *Tshinanu* (Nous autres).

Au cours des derniers siècles, les nations autochtones du Québec ont éprouvé des difficultés sociales et économiques qui ont brisé la vitalité de leur culture. Toutefois, la culture autochtone ne semble pas en voie de s'éteindre.

Les obstacles sont pourtant nombreux. D'abord, la population autochtone au Québec est restreinte et regroupée dans des communautés disséminées sur tout le territoire québécois. Ensuite, une grande pauvreté économique, de nombreux problèmes sociaux et des niveaux très faibles de scolarisation frappent la plupart de ces communautés. Dans ce contexte, il est difficile de soutenir une vie culturelle dynamique.

Pourtant, nombre d'artistes et de créateurs autochtones s'illustrent et proposent des œuvres de grande qualité. Parmi eux, certains sont motivés par le désir de préserver la culture et les modes d'expressions artistiques traditionnels de leur nation ; ils puisent dans leurs racines une source d'inspiration. D'autres, parmi les plus jeunes, cherchent à exprimer leurs valeurs, leurs difficultés ou leurs espoirs dans des formes plus actuelles.

ENTRETENIR LE FEU.

Dans ce texte, Florent Vollant souligne que l'art sous toutes ses formes permet aux jeunes autochtones de mieux vivre.

« Pour les jeunes autochtones, l'art – la sculpture, la peinture ou l'art sous toute autre forme – est une façon d'exister. La musique chantée en innu nous rappelle que nous avons une langue qui est en voie d'extinction et qui a besoin d'être soutenue. En tant que nation et en tant que peuple, nous avons besoin d'être fiers de notre différence et d'entretenir cette fierté.

Il y a chez les jeunes autochtones une vie artistique très forte. Il faut entretenir ce feu, mais pas avec n'importe quel bois. Les jeunes artistes autochtones vivent souvent dans des régions très éloignées, connaissent des conditions sociales et économiques très difficiles. Ils sont souvent délinquants, mais ils ont des choses à dire. Ces jeunes deviennent, à un certain moment, des spécialistes de la survie. Une petite mélodie ou une sculpture que d'autres apprécient les tient souvent en vie. Ils ont besoin d'être écoutés, appuyés et respectés par leur entourage, de croire en ce qu'ils font et d'être reconnus en tant qu'artistes. Ils ont besoin d'appui pour créer, produire et diffuser leurs œuvres.

Croire en ces jeunes-là, c'est soutenir un rêve. »

Source : Canada, Patrimoine canadien, *Rassemblement national sur l'expression autochtone.*

RITA MESTOKOSHO (NÉE EN 1966).

Cette artiste montagnaise s'inspire de la tradition innue pour aborder des thèmes comme l'environnement. Le recueil de poésie *Eshi Uapataman Nukum* (Comment je perçois la vie, grand-mère) l'a fait connaître internationalement.

Une tradition qui se perpétue

Vers la fin des années 1980, le groupe innu Kashtin connaît un grand succès au Québec grâce à ses chansons. Plus récemment, le groupe Taima propose une musique folk envoûtante et des textes en inuktitut, en français et en anglais. Les nations autochtones, dont la culture traditionnelle est essentiellement orale, servent aussi de terreau à des écrivains et à des poètes, comme Rita Mestokosho, dont le recueil *Eshi Uapataman Nukum*, écrit en français, a été publié en 1995. Bernard Assiniwi, né de père cri et de mère francophone, remporte en 1997 le prix France-Québec pour son roman *La saga des Beothuks*. Chez les Hurons, certains cherchent à faire revivre leur langue, éteinte aujourd'hui. Des festivals, comme *Présences autochtones*, permettent de diffuser et de faire découvrir la culture autochtone contemporaine.

UNE SCULPTURE D'ELIASSIE WEETALUKTUK.

Cette sculpture de l'artiste Eliassie Weetaluktuk, d'Inukjuaq au Nunavik, représente une femme qui nettoie et peigne les cheveux d'une autre femme.

Eliassie Weetaluktuk, *Sans titre*, 2005.

***INNU NIKAMU*, LE FESTIVAL ANNUEL DE MUSIQUE AUTOCHTONE TRADITIONNELLE ET CONTEMPORAINE.**

Le nom de ce festival signifie « L'Indien chante ». Inauguré en 1985 à Maliotenam, ce festival met en vedette des chasseurs et des musiciens amérindiens du Québec. Il offre, entre autres, des chants de chasse traditionnels, des jeux vocaux inuits et du théâtre amérindien.

QUESTIONS

1. Quels sont les obstacles à la vitalité de la culture autochtone ?

Méthodologie

2. [Doc. 2]
Quelle métaphore emploie Florent Vollant pour parler de la survivance de l'art autochtone ?
3. [Doc. 5]
Comment les participants de ce festival s'assurent-ils de préserver leur patrimoine culturel ?

Réflexion

4. Comment procéderiez-vous pour obtenir de l'information supplémentaire sur la culture autochtone ?

Henry Richard S. Bunnett, *Berthier-en-Haut, la première église protestante dans le Bas-Canada*, 1885.

L'apport des anglophones

Depuis la conquête britannique, en 1760, les anglophones sont présents au Québec et marquent le domaine culturel. Même si la population dont la langue maternelle est l'anglais tend à décliner, elle influence grandement la culture québécoise.

L'architecture de nombreuses villes du Québec témoigne de cette présence. Un peu partout, des maisons de style victorien rappellent la prospérité de l'élite économique anglophone. Les petites églises protestantes de plusieurs régions, notamment l'Estrie, et d'innombrables rues et boulevards de nombreuses villes évoquent aussi la contribution des anglophones au développement du Québec.

1 LA PREMIÈRE ÉGLISE PROTESTANTE AU BAS-CANADA, À BERTHIERVILLE.

Plusieurs églises protestantes ont été construites en Estrie, mais la toute première a été érigée dans Lanaudière, en 1786.

HÉRITAGE DU PASSÉ

Le musée Redpath

Construite en 1882, l'imposante bâtisse qui domine à Montréal le campus de l'Université McGill abrite le musée Redpath, l'un des plus anciens du Canada. Peter Redpath en fait don à l'Université afin qu'elle y rassemble la collection du naturaliste sir William Dawson. À l'époque, seuls les professeurs et les étudiants pouvaient accéder au musée. Aujourd'hui, il est ouvert à tous les curieux qui souhaitent se renseigner sur la diversité géologique, biologique et culturelle. Parmi les nombreux artefacts exposés, on trouve le squelette d'un dinosaure et des momies égyptiennes.

2 LE MUSÉE REDPATH.

Le musée Redpath est le premier bâtiment au Canada spécialement construit pour accueillir un musée.

Une cohabitation difficile

La cohabitation n'a pas toujours été facile entre anglophones et francophones. À plusieurs reprises, les tensions ont été vives, et Hugh MacLennan les a clairement exprimées dès 1945 dans son roman *Les deux solitudes* (*Two Solitudes*).

L'affirmation nationale des Québécois francophones durant les années 1960 et 1970 et les politiques linguistiques destinées à protéger la langue française ont été assez mal reçues par de nombreux anglophones.

Après l'adoption de la Charte de la langue française par le gouvernement du Parti québécois, certains anglophones ont choisi de quitter le Québec. Des entreprises établies depuis longtemps à Montréal, comme la Sun Life, ont même déménagé leur siège social à Toronto.

La culture anglophone

Quand les relations ne sont pas marquées par les tensions, elles le sont simplement par l'indifférence, et ce, des deux côtés. Malgré sa richesse, la culture des anglophones du Québec reste méconnue d'une grande partie de la population francophone. Quelques figures ressortent pourtant du lot. Durant les décennies 1910 et 1920, l'écrivain et humoriste Stephen Leacock, établi à Montréal, était l'un des auteurs anglophones les plus lus dans le monde. À côté du poète et chanteur Leonard Cohen, d'autres poètes comme Louis Dudek et Irving Layton ont laissé leur marque. Un des plus importants écrivains québécois, Mordecai Richler, est très peu lu par les francophones, même si ses ouvrages ont été traduits en français. Ses interventions provocatrices sur la question nationale et dans les débats linguistiques au Québec ont parfois fait oublier son talent d'écrivain. Aujourd'hui, sans l'apport des anglophones, la scène culturelle montréalaise ne serait pas ce qu'elle est, principalement en musique rock ou alternative.

Du côté institutionnel, le théâtre Centaur, fondé en 1969, assure la diffusion des pièces de langue anglaise à Montréal. Les universités Bishop, de Lennoxville, Concordia et McGill, de Montréal, contribuent à la richesse de l'enseignement et de la recherche. Il existait autrefois des journaux de langue anglaise dans plusieurs villes du Québec. Aujourd'hui, à part quelques journaux locaux à faible tirage, c'est surtout *The Gazette* qui diffuse le point de vue des anglophones du Québec.

Le poète, nouvelliste et essayiste montréalais Irving Layton a écrit de nombreux recueils de poésie. En 1959, il remporte le Prix du Gouverneur général pour son œuvre *A Red Carpet for the Sun*.

Dans cet extrait, l'auteur Josh Freed dresse un constat humoristique sur la réalité linguistique de Montréal.

> « Si le Québec est la société distincte du Canada, Montréal est la société distincte du Québec, un pied en anglais, l'autre en français et les deux dans la même bottine. »

Source : Josh FREED, *Vive le Québec Freed !*, Montréal, Boréal, 1996.

QUESTIONS

1. Nommez des éléments qui témoignent de la présence des anglophones au Québec.
2. Dans les décennies 1960 et 1970, quelles réalités les anglophones du Québec acceptent-ils difficilement ?
3. Donnez des exemples de la culture anglophone au Québec.

Méthodologie

4. [Doc. 4]
Résumez avec vos mots ce que Josh Freed cherche à exprimer dans cet extrait.

Réflexion

5. Quels éléments de la culture anglophone saisissez-vous le moins bien ? Que feriez-vous pour remédier à cette situation ?

L'Université McGill (McGill College) est fondée en 1821 et ouvre ses portes en 1829. Elle porte le nom d'un riche marchand, James McGill, qui a légué une partie de sa fortune pour sa construction.

Le néolibéralisme

Au début du 20e siècle, au nom du libéralisme économique, les gouvernements refusaient d'intervenir dans l'économie. Le désastre de la crise économique des années 1930 a conduit à remettre en question le libéralisme classique. Les politiques interventionnistes des gouvernements et les premiers programmes sociaux comme l'assurance-chômage ouvrent la voie au développement de l'État-providence, qui connaît ses heures de gloire des années 1940 à la fin des années 1970.

1 LA CONSTRUCTION DES ROUTES.

Les partisans du néolibéralisme prônent la réalisation de grands projets par l'entreprise privée, par exemple la construction d'une route.

Au début des années 1980, le modèle de l'État-providence est critiqué un peu partout en Occident. Un courant de pensée préconisant un retour au libéralisme classique se développe : le néolibéralisme.

Le néolibéralisme prône la réduction du rôle de l'État. Ce mouvement de pensée, fidèle aux valeurs fondamentales du libéralisme, affirme que l'État doit laisser agir librement les forces du marché, et encourage ainsi la non-intervention. Selon les partisans du néolibéralisme, l'entreprise privée est capable de réaliser les grands projets et les infrastructures, comme les hôpitaux et les routes, qui relevaient autrefois de la responsabilité de l'État. Enfin, les néolibéraux croient en les bienfaits de la responsabilité individuelle où chaque individu est responsable de son sort, l'État ne l'aidant qu'en dernier recours.

2 LES SYNDICATS FACE AU NÉOLIBÉRALISME.

Les syndicats critiquent souvent le néolibéralisme, car, selon eux, ce courant de pensée véhicule des idées néfastes à de saines conditions de travail.

« Les néolibéraux visent principalement à limiter le rôle de l'État dans la société. Ce libéralisme économique, où l'État ne joue plus qu'un rôle accessoire, mène à des inégalités sociales qui augmentent encore plus l'écart entre les riches et les pauvres, et réduit de plus en plus la classe moyenne. [...] Nous visons tous un Québec en croissance et plus égalitaire. Voilà ce que nous cherchons à bâtir ensemble ! Faisons un premier pas qui nous conduira à dire à nos politiciennes et à nos politiciens ce que nous voulons vraiment. Préparons un Québec où les mots croissance économique, participation citoyenne et égalité sociale se développent en harmonie ! Il nous faut "Agir ensemble pour le Québec", maintenant ! »

Source : CSN, *Agir ensemble pour le Québec. Pour un Québec en croissance et plus égalitaire*, brochure, 2006, p. 3.

L'interventionnisme et la remise en question de l'État-providence

L'interventionnisme de l'État-providence dans tous les domaines a lourdement endetté les gouvernements. Avec la récession du début des années 1980 et 1990, les gouvernements doivent composer avec des situations budgétaires difficiles. Le contexte est propice à la mise en œuvre des théories néolibérales. Pour rééquilibrer les budgets, les gouvernements sabrent dans les dépenses de l'État, notamment dans les sommes allouées à la santé et aux services sociaux, à l'éducation et à la culture.

Au Québec, le discours néolibéral reçoit un certain écho. En effet, les valeurs individualistes prennent énormément d'importance dans la population. Si les années 1960 et 1970 étaient l'époque des grands projets collectifs, les années 1980 et 1990 sont, selon certains observateurs, plutôt caractérisées par un repli sur soi et par la recherche d'un bonheur individuel. Un discours faisant la promotion de la compétitivité remplace de plus en plus les valeurs de solidarité et d'égalité sociale soutenues par l'État-providence.

Par contre, il faut noter que de nombreux groupes critiquent durement le néolibéralisme. Les associations étudiantes, les syndicats, les groupes de femmes et les organismes communautaires s'opposent généralement aux politiques néolibérales. Tous demandent un renforcement de l'État, seul garant de la solidarité sociale, ou du moins le maintien des programmes sociaux, et un financement accru de l'éducation et de la santé.

3 LA PLACE DE L'ÉTAT DANS L'ÉCONOMIE.

Dans un essai paru en 2006, Alain Dubuc avance que le niveau de vie au Québec est l'un des plus bas en Amérique du Nord. Selon lui, ce mauvais classement est attribuable au manque d'investissements étrangers au Québec, notamment à cause de la trop lourde réglementation imposée aux entreprises.

« Le quatrième obstacle, c'est un État plus lourd et plus présent qu'ailleurs. Cela se manifeste par des stratégies économiques, par une réglementation plus présente, donc plus coûteuse, par des régimes et des dispositions qui n'existent pas chez nos voisins, par exemple l'obligation de consacrer un pour cent des revenus à la formation, ou l'équité salariale, deux objectifs louables mais qui se transforment en casse-tête administratifs pour les entreprises. »

Source : Alain DUBUC, *Éloge de la richesse*, Montréal, Les Éditions Voix parallèles, 2006, p. 246.

4 LES COUPURES DANS LES DÉPENSES DE L'ÉTAT.

Depuis les années 1980, les gouvernements tentent d'équilibrer leur budget, notamment en réduisant les dépenses dans des secteurs comme la santé et l'éducation.

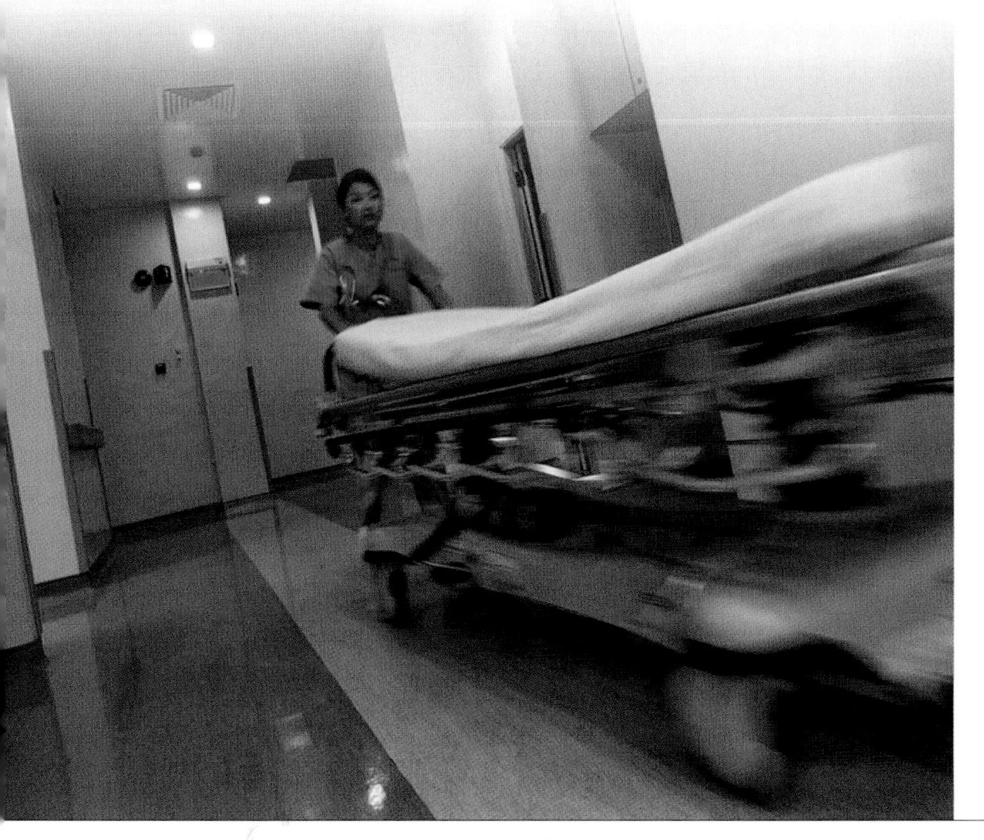

QUESTIONS

1. Définissez avec vos mots le néolibéralisme.
2. Pourquoi le modèle de l'État-providence est-il remis en question depuis les années 1980 ?

Méthodologie

3. [Doc. 2] Dans cet extrait, qu'est-il reproché à l'État québécois ?

Connexion

4. [Doc. 2 et 3] Pourquoi peut-on dire que les visions exprimées dans ces extraits sont opposées ?

Réflexion

5. Trouvez un exemple d'une politique ou d'une mesure néolibérale dans le Québec d'aujourd'hui. Justifiez votre réponse.

De nouveaux mouvements sociaux

Au début des années 2000, la mondialisation de l'économie et l'assouplissement des barrières du commerce international sont au menu des gouvernements d'Amérique, d'Europe et d'ailleurs dans le monde. De nombreuses personnes craignent que la mondialisation creuse le fossé entre les riches et les pauvres dans notre société, mais aussi entre le Nord et le Sud.

L'altermondialisme

Pour lutter contre la mondialisation telle qu'elle est envisagée, un mouvement social apparaît: l'altermondialisme. À l'origine, le terme « altermondialiste » désigne les manifestants lors de la conférence de l'Organisation mondiale du commerce (OMC) tenue à Seattle en 1999. Selon ce mouvement, la mondialisation de l'économie, si elle est inévitable, ne devrait pas se faire au détriment de la démocratie, de la justice, de la souveraineté des peuples et de l'environnement. C'est un mouvement qui englobe beaucoup d'idées et de gens, mais encore très peu organisé.

Ce mouvement met en avant la défense de la souveraineté culturelle des États, c'est-à-dire la capacité de chaque pays à protéger sa culture contre l'invasion des produits commerciaux provenant de l'étranger, particulièrement des États-Unis. Le Québec et le gouvernement fédéral sont parmi les promoteurs les plus actifs de cette idée sur la scène internationale.

1 LE QUÉBEC… UN LABORATOIRE DE L'ALTERMONDIALISME.

Au Québec, plusieurs organismes font la promotion de valeurs défendues par les altermondialistes.

« Le Québec est […] un laboratoire de l'altermondialisme. Entre l'économie sociale, les coopératives, les centres d'artistes, le syndicalisme engagé dans le développement économique et la coopération internationale, l'action communautaire ou le syndicalisme étudiant, le Québec crée des lieux d'engagements et des dynamiques humaines et institutionnelles aptes à renouveler les rapports sociaux. Dans ce champ, le Québec est un lieu d'innovation. »

Source : Michel VENNE, « Crise de la culture ? Quelle crise ? », *Médiane*, vol. 2, nº 2, printemps 2008, p. 58-59.

2 LE MOUVEMENT ALTERMONDIALISTE AU SOMMET DES AMÉRIQUES À QUÉBEC EN 2001.

Pendant que les chefs de gouvernement des Amériques discutent, plusieurs milliers de manifestants prennent d'assaut les rues de la Vieille Capitale.

L'environnementalisme

Un autre des grands dossiers actuels concerne l'environnement. Dans les années 1960 et 1970, une prise de conscience s'opère au sujet de la pollution sur l'environnement. Au milieu des années 1980, quelques événements et phénomènes contribuent à sensibiliser davantage l'opinion publique : la catastrophe nucléaire de Tchernobyl en Ukraine, en 1986, les désastres écologiques causés par les pluies acides et l'agrandissement du trou dans la couche d'ozone de l'atmosphère.

Depuis, de nombreux mouvements environnementaux comme Greenpeace sonnent l'alarme sur la nécessité de diminuer les émissions polluantes de gaz à effet de serre (GES) et de monoxyde de carbone (CO_2), et plus généralement sur l'importance de protéger l'environnement. Le protocole de Kyoto de 1997 définit des objectifs de réduction des émissions de CFC. En 2005, 172 pays ont ratifié l'entente, à l'exception des États-Unis. Beaucoup de pays craignent que la protection de l'environnement nuise à leur économie.

LA RIVIÈRE SAINTE-MARGUERITE ET LE FJORD DU SAGUENAY.

La préservation de la faune et des ressources naturelles, comme la forêt et l'eau, préoccupe les groupes environnementalistes.

LES LIMITES DU RECYCLAGE.

Cet extrait montre que malgré les efforts des municipalités, les objectifs en matière de recyclage des déchets ne sont pas toujours atteints.

« Le directeur du front commun pour une gestion écologique des déchets, Karel Ménard, explique que la croissance de la consommation a éliminé la plupart des efforts des villes. "Malgré l'augmentation du taux de recyclage, la production de déchets augmente beaucoup plus rapidement", dit-il. M. Ménard souligne que les municipalités n'ont pas de contrôle sur les produits mis en marché, mais qu'elles ont la responsabilité d'en disposer.

Bien peu de villes atteindront d'ailleurs l'objectif, fixé par le gouvernement, de récupérer 60 % des déchets cette année. Selon M. Ménard, les villes doivent rapidement implanter la collecte des matières putrescibles pour y arriver.

Le maire de Salaberry-de-Valleyfield, Denis Lapointe, ajoute pour sa part que les coûts galopants de l'enfouissement des déchets obligeront les villes à revoir le traitement des matières résiduelles d'ici les deux prochaines décennies. M. Lapointe estime que les villes devront recourir à des innovations technologiques comme la gazéification pour détourner les déchets des dépotoirs. »

Source : Sébastien RODRIGUE, « Vous cherchez une ville verte au Québec ? », *La Presse*, 17 mars 2008.

QUESTIONS

1. Que défend le mouvement altermondialiste ?
2. Pourquoi l'opinion publique est-elle plus sensible aux questions environnementales depuis le milieu des années 1980 ?
3. Au nom de quels principes les altermondialistes ont-ils manifesté lors du Sommet des Amériques en 2001 ?

Réflexion

4. Qu'avez-vous appris sur l'altermondialisme ?

Ailleurs dans le monde

Le Japon

Capitale : Tokyo
Population : 127,5 millions d'hab.
Langue officielle : japonais

La culture japonaise plonge ses racines dans la richesse des traditions et des croyances millénaires du pays. Au cours des siècles, le Japon s'est approprié des connaissances scientifiques et techniques tout en s'ouvrant aux influences religieuses, littéraires et artistiques venues d'ailleurs.

Les premières influences culturelles

Il y a environ 14 000 ans, la fonte des glaces a isolé les premiers peuples du Japon sur cet archipel. Dans la période la plus ancienne de son histoire, la civilisation japonaise s'est développée à l'écart des autres cultures du continent asiatique. Malgré son isolement, le Japon a été influencé par les civilisations chinoises et coréennes qui l'ont sensibilisé à leurs techniques, à leurs croyances, à leur littérature et à leurs arts.

Des castes guerrières à la Seconde Guerre mondiale

Du 12e au 16e siècle, les castes guerrières, les shoguns et les samouraïs dominent la société japonaise. La militarisation de la société impose aux Japonais un système strict de valeurs morales, basé sur le confucianisme, le shintoïsme et le bouddhisme. Durant l'époque d'Edo (1603-1867), la culture japonaise prend un véritable essor : elle se répand dans toutes les classes sociales et s'affirme face à la culture chinoise. Elle correspond à une longue période d'isolement qui a soustrait le Japon à l'influence des puissances occidentales et chinoise, mais qui façonnera les particularités de la culture japonaise actuelle.

Une nouvelle ère débute avec la Restauration de Meiji (1868-1912), le retour de l'autorité impériale et l'ouverture au monde occidental qui facilitera l'introduction de valeurs, de modes et de courants de pensée nouveaux. L'industrialisation et l'urbanisation qui s'amorcent au Japon suscitent un nouveau dynamisme culturel et intellectuel. Mais celui-ci sera utilisé par l'impérialisme militaire (1912-1945), qui se sert de la culture à des fins nationalistes. Le régime politique de cette époque va entraîner le Japon dans la Seconde Guerre mondiale qui mènera aux catastrophes nucléaires d'Hiroshima et de Nagasaki, et à la capitulation du Japon en 1945.

1 LE JAPON AUJOURD'HUI.

Le Japon est un archipel volcanique qui comprend quatre îles principales, Honshu, Hokkaido, Kyushu et Shikoku, en plus de milliers de petites îles.

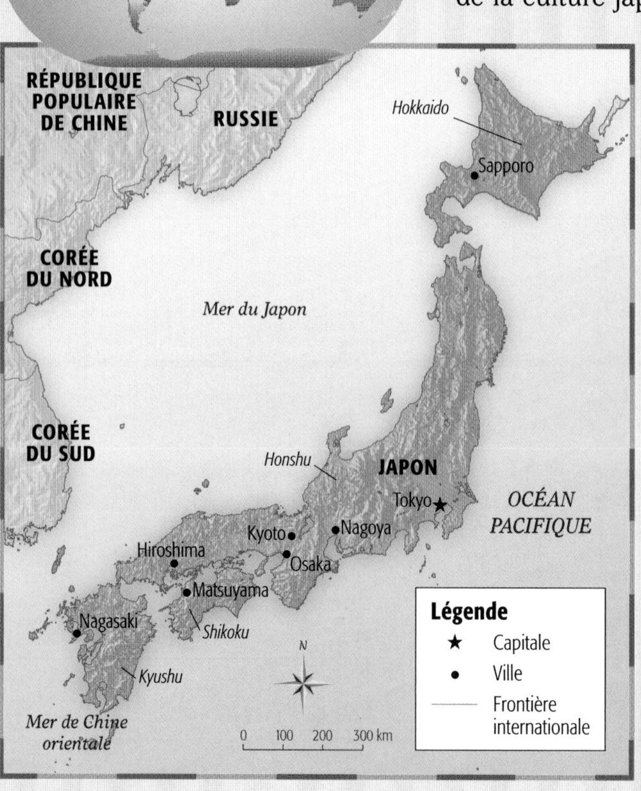

La culture nippone après 1945

À la fin de la Seconde Guerre mondiale, l'occupation américaine exerce une forte influence sur la société japonaise. La démocratisation et la modernisation rapides du pays modifient profondément la culture japonaise qui prend alors un essor sans précédent. Même s'ils demeurent fidèles à leurs traditions, les Japonais ressentent les effets de la modernisation du pays, les influences occidentales et l'avènement de la culture de masse. Cette culture, popularisée par la télévision, pénètre dans presque tous les foyers au cours des années 1950. C'est également le cas des œuvres littéraires qui sont désormais accessibles à tous.

LE JAPON ET LA MONDIALISATION CULTURELLE.

Dans cet extrait, l'auteur explique comment le Japon s'est adapté à la mondialisation tout en préservant son identité culturelle.

« En se promenant dans Tokyo, on voit défiler toute la panoplie des signes et insignes du village global : le citadin japonais va lui aussi prendre son café au Starbuck du coin, les jeunes femmes exhibent des sacs à main griffés français et italiens et *Le dernier samouraï*, actuellement à l'affiche, semble tout autant exotique aux Japonais du 21e siècle qu'aux Occidentaux que nous sommes. Mais derrière cette occidentalisation de façade, le Japon a su préserver son identité, ses règles, sa culture et ses traditions, et pour s'imposer, tous les produits importés doivent s'adapter aux exigences et aux règles du jeu nippones. Déjà au 6e siècle, le bouddhisme et les idéogrammes chinois avaient dû faire allégeance ; après la Seconde Guerre mondiale, le base-ball, les frites et la démocratie ont dû se soumettre ; et aujourd'hui, ce principe vaut pour les multinationales, les chaînes de restauration rapide et les créateurs de mode. [...] Le Japon, largement réfractaire à la mondialisation, se suffit à lui-même. Lorsqu'il accepte un produit " étranger ", c'est uniquement pour le transformer et le déformer (certes en douceur) jusqu'à ce qu'il soit définitivement japonais. »

Source : ARTE, *Le Japon, entre tradition et modernité*, [en ligne]. (Consulté le 14 mars 2008.)

DES VÊTEMENTS TRADITIONNELS DANS UN JAPON MODERNE.

À partir de 1868, le Japon devient le premier pays d'Asie à adopter officiellement la mode occidentale pour le personnel de la cour impériale et les militaires. La mode occidentale fait peu à peu disparaître les vêtements traditionnels, comme le kimono.

L'ARCHITECTURE MODERNE ET TRADITIONNELLE.

Au Japon, les temples côtoient les gratte-ciel.

QUESTIONS

1. Quelles sont les premières civilisations à avoir influencé le Japon ?
2. À quelle époque de son histoire la culture japonaise prend-elle un véritable essor ?
3. Quels facteurs influencent les mentalités japonaises après la Seconde Guerre mondiale ?

Connexion

4. [Doc. 2, 3 et 4]
Si vous vous promeniez dans les villes japonaises, quels contrastes pourriez-vous observer ?

Les courants de pensée au Japon

Tout au long de son histoire, la civilisation japonaise a été grandement influencée par le confucianisme. Venu de Chine à partir du 4e siècle, ce courant de pensée propose un système moral et politique fondé sur les vertus d'harmonie sociale et de loyauté.

Les Japonais ont une relation particulière avec les religions. En général, ils en pratiquent plus d'une. Les deux principales sont le shintoïsme et le bouddhisme, qui marquent profondément les mouvements de pensée et l'organisation de la société japonaise. Le taoïsme et le christianisme sont aussi pratiqués, ainsi qu'une multitude de nouvelles religions.

Depuis la fin du 19e siècle, la pensée occidentale, notamment le libéralisme, influence fortement le Japon. Le système d'éducation est très développé et la population, bien scolarisée. Dès le 19e siècle, l'essor des universités a permis la formation d'une élite intellectuelle, la diffusion de mouvements de pensée et l'affirmation d'une culture nationale. Le haut taux de scolarité du Japon explique ses succès économiques dès 1960, ses innovations et sa modernisation, ainsi que l'essor d'une culture dynamique et moderne.

LES INSTITUTIONS RELIGIEUSES AU JAPON EN 2003.

L'histoire des religions au Japon montre une interdépendance du shintoïsme et du bouddhisme. Cette fusion des doctrines caractérise le phénomène religieux du Japon actuel.

	Shintoïsme	Bouddhisme	Christianisme	Autres
Sanctuaires, temples, missions, autres	89 321	87 429	9 164	41 644
Clergé (prêtres, ministres du culte, etc.)	82 797	236 087	55 780	275 273
Membres	102 213 787	91 583 843	3 168 596	10 792 548

Source : WebJapan, Agence pour les Affaires culturelles, 2003.

UNE ÉCOLE JAPONAISE.

La population japonaise est fortement scolarisée. Le système scolaire est reconnu comme étant élitiste, c'est-à-dire que la compétition est forte pour accéder aux meilleures écoles.

LES JEUNES DE TOKYO.

Dans cet extrait, l'auteur évoque la diversité des styles de mode à Tokyo.

« Avec plus de 12 millions d'habitants, la plus grande ville du Japon exerce un pouvoir magnétique sur les jeunes. Ici les looks excentriques sont monnaie courante. Quand on passe 10 heures d'affilée sur les bancs de l'école, engoncé dans un uniforme, on peut comprendre qu'il faille se démarquer de la masse. Ce besoin semble plus pressant au Japon que dans nul autre pays. Fleurissent alors les styles les plus déjantés, dans un défilé où les modes du monde entier sont représentées : hip hop, punk et rock sont à l'honneur dans les rues de Tokyo. »

Source : ARTE, *Le Japon, entre tradition et modernité*, [en ligne]. (Consulté le 14 mars 2008.)

La culture nippone aujourd'hui

La culture demeure l'expression privilégiée de l'identité japonaise. Les arts, la littérature, l'architecture et l'art culinaire témoignent de l'originalité et de l'extraordinaire dynamisme de la société nippone.

Cette société a toujours su adapter les apports culturels des autres civilisations. C'est aussi par opposition aux influences grandissantes de la Chine, et plus tard à celles de l'Occident, que le Japon a développé une culture nationale et affirmé son identité.

En dépit du poids des traditions, la modernité a profondément influencé la société nippone. L'individualisme et le matérialisme caractérisent le Japon moderne, et la culture japonaise a su s'adapter aux nouvelles réalités en alliant tradition et modernité.

4 LES MANGAS.

Les mangas prennent leur source dans la culture picturale ancestrale du Japon, comme les estampes. Ils suscitent aujourd'hui un véritable engouement dans la population japonaise : 120 millions de mangas sont vendus chaque semaine.

5 UNE PIÈCE DE KABUKI.

Le kabuki est une forme de théâtre traditionnel japonais. Il est caractérisé par des maquillages sophistiqués et des dispositifs scéniques élaborés. Il traite généralement de thèmes comme les conflits moraux, les événements historiques et les relations amoureuses.

QUESTIONS

1. Quelles religions influencent les mouvements de pensée au Japon ?
2. Quel courant de pensée occidental influence le Japon depuis la fin du 19e siècle ?
3. Comment qualifieriez-vous le système d'éducation japonais ?
4. Quelle place occupe la tradition dans la culture japonaise actuelle ?

Méthodologie

5. [Doc. 1]
   Quelle religion compte le plus grand nombre d'adeptes au Japon ?

Réflexion

6. Qu'avez-vous appris de nouveau sur la culture japonaise ?

Le Maghreb

Le Maroc, l'Algérie et la Tunisie forment le Maghreb. Ces pays ont une culture et des structures sociales homogènes. Chaque peuple du Maghreb possède ses particularités culturelles, mais tous présentent des traits culturels communs, dont la langue arabe, la religion musulmane, l'apport de la civilisation berbère et l'héritage de la domination française aux 19e et 20e siècles.

LA MOSQUÉE HASSAN II, CONSTRUITE EN 1993.

La mosquée Hassan II, située à Casablanca, au Maroc, est construite sur la mer. Elle est la troisième mosquée en importance au monde.

Bédouin : Arabe nomade de l'Afrique du Nord.

Entre le désert et la mer

Le Maghreb est principalement occupé par le désert du Sahara. Il a été une voie de communication importante vers le sud de l'Afrique et l'Orient, tout autant d'ailleurs que la mer Méditerranée, porte d'entrée des conquérants européens, qui sépare le Maghreb de l'Europe.

Les différentes influences

Au fil de son histoire, le Maghreb est influencé par différentes cultures. Les peuples berbères l'ont d'abord occupé. Par la suite, les Phéniciens, un peuple de la mer, ont occupé sa côte. Par la suite, et jusqu'au 5e siècle, les Romains vont étendre leur influence sur les tribus berbères jusqu'au Maroc. Ce sont eux qui vont y introduire le christianisme et la culture latine. À la chute de l'Empire romain, les Vandales (450-533), puis les Byzantins (533-700), s'y installent.

À partir du 7e siècle, la conquête musulmane transforme de façon définitive la culture maghrébine. Des milliers de guerriers venus d'Arabie conquièrent le Maghreb et convertissent les tribus berbères à l'islam. En l'an 711, ces Berbères se joignent aux Arabes et participent à la conquête de l'Andalousie, au sud de l'Espagne. Ce n'est qu'en 1492 qu'ils seront chassés d'Espagne avec la chute du royaume musulman de Grenade.

LE MAGHREB AUJOURD'HUI.

Le Maghreb regroupe le Maroc, l'Algérie et la Tunisie. Le Grand Maghreb est formé de ces trois pays auxquels s'ajoutent la Libye et la Mauritanie. Le Sahara s'étend sur plus de 80 % du territoire de l'Algérie et occupe une superficie importante dans les autres pays du Maghreb.

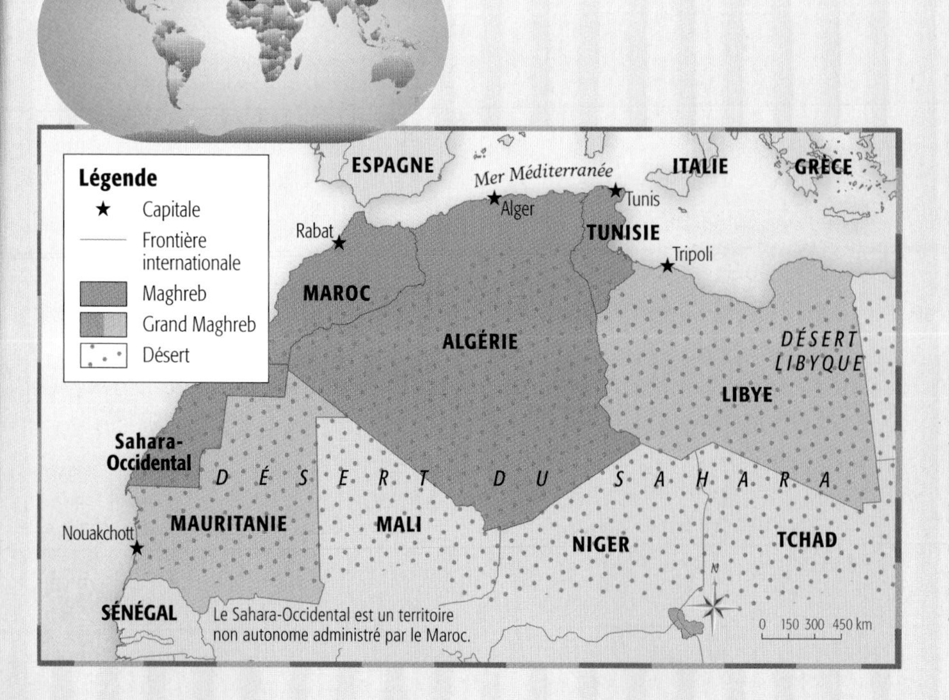

La religion musulmane et la langue arabe

La religion musulmane et la langue arabe se propagent rapidement à l'ensemble du Maghreb, le christianisme disparaît presque complètement et le judaïsme se concentre désormais dans les villes. Au 11e siècle, des conquérants **bédouins** renforcent la présence arabe dans les royaumes maghrébins. Les tribus berbères les combattront pendant des siècles. Hors des villes, les tribus berbères restent profondément attachées à leur culture et à leur langue, malgré leur conversion à l'islam.

L'âge d'or

Les royaumes du Maghreb sont unifiés durant le 12e siècle, sous la domination des Almohades, une tribu berbère. Cette période d'essor économique et culturel constitue l'âge d'or du Maghreb. Jusqu'au 14e siècle, celui-ci joue un rôle majeur dans le commerce de l'or entre l'Afrique subsaharienne et les villes du Proche-Orient. Il déclinera lors de la reconquête de l'Andalousie par les Espagnols en 1492. En outre, à partir de cette époque, l'**Empire ottoman** renforce, pour les siècles à venir, son emprise sur le littoral maghrébin, à l'exception du royaume du Maroc.

3 DES TOUAREGS : DES NOMADES BERBÈRES.

Aujourd'hui, on dénombre environ 36 millions de Berbères répartis entre plusieurs ethnies dans tout le Maghreb. À part les Touaregs, peuple nomade du Sahara, la majorité des ethnies berbères est sédentaire. Elles ont une culture et une langue communes (le berbère ou *tamazight*), mais chacune possède ses traditions et son dialecte propre.

L'héritage français

La France s'installe au Maghreb, d'abord en Algérie, à partir de 1830. La colonisation française introduit la modernité et les valeurs occidentales, ce qui provoquera un certain nombre de bouleversements. Après une guerre de conquête qui dura près de 30 ans, l'Algérie devient une **colonie de peuplement**. En 1881, les Français imposent leur **protectorat** sur la Tunisie et en 1912 sur le Maroc. Le français devient alors la langue de l'enseignement et celle de la vie politique et économique. Encore aujourd'hui, cette langue occupe une place prépondérante dans le système d'éducation de la plupart des pays du Maghreb.

La décolonisation de l'Algérie a été marquée par une longue guerre d'indépendance (1954-1962). Beaucoup de Français considéraient l'Algérie comme une partie du territoire national. Environ un million d'entre eux, appelés « Pieds-noirs », demeureront en Algérie jusqu'à son indépendance. Cette guerre d'indépendance a très fortement ébranlé Français et Algériens, et les effets s'en font sentir encore aujourd'hui, en dépit des efforts des deux gouvernements pour tisser de nouveaux liens.

Empire ottoman : Empire contrôlé par les Turcs, du 15e siècle jusqu'à la Première Guerre mondiale.

Colonie de peuplement : Colonie destinée à recevoir des immigrants.

Protectorat : État soumis au contrôle d'un autre pour ses relations extérieures et sa sécurité.

La culture maghrébine aujourd'hui

Le Maghreb possède aujourd'hui une identité distincte des cultures qui l'entourent. La religion occupe une place importante et unificatrice ; la majorité des musulmans sont sunnites de rite malékite. Les langues principales sont l'arabe, le berbère et le français. La langue française continue d'être présente dans la littérature, et plus de la moitié des émissions diffusées par la radio et la télévision sont en français.

La culture du Maghreb se heurte aussi à des tensions, à un monde en constante évolution ainsi qu'à une opposition entre valeurs traditionnelles et modernité. La montée de l'intégrisme musulman entraîne un rejet de la culture et des valeurs occidentales. Malgré ces tensions et les problèmes politiques et économiques, la culture maghrébine demeure très dynamique et exprime l'originalité de ses peuples.

QUESTIONS

1. Au cours des siècles, comment les conquérants influencent-ils les divers aspects culturels du Maghreb ?

Méthodologie

2. [Doc. 2]
Quelle partie du territoire maghrébin a servi d'importante voie de communication vers le sud du continent africain ?

3. [Doc. 3]
   a) Qu'ont en commun les ethnies berbères ?
   b) Qu'est-ce qui est propre à chacune d'elles ?

Le Sénégal

Capitale : Dakar
Population : 11,2 millions d'hab.
Langue officielle : français

La culture sénégalaise est l'une des plus dynamiques et des plus vivantes d'Afrique. Elle se distingue par ses danses, sa musique, ses traditions orales, son art et sa littérature. Cette culture riche et variée est née de la rencontre des peuples africains qui se sont établis sur le territoire du Sénégal au fil des siècles. C'est une culture profondément africaine qui a évolué sous l'influence des cultures étrangères et de la modernité.

L'influence française

Durant la seconde moitié du 19e siècle, la France domine l'ensemble du Sénégal, ce qui entraîne de profonds bouleversements dans la population. La présence française nuit au développement des traditions africaines et à leur place dans la société. En 1902, Dakar devient la capitale de l'Afrique occidentale française, renforçant ainsi l'influence française sur le pays.

L'essor de l'écriture et de la langue française a marqué le développement culturel et permis l'émergence d'une littérature africaine d'expression française. L'attachement à la langue française s'est perpétué après l'indépendance du Sénégal en 1960, notamment sous l'impulsion du président et homme de culture Léopold Sédar Senghor.

L'indépendance marque le début de profonds changements culturels et artistiques. Le président Senghor considère la culture comme le moteur du développement économique et social du pays. Sa politique privilégie l'éducation et la valorisation de la culture. La politique de Senghor, poursuivie par son successeur Abou Diouf, a fait fleurir la culture sénégalaise et a renforcé le sentiment identitaire.

Le Sénégal compte aujourd'hui plus d'une vingtaine d'ethnies différentes. Le français est la langue officielle, mais on y parle six langues nationales et une dizaine de langues minoritaires. Chaque ethnie tente de préserver son identité et ses traditions culturelles.

LE SÉNÉGAL AUJOURD'HUI.

Le Sénégal est un pays d'Afrique de l'Ouest s'étendant sur près de 196 000 km². Il est bordé par l'océan Atlantique à l'ouest, la Mauritanie au nord, le Mali à l'est et la Guinée et la Guinée-Bissau au sud. La Gambie forme une sorte d'enclave dans le Sénégal.

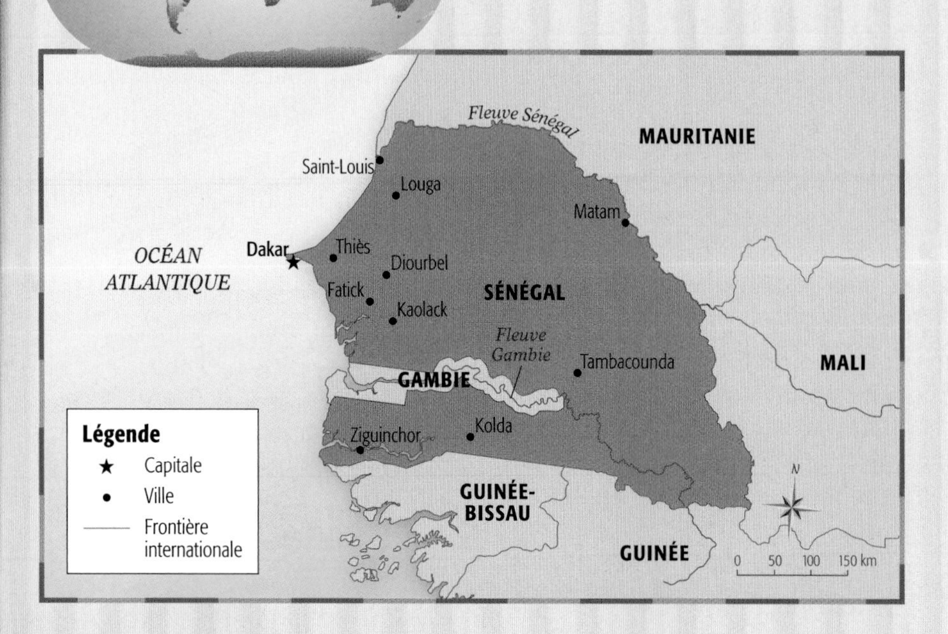

L'évolution de la culture et de la pensée sénégalaises

La culture et les valeurs sénégalaises reposent grandement sur les traditions ancestrales et sur la religion musulmane. L'islam a pénétré au Sénégal à partir du 10e siècle et occupe aujourd'hui une place prépondérante dans cette société. Toutefois, bien que la majorité des Sénégalais soient musulmans (sunnites de rite malékite), les rites animistes, c'est-à-dire les rites des religions ancestrales africaines, restent profondément ancrés dans la culture sénégalaise. Les traditions ancestrales se sont transmises oralement, notamment par les **griots**, et se perpétuent de nos jours. La tradition orale a véhiculé la sagesse africaine, la culture artistique et la littérature, contribuant ainsi à la cohésion sociale du Sénégal.

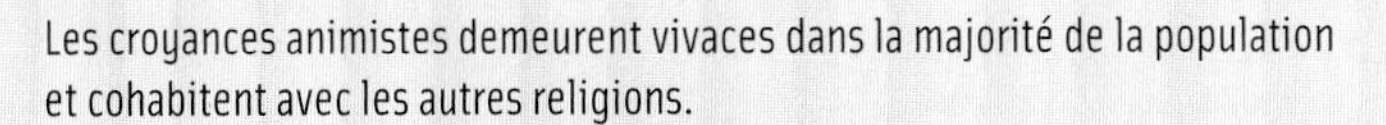

2 LES DIFFÉRENTES RELIGIONS AU SÉNÉGAL.

Les croyances animistes demeurent vivaces dans la majorité de la population et cohabitent avec les autres religions.

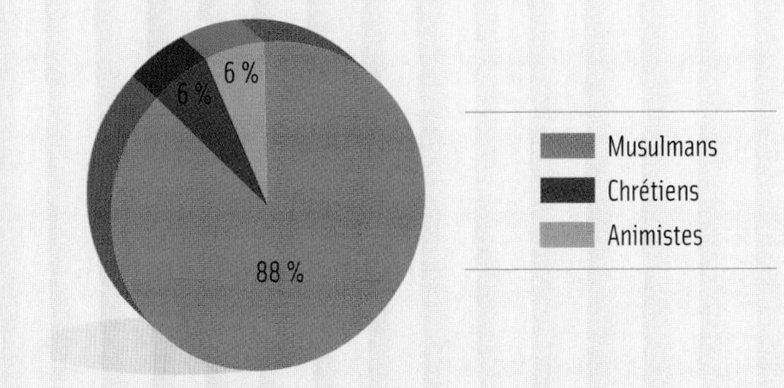

Source : Christian SAGLIO, *Sénégal*, Brinon-sur-Sauldre, Éditions Grandvaux, 2005, p. 321.

3 L'ÉTUDE DU CORAN.

Au Sénégal, l'étude du Coran occupe une place importante dans l'éducation.

Les formes d'expression culturelle

Les diverses formes d'expression culturelle du Sénégal ont évolué sous l'impulsion des influences étrangères, de l'urbanisation et de la modernisation de la société, bien que les traditions africaines soient fondamentales dans la culture sénégalaise. Ainsi, l'artisanat africain a fusionné avec l'art occidental pour donner naissance à une culture artistique originale ; la peinture sous verre en est un exemple. La littérature s'est aussi grandement développée grâce à l'usage du français, créant un nouveau mode d'expression pour la diffusion de la culture sénégalaise qu'une multitude d'auteurs a fait rayonner, comme les écrivaines Fatou Diome et Mariama Bâ, et le poète Amadou Lamine Sall.

L'importance des fêtes religieuses et populaires témoigne de la vivacité de la culture dans la vie quotidienne des Sénégalais. La *Tabaski* (*Aïd-el-Kébir* chez les Arabes), la fête du mouton, la *Korité* célébrant la fin du ramadan, sont de grands événements qui donnent lieu à des festivités dans tout le pays. De plus, chaque région, voire chaque village, a ses propres traditions et fêtes. Elles sont rythmées par la musique et la danse, dont la chaleur et le dynamisme sont renommés dans le monde entier.

Griot : En Afrique, membre de la caste des musiciens et poètes, il transmet la culture orale.

QUESTIONS

1. Comment la culture sénégalaise a-t-elle évolué au fil du temps ?
2. Qui a renforcé l'identité sénégalaise et de quelle façon ?

Méthodologie

3. [Doc. 1] Quelle frontière naturelle sépare le Sénégal de la Mauritanie ?
4. [Doc. 2] Quelle est la religion la plus pratiquée au Sénégal ?

Culture et standardisation

La culture et les mouvements de pensée du Québec se renouvellent constamment depuis des siècles. Ces acquis et ces idées continuent d'évoluer grâce aux nouveaux arrivants provenant des quatre coins de la planète. Depuis quelques années, le paysage culturel tend à se standardiser, au Québec comme dans les autres sociétés occidentales. Tous les pays exportent et importent la culture très rapidement.

Daphne Odjig (née en 1919).

Peintre et graveuse

L'artiste autochtone Daphne Odjig devient célèbre dans les années 1960, en particulier pour ses gravures. Son style unique, influencé par le cubisme et le surréalisme, lui vaut le surnom de «grand-mère de Picasso». Cette autodidacte puise son inspiration dans la mythologie autochtone avant de trouver son propre style. Au cours de sa longue carrière, Daphne Odjig participe à de nombreuses expositions, comme celle de l'Expo d'Osaka au Japon en 1970. Elle reçoit plusieurs récompenses pour son œuvre, dont le Prix du Gouverneur général en arts visuels et en arts médiatiques 2007.

RENAISSANCE D'UNE CULTURE.
Cette toile célèbre la renaissance d'une société en voie de disparition. Les couleurs vives et les contours sombres illustrent bien l'influence de l'École des beaux-arts de Woodland sur l'œuvre de Daphne Odjig.

Daphne Odjig, *Renaissance d'une culture*, 1979.

Un patrimoine culturel commun

Le Québec est le résultat d'un mélange de cultures et de mouvements de pensée variés. Avant l'arrivée des premiers Européens, les autochtones ont marqué le territoire par leur culture. Progressivement, notre patrimoine s'est enrichi et diversifié grâce à l'apport de nouveaux arrivants. Les cultures autochtone, française et anglaise, de même que les apports culturels des nouveaux arrivants font partie de la culture et du patrimoine historique du Québec

1 DES PATRIMOINES IMPORTANTS.

Dans cet extrait, il est question du visage pluriculturel du Québec.

« D'entrée de jeu, nous pouvons affirmer que le Québec détient, sur son territoire, des patrimoines importants, qui témoignent de l'originalité et de la spécificité des histoires qui s'y sont déroulées et des groupes qui y vivent. Ce patrimoine est, pour sa partie la plus ancienne, millénaire. Il est réparti sur l'ensemble du territoire et généralement fait d'humbles témoins, ce qui n'empêche pas la présence de composantes importantes, en particulier issues des patrimoines religieux et industriel. Et nous parlons d'un patrimoine métissé par la présence d'autres cultures qui ont traversé l'histoire du Québec. »

Source : *Notre patrimoine, un présent du passé*, rapport du Groupe-conseil sur la politique du patrimoine culturel du Québec présidé par Roland Arpin, novembre 2000, p. 31.

2 LA LISTE DES BIENS CULTURELS DÉFINIS DANS L'ARTICLE 1 DE LA LOI SUR LES BIENS CULTURELS.

Au Québec, les biens culturels sont divisés en six catégories.

Catégorie	Caractéristique
Bien archéologique	Bien témoignant de l'occupation humaine préhistorique ou historique.
Bien historique	Tout manuscrit, imprimé, document audiovisuel ou objet façonné dont la conservation présente un intérêt historique, à l'exclusion d'un immeuble.
Monument historique	Immeuble qui présente un intérêt historique par son utilisation ou son architecture.
Œuvre d'art	Bien meuble ou immeuble dont la conservation présente d'un point de vue esthétique un intérêt public.
Site archéologique	Lieu où se trouvent des biens archéologiques.
Site historique	Lieu où se sont déroulés des événements ayant marqué l'histoire du Québec ou une aire renfermant des biens ou des monuments historiques.

Source : Ministère de la Culture, des Communications et de la Condition féminine.

3 LES REMPARTS DE QUÉBEC.

Québec est l'une des rares villes en Amérique du Nord à avoir conservé ses fortifications. L'Unesco (Organisation des Nations unies pour l'éducation, la science et la culture) a classé le Vieux-Québec site du patrimoine mondial en 1985.

4 UNE NOUVELLE DÉFINITION DU PATRIMOINE.

Le patrimoine englobe davantage que les biens matériels : il inclut aussi la culture, les paysages et les traditions.

« Le livre vert propose une définition élargie de la notion de patrimoine, elle englobe maintenant la notion de paysage ainsi que les pratiques immatérielles. Bien qu'incontournable, cette extension de la notion dans le sens proposé demande courage et détermination, parce que les critères de définition d'un paysage patrimonial et surtout les orientations de gestion de son devenir ne sont pas claires. Contrairement aux biens mobiliers, un bâtiment ou un ensemble urbain, un paysage, une pratique ou une tradition ne sont jamais statiques et figés dans le temps, ils évoluent continuellement. Cette évolution n'est pas nécessairement synonyme de dégradation mais plutôt d'enrichissement, un enrichissement généré par les contributions apportées par les générations successives.

Source : Francine BÉGIN et Charles MARCEAU, *Mémoire sur le livre vert. Un regard neuf sur le patrimoine culturel. Révision de la Loi sur les biens culturels*, février 2008, p. 3.

5 LE MONUMENT DE L'UNESCO, À QUÉBEC.

Le monument de l'Unesco, situé près de la terrasse Dufferin et du Château Frontenac, est en bronze, en granit et en verre. Il est l'œuvre du sculpteur Jean Jobin et du maître souffleur de verre Jean Vallières. Le prisme de verre rappelle que Québec est un « joyau du patrimoine mondial » de l'Unesco.

6 UN PLAN D'ACTION POUR LA SAUVEGARDE DU PATRIMOINE CULTUREL.

L'État participe financièrement à la préservation et à la valorisation du patrimoine.

« Le 15 septembre 2006, le gouvernement crée le Fonds du patrimoine culturel québécois. Cette initiative, qui vise à accroître et à stabiliser les subventions destinées au patrimoine, permet de préserver et de valoriser le patrimoine culturel du Québec. [...] Ses critères d'admissibilité seront plus souples afin de permettre de restaurer un plus grand nombre de bâtiments, dont ceux protégés par les municipalités. Les sommes disponibles permettront aussi de restaurer les églises qui ne sont pas admissibles au programme de la Fondation du patrimoine religieux, ainsi que les œuvres d'art intégrées à l'architecture et à l'environnement. Les musées auront également accès à de nouveaux crédits afin de renouveler leurs expositions permanentes. Le Fonds sera financé en partie par la taxe sur le tabac, qui servait jusqu'ici au remboursement de la dette olympique. »

Source : Archives de Radio-Canada, *Le tabac au secours du patrimoine*, 6 septembre 2006.

Une « nation » dans une nation

La langue française représente le principal référent identitaire du Québec. C'est une des raisons pour lesquelles la Chambre des communes du Canada a voté des résolutions définissant le Québec comme société distincte, puis reconnaissant que les Québécois forment une nation au sein du Canada. Cela ne confère pas au Québec de statut particulier dans la fédération canadienne, mais signifie, entre autres, que le Québec est une société qui accueille ses immigrants et forge sa culture, ses règles et ses institutions d'une manière différente du reste du Canada.

QUESTIONS

1. Comment décrit-on le patrimoine québécois ?
2. [Doc. 2]
   Trouvez un exemple pour chacune des catégories du tableau de la liste des biens culturels.

Méthodologie

3. [Doc. 4]
   Comment définiriez-vous un paysage patrimonial ?
4. [Doc. 6]
   Êtes-vous d'accord avec la décision du gouvernement québécois de créer le Fonds du patrimoine culturel québécois ? Pourquoi ?

La culture à l'ère de la mondialisation

La mondialisation est un phénomène qui s'est accéléré au tournant du 21e siècle. Elle présente de multiples visages: économique, démographique et culturel. En effet, la mondialisation facilite l'échange des biens, des populations et des idées. Elle a aussi multiplié les possibilités d'expression culturelle. Chacun peut désormais composer sa culture «à la carte» et se forger une identité à partir d'expressions culturelles de provenances diverses. Pour certains, cette identité est plus traditionnelle, comme en fait foi l'engouement pour les recherches généalogiques. Pour d'autres, elle est multiple: chacun dit appartenir à différents «pays» culturels, selon son origine, sa ou ses langues parlées, son lieu de résidence. La facilité de communiquer et de voyager permet à chaque individu de se déclarer originaire de plusieurs pays à la fois, virtuellement ou réellement.

1 LA MONDIALISATION CULTURELLE.

Les conséquences de la mondialisation sur la culture sont nombreuses. Pour certains, elle crée une homogénéisation culturelle, alors que pour d'autres, elle représente une ouverture sur le monde.

« La musique rap, les danseurs de tango à Paris, Céline Dion à la radio de Pékin, [...] la disparition des costumes "folkloriques" au profit d'une mode vestimentaire universelle, la disparition des langues [...], tous ces phénomènes sont associés à ce que l'on appelle la mondialisation de la culture. Dans un monde où les frontières s'ouvrent de plus en plus sous les pressions de la mondialisation de l'économie, la préservation des diversités culturelles suscite des réactions contrastées. Pour les uns, il faut s'ouvrir sur le monde et cesser de vouloir protéger à tout prix un folklore dépassé. Pour d'autres, la menace d'un impérialisme américain est réelle et les politiques de protection culturelle sont nécessaires. »

Source : Archives de Télé-Québec, «La mondialisation culturelle», *Chasseurs d'idées*, 11 octobre 1999.

2 LES CULTURES LOCALES MENACÉES.

De nos jours, les médias diffusent les cultures du monde entier. Toutefois, les lois du marché menacent certaines cultures locales.

« À notre époque, l'avènement du "village planétaire" met en évidence une réduction non seulement des distances physiques entre les peuples mais aussi, dans un certain sens tout au moins, des distances culturelles. Télévisions et satellites de télécommunications transmettent des nouvelles et des images à des vitesses électroniques, et ce, directement, sans la médiatisation locale et les filtres culturels d'autrefois. Une grande partie de cette information est financée à l'aide d'activités publicitaires et commerciales et, en échange, véhicule les images qui permettent de rentabiliser ces activités. De même que disparaissent certaines langues locales, des modes de vie traditionnels sont eux aussi abandonnés: la restauration rapide à l'occidentale remplace les habitudes alimentaires locales; les marques géantes (elles aussi occidentales pour la plupart, si l'on range le Japon dans les pays occidentaux), [...] évincent les produits locaux; la musique pop et les formes de divertissement nord-américaines chassent les artistes traditionnels locaux, dont le savoir-faire se perd. Outre ces convergences de goût en matière d'habillement, de musiques et de loisirs, certaines sous-cultures [...] se répandent également. »

Source : J. MOHAN RAO, *Mondialisation et culture*, Rapport mondial sur la culture, Unesco, 1998.

3 LE CENTRE-VILLE DE TOKYO, AU JAPON.

À l'ère de la mondialisation culturelle et de l'information mondiale, les citoyens sont appelés à construire leur identité sociale et culturelle.

Le pluralisme culturel et idéologique

Depuis la Révolution tranquille, le Québec est pluraliste sur le plan culturel, mais aussi sur le plan des idées. Ce phénomène est favorisé par l'avènement de la télévision et la tenue d'Expo 67 qui ont propagé des idées nouvelles chez les Québécois.

Une culture politique est un ensemble de valeurs partagées par une société, qui encadrent le débat et la prise de décision. La démocratie libérale prône en particulier l'égalité des personnes, les libertés individuelles, la laïcité de la sphère publique, la protection de la vie privée, le droit de vote, le consentement des gouvernés, le consensus et le compromis, ainsi que la primauté du droit. Ces principes encadrent et limitent certaines formes d'expressions idéologiques. Par exemple, on ne peut pas préconiser la prise du pouvoir par la force, la dictature, la détention sans accusation, etc. La facilité de circulation des idées permet au débat public de s'abreuver à plusieurs sources.

Les sociétés contemporaines vivent dans une surabondance d'information et dans la diversité des croyances, des valeurs et des idées. Cette situation a pour avantage qu'il est désormais impossible d'empêcher la circulation des idées et des connaissances. Toutefois, il est parfois difficile pour un citoyen de valider les sources de renseignements tant elles sont nombreuses et diversifiées.

4 LA DIVERSITÉ RELIGIEUSE.

Les Québécois sont plus fréquemment en contact avec une diversité de religions.

5 LA CATHÉDRALE SAINTE-THÉRÈSE-D'AVILA D'AMOS, AU QUÉBEC.

L'architecte montréalais Aristide Beaugrand-Champagne (1876-1950) a conçu cette cathédrale de style romano-byzantin. On qualifie sa coupole de « première grande coupole de béton en Amérique ».

QUESTIONS

1. Quels sont les avantages de la mondialisation ?
2. Quel effet la diversité des valeurs et des croyances a-t-elle eu sur la société québécoise ?

Méthodologie

3. [Doc. 1]
Croyez-vous que les diversités culturelles soient menacées par la mondialisation ? De quelle manière ?

Réflexion

4. [Doc. 2]
La citation vous a-t-elle permis de comprendre les conséquences de la mondialisation sur les cultures locales ? Expliquez en quelques mots ce que vous avez appris.

La standardisation de la culture

Le paysage culturel du Québec est très différent de celui d'autrefois et tend à se standardiser, tout comme dans les autres sociétés. Avec l'immigration et les nouveaux moyens de communication, toutes les sociétés occidentales vivent dans une surabondance d'information, d'idéologies et de cultures. De nouveaux produits culturels font leur apparition, comme la téléréalité et les réseaux télévisuels spécialisés, électroniques et par satellite. La culture d'ici est souvent la même qu'ailleurs. Il n'y a plus de frontières culturelles entre les pays. La culture s'exporte et s'importe partout dans le monde à la vitesse de l'éclair.

Dès la fin du 20e siècle, la conjugaison des grands médias et la mondialisation des communications ont fait craindre un appauvrissement et une standardisation de la culture. La multiplication des chaînes spécialisées et l'extension d'Internet ont renversé cette tendance et fractionné les publics. Actuellement, chacun peut rapidement accéder à toute l'actualité mondiale selon ses besoins et ses goûts.

Internet s'est imposé comme une source de renseignements et un moyen de communication rapide et efficace. Les blogues, les pages multimédias personnalisées et les canaux de distribution de clips vidéo font de leurs adeptes des créateurs en puissance, qui se regroupent par champs d'intérêt en communautés virtuelles afin de vivre et de communiquer leurs intérêts et leur passion.

1 LA MOULINETTE DE LA GLOBALISATION.

Un des effets possibles et le plus souvent dénoncé de la globalisation est l'homogénéisation des cultures, c'est-à-dire la disparition des spécificités culturelles de chaque peuple et pays.

« Cette nuit, j'ai fait un terrible cauchemar. Je voyageais autour de la planète et découvrais un monde monochrome. Homogène. Totalement monotone. De Bogota à Beijing, en passant par Besançon et Berlin, [...] j'entendais parler la même langue : une espèce d'anglais simplifié à l'extrême. [...] Partout, les mêmes panneaux publicitaires vantaient les mêmes marques de produits et vêtements griffés que l'on retrouvait dans les mêmes magasins. Le monde entier semblait avoir revêtu l'uniforme : chemise Mao, jeans et baskets. Tout était fade, gris, terne. Semblable. La musique ? Standardisée. Les arts plastiques ? Aseptisés. Les productions cinématographiques ? Homogénéisées. La littérature ? Alignée. Partout, la même manière de vivre et de s'ennuyer. La terre n'était plus constituée que d'un seul village. Ou plutôt d'une seule méga-banlieue triste, où tout avait été passé à la moulinette de la globalisation. »

Source : Anne-Marie IMPE, « La diversité culturelle en questions », *Enjeux internationaux*, vol. 9, automne 2005, p. 17.

2 UNE CULTURE MONDIALE.

La mondialisation et les moyens de communication modernes standardisent la culture. Partout sur la planète, les cinéphiles ont accès aux mêmes films américains. Certains critiquent cette situation sous prétexte qu'elle uniformise la culture au profit des pays et des organisations les plus riches.

L'ORDINATEUR OMNIPRÉSENT.

Les technologies de l'information et des communications numériques rendent l'ordinateur pratiquement indispensable : la grande majorité des foyers québécois en possède un.

LES PRINCIPALES ACTIVITÉS DE LA POPULATION QUÉBÉCOISE DANS INTERNET EN 2005, CHEZ LES 18 À 34 ANS.

Chez les jeunes internautes québécois, le courrier électronique et la navigation générale sont loin en tête de liste devant les autres activités.

Activité	Taux d'utilisation
Courrier électronique	94,2 %
Navigation générale	91,0 %
Bulletins météorologiques	69,3 %
Opérations bancaires électroniques	60,8 %
Nouvelles	59,6 %
Études, formation ou travaux scolaires	58,8 %
Participation à des groupes de discussion	56,6 %
Achat de musique en ligne	55,4 %
Paiement de factures	55,3 %
Achat de logiciels en ligne	45,8 %
Jeux	45,4 %
Écoute de la radio	32,1 %
Téléchargement ou écoute de la télévision	14,0 %
Téléchargement ou écoute d'un film	13,1 %

Source : Institut de la statistique, Québec, 2005.

5 LES ENFANTS DU CYBERESPACE.

Le clavardage s'est imposé comme un moyen privilégié pour les jeunes de communiquer. Il comporte plusieurs avantages et permet d'utiliser Internet afin d'entretenir un réseau d'amis.

« Les ados ont vu le jour en même temps que le cyberespace et ont grandi avec lui. Cette génération est sans contredit la plus branchée : 89 % des 12-17 ans utilisent Internet régulièrement et 99 % y ont recours occasionnellement. [...] Si on trouve de tout sur Internet, on y trouve surtout ses amis [...]. Des mille usages du Net, c'est celui dédié à la communication interpersonnelle qui marque le plus le quotidien des adolescents, qui traversent une période d'intense socialisation. Ce " Web communicationnel " prend de plus en plus la forme de la messagerie instantanée, à laquelle ils se connectent dès qu'ils sont devant leur écran ou à proximité. [...] Cet attrait pour le clavardage contredit ceux qui prédisaient un plus grand isolement des jeunes avec l'arrivée de l'ordinateur dans les foyers. »

Source : Clairandrée CAUCHY, « Les enfants du cyberespace (1) - La génération Internet », *Le Devoir,* 20 août 2005.

QUESTIONS

1. Qu'est-ce que la standardisation de la culture ?
2. Quels sont les phénomènes qui favorisent la standardisation de la culture ?

Méthodologie

3. [Doc. 4]
Quelles activités parmi les suivantes pratiquez-vous le plus souvent dans Internet ?
4. [Doc. 5]
Expliquez pourquoi le clavardage contredit l'idée selon laquelle les ordinateurs contribuent à isoler les jeunes.

Les points à retenir pour ce dossier :

Au Québec

LES PREMIERS OCCUPANTS

–10 000 ▸ Arrivée des premiers Amérindiens au Québec.

LE RÉGIME FRANÇAIS

1610 ▸ Parution de la *Conversion des Sauvages qui ont été baptisés en la Nouvelle-France*, écrit par Marc Lescarbot.

1663 ▸ Fondation du Grand Séminaire de Québec par Mgr de Laval.

1690 ▸ Aménagement du premier palais de l'intendant dans la ville de Québec

1702 ▸ Rédaction du *Catéchisme du diocèse de Québec* par Mgr de Saint-Vallier.

LE RÉGIME BRITANNIQUE

1778 ▸ Parution du premier journal unilingue français par Fleury Mesplet : la *Gazette littéraire pour la ville et district de Montréal*.

1834 ▸ Fondation à Montréal de la Société Saint-Jean-Baptiste.

1841 ▸ Adoption de la Loi sur l'instruction publique.

1844 ▸ Fondation de l'Institut canadien.

1845 ▸ Publication du premier tome de l'*Histoire du Canada depuis sa découverte jusqu'à nos jours*, écrit par François-Xavier Garneau.

1863 ▸ Publication du roman *Les anciens Canadiens*, écrit par Philippe Aubert de Gaspé (père).

LA PÉRIODE CONTEMPORAINE DE 1867 À NOS JOURS

1888 ▸ Nomination du curé Antoine Labelle comme sous-ministre de l'Agriculture et de la Colonisation.

1906 ▸ Ouverture de la première salle de cinéma à Montréal, le Ouimetoscope.

1924 ▸ Publication du premier des trois tomes *Notre maître, le passé*, écrit par Lionel Groulx.

1936 ▸ Fondation de l'hebdomadaire *Le Jour* par Jean-Charles Harvey.

1945 ▸ Publication du roman *Bonheur d'occasion*, écrit par Gabrielle Roy.

1950 ▸ Fondation de la revue *Cité libre*.

1963 ▸ Parution du roman *Les deux solitudes*, écrit par Hugh MacLennan.

1967 ▸ Présentation de l'Exposition universelle de Montréal, Expo 67.

1974 ▸ Première présentation de la Superfrancofête (Festival international de la jeunesse francophone).

1978 ▸ Présentation de la pièce de théâtre *Les fées ont soif*, écrite par la dramaturge Denise Boucher.

1980 ▸ Création du magazine féministe *La vie en rose*.

2005 ▸ Ouverture du nouvel édifice de la Grande Bibliothèque à Montréal.

Ailleurs dans le monde

Le Japon

Territoire

Le Japon est un archipel volcanique situé entre l'océan Pacifique, la mer du Japon et la mer de Chine orientale, à l'est de la péninsule coréenne. Ce pays comprend quatre îles principales, Honshu, Hokkaido, Kyushu et Shikoku, en plus de milliers de petites îles.

Société

La société japonaise est très homogène, puisque 99 % de sa population est d'origine japonaise. Le 1 % restant est constitué d'habitants provenant principalement de Chine et de Corée.

Culture

La culture japonaise a adapté tout au long de son histoire les apports culturels des autres civilisations. Le Japon a développé une culture nationale et a affirmé son identité malgré les grandes influences de la Chine et de l'Occident.

Enjeu

Les jeunes générations du Japon se reconnaissent de moins en moins dans les valeurs traditionnelles de leurs parents. Elles doivent toutefois concilier ces valeurs traditionnelles, qui demeurent le fondement de l'identité japonaise, avec leur univers individualiste et moderne où la technologie occupe une place importante.

Le Maghreb

Territoire

Le Maghreb est une région d'Afrique du Nord comprise entre l'océan Atlantique, le désert du Sahara et la mer Méditerranée. Le Maghreb regroupe le Maroc, l'Algérie et la Tunisie. Le Grand Maghreb comprend, en plus de ces trois pays, la Mauritanie et la Lybie.

Société

La société maghrébine possède une culture et des structures sociales homogènes. Chaque peuple du Maghreb a ses particularités culturelles, mais on leur reconnaît des traits culturels communs, dont la langue arabe, la religion musulmane, l'apport culturel des Berbères et l'héritage de la domination française aux 19e et 20e siècles.

Culture

La culture maghrébine possède aujourd'hui une identité distincte des cultures qui l'entourent. La religion occupe une place importante et unificatrice. La langue française continue d'être présente dans de nombreux secteurs de la vie culturelle du Maghreb.

Enjeu

Depuis quelques décennies, la montée de l'intégrisme religieux a été l'une des causes de l'instabilité politique au Maghreb, mais cet intégrisme représente aussi un grand enjeu culturel. L'intégrisme religieux se pose en défenseur de l'identité maghrébine face aux valeurs occidentales et à la modernité, creusant un fossé entre les deux mondes.

Le Sénégal

Territoire

Le Sénégal est un pays d'Afrique de l'Ouest. Il est bordé par l'océan Atlantique à l'ouest, la Mauritanie au nord, le Mali à l'est et la Guinée et la Guinée-Bissau au sud.

Société

La société sénégalaise possède une culture riche et diversifiée, largement influencée par la culture française. Ce pays compte aujourd'hui plus d'une vingtaine d'ethnies différentes. Le français est la langue officielle, mais on y parle aussi six langues nationales et une dizaine de langues minoritaires. L'islam occupe une place déterminante dans cette société.

Culture

La culture sénégalaise a évolué suivant les influences étrangères, l'urbanisation et la modernisation tout en conservant ses traditions africaines. L'art africain a fusionné avec l'art occidental en donnant naissance à une culture artistique originale. La langue française a favorisé le rayonnement international de la littérature sénégalaise.

Enjeu

La place de la femme dans la société est l'un des enjeux importants du Sénégal. Souffrant d'un fort taux d'analphabétisme et d'une société contrôlée par les hommes, les femmes sénégalaises doivent relever un défi majeur : prendre leur place dans la culture et la société.

Activité synthèse

Les mouvements de pensée et les manifestations culturelles

Au cours des siècles, les mouvements de pensée québécois ont laissé leur empreinte sur la culture, les us et coutumes, l'architecture, la littérature, les beaux-arts, etc. Chaque période de l'histoire du Québec possède son caractère propre et, de ce fait, se distingue par ses manifestations culturelles.

1. Créez un tableau pour présenter le bilan des quatre périodes étudiées dans ce dossier :
   - les années 1500 ;
   - le Régime français (1608-1760) ;
   - le Régime britannique (1760-1867) ;
   - la période contemporaine (de 1867 à nos jours).
2. Caractérisez en quelques mots le ou les mouvements de pensée de chaque période.
3. Déterminez les principales manifestations culturelles correspondant à chaque mouvement.

Pour aller plus loin...

Activité 1 • Nationalisme et culture québécoise

Depuis le début du 19e siècle, le nationalisme a profondément influencé la culture québécoise. Ce courant de pensée n'est pas figé dans un seul bloc : selon les époques, il s'est manifesté sous différentes formes. En voici les principales, par ordre chronologique :

- le nationalisme politique des patriotes ;
- le nationalisme culturel ;
- le nationalisme canadien d'Henri Bourassa ;
- le nationalisme traditionaliste canadien-français ;
- le nouveau nationalisme québécois.

Cherchez les informations permettant de préciser les relations entre chaque forme de nationalisme et la culture québécoise, et présentez-les dans un tableau après avoir répondu aux questions suivantes.

1. Caractérisez brièvement chaque forme de nationalisme, notamment son époque, ses principaux partisans, ses idées centrales, etc.
2. Décrivez brièvement les manifestations culturelles correspondant à chaque forme de nationalisme.
3. Parmi ces formes de nationalisme, déterminez celle qui a le plus influencé la culture de son époque. Justifiez votre choix.

Activité 2 • Langue et identité québécoise

La langue est essentielle à la conception et à la communication des idées. Elle est par excellence la manifestation de la culture, car elle la façonne tant par la parole que par l'écrit. La langue française représente un des fondements de l'identité québécoise.

Composez un texte sur ce sujet en vous inspirant des réponses aux questions suivantes.

1. Quel rôle la langue française a-t-elle joué dans la formation de l'identité québécoise?

2. Quels groupes sociaux ont contribué à son développement:
- avant 1960?
- après 1960?

3. En quoi la Charte de la langue française a-t-elle modifié la place de la langue française au Québec?

4. Comment se dessine l'avenir de la Charte? Quels sont:
- ses aspects positifs?
- ses aspects négatifs?

Pour en savoir plus...

DES LIVRES

BORDUAS, Paul-Émile. *Refus global et autres écrits: essais,* Montréal, Éditions de l'Hexagone, 1997, 301 p.

BOUCHER, Denise. *Les fées ont soif,* Montréal, Éditions de l'Hexagone, 1989, 121 p.

DESBIENS, Jean-Paul. *Les insolences du frère Untel,* Montréal, Éditions de l'Homme, 1960, 253 p.

GROULX, Lionel. *Notre maître, le passé,* trois volumes, Montréal, Stanké, 1977 (1924).

LÉTOURNEAU, Jocelyn. *Le Québec, les Québécois, Un parcours historique,* coll. Images de sociétés, Montréal, Éditions Fides en collaboration avec le Musée de la civilisation, 2004, 126 p.

MACLENNAN, Hugh. *Les deux solitudes,* coll. Littérature, Montréal, BQ éditeur, 1992 (1963), 740 p.

MONIÈRE, Denis. *Le développement des idéologies au Québec des origines à nos jours,* Montréal, Éditions Québec/Amérique, 1977, 381 p.

PROVENCHER, Jean. *L'histoire du Vieux-Québec à travers son patrimoine,* Québec, Les Publications du Québec, 2007, 277 p.

SMART, Patricia. *Les femmes du Refus global,* Montréal, Boréal, 1998, 334 p.

VALLIÈRES, Pierre. *Nègres blancs d'Amérique: essai,* Montréal, Typo, 1994, 472 p.

Un patrimoine incontournable, Sélection de 29 biens culturels, août 2000, Québec, 69 p.

DES FILMS

Bonheur d'occasion (fiction), réalisateur: Claude Fournier, Québec, 1983.

C.R.A.Z.Y. (fiction), réalisateur: Jean-Marc Vallée, Montréal, 2005.

Jésus de Montréal (fiction), réalisateur: Denys Arcand, Québec, 1989.

Les enfants de Refus global (documentaire), réalisatrice: Manon Barbeau, Canada, 1998.

Le survenant (fiction), réalisateur: Érik Canuel, Québec, 2005.

Maurice Richard (fiction), réalisateur: Charles Binamé, Québec, 2005.

Un homme et son péché (fiction), réalisateur: Charles Binamé, Québec, 2002.

DOSSIER 4

Pouvoir et pouvoirs

L'État est sans contredit l'institution qui représente la notion de « pouvoir » de façon la plus évidente, car il régit la quasi-totalité de la vie en société. Mais le pouvoir n'est pas que l'affaire de l'État. S'il a de multiples facettes, le pouvoir a aussi d'innombrables détenteurs au sein de ce qui est appelé « la société civile ». Syndicats, médias, Églises, organisations non gouvernementales, activistes, groupes communautaires, ordres professionnels, associations de patrons et d'agriculteurs sont autant de groupes de pression qui ont un pouvoir : celui d'orienter des enjeux de société. Et au centre de chacune de ces composantes de la société civile se trouvent les citoyens.

1600

1663 Établissement d'un gouvernement royal en Nouvelle-France

1672 Nomination de Frontenac au poste de gouverneur

1674 Nomination de Mgr de Laval au poste d'évêque

1700

1701 Grande Paix de Montréal

1713 Traité d'Utrecht

1759 Bataille des Plaines d'Abraham

1760 Capitulation de Montréal

1763 Révolte du chef amérindien Pontiac

1774 Acte de Québec

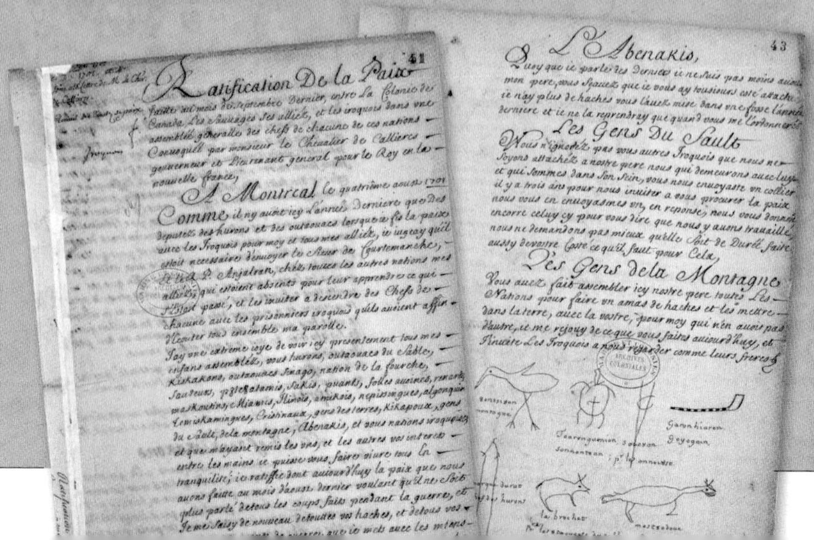

Pouvoir

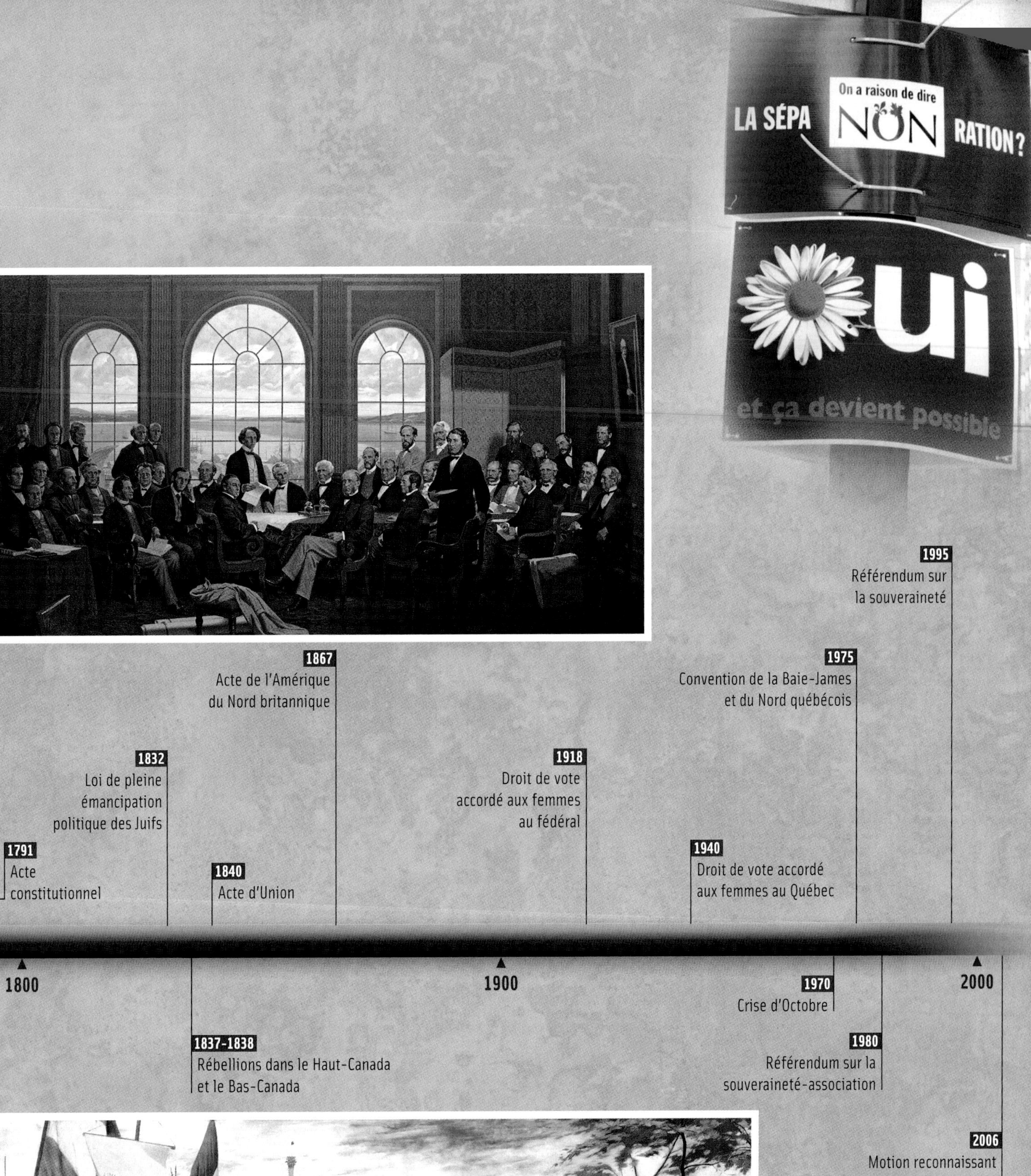

1791
Acte constitutionnel

1800

1832
Loi de pleine émancipation politique des Juifs

1837-1838
Rébellions dans le Haut-Canada et le Bas-Canada

1840
Acte d'Union

1867
Acte de l'Amérique du Nord britannique

1900

1918
Droit de vote accordé aux femmes au fédéral

1940
Droit de vote accordé aux femmes au Québec

1970
Crise d'Octobre

1975
Convention de la Baie-James et du Nord québécois

1980
Référendum sur la souveraineté-association

1995
Référendum sur la souveraineté

2000

2006
Motion reconnaissant que les Québécois forment une nation au sein d'un Canada uni

Pouvoir et pouvoirs

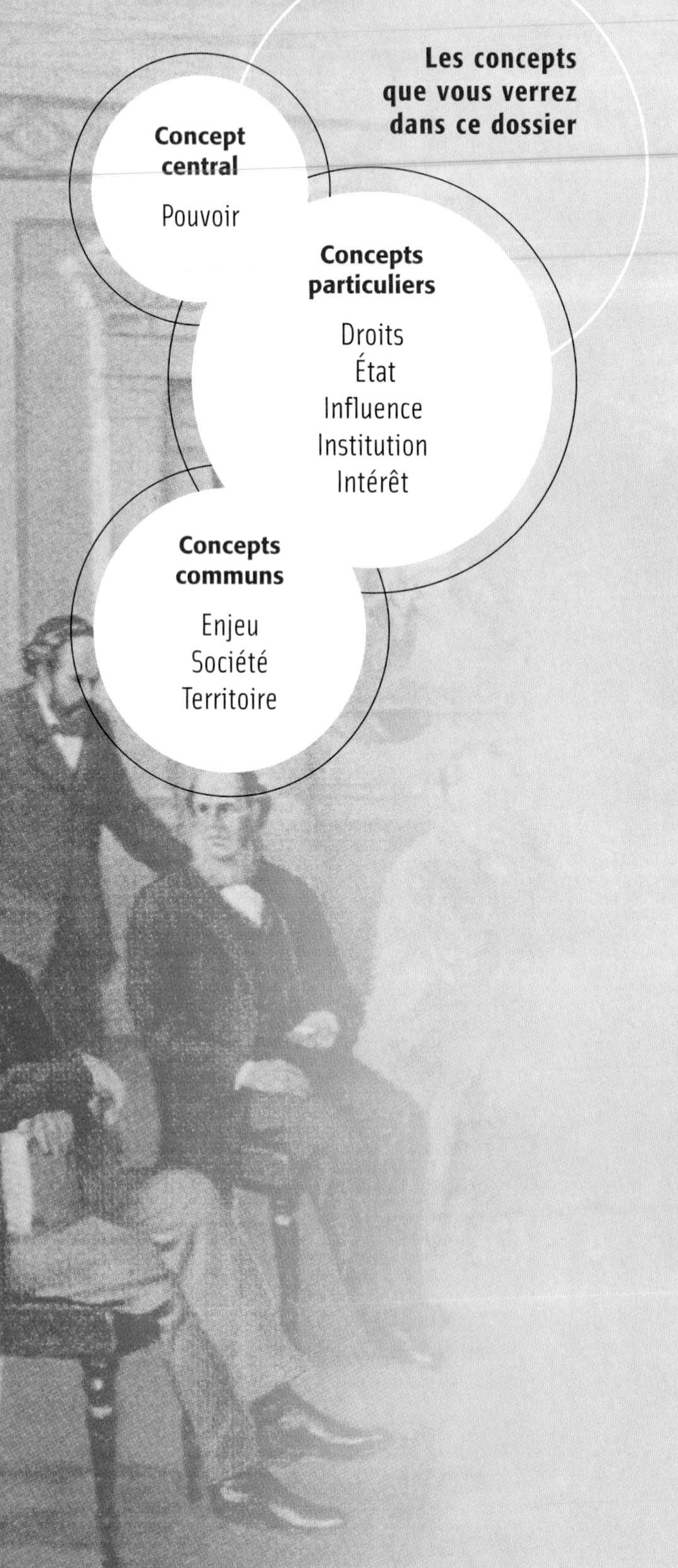

SOMMAIRE

Réalité sociale

Pouvoir et pouvoirs

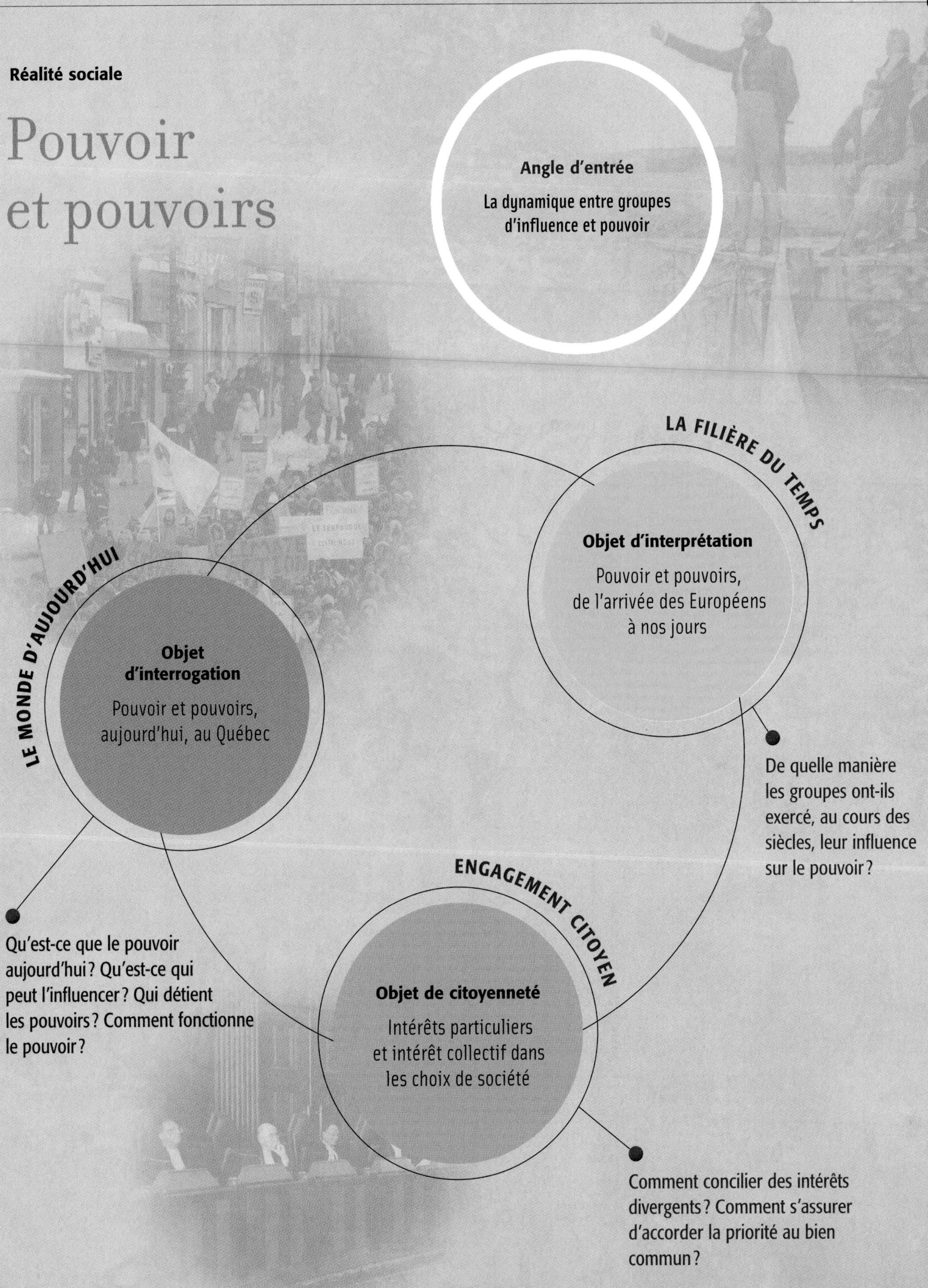

Angle d'entrée

La dynamique entre groupes d'influence et pouvoir

LE MONDE D'AUJOURD'HUI

Objet d'interrogation

Pouvoir et pouvoirs, aujourd'hui, au Québec

Qu'est-ce que le pouvoir aujourd'hui? Qu'est-ce qui peut l'influencer? Qui détient les pouvoirs? Comment fonctionne le pouvoir?

LA FILIÈRE DU TEMPS

Objet d'interprétation

Pouvoir et pouvoirs, de l'arrivée des Européens à nos jours

De quelle manière les groupes ont-ils exercé, au cours des siècles, leur influence sur le pouvoir?

ENGAGEMENT CITOYEN

Objet de citoyenneté

Intérêts particuliers et intérêt collectif dans les choix de société

Comment concilier des intérêts divergents? Comment s'assurer d'accorder la priorité au bien commun?

QUESTIONS DE POUVOIRS

La question du pouvoir occupe une place de choix dans les débats publics des sociétés démocratiques. Le pouvoir touche tous les aspects de la vie, sur tous les plans et à tous les niveaux. Perçu au début de la colonie comme la chasse gardée de groupes restreints, notamment des dirigeants, du clergé et des riches marchands, le pouvoir se démocratise au Québec au fil des ans. Tant et si bien que l'État doit désormais s'assurer, dans sa gestion et ses législations, de prendre en compte les besoins et les intérêts d'une multitude de groupes, établis de longue date ou depuis peu.

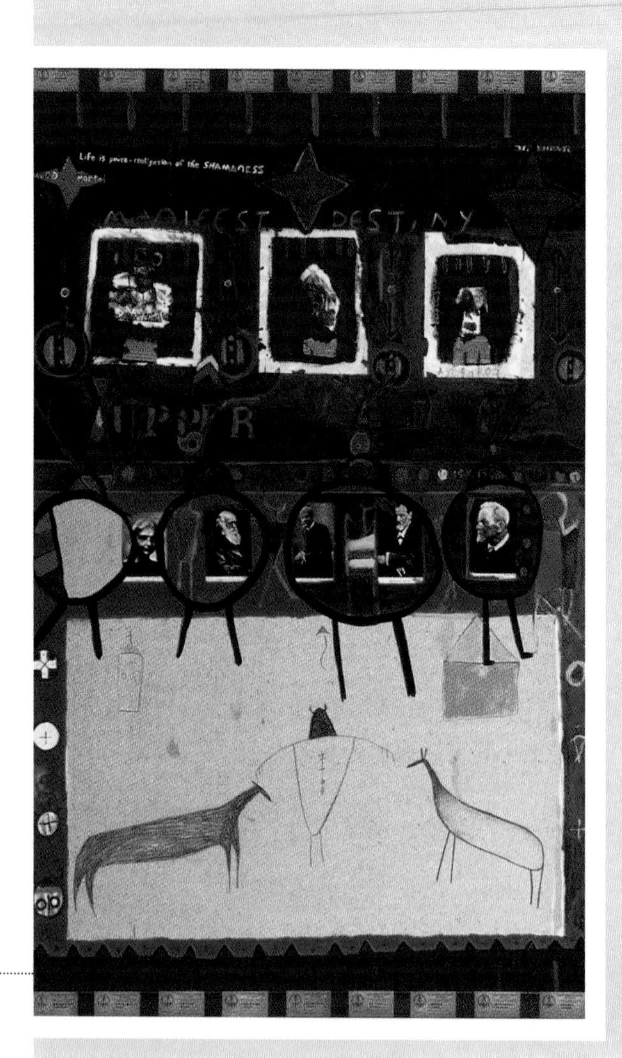

Jane Ash Poitras (née en 1951)

Artiste pluridisciplinaire

Jane Ash Poitras est une artiste canadienne d'origine crie qui s'exprime au moyen de plusieurs formes d'art, notamment la peinture, la gravure, le collage et l'écriture. Ses œuvres abordent des thèmes comme la spiritualité et l'histoire autochtones. Dans ses peintures, Jane Ash Poitras utilise des références amérindiennes qu'elle traite selon des techniques propres à l'art occidental contemporain.

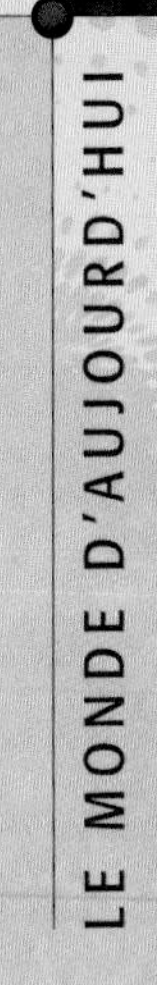

UNE PRIÈRE SACRÉE POUR UNE ÎLE SACRÉE.
Pour créer ce triptyque, Jane Ash Poitras s'est servie de plusieurs techniques et de plusieurs matériaux. Cette œuvre représente le pouvoir transformateur du chaman, un prêtre-sorcier qui jouait un rôle important dans toutes les cultures autochtones traditionnelles.

Jane Ash Poitras, *Une prière sacrée pour une île sacrée,* 1991.

Le pouvoir politique

Le pouvoir est la capacité de faire appliquer, accepter ou imposer une chose. Lorsqu'il est entre les mains d'une seule personne ou d'un petit groupe, le pouvoir tend à devenir despotique. Au cours des siècles, des penseurs ont élaboré des formes d'État qui éviteraient les régimes tyranniques. Montesquieu (1689–1755) est le premier à défendre le principe de la séparation des pouvoirs de l'État en trois branches : législatif, exécutif et judiciaire. Selon lui, ces fonctions doivent être exercées par trois autorités distinctes, et les membres de chacune ne peuvent être ni nommés ni destitués par les deux autres. Au Québec, le pouvoir législatif est entre les mains des députés élus de l'Assemblée nationale, le pouvoir exécutif, entre celles du premier ministre et de son cabinet de ministres, et le pouvoir judiciaire, entre les mains des juges.

1 LE FLEURDELISÉ.

Le drapeau du Québec, adopté par le gouvernement de Maurice Duplessis, a été hissé pour la première fois au sommet de la tour de l'hôtel du Parlement le 21 janvier 1948. Le bleu symbolise la persévérance et la fidélité, la croix blanche rappelle la foi catholique, et les quatre fleurs de lys soulignent les origines françaises d'une grande partie de la population du Québec.

2 LA SÉPARATION DES POUVOIRS.

Selon ce texte, la séparation des trois pouvoirs de l'État n'est peut-être pas aussi étanche que le prescrit Montesquieu au 18e siècle : l'exécutif siège au législatif ; le législatif peut démettre l'exécutif ; l'exécutif nomme les membres du judiciaire.

« Comment ignorer [...] l'influence disproportionnée des pouvoirs financiers sur les élus, la soumission des députés à leur parti plutôt qu'à leurs électeurs, les campagnes électorales où l'image l'emporte sur les idées, la manipulation sur l'information, l'obligation pour les défenseurs de l'environnement, les opposants à la pauvreté et à la mondialisation néolibérale de descendre dans la rue faute de moyens de se faire entendre dans les parlements, les graves distorsions dans la représentativité permettant l'élection de gouvernements ne disposant pas de la majorité des voix, la sous-représentation des femmes dans les parlements, la mainmise du premier ministre non seulement sur le pouvoir exécutif, mais sur l'assemblée législative et sur le processus de nomination des juges, etc. La démocratie n'est pas un acquis : c'est le résultat d'une conquête des citoyens contre la tyrannie. Une démocratie vigoureuse repose sur les forces vives de la société civile et leur sentiment de participation au pouvoir. »

Source : CSN, *Pour un parlementarisme plus moderne et démocratique au Québec* (mémoire pour la consultation sur la réforme des institutions démocratiques), novembre 2002.

3 L'UNIFOLIÉ.

Le Canada se dote de son propre drapeau 16 ans après le Québec. Le drapeau rouge et blanc arborant la feuille d'érable est hissé pour la première fois en février 1965. Le rouge et le blanc sont désignés couleurs officielles du Canada dès 1921 par le roi George V, mais ce n'est qu'en décembre 1964 que l'unifolié est adopté aux Communes. Avant que ce drapeau entre en vigueur, le 15 février 1965 suivant, le Canada en utilise deux autres : l'étendard de la Grande-Bretagne, l'*Union Jack*, et le *Red Ensign*.

4 LA CHAMBRE DES COMMUNES, À OTTAWA.

La Chambre des communes est formée de tous les députés du Canada élus dans leur circonscription. Elle est l'une des institutions qui composent le Parlement du Canada.

QUE FAIRE POUR INTÉRESSER DAVANTAGE LES JEUNES À LA POLITIQUE ?

Le taux de participation des jeunes aux élections est faible, de même que leur implication dans les partis politiques. Plusieurs solutions pourraient être adoptées afin de susciter leur intérêt.

Solution	Moins de 25 ans (% des répondants)	25 ans et plus (% des répondants)
Meilleure éducation, information	47 %	53 %
Changements au système politique, engagement	43 %	39 %
Changements de conduite politique	25 %	30 %
Autre	2 %	2 %
Rien, ne sait pas	3 %	3 %

* À noter que les répondants pouvaient donner plus d'une réponse par catégorie.
Source : ÉLECTIONS CANADA, *Perspectives électorales*, vol. 5, nº 2, juillet 2003, p. 7.

LE PROJET DE RÉFORME DU MODE DE SCRUTIN.

Une réforme du mode de scrutin pourrait améliorer l'intérêt des citoyens moins portés à voter aux élections ou à s'impliquer en politique. Pour ce faire, une telle réforme devrait permettre aux citoyens de mesurer concrètement le poids de leur vote.

QUELQUES ARTICLES DE LA CHARTE DES DROITS ET LIBERTÉS DE LA PERSONNE DU QUÉBEC.

Adoptée par l'Assemblée nationale en 1975, sous le gouvernement de Robert Bourassa, la Charte québécoise protège les droits et libertés de tous les citoyens du Québec.

« 1. Tout être humain a droit à la vie, ainsi qu'à la sûreté, à l'intégrité et à la liberté de sa personne.

4. Toute personne a droit à la sauvegarde de sa dignité, de son honneur et de sa réputation.

11. Nul ne peut diffuser, publier ou exposer en public un avis, un symbole ou un signe comportant discrimination ni donner une autorisation à cet effet.

22. Toute personne légalement habilitée et qualifiée a droit de se porter candidat lors d'une élection et a droit d'y voter. »

Source : QUÉBEC, *Charte des droits et libertés de la personne du Québec*, adoptée le 27 juin 1975.

8 LA CHARTE CANADIENNE DES DROITS ET LIBERTÉS : UN CARCAN ?

Puisque ce sont les juges qui interprètent les chartes des droits en cas de litige, certains estiment que cela leur donne trop de pouvoir.

« Et si le Canada était en train de se faire encarcaner par la Charte des droits de la personne ? Et si les juges, de ce fait, avaient perdu toute capacité de créativité juridique ? Et si cette charte était devenue l'excuse de l'impuissance politique et une des explications de la dérive du sens commun ? Prenons les exemples récents. [...] L'effet pervers de la Charte a été cumulatif, mais qui pourra contester que nous avons instauré un gouvernement par les juges dont un certain nombre, disons-le, sont loin d'être à l'aise avec ce rôle qu'on leur fait jouer ? Les juges ne sont pas redevables aux citoyens comme le sont les politiciens. Cela les protège des pressions et assure leur indépendance. Mais les juges ne sont pas imperméables aux courants sociaux, aux lobbys et à la rectitude politique ambiante. [...] Dans le monde juridique, la Charte suscite de nombreuses critiques, mais celles-ci demeurent la plupart du temps discrètes, voire muettes. La Charte est un carcan pour plusieurs qui estiment que les effets pervers représentent un danger pour notre culture démocratique. »

Source : Denise BOMBARDIER, « Le carcan », *Le Devoir*, 11 mars 2006.

QUESTIONS

Connexion

1. **[Doc. 1 et 3]**
Selon vous, à quoi servent les drapeaux adoptés par les différentes nations ou États ?

2. **[Doc. 2, 5 et 6]**
Dans une démocratie, pourquoi la participation des citoyens est-elle importante ?

Méthodologie

3. **[Doc. 6]**
Quelles modifications souhaitent obtenir les partisans d'une réforme du mode de scrutin actuel au Québec ? Au besoin, faites une courte recherche pour le découvrir.

4. **[Doc. 7]**
Quels sont les droits fondamentaux garantis par ces quatre articles de la Charte des droits et libertés de la personne du Québec ?

5. **[Doc. 8]**
Selon l'auteure, pourquoi la Charte canadienne des droits et libertés peut-elle devenir un « carcan » ?

La répartition du pouvoir dans la société québécoise

De nos jours, de nombreux groupes de pression et d'individus tentent d'influencer les décisions des gouvernements afin de promouvoir leurs points de vue et leurs idéaux. Ces groupes prennent différentes formes et utilisent de nombreux moyens: certains manifestent pour faire connaître leur cause à l'ensemble de la population, d'autres préfèrent prendre position en participant, par exemple, à des commissions. Certains groupes agissent concrètement en offrant des solutions de rechange, par exemple, à la consommation. Quels sont les groupes, les organismes et les institutions qui influencent le pouvoir des gouvernements? Comment font-ils valoir leurs intérêts et quelle est la dynamique entre eux?

1 LE POUVOIR DES SYNDICATS.

La puissance des syndicats a augmenté tout au long du 20e siècle. Leur lutte a été bénéfique à un grand nombre de travailleurs qui ont vu leurs revenus et leurs conditions de travail s'améliorer considérablement. Mais, pour certains, les syndicats sont devenus trop puissants, et leurs exigences, trop élevées.

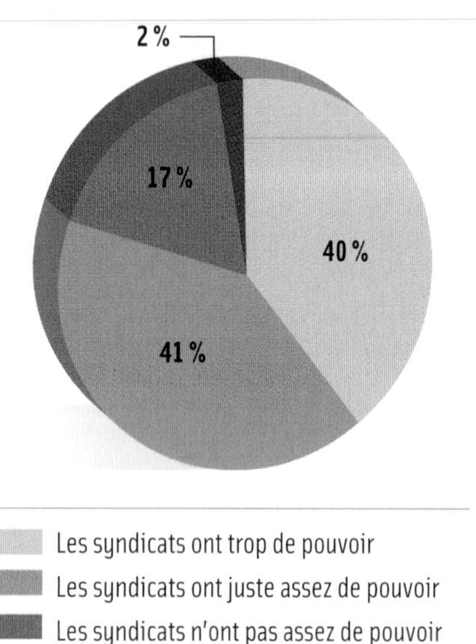

- Les syndicats ont trop de pouvoir
- Les syndicats ont juste assez de pouvoir
- Les syndicats n'ont pas assez de pouvoir
- Refuse de répondre

Source : Léger Marketing - FTQ, 2002.

2 UN CONTREPOIDS À LA MONDIALISATION ÉCONOMIQUE.

Les altermondialistes cherchent à influencer les gouvernements afin que les accords économiques internationaux respectent, entre autres aspects, la justice sociale, les droits humains et l'environnement.

« Le mérite historique du mouvement altermondialiste est d'avoir engagé un vaste travail de mise à jour et de déconstruction de l'idéologie néolibérale, accompagné, notamment dans les forums sociaux, d'une intense production d'alternatives et d'une multitude d'initiatives. Ces activités font apparaître de plus en plus nettement que la mondialisation est un processus politique, auquel s'oppose désormais un autre processus politique: le mouvement altermondialiste lui-même. [...] Le dialogue de travail entre la mouvance altermondialiste et les élus et responsables politiques est nécessaire. D'abord parce que tous ne sont pas des suppôts du néolibéralisme et que beaucoup sont surtout désemparés. Ils attendent des idées et des propositions concrètes applicables ici et maintenant. Ensuite, en sens inverse, parce que la mouvance altermondialiste [...] a beaucoup à apprendre d'eux dans la mesure où ils disposent d'une connaissance des mécanismes institutionnels et des dossiers qui les plonge dans des réalités auxquelles chacun n'a pas forcément accès. Mais si le dialogue, voire la collaboration, sont nécessaires, le conflit peut aussi l'être à l'occasion. »

Source : Jacques NIKONOFF, « Altermondialistes tout terrain », *Le Monde diplomatique*, mai 2004, p. 13.

3 LE POUVOIR D'INTERNET.

Avec l'arrivée d'Internet, le pouvoir médiatique des simples citoyens a augmenté. Désormais, ils peuvent tenir des blogues ou diffuser des vidéos accessibles à la planète entière. Il est donc plus facile que jamais de faire entendre son opinion.

5 DES MILITANTS ENVIRONNEMENTAUX, EN DÉCEMBRE 2007.

Lorsqu'elles mobilisent des milliers de citoyens, les manifestations représentent un moyen efficace de sensibiliser les gouvernements à des revendications.

6 LE POUVOIR DES GROUPES ENVIRONNEMENTALISTES.

Différents groupes exercent des pressions sur les gouvernements pour faire adopter des politiques de protection de l'environnement. En conséquence, le gouvernement doit prendre des mesures adéquates tout en préservant les intérêts économiques. Cela montre qu'un enjeu exige parfois la considération des intérêts de groupes sociaux variés.

« Depuis deux générations, les Québécois ont délégué à l'État la responsabilité de protéger leur environnement. Sans occulter le rôle de l'État qui demeure fondamental, nous croyons que le temps est venu pour les citoyens d'exercer directement leur responsabilité dans la protection de leur environnement. Déjà, les Québécois de toutes les régions du Québec se regroupent pour protéger leurs lacs, leurs rivières, leurs forêts et leurs paysages. [...] Ces associations témoignent de la volonté des Québécois de prendre en main eux-mêmes leur patrimoine et leurs ressources. Il faut leur en donner les moyens. »

Source : COLLECTIF, *Manifeste pour un Québec durable*, 2007, p. 8 [en ligne]. (Consulté le 20 mai 2008.)

7 LE POUVOIR DES MÉDIAS.

En raison de leur pouvoir de toucher facilement une large partie de la population, les médias jouent un rôle considérable dans le débat politique et dans l'orientation des enjeux de société.

4 LES ARTISTES PRENNENT LA PAROLE.

Puisque leur métier leur permet de rencontrer le public, certains artistes profitent de leur position pour tenter d'influencer les débats sociaux ou politiques.

« De plus en plus d'artistes prennent la parole (ou la guitare) lors d'événements destinés à éveiller la conscience environnementale du public. Ces rassemblements font-ils avancer la cause ? Et l'artiste, en se prêtant au jeu, déborde-t-il de son rôle ? [...] Il semble qu'une cause n'attende pas l'autre pour que des artistes montent au front et s'en fassent porte-parole. [...] Mais l'exercice est périlleux, et le porte-voix s'expose aux critiques. »

Source : Alexis DE GUELDÈRE, « L'artiste : grand prêtre de l'écologie ? », *Voir*, 12 avril 2007.

QUESTIONS

1. Nommez deux types de pressions que des groupes peuvent exercer auprès des gouvernements.

Méthodologie

2. [Doc. 1]
Ce diagramme montre-t-il que la population a une perception négative ou positive du pouvoir des syndicats ? Précisez votre réponse.

3. [Doc. 2]
Comment les altermondialistes et les responsables politiques peuvent-ils apprendre les uns des autres ?

Connexion

4. [Doc. 3, 4 et 7]
Comment les médias et les artistes peuvent-ils influencer le pouvoir politique ?

5. [Doc. 5 et 6]
Que demandent les groupes environnementalistes aux citoyens ?

DU POUVOIR AUX POUVOIRS

De l'époque de la Nouvelle-France à aujourd'hui, le pouvoir prend différentes formes. À ses débuts, la colonie française est administrée par des compagnies. À partir de 1663, le roi prend la relève. Après la Conquête, une nouvelle organisation politique est introduite à la suite de la Proclamation royale britannique. En 1791, l'Acte constitutionnel entraîne la mise en place d'un régime parlementaire. Les représentants élus réclament à plusieurs reprises plus de pouvoirs. Le pouvoir peut prendre aussi différentes formes et ne se limite pas toujours à l'action politique. La société du début de la colonisation fait place à une structure sociale plus complexe où plusieurs groupes d'individus se partagent le pouvoir. Une telle répartition du pouvoir entraîne inévitablement des défis particuliers pour l'État, qui doit s'assurer de répondre aux besoins des différents groupes, et de mettre en place des lois et des mesures en conséquence.

Charles Huot (1855-1930)

Artiste peintre
Né à Québec, Charles Huot étudie à l'École des beaux-arts de Paris, où il participe à plusieurs expositions. À son retour au pays, il décore l'église Saint-Sauveur de la basse-ville de Québec. Ensuite, il peint dans d'autres édifices religieux et au Parlement à Québec. Ses œuvres historiques *Conseil souverain de 1663* et *Débat sur les langues* se trouvent à l'hôtel du Parlement.

CONSEIL SOUVERAIN DE 1663.
Ce tableau, qui se trouve dans la salle du Conseil législatif, aujourd'hui aboli, représente l'une des toutes premières séances du Conseil souverain, en 1663. On y voit le gouverneur Saffray de Mézy, au centre, dans le fauteuil du président et, à sa droite, Mgr de Laval. À la mort de Charles Huot, en 1930, la toile n'est pas encore terminée. Ce sont deux de ses élèves qui l'ont achevée.

Charles Huot, *Conseil souverain de 1663,* 1926-1930.

1 Le pouvoir en Nouvelle-France

LA CONVERSION DES AMÉRINDIENS.
Les communautés religieuses jouent un rôle actif dans l'évangélisation des Amérindiens, ainsi que dans la création d'écoles et d'hôpitaux.

École américaine, *The French Jesuit Missionary Brebeuf among the Algonquins* [Le missionnaire jésuite Brébeuf parmi les Algonquins], 19e siècle.

Guerre de Trente Ans : Conflit politique et religieux qui se déroule en Europe de 1618 à 1648 et qui oppose les protestants aux catholiques.

Pendant plusieurs décennies, la métropole dirige la colonie de la Nouvelle-France et en confie l'administration et l'exploitation à des compagnies. À partir de 1663, le roi décide de prendre en main le développement de la Nouvelle-France. Comment le roi gouverne-t-il sa colonie ? Quelles sont les personnes importantes dans la colonie ? Quel rôle joue la population dans l'organisation administrative de la Nouvelle-France ?

De nouveaux rapports de pouvoir

Durant les premières années de la Nouvelle-France, l'organisation du pouvoir manque de direction, car la colonie est loin de la métropole et le roi est plus préoccupé par la situation en Europe, notamment par la **guerre de Trente Ans.** Le roi de France confie l'administration de la colonie à des compagnies de commerce. Il ne conserve que le pouvoir d'accorder ou de refuser le monopole de la traite des fourrures.

Dans ce contexte, les compagnies et les communautés religieuses assument les responsabilités laissées par la métropole aux premiers arrivants. D'ailleurs, le climat et les conditions de vie difficiles en Nouvelle-France inquiètent davantage les colons que l'organisation du gouvernement. De plus, le peuplement de la Nouvelle-France repose avant tout sur l'entreprise privée. Par ailleurs, la mission des communautés religieuses consiste à convertir les peuples autochtones au christianisme, à encadrer la vie spirituelle des nouveaux immigrants et à mettre sur pied des hôpitaux et des écoles.

Les relations entre les administrateurs et les Amérindiens

Les relations entre les autorités de la Nouvelle-France et les Amérindiens alliés des Français constituent un cas particulier dans l'histoire de la colonisation des Amériques. En effet, ces relations sont marquées par des rapports relativement égalitaires qui contrastent avec la domination que les Espagnols ont exercée sur les Amérindiens d'Amérique du Sud. Dès l'établissement de Champlain à Québec, les Français cultivent de bonnes relations avec certaines nations amérindiennes avec lesquelles ils pratiquent la traite des fourrures. En fait, ce sont les Amérindiens qui chassent le castor et apprêtent les peaux, tandis que les Français les acquièrent en échange de marchandises européennes.

Les alliances et les conflits

La relation privilégiée que les Français entretiennent avec les Hurons, leurs premiers grands alliés, se termine vers 1650 lorsque les Hurons sont attaqués par leurs ennemis de longue date, les Iroquois. Les attaques iroquoises débutent à partir de 1639, grâce aux armes que leur procurent les Hollandais établis à Fort Orange (Albany). Les Iroquois finissent par vaincre les Hurons, brisant ainsi l'équilibre entre les nations amérindiennes rivales et forçant les Français à chercher des alliances auprès d'autres nations amérindiennes.

Afin de se faire des alliés, les Français doivent se plier à certaines exigences des Amérindiens. Ils devront, entre autres obligations, négocier à la manière amérindienne, notamment par l'échange de cadeaux, et apprendre les langues amérindiennes. Certains Français vont même jusqu'à vivre au milieu des Amérindiens et adoptent leur mode de vie : il s'agit des coureurs des bois, qui pratiquent le commerce des fourrures, et des miliciens qui se battent aux côtés des Amérindiens.

Ce type de rapports assez égalitaires entre les Français et les Amérindiens se poursuit jusqu'à la fin du Régime français. La Nouvelle-France tient à établir de bonnes relations avec certaines nations amérindiennes afin de mieux lutter contre sa voisine beaucoup plus peuplée et puissante, la Nouvelle-Angleterre, avec qui elle est souvent en guerre.

Le gouverneur Frontenac et les Amérindiens

En 1689, l'Angleterre et plusieurs nations européennes se liguent contre la France. En Amérique, les Français et les Anglais, qui se font déjà concurrence, entrent définitivement en guerre. Le gouverneur Frontenac lance quelques raids contre des villages frontaliers de la Nouvelle-Angleterre. Lors de ces attaques, qui ont lieu la nuit, des maisons sont brûlées et des gens sont faits prisonniers. Les troupes françaises se composent en partie d'Amérindiens alliés aux Français, d'officiers et de soldats français, et de miliciens canadiens. En 1690, Frontenac résiste à la riposte des Anglais qui se lancent à l'assaut de Québec. Par la suite, les Anglais laissent les Iroquois faire la guerre à leur place. La région située entre Montréal et Trois-Rivières subit aussi plusieurs attaques.

2 LE TRAITÉ DE LA GRANDE PAIX DE MONTRÉAL.

Grâce à ce traité signé en 1701, une collaboration s'instaure entre les Français et les Amérindiens.

La Grande Paix de Montréal

En 1701, une grande conférence a lieu à Montréal. Pendant plusieurs jours, les représentants d'une vingtaine de nations amérindiennes, incluant les Iroquois, parlementent avec les Français afin de conclure une paix générale. Les négociations se font à l'amérindienne, c'est-à-dire par l'échange de présents qui, chacun, portent un message. Quand le présent est accepté, cela signifie que l'on accepte le message dont il est porteur. Finalement, les Français complètent les négociations en faisant « signer » un traité de paix écrit, au bas duquel est dessiné l'animal qui représente le symbole de la nation des représentants amérindiens. Ce traité de paix, appelé la « Grande Paix de Montréal », et les négociations qui l'entourent forment donc un amalgame des us et coutumes amérindiennes et françaises. Les Français se retrouvent au cœur de cette alliance en tant que médiateurs des conflits entre toutes les nations amérindiennes qui ont signé ce traité. Les Français s'engagent aussi à répondre aux besoins de ces nations en marchandises européennes et en soutien militaire, en cas de nécessité.

Lors de la guerre de Conquête, entre 1755 et 1759, des centaines d'Amérindiens, vivant surtout dans la région de Montréal et souvent convertis au catholicisme, vont se battre aux côtés des soldats français et des miliciens canadiens. Peu habitués à la présence de ces guerriers amérindiens, les soldats français s'en plaignent fréquemment, alors que les miliciens canadiens, habitués à combattre à leurs côtés, vont jusqu'à adopter leurs techniques de combats.

QUESTIONS

1. Pourquoi, au début de la Nouvelle-France, l'organisation du gouvernement préoccupe-t-elle peu les colons ?
2. Expliquez pourquoi les relations entre les Français et les Amérindiens sont différentes de celles qu'entretenaient ces derniers avec les Espagnols.
3. Résumez en quoi consiste la Grande Paix de Montréal.
4. Que doivent faire les Français pour créer des alliances avec les Amérindiens ?

Réflexion

5. Que pourriez-vous faire pour améliorer vos connaissances sur les relations entre les Français et les Amérindiens au temps de la Nouvelle-France ?

LES RÉCOLLETS ACCUEILLENT LES JÉSUITES À LEUR ARRIVÉE EN NOUVELLE-FRANCE.

Les Récollets et les Jésuites ont joué un rôle important dans la colonie, tant dans son développement que dans l'évangélisation des Amérindiens.

Charles William Jefferys, *The Jesuits Welcomed by the Recollets in 1625* [Les Jésuites accueillis par les Récollets en 1625], début du 20e siècle.

L'Église et l'État

L'Église catholique joue un rôle important dans la naissance et le développement de la colonie. À l'époque où la Nouvelle-France n'est qu'un comptoir colonial servant de poste de traite de fourrures, seulement quelques membres des communautés religieuses sont présents. Les Récollets, arrivés à l'époque de Samuel de Champlain, et les Jésuites, à partir de 1625, ont comme principal objectif de convertir les Amérindiens à la religion catholique.

Le premier gouverneur et l'Église

Le cardinal de Richelieu, un homme d'État français puissant, ministre du roi Louis XIII, souhaite faire de la Nouvelle-France une véritable colonie de peuplement. En 1627, il fonde la Compagnie des Cent-Associés, composée de marchands, de nobles et de gens d'Église, tous de confession catholique. La compagnie détient le monopole sur le commerce des fourrures et doit attirer de nouveaux colons. La compagnie nomme Charles Huault de Montmagny premier gouverneur en titre de la Nouvelle-France. Sous son mandat, qui s'étend de 1636 à 1648, la colonie connaît un certain essor.

En 1639, deux congrégations religieuses s'établissent en Nouvelle-France : les Ursulines, qui s'occupent de l'éducation des jeunes filles, et les Sœurs hospitalières de la Miséricorde de Jésus, qui prennent soin des malades. La même année, Jérôme Le Royer, sieur de La Dauversière, qui est un fidèle lecteur des *Relations*, un recueil de textes écrit par les Jésuites, et un jeune abbé, Jean-Jacques Olier, souhaitent créer dans l'île de Montréal un établissement où l'on s'emploiera à convertir les Amérindiens. La Société Notre-Dame de Montréal est alors fondée. En 1641, un premier contingent de cette société, dirigée par Paul de Chomedey de Maisonneuve, arrive à Québec dans l'espoir d'installer sa colonie dans l'île de Montréal. Le gouverneur Montmagny leur offre plutôt de s'établir sur l'île d'Orléans, car il juge que c'est une « folle entreprise » que de s'établir sur une île exposée aux attaques iroquoises. Ce n'est qu'au printemps 1642 que la société prend officiellement possession de l'île de Montréal.

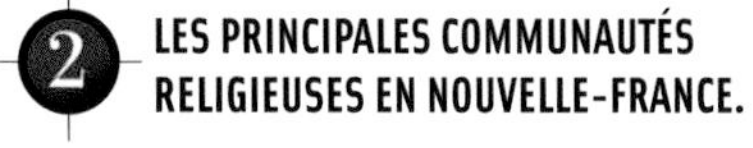

LES PRINCIPALES COMMUNAUTÉS RELIGIEUSES EN NOUVELLE-FRANCE.

Les communautés religieuses ont joué un rôle essentiel dans le développement de la Nouvelle-France.

Communauté	Année d'arrivée	Œuvre
Récollets	1615	Évangélisation des Amérindiens.
Jésuites	1625	Évangélisation des Amérindiens. Exploration du territoire. Publication des *Relations*.
Ursulines	1639	Éducation des jeunes filles françaises et amérindiennes.
Hospitalières de la Miséricorde de Jésus	1639	Soins de santé. Direction de l'Hôtel-Dieu de Québec.
Sulpiciens	1657	Évangélisation des Amérindiens. Éducation des garçons. Exploration du territoire.
Hospitalières de Saint-Joseph	1659	Soins de santé. Direction de l'Hôtel-Dieu de Montréal.

Une communauté qui a du poids

De 1630 à 1660, les Jésuites exercent une grande influence sur les représentants de l'État en Nouvelle-France, car ils sont nombreux, bien organisés, riches et appréciés du roi de France. Ils sont avant tout des missionnaires qui viennent convertir les Amérindiens à la religion catholique. Ils vivent dans plusieurs communautés amérindiennes et parlent couramment leurs langues. Comme l'économie de la colonie repose entièrement sur la traite des fourrures, le fait que les Jésuites travaillent auprès des Amérindiens, qui approvisionnent les Français en fourrures, leur donne beaucoup de pouvoir. D'autant plus que tous les premiers gouverneurs appuient le travail des Jésuites auprès des Amérindiens.

L'évêque, un personnage influent

Le premier évêque de la Nouvelle-France, Mgr François de Laval, arrive dans la colonie en 1659. L'évêque est le dirigeant de tous les membres de l'Église dans la colonie. Mgr de Laval est un homme d'envergure qui occupe dès son arrivée une place centrale au sein de l'élite dirigeante. C'est même lui qui choisit personnellement l'un des gouverneurs, Saffray de Mézy, en fonction de 1663 à 1665. Il appuie aussi les Jésuites, qui ont été ses éducateurs en France et dont il admire le travail de missionnaires.

La mission Saint-François-Xavier

En 1667, une trêve signée entre les Français et les Iroquois permet aux Jésuites de fonder la mission Saint-François-Xavier, à La Prairie. L'objectif des missionnaires est de s'installer dans les territoires des Iroquois pour faciliter leur conversion au christianisme.

En 1716, après quelques déménagements successifs, la mission s'installe à Sault-Saint-Louis. En 1719 et en 1720, les religieux y construisent une église et une maison pour s'y loger. L'église Saint-François-Xavier que l'on connaît aujourd'hui a été bâtie en 1845.

Les visiteurs peuvent y découvrir un portrait de Kateri Tekakwitha, la première Amérindienne béatifiée. Persécutée par ses pairs en raison de sa conversion, la jeune Kateri se réfugie à la mission Saint-François-Xavier en 1676. Elle meurt en 1680 à la suite d'une longue maladie.

LA MISSION SAINT-FRANÇOIS-XAVIER.

Fondée en 1667 par les Jésuites, la mission Saint-François-Xavier rappelle la conversion au christianisme de nombreux Mohawks. Ces derniers nomment la mission Kahnawake.

QUESTIONS

1. Résumez le rôle des communautés religieuses dans le développement de la Nouvelle-France.
2. Pourquoi peut-on affirmer que l'Église et le clergé sont influents en Nouvelle-France ?
3. Quel aspect vous semble le plus important dans la présence des communautés religieuses en Nouvelle-France ? Justifiez votre réponse.

Méthodologie

4. [Doc. 2] Nommez les trois principaux domaines où interviennent les communautés religieuses.

JEAN-BAPTISTE COLBERT (1619-1683).

Jean-Baptiste Colbert est nommé ministre de la Marine, sous Louis XIV, de 1669 jusqu'à sa mort, en 1683.

Robert Tournières, *Portrait de Jean-Baptiste Colbert*, 17e siècle.

Des relations parfois tendues

À la fin des années 1650 et au début des années 1660, le principal conflit qui oppose l'Église et l'État est la question de la vente d'alcool aux Amérindiens. Les missionnaires jésuites et Mgr de Laval veulent l'interdire en raison des ravages que fait l'alcool dans la vie des Amérindiens, lesquels n'ont jamais consommé d'alcool avant l'arrivée des Européens. Les commerçants continuent cependant à leur en vendre, car lorsqu'ils refusent, les Amérindiens vont échanger leurs fourrures dans les colonies voisines, où les Hollandais et les Anglais leur en donnent volontiers. Les représentants de l'État sont généralement en faveur de la vente d'alcool aux Amérindiens. Le conflit se rend jusqu'aux oreilles du roi de France, qui tranche en faveur de la vente d'alcool aux Amérindiens, mais avec modération. Les autres conflits entre l'Église et l'État concernent surtout les querelles entre personnes, une situation courante dans une colonie qui compte environ 5000 habitants.

Le gouvernement royal et l'Église

Les choses changent à la fin des années 1660, au moment où le roi de France met en place une nouvelle organisation politique calquée sur celle de la France. Désormais, un Conseil souverain, composé d'une dizaine de personnes, surveille étroitement le respect des décisions du roi, ainsi que celles du gouverneur, qui est le représentant du roi dans la colonie. Même si l'évêque et le supérieur des Jésuites siègent à ce Conseil, il leur est difficile de jouer un rôle déterminant, car un intendant exerce son autorité sur l'économie, la justice, les finances de l'État, etc.

Dès les années 1670, le gouverneur et l'intendant prennent toutes les décisions importantes. Cependant, avant d'agir, les deux hommes doivent toujours consulter le roi ou le ministre de la Marine responsable des colonies, en France. Ils doivent rendre compte de leurs décisions, de leurs gestes et des conséquences qui en résultent. En somme, c'est donc toujours le roi ou son ministre de la Marine qui prennent les décisions. Si ces derniers ne sont pas satisfaits du travail du gouverneur ou de l'intendant, ils le remplacent par un autre. Dans ce nouveau mode de fonctionnement, l'évêque et les autres membres de l'Église de la Nouvelle-France ne possèdent plus beaucoup de pouvoir sur l'organisation et le fonctionnement de l'ensemble de la colonie.

LES DIRECTIVES DE Mgr DE LAVAL À PROPOS DES BOISSONS ENIVRANTES.

Dans ce texte, Mgr de Laval prévient que toute personne fournissant de l'alcool aux Amérindiens s'expose à l'excommunication.

« Nous faisons très expresse inhibition et défense, sous peine d'excommunication [...], de donner en paiement aux sauvages, vendre, traiter ou donner gratuitement soit vin, soit eau-de-vie, en quelque façon et manière, et sous quelque prétexte que ce soit [...]. Nous déclarons toutefois que, dans ces défenses, nous ne prétendons pas y comprendre quelques rencontres qui n'arrivent que très rarement, et où l'on ne peut quasi se dispenser de donner quelque peu de cette boisson, comme il pourrait arriver en des voyages et fatigues extraordinaires et semblables nécessités; mais même dans ces cas l'on saura que l'on tomberait dans l'excommunication susdite si l'on y excédait la petite mesure ordinaire [...]. Et tous ceux qui prétendraient sous ce prétexte user de quelque fraude et tromperie se souviendront que rien ne peut être caché à Dieu, et que, trompant les hommes, cela n'empêcherait pas que sa malédiction et sa juste colère retombassent sur eux. »

Source : Mgr François DE LAVAL, *Mandement des évêques pour excommunier ceux qui vendent des boissons enivrantes aux sauvages*, Québec, 5 mai 1660.

La religion dans les paroisses

Même si elle ne participe pas aux grandes décisions de l'État, l'Église exerce une forte influence sur la vie quotidienne des habitants de la colonie. En effet, les habitants de la Nouvelle-France sont très religieux. Ils croient en Dieu et respectent en bonne partie les recommandations de l'Église sur les façons de se comporter pour assurer leur salut éternel.

Le nombre de curés, de prêtres et de religieuses augmente petit à petit dans la colonie. À partir de 1700, la plupart des communautés, qui comptent quelques centaines de personnes, que ce soit à la campagne ou à la ville, se regroupent en paroisses où un curé réside en permanence. Pour entretenir l'église et célébrer les services religieux, le curé prélève la dîme, qui correspond en théorie au dixième de la valeur des récoltes.

3 UN BÉNITIER.

Ce bénitier du 17e siècle provient de l'Hôpital général de Québec. Cet objet servait à contenir de l'eau bénite.

Le curé dirige la vie religieuse de sa paroisse. Par exemple, il célèbre la messe tous les dimanches et lors des fêtes religieuses. Les sacrements du baptême, du mariage et de l'extrême-onction, les rites de la communion et de la confession sont autant d'étapes religieuses qui rythment la vie de tous les habitants. Les prêtres bénissent aussi les semences pour favoriser la récolte. Ils organisent des processions et des prières pour obtenir de la pluie ou du beau temps. Grâce à ce contact personnel et direct avec les habitants, l'Église conserve un grand pouvoir sur la vie quotidienne des gens, leurs valeurs et leurs comportements. Cependant, le nombre de prêtres et de curés demeure insuffisant pour répondre à tous les besoins.

Mgr de Saint-Vallier

Le deuxième évêque de la Nouvelle-France, de 1688 à 1727, Mgr Jean-Baptiste de Saint-Vallier, espère retrouver le même pouvoir sur l'État et la population en général que l'Église possédait entre les années 1630 à 1660. En voulant reprendre une partie de l'autorité perdue, il provoque plusieurs conflits entre l'Église et l'État, et même entre différents groupes au sein de l'Église.

Mgr de Saint-Vallier est un ecclésiastique qui voit le mal partout. Il émet plusieurs directives pour changer les comportements des habitants de la colonie qu'il juge inacceptables. Il se plaint de l'attitude du gouverneur Frontenac et de certaines personnes haut placées dans la colonie. Plusieurs dirigeants et habitants jugent ses exigences exagérées. Aussi Mgr de Saint-Vallier éprouve-t-il des difficultés à faire appliquer ses recommandations. La rigueur de ses exigences, et l'habitude des habitants et des dirigeants de la colonie de mener une vie plus libre et plus décontractée que ne le recommande l'évêque créent des tensions. D'autant plus que Mgr de Saint-Vallier a une vision très différente de celle de Mgr de Laval, son prédécesseur. Sa décision de transformer l'organisation de l'Église, que vient tout juste de créer Mgr de Laval, entraîne un grave conflit entre les partisans des deux évêques. Ces querelles durent ensuite une trentaine d'années.

QUESTIONS

1. a) Décrivez l'organisation politique mise en place par le roi de France à la fin des années 1660.
   b) Quelle est la place de l'Église dans cette organisation ?
2. Par quels moyens Mgr de Saint-Vallier tente-t-il d'imposer son pouvoir sur l'État et la population ?

Méthodologie

3. [Doc. 2]
   Dans quelle situation est-il possible de distribuer de l'alcool aux Amérindiens sans craindre l'excommunication ?

Réflexion

4. À partir de ce que vous venez de lire, quelle conclusion pouvez-vous tirer sur la place actuelle de l'Église dans la société québécoise ?

Les relations entre la colonie et la métropole

En 1663, le roi de France, Louis XIV, décide de prendre en charge l'administration de la Nouvelle-France. Il comprend que le peuplement et la prospérité de la colonie peuvent contribuer à la puissance du royaume de France. Désormais, l'administration représente les intérêts royaux et n'est plus laissée aux compagnies qui détiennent le monopole du commerce des fourrures. Le roi supprime d'ailleurs les privilèges de la Compagnie des Cent-Associés.

Le roi dote la colonie d'une administration similaire à celles des provinces de France. Dans la métropole, toutes les colonies du roi relèvent du ministre de la Marine. En Nouvelle-France, l'exécution des ordres royaux est confiée à deux hauts dirigeants : le gouverneur général et l'intendant. Provenant de la noblesse française, le gouverneur est le représentant officiel du roi de France et le premier dirigeant de l'État en Nouvelle-France. Le gouverneur commande l'armée, est responsable des relations avec les nations amérindiennes et les colonies britanniques. L'intendant, qui provient souvent de la petite noblesse, possède aussi de nombreux pouvoirs dans la colonie. Il est en charge de toute l'administration des finances, de la justice et de la sécurité.

L'ORGANISATION DU POUVOIR EN NOUVELLE-FRANCE À PARTIR DE 1663.

En 1663, la Nouvelle-France devient une colonie royale. Dès lors, elle est prise en main par le roi et les personnes clés qu'il désigne.

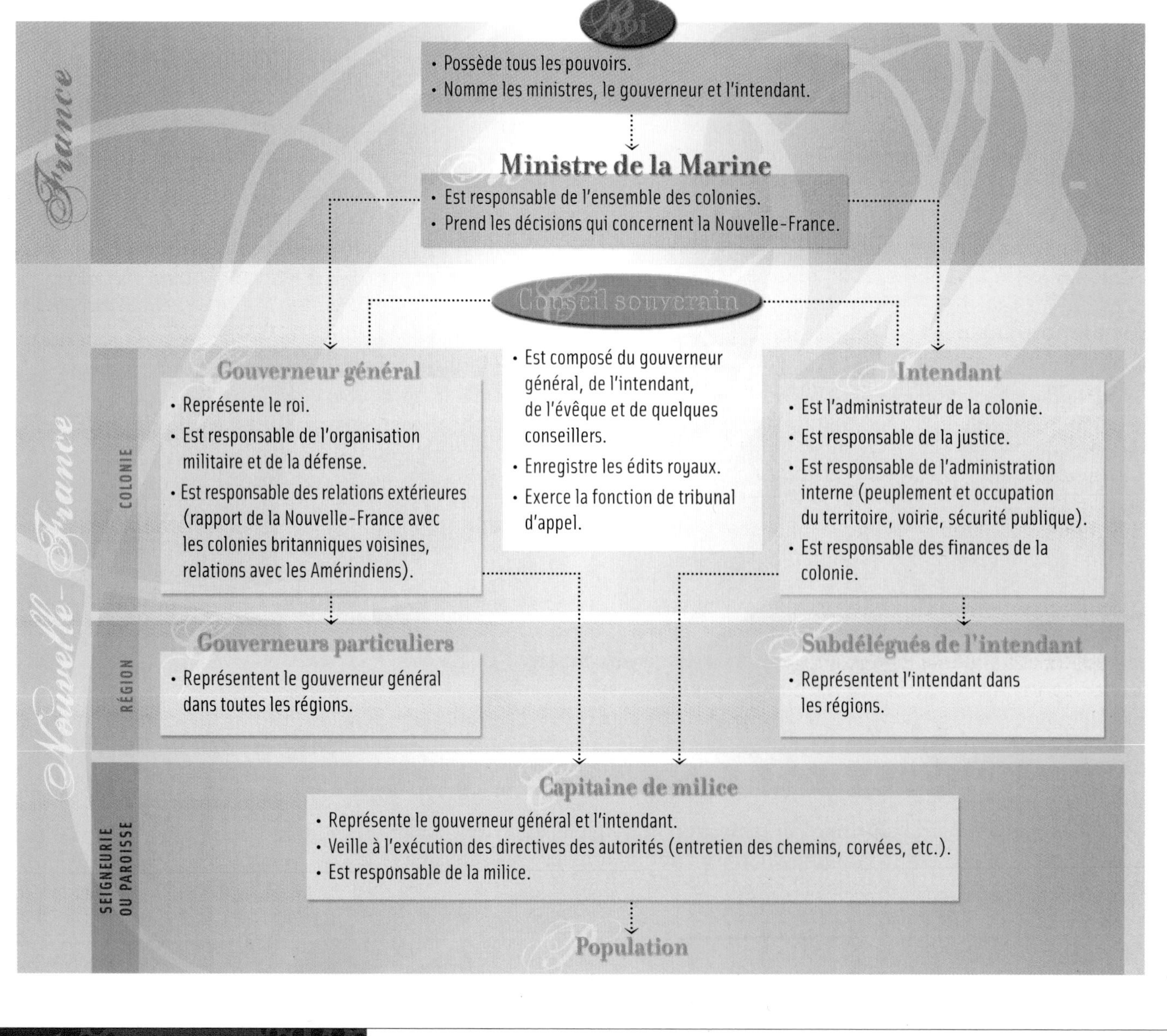

Les communications avec la métropole

En raison de la structure administrative imposée par la métropole, il est presque impossible de prendre des décisions importantes en Nouvelle-France sans obtenir le consentement du roi ou de son ministre de la Marine. Les dirigeants de l'État en Nouvelle-France, c'est-à-dire le gouverneur et l'intendant, doivent donc constamment présenter des rapports, des mémoires et des lettres pour expliquer les besoins de la colonie et exprimer leur opinion sur les mesures à prendre. Quand le gouverneur ou l'intendant prennent des décisions ou posent un geste sans avoir obtenu l'autorisation du roi ou de son ministre de la Marine, ils doivent alors rendre compte de leurs actes et des raisons qui les ont motivés.

Cette façon de fonctionner comporte plusieurs inconvénients. D'abord, les messages de part et d'autre de l'Atlantique prennent plusieurs mois avant d'être acheminés. Par exemple, si une lettre ou un rapport du gouverneur est envoyé au mois de juillet 1700, il ne parvient entre les mains du roi qu'au mois de septembre, si tout se passe bien. La réponse du roi arrive ensuite à la colonie l'été suivant, soit au mois de juin ou juillet 1701. Pour éviter que les documents ne se perdent en chemin, une ou deux copies du même document sont envoyées par un bateau différent.

D'autre part, il est difficile pour le roi et son ministre de la Marine, qui n'ont jamais mis les pieds en Nouvelle-France, de comprendre la situation exacte et la nature précise des problèmes ou la pertinence des solutions qu'il est possible d'apporter. De sorte que le gouverneur et l'intendant essaient toujours de satisfaire le roi ou son ministre de la Marine, en même temps qu'ils tentent de poser les gestes les plus appropriés, compte tenu de la situation qu'ils connaissent mieux que le roi ou son ministre de la Marine.

Enfin, dans cette correspondance entre les dirigeants et les personnes influentes de la colonie et le roi, on trouve l'écho de plusieurs conflits qui surviennent dans la colonie. Par exemple, quand un problème se présente entre le gouverneur et l'évêque, seul le roi peut décider à qui donner tort ou raison. Le gouverneur et l'évêque écrivent au roi pour justifier leur point de vue, chacun tentant de convaincre le roi que c'est lui qui a raison. Par conséquent, les rapports qui existent entre la colonie et la métropole sont relativement compliqués. Souvent, les personnes décident de prendre le bateau afin d'aller expliquer leur problème au roi ou à son ministre de la Marine et s'assurer de bien se faire comprendre en fournissant tous les arguments nécessaires, et cela malgré les risques que comporte chaque traversée de l'océan à cette époque.

2 LA STATUE DE JEAN TALON DEVANT LE PARLEMENT DE QUÉBEC.

Jean Talon occupe le poste d'intendant de la Nouvelle-France de 1665 à 1668, puis de 1670 à 1672. Il cherche notamment à favoriser le peuplement et le développement économique de la colonie.

3 LE ROI RAPPELLE À L'ORDRE SON GOUVERNEUR GÉNÉRAL.

Dans cette lettre écrite au comte de Frontenac, Jean-Baptiste Colbert, ministre de Louis XIV, rend compte des ordres du roi au sujet du développement de la colonie.

« J'ai rendu compte au roi du contenu de vos lettres du 13 novembre dernier. Sa Majesté a entendu le détail avec satisfaction. Elle m'a ordonné de vous expliquer ses intentions sur tous les points qu'elle contient. [...] Sur le premier point concernant les règlements de police que vous avez faits, et l'établissement des chemins de la ville de Québec [...], Sa Majesté m'ordonne de vous dire que vous avez en cela passé les bornes du pouvoir qu'elle vous a donné, d'autant que ce règlement de police devait être fait par le Conseil souverain auquel vous devez présider. »

Source : Jean-Baptiste COLBERT, Lettre au comte de Frontenac, 17 mai 1674.

QUESTIONS

1. Que signifie pour la Nouvelle-France le fait de devenir une colonie royale en 1663 ?
2. Expliquez pourquoi il est difficile pour les dirigeants de la Nouvelle-France de prendre des décisions importantes.

Méthodologie

3. [Doc. 1] Expliquez le rôle du Conseil souverain.
4. [Doc. 3] Dans cette lettre, qu'est-il reproché au comte de Frontenac ?

Réflexion

5. Désignez un aspect des relations entre la colonie et la métropole que vous souhaiteriez approfondir. Expliquez pourquoi et dites de quelle façon vous pourriez le faire.

2 Un nouveau régime

Depuis les débuts de la Nouvelle-France, l'Angleterre et la France ne cessent de s'affronter. Les Anglais, qui cherchent à conquérir l'ensemble de l'Amérique du Nord, engagent des forces colossales pour y parvenir. En 1763, la Nouvelle-France devient finalement une colonie britannique. Comment les Canadiens s'adaptent-ils à cette nouvelle réalité politique ? Parviennent-ils à conserver leurs droits et leur identité ? Comment défendent-ils leurs intérêts ?

La conquête de la Nouvelle-France

La rivalité pour la possession des territoires en Amérique du Nord s'intensifie entre les Anglais et les Français. En Europe, les guerres qui opposent les deux métropoles provoquent plusieurs conflits dans les colonies, ce qui entraîne progressivement l'effritement de l'Empire français. La première guerre intercoloniale se termine en 1697 avec la signature du traité de Ryswick. Toutefois, les territoires conquis de part et d'autre sont abandonnés et chacun conserve les mêmes possessions qu'avant la guerre.

Après la seconde guerre intercoloniale, le territoire de la Nouvelle-France se trouve considérablement modifié puisque la France cède à la Grande-Bretagne la baie d'Hudson, l'Acadie et l'île de Terre-Neuve par la signature du traité d'Utrecht de 1713. Cette perte affaiblit la position de la Nouvelle-France du côté de l'Atlantique. Les pêcheries à l'entrée du fleuve et le commerce des fourrures d'une partie du Nord passent entre les mains de la Grande-Bretagne. Les Iroquois se retrouvent alors sous protectorat britannique.

1 LE TERRITOIRE DE LA NOUVELLE-FRANCE APRÈS LE TRAITÉ D'UTRECHT EN 1713.

Lors de la signature du traité d'Utrecht, en 1713, le territoire de la Nouvelle-France se trouve considérablement modifié. La France cède à la Grande-Bretagne la baie d'Hudson, l'Acadie et l'île de Terre-Neuve, et conserve l'île du Cap-Breton et l'île Saint-Jean (Île-du Prince-Édouard).

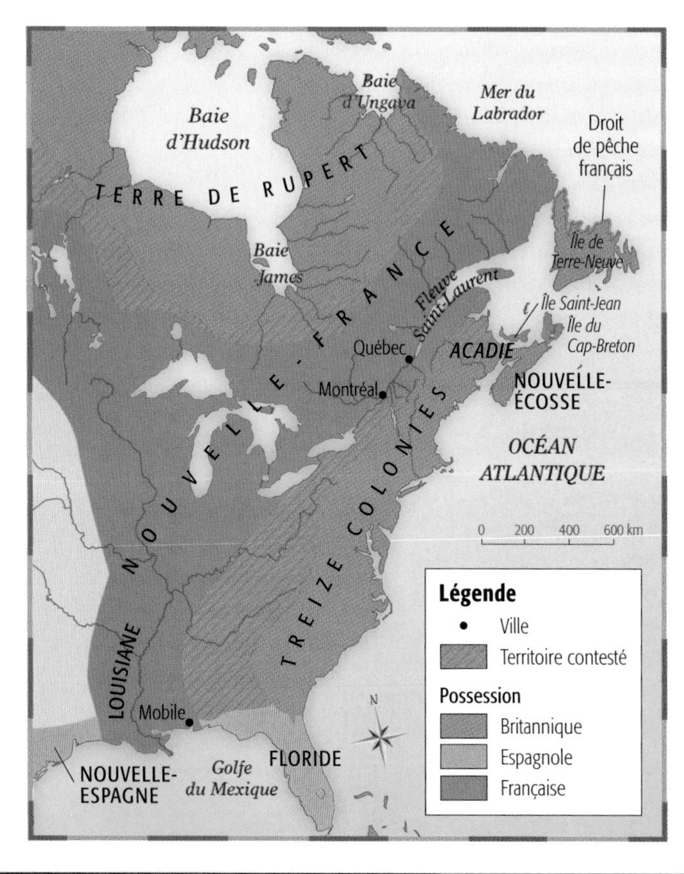

De 1744 à 1748, dans le cadre de la guerre de Succession d'Autriche, les hostilités reprennent entre la France et la Grande-Bretagne. Le traité d'Aix-la-Chapelle, signé en 1748, met fin à la troisième guerre intercoloniale, mais ne règle rien. Des combats font rage de nouveau dans les colonies en 1754, avant même que la guerre de Sept Ans, entre la France et la Grande-Bretagne, n'éclate en Europe en 1756.

La bataille des Plaines d'Abraham

En 1759, lors de la bataille des Plaines d'Abraham, les troupes des généraux Louis-Joseph Montcalm et James Wolfe s'affrontent, et la victoire revient aux Britanniques. L'année suivante, les troupes françaises remportent la bataille de Sainte-Foy, et les forces britanniques convergent vers Montréal. La ville est encerclée de toutes parts. Le gouverneur Vaudreuil choisit de ne pas livrer bataille et signe la capitulation. Pour la France, c'est la défaite. En attendant l'issue du conflit, la Nouvelle-France passe sous un régime militaire de 1760 à 1763. Au cours de cette période, environ 4000 personnes, surtout les soldats et les dirigeants français, quittent la Nouvelle-France pour la métropole. Toutefois, les membres du clergé demeurent dans la colonie.

La révolte de Pontiac

Après la guerre de la Conquête, les Amérindiens, habitués à commercer avec les Français, sont inquiets devant l'attitude des militaires et des marchands britanniques à leur égard. Le chef Pontiac rallie plusieurs nations et se révolte contre les Britanniques et leur présence dans la région des Grands Lacs. Des attaques sont dirigées contre des forts anglais et certains postes de traite. Les troupes britanniques ripostent et reprennent la plupart des forts en 1764. Les guerriers amérindiens se trouvent de plus en plus dispersés. En 1766, Pontiac signe la paix.

La Proclamation royale

Lors du traité de Paris signé en 1763, la France, défaite également en Europe, concède officiellement la Nouvelle-France à la Grande-Bretagne, qui détient alors une grande partie de l'Amérique du Nord. La Proclamation royale, adoptée la même année, redéfinit le territoire de la *Province of Quebec*.

Les Britanniques, aux prises avec la force guerrière amérindienne, choisissent de reconnaître des droits territoriaux aux nations autochtones. Avec la Proclamation royale, le bassin des Grands Lacs, ce territoire essentiel au commerce des fourrures qui s'étend des Treize colonies jusqu'au fleuve Mississippi, est dorénavant réservé à l'usage exclusif des Amérindiens. Seule la Couronne peut acheter des terres aux Amérindiens, et aucun territoire ne peut être colonisé sans la signature de traités entre les chefs amérindiens et le gouvernement.

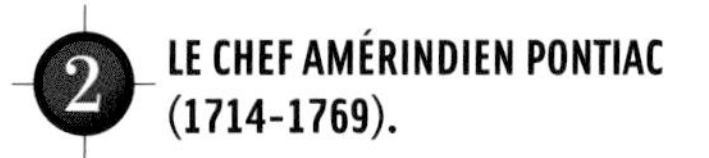

2 LE CHEF AMÉRINDIEN PONTIAC (1714-1769).

Chef de la nation des Outaouais, Pontiac mobilise les nations amérindiennes de la région des Grands Lacs contre les Britanniques en 1763.

Artiste inconnu, *Chef Pontiac*, 18e siècle.

Un nouveau gouvernement

La Proclamation royale prévoit la nomination d'un gouverneur général aux pouvoirs considérables, assisté dans ses fonctions par un Conseil législatif. Cette première constitution autorise le gouverneur à former une assemblée législative, mais celle-ci ne verra jamais le jour. Le gouverneur général reçoit l'assistance d'un Conseil à la fois législatif et exécutif, qui est formé à ses débuts des lieutenants-gouverneurs de Trois-Rivières et de Montréal, du juge en chef de la colonie et de conseillers choisis parmi les notables.

3 LA PROCLAMATION ROYALE DE 1763.

La Proclamation royale est la première constitution s'appliquant au territoire nouvellement acquis. Elle est adoptée le 7 octobre 1763, mais n'entre en vigueur que le 10 août 1764.

« Nous avons [...] donné le pouvoir et l'autorité aux gouverneurs de nos colonies respectives, d'ordonner et de convoquer, [...] dès que l'état et les conditions des colonies le permettront, des assemblées générales de la manière prescrite et suivie dans les colonies et les provinces d'Amérique placées sous notre gouvernement immédiat. [...] Dans l'intervalle et jusqu'à ce que ces assemblées puissent être convoquées, tous ceux qui habitent ou qui iront habiter nos dites colonies peuvent se confier entre notre protection royale et compter sur nos efforts pour leur assurer les bienfaits des lois de notre royaume d'Angleterre. »

Source : GEORGE III d'Angleterre, *Proclamation royale*, octobre 1763.

QUESTIONS

1. Comment la guerre entre la France et l'Angleterre a-t-elle contribué à la défaite de la Nouvelle-France ?
2. De quelle façon les Britanniques mettent-ils fin au conflit qui les oppose aux Amérindiens ?

Méthodologie

3. **[Doc. 1]** À l'aide de la carte, expliquez les conséquences de la signature du traité d'Utrecht pour la Grande-Bretagne et pour la France.
4. **[Doc. 3]** En matière judiciaire, que prévoit la Proclamation royale ?

Réflexion

5. Exprimez en quelques mots ce que vous avez appris sur la conquête de la Nouvelle-France.

Saviez-vous que...

Au lendemain de la Conquête, les Juifs constituent une petite communauté concentrée à Montréal. Beaucoup s'y sont installés pour faire du commerce. Cette communauté ne jouit cependant pas de tous les droits. À l'instar des catholiques, les Juifs doivent aussi prêter le serment du Test. En 1832, la loi de l'émancipation politique des Juifs leur accorde la possibilité de tenir des registres civils et d'obtenir la pleine égalité des droits. Cette loi, très progressiste pour l'époque, fait de la Chambre d'assemblée du Bas-Canada le premier Parlement de l'Empire britannique à reconnaître cette émancipation.

Serment du Test : Engagement exigé par les autorités britanniques par lequel certains dogmes de la foi catholique et l'autorité spirituelle du pape sont niés.

Le gouvernement et les Britanniques

En 1763, la Grande-Bretagne souhaite soumettre la colonie aux lois britanniques et à la religion protestante. Elle adopte des mesures qui visent à favoriser le peuplement grâce à l'immigration britannique, ce qui entraînerait l'assimilation progressive des Canadiens. Quelques mois après l'adoption de la Proclamation royale, le gouverneur James Murray reçoit des instructions détaillées sur la façon d'administrer la colonie. Le gouvernement britannique demande entre autres l'application des lois britanniques et la création d'écoles protestantes. Tous ceux qui veulent occuper des postes clés dans l'administration doivent prêter le **serment du Test**. Toutefois, cette tentative d'assimilation des Canadiens est un échec, notamment parce que peu de Britanniques souhaitent s'établir dans la colonie.

L'administration du gouverneur Murray

Tout comme il le fait depuis le début du régime militaire, le gouverneur James Murray doit s'adapter aux circonstances et tenter de trouver certains compromis pour satisfaire la majorité canadienne. Alors que la Proclamation royale recommande la création de tribunaux pour juger les causes tant civiles que criminelles selon les lois britanniques, le gouverneur choisit plutôt de créer un système de justice à plusieurs paliers. Au niveau supérieur, la Cour supérieure, ou Cour du banc du roi, siège deux fois l'an et entend toutes les causes criminelles et civiles importantes. Au niveau intermédiaire, une Cour de justice inférieure, ou Cour des plaidoyers communs, est instaurée. Lorsque des Canadiens sont jugés, ce sont les lois françaises qui s'appliquent. Désormais, les avocats et les procureurs peuvent être des sujets canadiens. De plus, en tant que sujets britanniques, tous les Canadiens peuvent être jurés sans avoir à prêter le serment du Test. Toutes les causes de petites valeurs sont confiées à des juges de paix protestants qui sont nommés pour tout le territoire.

Les nobles et les seigneurs canadiens, dont le prestige et la prospérité dépendaient autrefois de la protection du roi de France, et qui bénéficiaient de concessions de terres et de postes d'officiers, souhaitent conserver le même statut et les mêmes avantages sous le nouveau régime. Leurs demandes ont toutefois peu de succès avant 1774, car les faveurs et les nominations au Conseil vont systématiquement à des protestants de langue anglaise.

LA DANSE AU CHÂTEAU SAINT-LOUIS, À QUÉBEC.

Le château Saint-Louis est la résidence du gouverneur à Québec. Il s'y déroule régulièrement des bals et de grandes réceptions. Le Conseil de Québec siège habituellement à cet endroit.

George Heriot, *Danse au château Saint-Louis*, 1801.

L'Église et le gouverneur

Au plan religieux, le gouverneur James Murray se montre tolérant envers les Canadiens. La Proclamation royale autorise d'ailleurs les catholiques à pratiquer leur religion. Le clergé catholique, satisfait d'obtenir la liberté de culte, cherche à jouer auprès des nouveaux dirigeants le rôle qu'il occupait au temps de la Nouvelle-France. Le gouverneur Murray tire parti de la collaboration du nouvel évêque de la colonie, dont il a encouragé la nomination, pour tenter de gagner la sympathie de ses nouveaux sujets.

Les marchands britanniques et le gouverneur

Les négociants canadiens ont subi de lourdes pertes financières au terme de la Conquête. La liberté de commerce leur donne une nouvelle chance de se reprendre. Cependant, les marchands britanniques venus s'établir dans la colonie prennent peu à peu possession du marché. L'économie passe ainsi sous la domination des Britanniques. Sans se soucier de la population canadienne, ceux-ci réclament l'application des lois britanniques et l'établissement d'une assemblée législative. Ces revendicateurs forment le *British Party*, qui n'est pas un parti politique officiel, mais plutôt un groupe d'intérêts. Les membres du *British Party*, composés surtout de marchands, de fonctionnaires et d'administrateurs, refusent l'application des lois françaises et désirent que le territoire soit britannique et anglophone.

De leur côté, les membres du Parti canadien, composé surtout d'administrateurs et de fonctionnaires, de francophones, de seigneurs et de certains officiers craignent l'attitude trop radicale des marchands britanniques. Ainsi débute le long conflit qui oppose les partisans de ces deux visions différentes de l'avenir politique de la colonie.

Le gouverneur Murray s'oppose aux revendications des marchands britanniques et se porte en faveur du Parti canadien. Son attitude lui attire les critiques du *British Party*, qui le dénonce auprès des autorités britanniques. Il est alors rappelé à Londres et remplacé par Guy Carleton. Lorsque ce dernier arrive dans la colonie, il se montre d'abord sensible aux arguments du *British Party*, mais il constate rapidement qu'il ne peut diriger sans l'appui des Canadiens. Il finit donc par adopter la même attitude que son prédécesseur. L'appui de James Murray et de Guy Carleton ainsi que les demandes du clergé vont finalement conduire à des concessions aux Canadiens.

2 LA PAGE FRONTISPICE DU JOURNAL *LA GAZETTE DE QUÉBEC* DU 21 JUIN 1764.

Publiée à partir de 1764, *La Gazette de Québec* est un journal bilingue qui diffuse notamment des communiqués et différents documents rédigés par les autorités britanniques comme des lois, des décrets et des ordonnances.

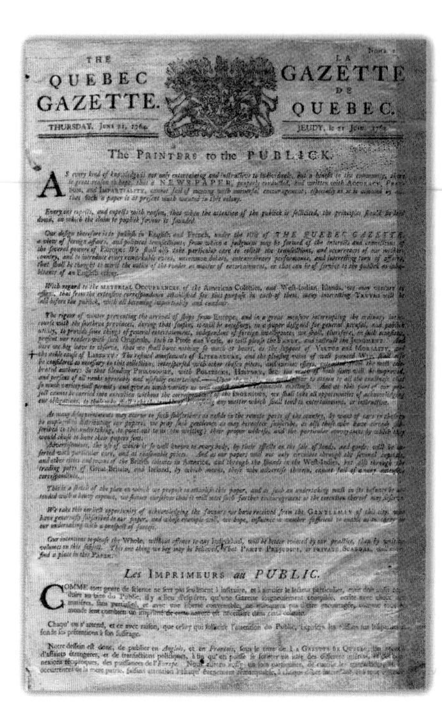

THE QUEBEC GAZETTE.

LA GAZETTE DE QUEBEC.

THURSDAY, June 21, 1764.

JEUDY, le 21 Juin 1764.

The PRINTERS to the PUBLICK.

Les IMPRIMEURS au PUBLIC.

3 GUY CARLETON ET LA CRITIQUE DU RÉGIME ANGLAIS.

Dans cette lettre adressée au secrétaire d'État, le gouverneur Guy Carleton prend la défense des Canadiens.

> « Il ne faut pas perdre de vue que le peuple canadien se compose [...] d'habitants occupant une colonie établie depuis longtemps, que les armes de Sa Majesté ont forcé à se soumettre à sa puissance, à certaines conditions. Il faut tenir compte aussi que leurs lois et leurs coutumes étaient radicalement différentes des lois et des coutumes d'Angleterre [...]. Toute cette organisation, en une heure, nous l'avons renversée par l'ordonnance du 17 septembre 1764, et des lois inconnues qui n'ont pas été publiées et qui étaient contraires au tempérament des Canadiens, à la situation de la colonie et aux intérêts de la Grande-Bretagne furent introduites à la place. Si je ne me trompe, aucun conquérant n'a eu recours dans le passé à des procédés aussi sévères. »
>
> Source : Guy CARLETON, Lettre au secrétaire d'État britannique, décembre 1767.

QUESTIONS

1. Nommez les compromis du gouverneur Murray afin de satisfaire les Canadiens.
2. Pourquoi les marchands anglais sont-ils en désaccord avec certaines politiques du gouverneur Murray ?

Méthodologie

3. [Doc. 2]
   Bien que la *Province of Quebec* soit une colonie britannique, *La Gazette de Québec*, qui publie les documents officiels, est bilingue. Pourquoi en est-il ainsi ?
4. [Doc. 3]
   Quels arguments utilise Guy Carleton pour justifier des concessions en faveur des Canadiens ?

L'agitation dans les Treize colonies et les concessions de Londres

La Proclamation royale de 1763 soulève la grogne dans les Treize colonies britanniques. Déjà qu'elles tolèrent mal leur assujettissement à la métropole, voilà qu'elles se voient interdire la possibilité d'étendre leur territoire à celui des autochtones. Plus encore, dès l'année suivante, en 1764, le gouvernement de Londres leur impose des mesures fiscales et une série de lois qui renforcent encore davantage leur mécontentement.

Craignant que cette grogne des colonies du Sud ne s'étende à celles du Nord, Londres décide de faire des concessions à la population francophone de la *Province of Quebec* afin de s'assurer de sa loyauté envers la métropole. C'est dans ce contexte que le Parlement britannique adopte, en 1774, l'Acte de Québec, qui apporte des changements importants à l'organisation de la province. Cette deuxième constitution étend considérablement ses frontières et promulgue des mesures favorables aux Canadiens.

1 LE *BOSTON TEA PARTY*.

La colère des colons des Treize colonies augmente après que le gouvernement britannique leur impose une série de mesures législatives. Le 16 décembre 1773, des patriotes de Boston, dont certains sont déguisés en Amérindiens, jettent à la mer, en guise de protestation, une cargaison de caisses de thé appartenant à la Compagnie des Indes orientales.

École anglaise, *The Boston Tea Party* [Le *Boston Tea Party*], 20e siècle.

Les dispositions de l'Acte de Québec

Le territoire de la *Province of Quebec* est élargi pour englober, notamment, le Labrador, la région des Grands Lacs et une partie de la vallée de l'Ohio. Le serment du Test est supprimé, ce qui permet aux catholiques d'occuper des postes administratifs et de siéger au Conseil législatif. Cette nouvelle disposition permet de donner à la langue française une plus grande place dans l'administration et dans la correspondance gouvernementale. Le libre exercice de la religion et le droit de fréquenter l'école catholique sont garantis par la nouvelle constitution. Le clergé recouvre le droit de percevoir la dîme. La hiérarchie catholique est reconnue, mais demeure sous l'autorité du roi de Grande-Bretagne. Bien qu'il maintienne les lois britanniques en droit criminel, l'Acte de Québec rétablit les lois françaises en matière de droit civil. Ce rétablissement confirme le statut du régime seigneurial, c'est-à-dire que les seigneurs conservent leurs droits et leurs propriétés.

Dans la *Province of Quebec*, les réactions sont diverses. Les Canadiens accueillent favorablement ces nouvelles dispositions. Toutefois, cette constitution déplaît aux marchands britanniques et aux administrateurs coloniaux opposés au gouverneur puisque l'idée d'une assemblée élue et à majorité anglaise est exclue. L'Acte de Québec prévoit plutôt la même organisation administrative qu'auparavant, soit un gouverneur et un conseil législatif composé de Britanniques et de Canadiens. Les marchands britanniques se disent néanmoins satisfaits du redécoupage des frontières, qui leur donne accès à des territoires riches en animaux à fourrure.

Dans les colonies du Sud, l'Acte de Québec constitue un motif supplémentaire d'irritation. Les colons des Treize colonies se demandent pourquoi des concessions territoriales, notamment l'Ohio, sont faites en faveur des vaincus, les francophones catholiques.

2 LE POUVOIR ENTRE LES MAINS DU GOUVERNEUR.

L'historien Yvan Lamonde interprète la portée de l'Acte de Québec.

« L'Acte de Québec est sanctionné le 22 juin 1774 et doit entrer en vigueur le 1er mai 1775. [...] Le pouvoir demeure dans les mains du gouverneur qui s'entoure d'un Exécutif nommé par lui. La métropole garde le contrôle de la colonie et considère comme hâtif l'établissement d'une Chambre d'assemblée. En maintenant le système seigneurial, la coutume de Paris et les lois françaises, il est manifeste que l'autorité politique entend prendre appui sur les seigneurs, dont sept font partie du premier Conseil. Seigneurs, autorités locales et métropolitaines partagent les mêmes valeurs et les mêmes intérêts : croyance dans la monarchie, fidélité au roi, appui de l'aristocratie, union de l'État et de l'Église. »

Source : Yvan LAMONDE, *Histoire sociale des idées au Québec, 1760-1896*, Montréal, Fides, 2000, p. 25.

La guerre d'Indépendance américaine

En 1774, les représentants élus des colonies du Sud se réunissent à Philadelphie pour tenir un premier congrès. Même s'ils sont mécontents des dispositions de l'Acte de Québec, ils adressent une lettre officielle aux Canadiens les invitant à se rallier à leur cause. Pour contrer cet appel à prendre part à la Révolution américaine, Mgr Jean-Olivier Briand, chef de l'Église catholique dans la *Province of Quebec*, exhorte les fidèles à demeurer loyaux envers la Grande-Bretagne. Une partie des marchands britanniques et des habitants francophones appuie les troupes révolutionnaires. Cependant, la population demeure neutre en général.

Quelques mois après les premiers combats de la guerre d'Indépendance, l'armée révolutionnaire des colons américains envahit la *Province of Quebec* afin de protéger le Nord contre toute incursion britannique. Des Canadiens, peu nombreux, se joignent aux insurgés. La colonie reste occupée de l'automne 1775 au printemps 1776. Une contre-offensive de l'armée britannique met fin à ce siège.

3 L'ARRIVÉE DES LOYALISTES AU CANADA.

À la suite de la Révolution américaine, des milliers de loyalistes quittent les États-Unis pour trouver refuge dans les colonies de l'Empire britannique.

Howard Pyle, *Loyalists to Canada* [Des loyalistes en route pour le Canada], 1901.

4 Mgr BRIAND S'ADRESSE AUX CANADIENS.

Lors de l'Invasion américaine, Mgr Jean-Olivier Briand rédige un mandement enjoignant la population de résister aux insurgés et de reconnaître l'autorité britannique.

« Une troupe de sujets révoltés contre leur légitime Souverain [...] vient de faire une irruption dans cette province, moins dans l'espérance de s'y pouvoir soutenir que dans la vue de vous entraîner dans leur révolte, ou au moins de vous engager à ne pas vous opposer à leur pernicieux dessein. La bonté singulière et la douceur avec laquelle nous avons été gouvernés de la part de Sa Très Gracieuse Majesté le Roi George III, depuis que, par le sort des armes, nous avons été soumis à son empire; les faveurs récentes dont il vient de nous combler [...] suffiraient sans doute pour exciter votre reconnaissance et votre zèle à soutenir les intérêts de la Couronne de la Grande-Bretagne. [...] Il ne s'agit pas de porter la guerre dans les provinces éloignées: on vous demande seulement un coup de main pour repousser l'ennemi et empêcher l'invasion dont cette province est menacée. La voix de la religion et celle de vos intérêts se trouvent ici réunies et nous assurent de votre zèle à défendre nos frontières et nos possessions. »

Source: Mgr Jean-Olivier BRIAND, *Mandement au sujet de l'invasion des Américains au Canada,* 22 mai 1775.

L'arrivée des loyalistes

La guerre d'Indépendance se solde par la victoire des troupes révolutionnaires des Treize colonies. En 1783, le traité de Versailles met fin à la guerre et marque la naissance des États-Unis d'Amérique. Plusieurs milliers de colons américains qui ont combattu aux côtés des troupes britanniques dans cette guerre se trouvent dans une position périlleuse à la fin du conflit. Afin d'éviter les représailles, nombre d'entre eux quittent les États-Unis pour la Grande-Bretagne, les Antilles ou les colonies de l'Amérique du Nord britannique: en Nouvelle-Écosse, dans la *Province of Quebec*, au nord du lac Ontario et du lac Érié. Ces colons demeurés loyaux à la Couronne britannique sont appelés «loyalistes».

L'arrivée de quelque 6000 d'entre eux dans la *Province of Quebec* augmente le rapport de force des anglophones, qui s'opposent aux lois civiles françaises, souhaitent l'abolition du régime seigneurial et réclament, entre autres changements politiques, la formation d'une assemblée représentative.

QUESTIONS

1. Quelles sont les réactions suscitées par l'Acte de Québec parmi la population de la *Province of Quebec* et des colonies américaines?
2. De quelle manière l'agitation dans les Treize colonies influence-t-elle les événements qui se déroulent dans la *Province of Quebec* entre 1774 et 1783?

Méthodologie

3. [Doc. 2]
   Selon cet historien, en quoi l'Acte de Québec avantage-t-il les seigneurs?
4. [Doc. 4]
   Nommez un argument invoqué par Mgr Briand pour convaincre la population de ne pas se révolter contre l'autorité britannique.

L'Acte constitutionnel de 1791

Londres se trouve dans une situation où elle doit satisfaire à la fois les marchands britanniques, qui contrôlent l'économie, et les Canadiens, qui sont majoritaires. Les autorités britanniques décident donc, en 1791, de diviser le territoire de la *Province of Quebec* en deux territoires, créant ainsi le Haut-Canada, où les loyalistes sont majoritaires, et le Bas-Canada, où les Canadiens sont plus nombreux. Chaque territoire est doté d'un Conseil législatif et d'un Conseil exécutif, dont les membres sont nommés, et d'une Chambre d'assemblée formée de députés élus.

Avec l'Acte constitutionnel, le gouverneur conserve un pouvoir important. Représentant des intérêts de la métropole, il a le pouvoir de dissoudre la Chambre et donc de déclencher des élections, et c'est lui qui nomme les membres des deux conseils : le Conseil exécutif et le Conseil législatif. La Chambre d'assemblée détient le pouvoir de proposer des lois. Celles-ci doivent cependant être approuvées par le Conseil législatif, qui peut choisir de les amender ou de les rejeter.

Un apprentissage difficile

Les premières élections à se tenir au Bas-Canada ont lieu en juin 1792 et se déroulent dans la confusion : il n'existe pas encore de parti politique organisé, et le vote se fait oralement. Les Britanniques font élire 16 députés, les Canadiens, 34. Dès les premières séances, des conflits surgissent entre l'Assemblée, le gouverneur et ses conseillers.

Les premiers sujets de mésentente portent sur le choix d'un président ainsi que sur la langue de l'Assemblée et des textes de loi. Concrètement, les Canadiens réclament que le français ait un statut juridique officiel et égal à la langue anglaise. Finalement, l'Assemblée trouve un compromis et adopte une loi décrétant que les deux langues seront officielles. Londres oppose cependant son veto : l'anglais devient la seule langue officielle du Bas-Canada. Le français est considéré comme une simple langue de traduction. Les députés de la Chambre d'assemblée se regroupent selon leur appartenance linguistique. Les députés canadiens disposent quant à eux d'un parti qu'on nomme le « Parti canadien ». Ce parti forme un bloc homogène contre le *British Party*, dont les membres sont très proches du gouverneur, et qui reçoivent l'appui des membres des deux conseils.

Des conflits surgissent régulièrement, comme c'est le cas lors de la « querelle des prisons » en 1805. Dans le but de financer la construction d'une prison, les Britanniques proposent d'augmenter la taxe foncière, ce qui serait désavantageux pour les agriculteurs, alors que les Canadiens sont plutôt d'avis d'imposer une taxe sur le commerce, au grand mécontentement des marchands britanniques. Ces désaccords révèlent la profonde division qui existe entre les deux partis. Pour sa part, le Parti canadien dénonce les conséquences de l'alliance entre les Conseils législatif et exécutif ainsi que la présence de juges au sein du pouvoir législatif.

1 LES DEUX CANADAS EN 1791.

Alors que le Bas-Canada est peuplé à 90 % de francophones, le Haut-Canada est principalement peuplé de loyalistes d'expression anglaise.

Ce climat d'opposition favorise aussi l'émergence d'une presse plus engagée. Le journal des marchands britanniques de Québec, *The Quebec Mercury,* fondé en 1805, multiplie les attaques contre les députés canadiens. En guise de réplique, le journal *Le Canadien* est fondé en 1806. Des députés ou futurs députés comme Pierre Bédard font partie de son équipe.

En 1807, le gouverneur James Craig, nouvellement nommé, adopte une ligne dure avec les députés canadiens et provoque une véritable crise parlementaire. Il dissout la Chambre d'assemblée à quelques reprises. Durant une campagne électorale, Craig ordonne la saisie du journal *Le Canadien* et fait emprisonner ses imprimeurs et ses journalistes.

3 L'ORGANISATION POLITIQUE DU BAS-CANADA EN 1791.

L'Acte constitutionnel de 1791 entraîne la mise en place d'un régime parlementaire. La Chambre d'assemblée est composée de députés élus.

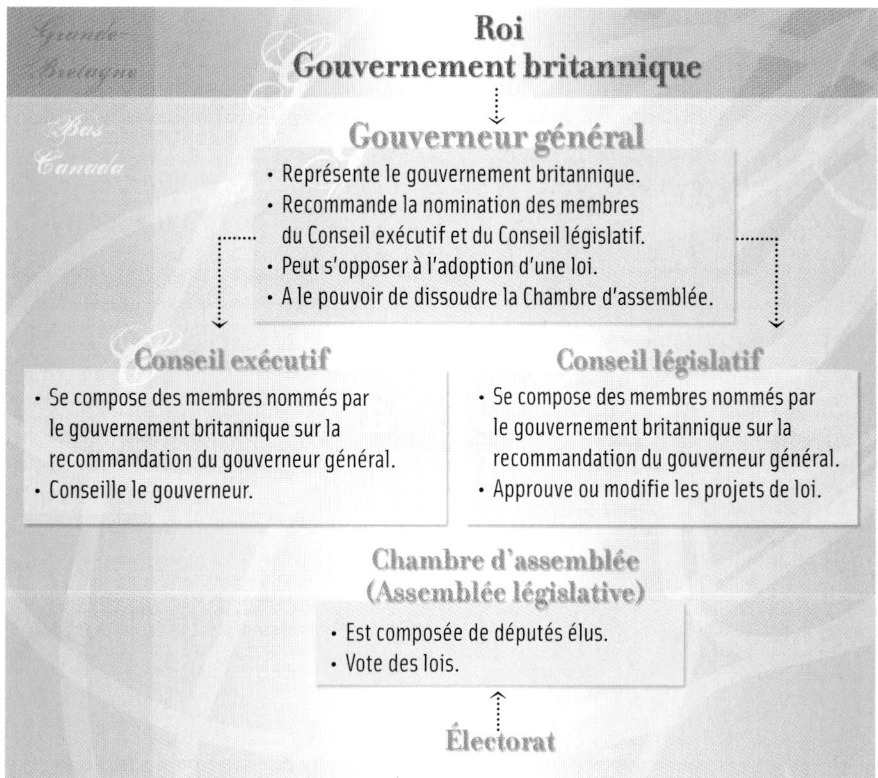

L'Église et le début du parlementarisme

Le clergé canadien approuve la création d'un Parlement où les députés pourraient être élus par des citoyens majoritairement canadiens. Dès 1791, un Parlement est créé par la métropole. De nombreux Canadiens, souvent des notables et des seigneurs, deviennent députés lors des premières élections. Si elle voit d'un bon œil l'instauration d'un Parlement, l'Église ignore à ce moment qu'une nouvelle forme de pouvoir est en train de naître. En effet, les députés qui font avancer la cause des Canadiens s'écartent parfois des positions du clergé. De plus, les députés canadiens sont bientôt insatisfaits de cette nouvelle assemblée, car ils souhaitent avoir davantage de pouvoirs. La révolte des patriotes se prépare, révolte que les hauts dirigeants de l'Église vont tenter de contenir, sans succès.

2 LE BILAN DU GOUVERNEUR CRAIG.

Dans cette lettre adressée au ministre des Colonies, le gouverneur James Craig fait le bilan de la situation entre les Britanniques et les Canadiens.

« Je veux dire que, par la langue, la religion, l'attachement et les coutumes, il [ce peuple] est complètement français, qu'il ne nous est pas attaché par aucun autre lien que par un gouvernement commun ; et que, au contraire, il nourrit à notre égard des sentiments de méfiance [...], des sentiments de haine [...]. La ligne de démarcation entre nous est complète. »

Source : James CRAIG, Lettre à lord Liverpool, 1er mai 1810.

QUESTIONS

1. Quel événement force le gouvernement de Londres à créer une Chambre d'assemblée dans la *Province of Quebec* ?
2. Pourquoi Londres crée-t-elle deux provinces avec deux Parlements ?
3. Que revendiquent en premier lieu les députés canadiens ?

Méthodologie

4. **[Doc. 1]** En observant la carte, quel indice permet de conclure que le Bas-Canada possède une certaine supériorité sur le Haut-Canada ?
5. **[Doc. 3]** Pourquoi les membres du Conseil législatif et du Conseil exécutif sont-ils majoritairement britanniques ?

Réflexion

6. Exprimez en quelques mots ce que vous avez appris sur les débuts du parlementarisme canadien.

Les patriotes et le gouvernement

Une majorité des élus à la Chambre d'assemblée du Bas-Canada souhaite réformer le pouvoir colonial, mais le gouverneur et les membres du *British Party* s'y opposent. Les nombreux refus auxquels ils font face amènent des patriotes du Bas-Canada à défier le gouvernement britannique.

À partir des années 1820, les partis en Chambre se radicalisent. Graduellement, le Parti canadien change de nom pour devenir le Parti patriote. Le groupe de députés dirigés par Louis-Joseph Papineau réclame de plus en plus de concessions aux Britanniques. En janvier 1834, l'Assemblée, dominée par le Parti patriote, présente à Londres une liste de revendications dans un texte connu sous le nom de «92 Résolutions». L'Assemblée exige, entre autres, l'avènement d'un gouvernement responsable, le contrôle, par l'Assemblée, des dépenses militaires appelées «subsides», la possibilité pour les francophones d'accéder aux postes administratifs et l'élection du Conseil législatif. Ces réformes donneraient aux Canadiens, majoritaires, un plus grand poids politique vis-à-vis du gouverneur, même si la colonie demeure toujours soumise au pouvoir de la métropole. Des élections ont lieu au cours de l'automne 1834. Le Parti patriote l'emporte avec plus de 90 % des suffrages.

À l'été 1835, un nouveau gouverneur, Archibald Acheson, comte de Gosford, est nommé. Accompagné de deux commissaires enquêteurs, Charles Grey et George Gipps, il vient constater l'ampleur de la crise. Les commissaires rencontrent les chefs canadiens-français pour tenter une médiation. À ce moment, la tension est palpable.

Finalement, les commissaires remettent leur rapport à Londres en mars 1837. En réponse aux 92 Résolutions, John Russell, le ministre britannique des Colonies, soumet à son tour 10 résolutions au Parlement de Londres. Connues sous le nom de «Résolutions Russell», elles rejettent catégoriquement les demandes des patriotes, en plus d'octroyer au gouvernement le pouvoir de puiser dans le budget de l'Assemblée sans l'accord de celle-ci.

1 ***LA MINERVE.***

Fondé à Montréal en 1826, le journal de langue française *La Minerve* diffuse les idées des membres du Parti patriote.

> « La persécution que nous éprouvons de la part du Conseil législatif nous a été fort avantageuse. Depuis trois semaines, nous avons eu un nombre considérable de nouveaux abonnés, et maintenant nous croyons pouvoir dire que *La Minerve* est le journal qui a la plus grande circulation dans la province. Nous continuerons à tâcher de mériter cette approbation publique et générale de nos travaux et de la marche que nous avons constamment suivie. "Tout pour le peuple" a été et sera notre devise. [...] Le peuple sent la nécessité de se procurer une éducation politique; nous ne négligerons rien pour lui procurer ce qu'il désire. »
>
> Source: *La Minerve*, 6 février 1832.

2 **LOUIS-JOSEPH PAPINEAU À L'ASSEMBLÉE DES SIX COMTÉS.**

En octobre 1837 se tient une assemblée à Saint-Charles où se succèdent des orateurs qui protestent contre le refus de Londres de réformer la Constitution. Certains sont en faveur d'un soulèvement armé; d'autres, comme Louis-Joseph Papineau, recommandent la poursuite de la lutte politique pour les droits du peuple.

Charles Alexander Smith, *Manifestation des Canadiens contre le gouvernement anglais, à Saint-Charles, en 1837* (dit aussi *L'Assemblée des six comtés*), 1890.

Les rébellions de 1837-1838

En 1837, l'attitude intransigeante du gouvernement britannique fait naître deux courants au sein des patriotes. Certains croient que le recours à la force armée est le seul moyen d'amener la Couronne à reconnaître leurs droits. Pour les plus modérés, menés par des leaders politiques comme Louis Joseph Papineau, l'**insurrection**, pas plus que la soumission, ne sont des positions acceptables.

Pour tenter de rallier l'appui de la population, les patriotes modérés organisent, à partir du printemps 1837, une série d'assemblées populaires et revendiquent l'autonomie politique de la colonie. La tension atteint un sommet lorsque les Fils de la Liberté, une association révolutionnaire patriotique, et le Doric Club, une association loyale au gouverneur, s'affrontent dans les rues de Montréal. Au cours des jours suivants, des batailles éclatent dans la vallée du Richelieu et au nord de Montréal. Les patriotes obtiennent une victoire à Saint-Denis en novembre 1837, mais sont défaits à Saint-Charles par les troupes britanniques.

D'autres batailles ont lieu dans les jours suivants, où les rebelles subissent de cuisantes défaites. À Saint-Eustache, un affrontement majeur entre les troupes du général John Colborne et les patriotes menés par le docteur Jean-Olivier Chénier se solde par la mort de plusieurs rebelles. Même chose le lendemain dans le village de Saint-Benoît, où les soldats britanniques incendient et pillent les maisons en guise de représailles. De nouveaux affrontements ont lieu au Bas-Canada au cours de l'année 1838, menés par des chefs patriotes réfugiés aux États-Unis qui ont mis sur pied une organisation secrète, les Frères chasseurs. La répression de l'armée contre ceux-ci est cruelle. Douze patriotes sont exécutés et une soixantaine déportés. Le Haut-Canada connaît aussi une rébellion armée animée par William Lyon Mackenzie King, qui veut profiter de l'insurrection pour renverser le gouvernement conservateur. Son armée est également écrasée par les forces de l'ordre.

LE TESTAMENT POLITIQUE DE MARIE-THOMAS CHEVALIER DE LORIMIER.

Pour sa participation aux rébellions de 1837 et de 1838, Chevalier de Lorimier est condamné à la pendaison pour haute trahison. Le 14 février 1839, à la veille de son exécution, il rédige son testament politique.

« Je meurs sans remords; je ne désirais que le bien de mon pays dans l'insurrection et l'indépendance; mes vœux et mes actions étaient sincères et n'ont été entachés d'aucun des crimes qui déshonorent l'humanité, et qui ne sont que trop communs dans l'effervescence des passions déchaînées. [...] Mes efforts ont été pour l'indépendance de mes compatriotes; nous avons été malheureux jusqu'à ce jour. [...] Malgré tant d'infortune, mon cœur entretient encore du courage et des espérances pour l'avenir. Mes amis et mes enfants verront de meilleurs jours, ils seront libres. Un pressentiment certain, ma conscience tranquille me l'assure. »

Source : Marie-Thomas CHEVALIER DE LORIMIER, Lettre d'adieu, 14 février 1839.

Insurrection : Soulèvement contre le pouvoir établi.

TÉMOINS DE L'HISTOIRE

MARIE-THOMAS CHEVALIER DE LORIMIER

Dans les années 1820, Chevalier de Lorimier soutient les luttes menées par Louis-Joseph Papineau contre le gouverneur. Lorsque le Parlement de Londres adopte les Résolutions Russell et rejette les demandes des patriotes en 1837, Chevalier de Lorimier devient membre du mouvement de résistance créé par les chefs patriotes. Au début de l'insurrection, il est nommé capitaine du bataillon de milice dans le comté de Deux-Montagnes. Lorsque les patriotes se montrent incapables de repousser les troupes britanniques, Chevalier de Lorimier se réfugie aux États-Unis, d'où il tente d'organiser un nouveau soulèvement au Bas-Canada. Ses tentatives se soldent par un échec, et il est arrêté près de la frontière américaine en novembre 1838. Reconnu coupable de haute trahison, il est pendu à la prison de Montréal le 15 février 1839.

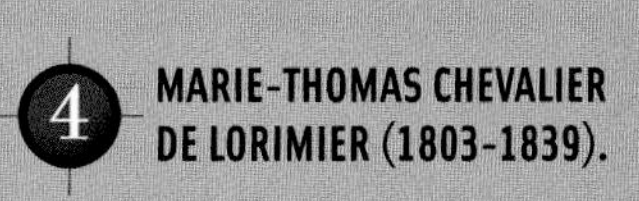

MARIE-THOMAS CHEVALIER DE LORIMIER (1803-1839).

Chevalier de Lorimier est l'un des 12 patriotes exécutés en février 1839.

QUESTIONS

1. Qui est le chef du Parti patriote à la Chambre d'assemblée ?
2. Quelles sont les quatre principales revendications des députés patriotes ?
3. Pourquoi les patriotes font-ils de telles demandes ?
4. Comment réagissent les patriotes devant l'attitude intransigeante du gouvernement britannique ?

Méthodologie

5. **[Doc. 1]** Quel public le journal *La Minerve* vise-t-il surtout ?
6. **[Doc. 3]** Pourquoi Chevalier de Lorimier a-t-il pris part aux rébellions ?

1 JOHN GEORGE LAMBTON, COMTE DE DURHAM (1792-1840).

Le comte de Durham est mandaté par le gouvernement britannique pour enquêter sur les événements liés aux rébellions des patriotes. Dans son rapport remis en 1839, il recommande l'union du Bas-Canada et du Haut-Canada en une seule province.

2 UNE LUTTE ETHNIQUE ?

À son arrivée au Bas-Canada, le comte de Durham constate que, contrairement à ce qu'il croyait, la cause des troubles n'est pas seulement un mécontentement par rapport aux institutions et au gouvernement, mais également un conflit entre deux peuples.

> « Je m'attendais à trouver un conflit entre un gouvernement et un peuple ; je trouvai deux nations en guerre au sein d'un même État : je trouvai une lutte, non de principes, mais de races. Je m'en aperçus : il serait vain de vouloir améliorer les lois et les institutions avant que d'avoir réussi à exterminer la haine mortelle qui maintenant divise les habitants du Bas-Canada en deux groupes hostiles : Français et Anglais. »
>
> Source : John George LAMBTON, comte de Durham, *Le rapport de Durham*, Montréal, Éditions du Québec, 1948 (1839), p. 49.

3 L'ORGANISATION POLITIQUE DU CANADA-UNI EN 1840.

Au Canada-Uni, les élus de la Chambre d'assemblée sont soumis au Conseil exécutif et au Conseil législatif, auxquels siègent des non-élus.

Politique et institutions en mutation

Au Royaume-Uni, la réaction aux rébellions des patriotes est vive. Londres réalise que la colonie peuplée de Canadiens n'est toujours pas soumise, 80 ans après la Conquête. Le gouvernement britannique envoie un enquêteur, John George Lambton, comte de Durham, pour faire une enquête sur les colonies. Dans le rapport qu'il présente au gouvernement britannique en 1839, il recommande l'union des deux Canadas afin de placer les Canadiens français en situation de minorité et de parvenir à les assimiler par une immigration britannique massive. Il reconnaît cependant le bien-fondé des revendications de la Chambre d'assemblée du Bas-Canada et propose d'accorder aux colonies le droit à un gouvernement responsable, jugeant que cela mettra un terme au perpétuel conflit entre l'Assemblée et le Conseil exécutif. Au Bas-Canada, les Canadiens français et le clergé s'opposent à l'union. Toutefois, par lassitude plus que par conviction, certains des opposants finissent par se résigner et par accepter l'idée d'une union. Ils choisissent alors de diriger leurs efforts vers une démocratisation des institutions politiques, c'est-à-dire en exigeant la formation d'un gouvernement responsable ainsi qu'une plus grande autonomie locale.

L'Acte d'Union

En 1840, après de nombreux débats à Londres, le gouvernement britannique vote une nouvelle Constitution : l'Acte d'Union. Le Haut-Canada et le Bas-Canada sont réunis et forment une union législative appelée le « Canada-Uni ». La population est représentée par une seule Chambre d'assemblée, composée de 42 députés du Canada-Ouest (Haut-Canada) et de 42 députés du Canada-Est (Bas-Canada). Le nombre d'élus est donc égal dans les deux Canadas, malgré que la population soit plus nombreuse dans le Canada-Est. L'anglais est la langue officielle des débats. L'Acte d'Union n'accorde cependant pas au Canada-Uni le droit de former un gouvernement responsable. Quant aux membres du Conseil législatif et du Conseil exécutif, ils sont nommés par le gouverneur.

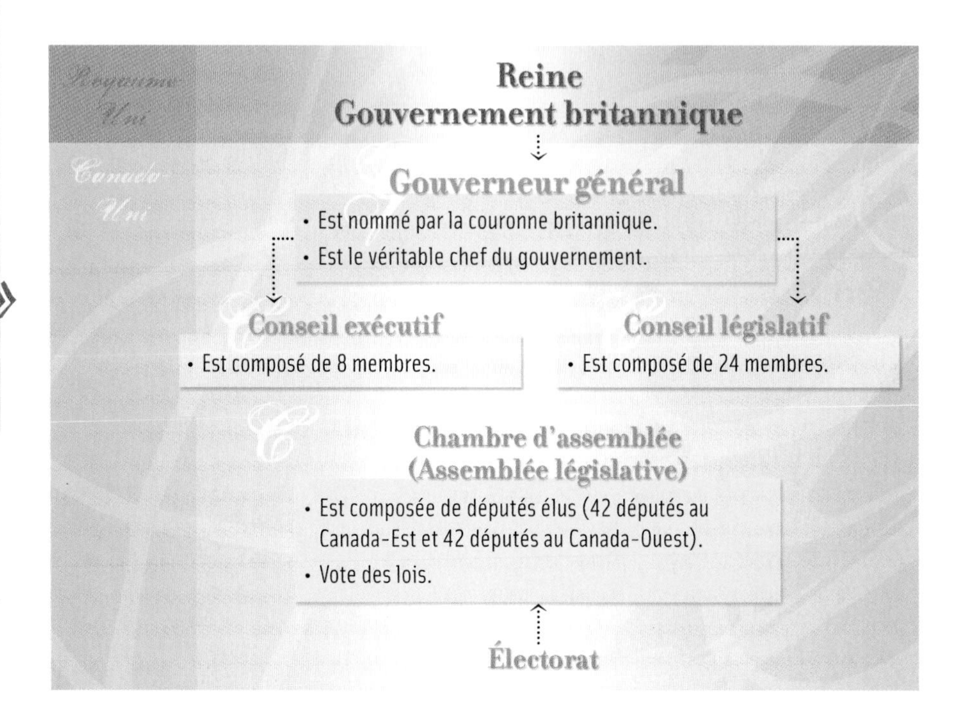

L'alliance des réformistes

Au lendemain de l'Acte d'Union, les réformistes des deux sections du Canada-Uni, Louis-Hippolyte La Fontaine, porte-parole des Canadiens français, et Robert Baldwin, chef des réformistes canadiens-anglais, décident de s'allier pour réclamer le gouvernement responsable qui leur a été refusé jusqu'alors. Les représentants des deux Canadas acceptent ainsi de collaborer à des projets communs tout en défendant les intérêts de leur région respective. L'application du principe de la double majorité permet aux réformistes, majoritaires au Canada-Est comme au Canada-Ouest, de se maintenir au pouvoir. Baldwin et La Fontaine forment donc le gouvernement jusque dans les années 1850.

La responsabilité ministérielle

En 1846, l'abandon des tarifs protectionnistes signifie que Londres adopte une politique de libre-échange et ne favorise plus sa colonie pour ses approvisionnements en ressources. Aussi, les producteurs canadiens doivent devenir plus compétitifs et trouver de nouveaux débouchés pour leurs produits. En abandonnant les tarifs protectionnistes, Londres doit consentir à leur accorder une plus grande autonomie ainsi que la responsabilité ministérielle. En 1847, James Bruce, comte d'Elgin et de Kincardine, est nommé gouverneur du Canada-Uni. Il reçoit comme instructions de Londres de laisser le parti politique majoritaire ou la coalition qui domine constituer le gouvernement. Celui-ci nomme les membres du Conseil exécutif parmi ses députés. Il accorde ainsi la responsabilité ministérielle. Des élections ont lieu en décembre 1847 et en 1848. Suivant les responsabilités du gouvernement responsable, Louis-Hippolyte La Fontaine et Robert Baldwin sont appelés à former le premier Conseil exécutif. En 1849, l'article 41 de l'Acte d'Union, qui restreignait l'usage du français dans les lois et à la Chambre d'assemblée, est abrogé.

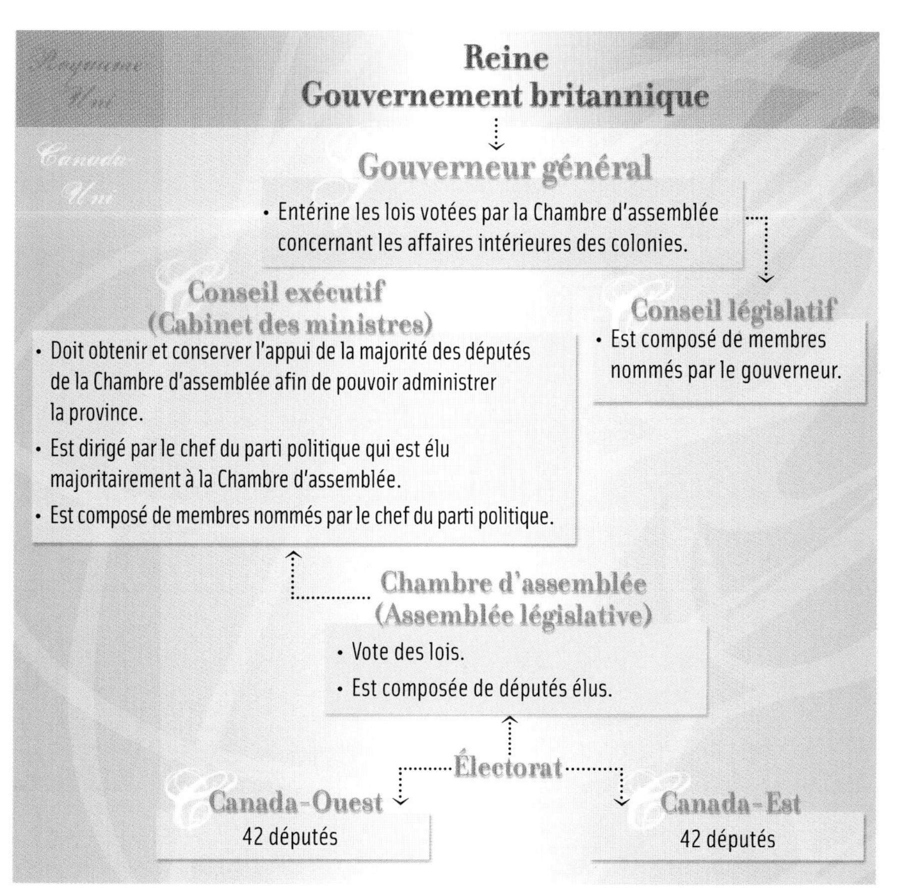

4 LA RECONNAISSANCE DE LA RESPONSABILITÉ MINISTÉRIELLE.

En mars 1848, James Bruce, le gouverneur du Canada-Uni, accorde la responsabilité ministérielle. Robert Baldwin et Louis-Hippolyte La Fontaine forment le premier Conseil exécutif.

« Messieurs, je reçois avec satisfaction l'assurance du désir que vous avez de promouvoir les intérêts de la province par une législation sage et pratique à la fois. Toujours disposé à écouter les avis du Parlement, je prendrai sans retard les mesures pour former un nouveau Conseil exécutif. »

Source : James BRUCE, comte d'Elgin et de Kincardine, *Journal de l'Assemblée législative de la province du Canada*, 1848, p. 23.

5 L'ORGANISATION POLITIQUE DU GOUVERNEMENT RESPONSABLE AU CANADA-UNI EN 1848.

Le pouvoir du gouverneur général est désormais diminué dans la colonie. Les membres du Conseil exécutif sont choisis au sein des députés. Le Conseil exécutif doit rendre des comptes à la Chambre d'assemblée.

QUESTIONS

1. Quelle est la principale recommandation politique du rapport du comte de Durham ?

2. Quel est le but de l'Acte d'Union ?

3. Que signifie l'expression « responsabilité ministérielle » ?

Méthodologie

4. [Doc. 2]
Selon le comte de Durham, quel est le principal conflit qui divise la colonie ?

Connexion

5. [Doc. 3 et 5]
Quelle est la principale différence entre l'organisation du gouvernement en 1840 et celle en 1848 ?

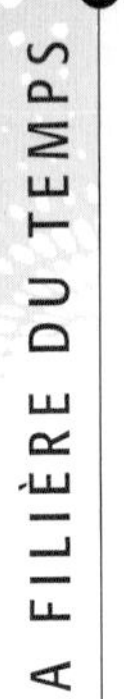

La solution fédérale

Après le départ de Louis-Hippolyte La Fontaine et de Robert Baldwin, la Chambre d'assemblée est de plus en plus divisée entre les différents partis politiques. De 1854 à 1864, aucun gouvernement de coalition ne réussit à se maintenir au pouvoir. Au cours des années 1850, des députés réformistes plus radicaux expriment de nouvelles revendications qui reçoivent l'appui de la population. Les *Clear Grits* du Canada-Ouest, conduits par George Brown, réclament notamment l'application de la représentation proportionnelle à la population.

Au Canada-Est, un groupe de réformistes radicaux, appelé les « rouges », se forme sous la direction des frères Jean-Baptiste et Antoine-Aimé Dorion. Par l'entremise de journaux, comme *L'Avenir* et *Le Pays*, et de l'Institut canadien, fondé en 1844, les « rouges » réclament des réformes constitutionnelles et judiciaires ainsi que la séparation de l'Église et de l'État.

Avec le retrait de Louis-Hippolyte La Fontaine, les réformistes modérés et plus conservateurs du Canada-Est sont dirigés par Augustin-Norbert Morin, puis par George-Étienne Cartier. Ils se désignent sous le nom de « bleus », pour se distinguer des « rouges ». Ce sont eux qui vont permettre à John A. Macdonald, chef des libéraux-conservateurs du Canada-Ouest, formés de réformistes modérés et d'anciens *tories*, de dominer la scène politique. En 1864, George Brown s'unit à John A. Macdonald et à George-Étienne Cartier pour former un gouvernement de coalition.

1 OUI À LA FÉDÉRATION.

Si certains voient dans le projet de fédération une solution aux problèmes que vivent les diverses provinces, d'autres pensent qu'elle apporterait plus de désavantages que d'avantages.

« Quant aux avantages comparatifs d'une union législative et d'une union fédérale, je n'ai jamais hésité à dire que, si la chose était praticable, une union législative eut été préférable. J'ai déclaré maintes et maintes fois que, si nous pouvions avoir un gouvernement et un Parlement pour toutes les provinces, nous aurions eu le gouvernement le meilleur, le moins dispendieux, le plus vigoureux et le plus fort. »

Source : John A. MACDONALD, Discours prononcé en février 1865 à l'Assemblée du Canada-Uni.

2 NON À LA FÉDÉRATION.

Le Parti rouge, avec à sa tête Antoine-Aimé Dorion, juge inacceptable le projet de fédération.

« Je crains fortement que le jour où cette confédération sera adoptée ne soit un jour néfaste pour le Bas-Canada. [...] et s'il arrivait qu'elle fût adoptée sans la sanction du peuple de cette province, le pays aura plus d'une occasion de le regretter. »

Source : Antoine-Aimé DORION, Discours prononcé en février 1865 à l'Assemblée du Canada-Uni.

3 L'INCENDIE DU PARLEMENT, À MONTRÉAL.

Le 25 avril 1849, l'édifice du Parlement, alors situé à Montréal, est incendié par des radicaux anglophones qui s'insurgent contre le versement d'une indemnité aux victimes de la répression de l'insurrection de 1837 et 1838 dans le Bas-Canada par les forces britanniques.

Joseph Légaré, *L'incendie du Parlement à Montréal*, vers 1849.

La naissance d'un pays

La menace d'une invasion américaine, l'étroitesse des marchés économiques et la recherche de la sécurité incitent le Canada-Uni à s'associer avec d'autres colonies anglaises, celles des Maritimes. Tout en souhaitant l'union de ces colonies, les Britanniques et les Canadiens sont conscients de la nécessité de réorganiser le Canada-Uni qui est alors divisé en deux : le Canada-Ouest et le Canada-Est. Ainsi, après deux conférences tenues en 1864, l'une à Charlottetown et l'autre à Québec, un projet de fédération naît sur la base de quatre provinces : le Nouveau-Brunswick, la Nouvelle-Écosse, l'Ontario et le Québec. La plupart des Canadiens voient cette fédération comme un compromis pour les Canadiens et les Britanniques. Dans la pratique, c'est surtout au Québec, où ils sont majoritaires, que les Canadiens français vont être en mesure de s'imposer politiquement.

La nouvelle fédération apporte une grande nouveauté aux citoyens. L'Acte de l'Amérique du Nord britannique, qui entre en vigueur le 1er juillet 1867, leur permet de former un État pratiquement indépendant, qui doit toutefois se soumettre encore à l'autorité britannique pour sa politique extérieure. La nouvelle Constitution prévoit deux niveaux de gouvernement : un provincial et un fédéral.

4 LA CONFÉRENCE DE LONDRES.

En décembre 1866, des délégués se rendent à Londres pour convenir de la forme définitive du projet d'union au Canada. Les autorités britanniques donnent leur appui au projet de fédération. Selon elles, l'union des colonies est souhaitable pour assurer un meilleur développement de l'Amérique du Nord britannique.

John David Kelly, *The London Conference* [La Conférence de Londres], 1866.

5 L'ORGANISATION POLITIQUE AU QUÉBEC EN 1867.

Le lieutenant-gouverneur applique la sanction royale aux lois adoptées par l'Assemblée législative.
Le chef du parti politique majoritaire à l'Assemblée nomme les ministres qui forment le cabinet.
En 1867, seuls les hommes de race blanche qui sont propriétaires peuvent voter.

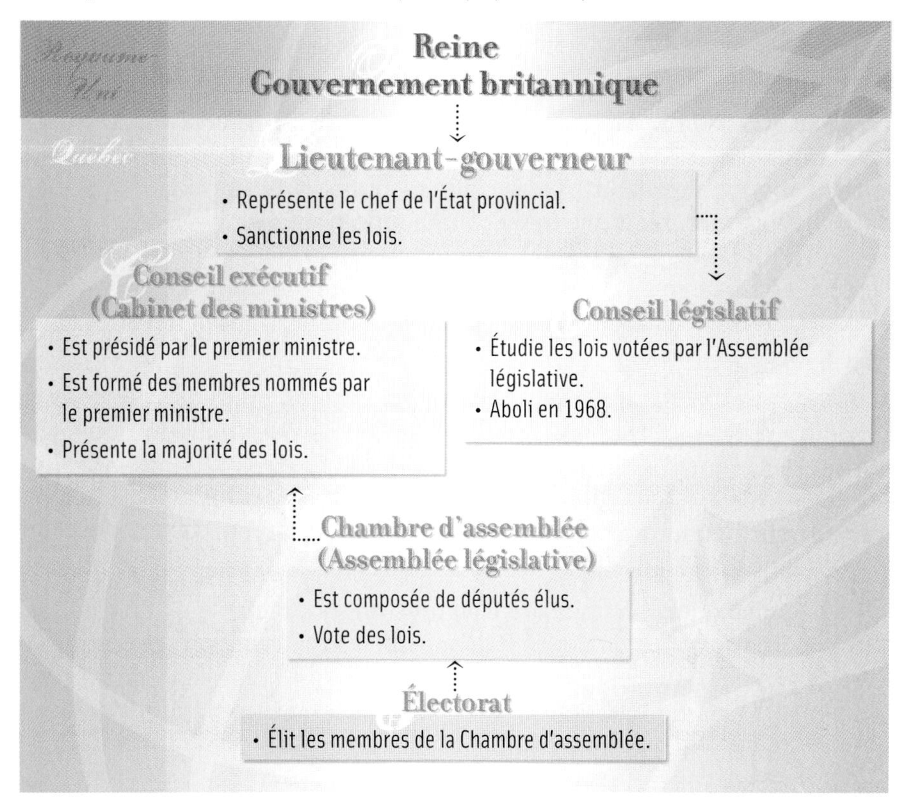

QUESTIONS

1. Pourquoi les conflits sont-ils fréquents à la législature du Canada-Uni ?
2. Dans quelle province les Canadiens français sont-ils en mesure de s'imposer politiquement ? Pourquoi ?

Méthodologie

3. [Doc. 1]
   Quel type d'union John A. Macdonald préfère-t-il : l'union législative ou l'union fédérale ?
4. [Doc. 2]
   Quelle exigence Antoine-Aimé Dorion pose-t-il avant l'adoption de la Confédération ?
5. [Doc. 5]
   Quelle est la principale différence entre le Conseil exécutif et le Conseil législatif ?

3 L'éclatement du pouvoir

La naissance de la fédération canadienne, en 1867, marque le début d'une nouvelle ère, qui voit se multiplier les lieux de pouvoir. Aux courants d'affirmation provinciale vis-à-vis du fédéral se greffe, rapidement, la montée de revendications sociales au sein des provinces. Quelles sont ces revendications ? Comment les groupes d'influence et les citoyens font-ils entendre leurs voix ? Comment des groupes aux intérêts divergents peuvent-ils arriver à trouver un compromis satisfaisant pour tous ? Comment l'État assure-t-il ce rôle ?

1 L'EXÉCUTION DE LOUIS RIEL EN 1885.

L'exécution de Louis Riel est un moment déterminant dans l'affirmation du nationalisme canadien-français.

Le monde illustré, 5 décembre 1885.

HONORÉ MERCIER ET LA MORT DE LOUIS RIEL.

Plus de 40 000 personnes sont présentes à la grande assemblée populaire de novembre 1885 pour exprimer leur solidarité envers Louis Riel.

« Riel, notre frère, est mort, victime de son dévouement à la cause des Métis dont il était le chef, victime du fanatisme et de la trahison [...]. En face de ce crime, en présence de ces défaillances, quel est notre devoir? [...] nous unir pour punir les coupables; briser l'alliance que nos députés ont faite avec l'orangisme et chercher dans une alliance plus naturelle et moins dangereuse la protection de nos intérêts nationaux. [...] Cette mort, qui a été un crime chez nos ennemis, va devenir un signe de ralliement et un instrument de salut pour nous. »

Source : Discours d'Honoré Mercier à la grande assemblée du Champ-de-Mars, le 22 novembre 1885, à Montréal.

La montée du nationalisme canadien-français

Quelques années après la Confédération de 1867, le Canada subit de nombreux changements. Son territoire s'agrandit, de nouveaux secteurs de production se développent, l'industrialisation et l'urbanisation transforment lentement le pays. Des mouvements sociaux s'organisent, surtout dans le monde du travail où les travailleurs s'unissent pour réclamer des lois sociales qui viennent réglementer le travail. Pendant ce temps, les relations sont souvent tendues entre le gouvernement fédéral et les gouvernements provinciaux au sujet de la question de la répartition des pouvoirs. Sur la scène mondiale, des événements entraînent le Canada et le Québec à s'interroger sur leurs liens politiques avec l'Empire.

L'affaire Riel

Le gouvernement canadien espère peupler les territoires de l'Ouest habités entre autres par des Métis, des descendants issus d'unions entre Français et Amérindiens. Inquiets du sort qu'on leur réserve, les Métis qui habitent sur les rives de la rivière Rouge (actuelle région de Winnipeg) entrent en rébellion dans le but de faire reconnaître leurs droits. Louis Riel, fils d'un père métis et d'une mère canadienne-française, devient le chef de ce mouvement. Il forme un gouvernement provisoire et réussit à négocier l'entrée de la province du Manitoba dans la Confédération canadienne.

En 1884, des représentants métis établis sur le territoire actuel de la Saskatchewan sollicitent l'aide de Louis Riel, alors exilé aux États-Unis à la suite de l'exécution de Thomas Scott survenue au cours de la première rébellion. En 1885, une nouvelle rébellion a lieu. Le gouvernement de John A. Macdonald décide d'envoyer des troupes dans l'Ouest pour soumettre les Métis. Louis Riel est alors arrêté. Son procès, sa condamnation à mort pour haute trahison et son exécution en novembre 1885 suscitent de nombreuses réactions.

Les milieux conservateurs de l'Ontario, qui ont réclamé la mort de Riel parce qu'il a osé défier le pouvoir fédéral, espèrent ainsi venger l'exécution de Scott. Au Québec, Riel est plutôt reconnu comme un héros de la défense des droits des francophones : tant les libéraux que les conservateurs s'unissent pour dénoncer le gouvernement fédéral.

Une première conférence interprovinciale

La Constitution de 1867 établit un cadre de fonctionnement, régulièrement remis en question au fil des nouveaux besoins des provinces. Au Québec, le développement économique, qui passe notamment par la colonisation, doit s'appuyer sur la construction de routes ferroviaires. Pour réaliser ses projets, le premier ministre Honoré Mercier exige une hausse des subventions que le fédéral verse à sa province. Devant l'intransigeance d'Ottawa, il organise, en 1887, la première conférence interprovinciale pour discuter de la révision des subventions ainsi que de l'autonomie provinciale. Seulement cinq provinces répondent à son appel, et le fédéral maintient son refus.

HONORÉ MERCIER (1840-1894).

Honoré Mercier est premier ministre du Québec de 1887 à 1891. Il s'est vivement opposé à la pendaison de Louis Riel.

Les Canadiens français et la guerre des Boers

Les Canadiens français sont froids à l'idée de devoir combattre dans un conflit armé sous le seul prétexte que le Royaume-Uni y soit engagé. Ils s'opposent à la participation à la guerre des Boers, dont l'enjeu est la gestion d'un territoire riche en mines d'or. Au nom d'un nationalisme canadien, une vive contestation prend forme, menée notamment par Henri Bourassa. Le Canada envoie finalement quelque 8000 soldats et continue, par la suite, à s'engager militairement aux côtés des Britanniques.

La Première et la Seconde Guerre mondiale

En 1914, le Royaume-Uni déclare la guerre à l'Allemagne. Cette déclaration a pour effet de mettre tous les dominions de l'Empire britannique en guerre. Rapidement, l'armée canadienne manque de soldats, et l'enrôlement volontaire ne permet pas de combler les pertes subies sur les fronts européens. Les Canadiens anglais reprochent aux Canadiens français de ne pas faire leur part dans l'effort de guerre en ne fournissant pas assez de soldats. Les Canadiens français s'opposent à l'enrôlement obligatoire des hommes en âge de combattre. L'imposition de la conscription par le gouvernement fédéral, en 1917, entraîne de fortes réactions.

Lors de la Seconde Guerre mondiale, le premier ministre du Canada, William Lyon Mackenzie King, s'est engagé auprès des Canadiens français à ne pas imposer la conscription. Néanmoins, les pertes importantes de vie humaine force le gouvernement à reconsidérer sa promesse. En 1942, il organise un plébiscite sur la question. Si 63,7 % des Canadiens anglais acceptent de délier le gouvernement de son engagement envers les Canadiens français, au Québec, 71,2 % des répondants refusent la conscription. Un nouveau parti politique anticonscription, le Bloc populaire, est alors créé par André Laurendeau. Cette formation politique disparaît cependant rapidement.

4 HENRI BOURASSA ET LA GUERRE DES BOERS.

Dans ce discours Henri Bourassa dénonce l'implication du Canada dans la guerre des Boers.

« Nous, Canadiens, avons payé l'impôt [...] pour couvrir les frais de cette expédition. Nous avons donc le droit de nous prononcer sur le résultat et le règlement du conflit [...]. Je ferai observer aux députés de cette Chambre que si le Canada ne veut pas être considéré par le gouvernement britannique comme un simple champ d'exploitation profitable, il est grand temps que nous sachions nous faire respecter non seulement sur les champs de bataille, mais aussi dans les conseils de Sa Majesté. »

Source : Henri BOURASSA, Discours prononcé à la Chambre des communes le 12 mars 1901.

QUESTIONS

1. Quels changements le Canada subit-il après la Confédération ?
2. Comment l'affaire Riel a-t-elle commencé ?
3. Quel Canadien français célèbre a défendu le nationalisme canadien ?

Méthodologie

4. [Doc. 2]
À quelle alliance naturelle Honoré Mercier fait-il allusion dans son discours ?

5. [Doc. 4]
Sur quelles valeurs Henri Bourassa s'appuie-t-il pour s'opposer à l'engagement du Canada dans la guerre des Boers?

Réflexion

6. Comment pouvez-vous améliorer votre compréhension de l'évolution du nationalisme canadien-français ?

1 LE SYSTÈME DE « PATRONAGE ».

Les relations entre le gouvernement et le monde des affaires, particulièrement sous le règne de Maurice Duplessis, sont marquées par le favoritisme et des pratiques peu démocratiques.

« Au cours des années 1950, la mise en chantier de ponts et de routes, d'écoles et d'autres édifices publics, de collèges classiques ou d'hôpitaux privés subventionnés par l'État, permet à de nombreux entrepreneurs généraux d'envergure moyenne d'asseoir solidement leurs affaires. Des industriels et des transporteurs profitent aussi des contrats du gouvernement. Celui-ci, en fait, se trouve à offrir un appui indirect à la petite et moyenne entreprise. Il n'y a pas ouvertement de politique d'achat visant à favoriser les entrepreneurs québécois, mais le système de patronage mis au point par l'Union nationale [...] aboutit à un résultat similaire. Les entrepreneurs et les petits industriels obtiennent des contrats d'achat du gouvernement et versent en retour une contribution à la caisse du parti au pouvoir. Ce système assure une relation beaucoup plus étroite entre le pouvoir économique et le pouvoir politique. »

Source : Paul-André LINTEAU, René DUROCHER et autres, *Histoire du Québec contemporain*, tome 2, Montréal, Boréal compact, 1989, p. 295-296.

L'État et les milieux financiers

Les liens entre politiciens et milieux financiers sont étroits. Les entreprises qui engrangent d'importants profits peuvent verser d'énormes contributions aux caisses électorales des partis politiques. Ces apports financiers sont décisifs pour la victoire d'un candidat puisque les capacités matérielles de faire campagne, donc d'acheter de la publicité, sont liées au montant d'argent recueilli. Ce soutien est généralement fait dans un but particulier : obtenir l'oreille des futurs gouvernants.

Les ressources financières des grandes entreprises leur permettent également d'embaucher les personnes parmi les plus compétentes, qui développent des réseaux de relations avec ministres, sous-ministres et autres fonctionnaires de l'appareil gouvernemental. Les cadres supérieurs de ces sociétés occupent une partie de leur temps à leurs relations avec les gouvernements. Ils espèrent ainsi obtenir soit des contrats, soit l'abolition d'une loi qui leur est contraignante, soit l'adoption d'un règlement qui favoriserait leur secteur d'activité et augmenterait leurs profits.

Des vases communicants

Beaucoup de politiciens se recrutent dans les milieux financiers, commerciaux et industriels et de nombreux politiciens sont embauchés par des entreprises, par exemple à titre de conseillers experts, de négociateurs politiques ou de membres de leur conseil d'administration. Ces anciens politiciens amènent avec eux un réseau de contacts privilégiés indispensables pour faire valoir des points de vue auprès des élus ou défendre des revendications par la présentation de mémoires en commissions parlementaires. Ces liens étroits entre politique et monde des affaires donnent souvent lieu à de vives dénonciations et, parfois, à des conduites scandaleuses.

2 LA BANQUE DE MONTRÉAL.

Fondée en 1817, la Banque de Montréal est la première banque canadienne. En 1847, en raison de sa croissance rapide, elle quitte ses locaux de la rue Saint-Paul pour un plus vaste édifice situé sur la rue Saint-Jacques.

Des dérives politiques

Des ministres du gouvernement de Maurice Duplessis commettent un délit d'initié en 1957 relativement à la vente au secteur privé du réseau gazier d'Hydro-Québec. Entre le moment où le gouvernement fixe les conditions de la transaction et celui où les titres sont mis en vente, il s'écoule 50 jours au cours desquels au moins 8 ministres et plusieurs hauts fonctionnaires achètent des titres, encaissant un profit global de 120 000 dollars. En dépit du scandale, le gouvernement Duplessis reste en place, et deux des ministres mis en cause dans cette affaire, Antonio Barrette et Daniel Johnson (père), deviendront premier ministre par la suite.

Il en est allé autrement du gouvernement conservateur de John A. Macdonald forcé, en 1873, de remettre le pouvoir aux libéraux sans même passer par des élections. Le scandale, dans ce cas-ci, est lié à la construction d'un chemin de fer devant relier la Colombie-Britannique, nouvellement entrée dans la fédération canadienne. Des entrepreneurs jouent du coude pour obtenir le contrat. L'un d'eux, Hugh Allan, convainc George-Étienne Cartier, le bras droit du premier ministre Macdonald, d'accepter 350 000 dollars pour financer la campagne électorale des conservateurs, en échange d'un contrat de construction. Malgré cela, John A. Macdonald revient à son poste de premier ministre quatre ans après sa démission.

3 LE SCANDALE DU PACIFIQUE.

En 1873, un scandale politique impliquant le gouvernement de John A. Macdonald éclate au Canada. Le premier ministre est accusé d'avoir accepté un pot-de-vin du président de la compagnie Canadian Pacific Railway, lors des élections de 1872, en échange du contrat de construction du chemin de fer transcontinental. Sur cette caricature, le premier ministre lance une invitation pour que les entreprises lui envoient encore de l'argent.

WHITHER ARE WE DRIFTING?

John Wilson Bengough, *Où allons-nous ainsi à la dérive ?*, 1886.

Des premiers ministres et le monde des affaires

- John A. Macdonald, ancien directeur de plusieurs entreprises, occupe la présidence de deux grandes compagnies alors qu'il est premier ministre du Canada, à la fin des années 1800.
- Lomer Gouin siège à plusieurs conseils d'administration d'entreprises pendant son long règne de premier ministre du Québec, au début des années 1900, puis, lorsqu'il se retire de la vie politique, accède au conseil d'administration de la Banque de Montréal et d'autres sociétés.
- Jean Lesage devient directeur de plusieurs compagnies et membre d'un conseil d'administration après avoir quitté la politique en 1970.
- Les mœurs politiques interdisant désormais à un élu de diriger une entreprise, Paul Martin doit démissionner de son poste de président d'une grande entreprise de transport maritime pour se lancer en politique fédérale. L'opposition aux Communes l'accuse d'être en conflit d'intérêts lorsqu'il parraine un projet de loi relatif aux abris fiscaux, qui peut favoriser son entreprise, précédemment vendue à ses fils.

QUESTIONS

1. Quels avantages les milieux financiers retirent-ils de leur apport aux caisses électorales des partis politiques ?
2. Donnez un exemple de dérive politique commis par un gouvernement.

Méthodologie

3. [Doc. 1]
Selon vous, l'auteur de l'article blâme-t-il le gouvernement ? Justifiez votre réponse.

Le syndicalisme

Saviez-vous que...

L'une des premières demandes syndicales de la Confédération des travailleurs catholiques du Canada est que les patrons fournissent des sièges aux femmes employées comme commis dans les magasins.

La classe ouvrière composée de salariés apparaît durant la seconde moitié du 19e siècle avec la montée de l'industrialisation. À la fin du 19e siècle, elle compte plus de 250 000 personnes, dont la moitié travaillent dans des industries manufacturières et dans la construction. Leurs conditions de travail sont souvent très pénibles, les salaires sont bas et les heures de travail très longues. Ces mauvaises conditions de travail sont d'ailleurs dénoncées dans le rapport de la Commission royale d'enquête sur les relations entre le capital et le travail déposé en 1889.

Pour forcer le gouvernement à entreprendre des réformes, les travailleurs fondent des associations et des syndicats ouvriers. Durant une grande partie du 19e siècle, ces syndicats demeurent souvent clandestins, le droit d'association étant interdit aux travailleurs du Québec et du Canada. En 1872, le gouvernement fédéral vote finalement une loi légalisant la syndicalisation.

À partir de la fin du 19e siècle, les syndicats internationaux et américains prennent beaucoup d'expansion. Ils regroupent un grand nombre de travailleurs des États-Unis, du Canada et du Québec. Le clergé n'hésite pas à dénoncer ces organisations, craignant qu'elles ne véhiculent des courants d'idées qui vont à l'encontre des valeurs religieuses que l'Église met de l'avant.

La Confédération des travailleurs catholiques du Canada

Afin de mieux contrôler les actions des ouvriers, le clergé canadien met en place des syndicats catholiques et les regroupe en 1921 sous le nom de « Confédération des travailleurs catholiques du Canada » (CTCC). Ces syndicats préconisent une bonne entente avec les patrons et sont moins militants que les organisations syndicales américaines. Chaque unité a son aumônier, qui surveille les décisions des membres et est généralement opposé à la grève comme moyen de pression.

1 LA GRÈVE DE L'AMIANTE À ASBESTOS EN 1949.

La grève de l'amiante a duré de février à juillet 1949. Elle a pris fin surtout grâce à la médiation de l'évêque de Québec, Mgr Maurice Roy. L'entente prévoyait, entre autres choses, la reconnaissance du syndicat par les employeurs.

2 L'ARTICLE 1 DE LA CONSTITUTION DE LA CONFÉDÉRATION DES TRAVAILLEURS CATHOLIQUES DU CANADA.

En 1921, le clergé fonde la Confédération des travailleurs catholiques du Canada (CTCC), qui se déconfessionnalise en 1960 pour devenir la Confédération des syndicats nationaux (CSN).

« Article 1 - La Confédération des travailleurs catholiques du Canada est une organisation ouvrière interprofessionnelle, réunissant les divers groupements ouvriers du Canada qui ont la double caractéristique d'être nationaux et catholiques. [...] La CTCC est une organisation essentiellement canadienne. Une des raisons de son existence, c'est que la plupart des ouvriers canadiens sont opposés à la domination du travail syndiqué canadien par le travail syndiqué américain. La CTCC croit que c'est un non-sens, une faute économique, une abdication nationale et un danger politique que d'avoir au Canada des syndicats relevant d'un centre étranger qui n'a ni nos lois, ni nos coutumes, ni notre mentalité, ni les mêmes problèmes que nous. Elle croit que le travail syndiqué canadien doit être autonome, régler seul ses propres affaires et ne pas se noyer dans une masse syndicale où ses initiatives sont impuissantes, sa volonté inefficace et sa vie propre impossible. »

Source : Constitution de la Confédération des travailleurs catholiques du Canada, 1921.

La grève de l'amiante

En 1949, un long conflit de travail se produit dans les mines d'amiante d'Asbestos et de Thetford Mines. Les milliers de mineurs impliqués dans ce conflit revendiquent notamment des mesures pour remédier aux problèmes de santé liés à la poussière d'amiante, de meilleurs salaires et la cotisation syndicale obligatoire.

La «grève de l'amiante» marque un tournant, car, après plusieurs semaines d'arrêt de travail, les grévistes reçoivent un appui du clergé, et l'archevêché de Montréal, Mgr Joseph Charbonneau en tête, organise une quête pour aider les grévistes. Cette action est perçue comme une provocation par le gouvernement de Maurice Duplessis. Peu de temps après cet affrontement, Mgr Charbonneau démissionne. Son implication en faveur de la cause ouvrière a sans doute contribué à ce départ précipité. Néanmoins, les ouvriers auront obtenu une caution morale majeure pour soutenir leurs revendications.

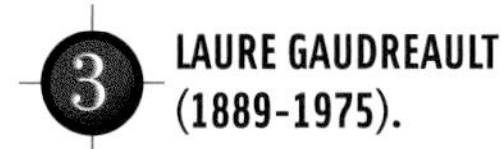

LAURE GAUDREAULT (1889-1975).

Militante syndicale, Laure Gaudreault a influencé le monde de l'éducation et a contribué à faire reconnaître le travail des institutrices.

L'ANNÉE DE CRÉATION DES PRINCIPALES CENTRALES SYNDICALES QUÉBÉCOISES.

Des organisations syndicales existent depuis la première moitié du 19e siècle, mais leurs objectifs et les moyens de les atteindre ont évolué avec le temps.

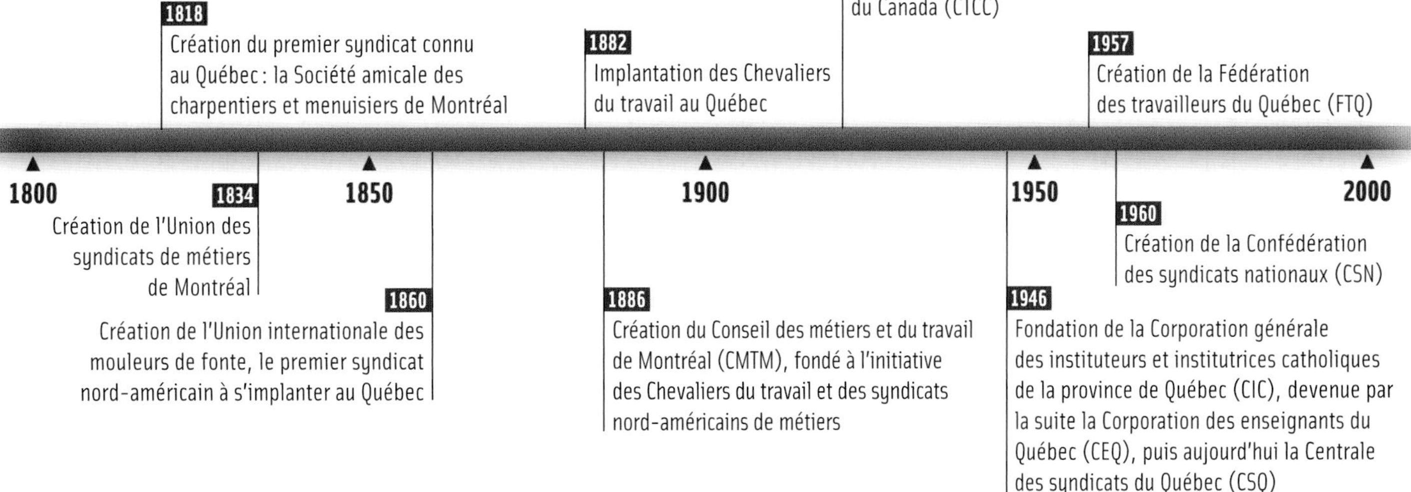

Des pressions auprès des pouvoirs publics

Au début des années 1960, la Confédération des travailleurs catholiques du Canada se déconfessionnalise et devient la Confédération des syndicats nationaux (CSN). Avec les deux autres grandes centrales syndicales, la Fédération des travailleurs du Québec (FTQ) et la Centrale des syndicats du Québec (CSQ), elle mène plusieurs luttes qui culminent par un conflit majeur en 1972 : la grève du Front commun. À cette occasion, les chefs des trois centrales syndicales sont emprisonnés pour avoir défié une loi de retour au travail promulguée par le gouvernement du Québec. De plus, leurs syndicats sont soumis à de fortes amendes.

QUESTIONS

1. Résumez l'évolution du syndicalisme jusque dans les années 1960.
2. Expliquez l'importance de la «grève de l'amiante».

Réflexion

3. À partir de ce que vous connaissez des syndicats actuels, dites en quoi ils sont différents des syndicats du début du 20e siècle.

Les mouvements de justice sociale

Le principe de justice sociale qui assure à toute personne l'égalité des droits évolue selon les époques. La fin du 19e siècle est considérée comme l'âge d'or du libéralisme. La propriété privée est alors perçue comme une source de progrès matériel et de bonheur. L'État encourage l'initiative privée et intervient très peu dans l'économie. À cette époque, il n'existe pas encore de politiques sociales.

Malgré la mise en place d'institutions démocratiques par le fédéral et les provinces, le pouvoir continue d'être entre les mains de députés issus de la bourgeoisie. Il s'agit pour la plupart d'hommes d'affaires, de membres de professions libérales, tels que des avocats ou des notaires. Au Québec, très peu d'agriculteurs sont représentés au pouvoir, pourtant, ils forment la majorité de la population. Quant aux femmes et à la classe ouvrière, ce sont deux groupes totalement absents du pouvoir. La lutte pour le pouvoir se fait surtout entre les partis politiques où les citoyens n'ont guère de place. La bourgeoisie québécoise, plutôt conservatrice, souhaite conserver ses privilèges. Elle tient également à préserver les traditions religieuses et familiales. La famille reste l'unité de base responsable de l'individu et l'État ne doit pas s'y substituer. La charité privée et l'action **philanthropique** sont censées pallier aux insuffisances de la famille.

Sans toutefois remettre en cause les fondements mêmes du capitalisme et du libéralisme, les syndicats souhaitent une plus juste redistribution de la richesse. Au fur et à mesure que le syndicalisme progresse, l'action politique ouvrière apparaît. Les Chevaliers du travail présentent notamment des candidats dans certains quartiers ouvriers montréalais durant les années 1880. Cependant très peu d'entre eux sont élus.

1 UN DÉFILÉ DES CHEVALIERS DU TRAVAIL À HAMILTON, EN ONTARIO, VERS 1880.

Les Chevaliers du travail, une organisation réformiste et ouvrière mise sur pied à Philadelphie, aux États-Unis, en 1869, s'implantent à Toronto en 1881 et à Montréal un an plus tard. Leur principal objectif est de remplacer les grandes entreprises capitalistes par des coopératives de production et de consommation.

Philanthropique : Qui vise à faire le bien d'autrui.

Une intervention accrue de l'État

Au fur et à mesure que la population s'accroît et que les phénomènes d'urbanisation et l'industrialisation s'intensifient, une intervention accrue de l'État s'impose afin d'établir des normes et de fournir des services à la population. Les parlements établissent des normes relatives aux conditions de travail, comme l'Acte des manufactures de Québec, adopté en 1885. En 1919, l'Assemblée législative du Québec adopte la Loi du salaire minimum des femmes et, en 1921, la Loi sur l'assistance publique. En 1928, la Commission des accidents du travail du Québec est créée, en même temps que la Loi sur les accidents du travail. Malgré tout, jusqu'à la crise économique des années 1930, le rôle de l'État demeure limité.

Les nombreux problèmes sociaux du 19e siècle entraînent une intervention accrue de l'État au nom du bien commun. Des courants d'idées plus égalitaires, comme le socialisme et le communisme, se développent. Au Québec, ces courants ont peu d'emprise, car les libéraux et les ultramontains les condamnent. Par ailleurs, pour répondre à certains besoins sociaux, des coopératives agricoles, des mutuelles d'assurances et des sociétés d'entraide sont mises sur pied. En 1900, Alphonse Desjardins fonde la première caisse populaire. À partir des années 1930, des coopératives de consommation et d'habitation vont aussi voir le jour.

À l'époque de Maurice Duplessis

Les gouvernements, et particulièrement celui de Maurice Duplessis, mènent une lutte acharnée contre les mouvements sociaux progressistes et les syndicats. À cette époque, les gouvernements sont beaucoup plus attentifs aux besoins des grandes entreprises qui contribuent aux caisses électorales des partis politiques. En 1937, le gouvernement de Duplessis promulgue une loi connue sous le nom de « loi du cadenas » qui permet au gouvernement de saisir tout document susceptible de propager des idées communistes et de fermer tout établissement, y compris une maison privée, où la propagande du communisme est faite. Les idéologies socialistes et communistes connaissent peu de succès dans la population canadienne-française. En raison de l'opposition de l'Église catholique et du gouvernement de Maurice Duplessis, ainsi que de l'incompréhension qu'en ont les nationalistes canadiens-français, ces idéologies sont perçues comme étrangères au milieu francophone.

2 FRANK REGINALD SCOTT (1899-1985).

Frank Reginald Scott est poète, professeur de droit et l'un des premiers défenseurs du socialisme au Canada. Il est notamment reconnu pour ses actions et ses prises de position en matière de justice sociale. En 1957, il réussit à rendre inconstitutionnelle la loi du cadenas imposée par Maurice Duplessis.

La modernisation des mouvements sociaux au Québec

À partir des années 1960, de nouvelles organisations sont créées, telles que des comités de citoyens et des coopératives d'économie familiale. Ces organisations assistent les familles moins bien nanties sur des questions de consommation et de budget.

Durant les années 1970, plusieurs groupes populaires s'organisent et établissent des services publics adaptés aux besoins de la population, par exemple des groupes de chômeurs ou d'assistés sociaux, des garderies, etc.

Durant les années 1980, de nombreux organismes communautaires apparaissent et offrent des services d'aide ou d'éducation populaire auprès des citoyens (maisons de jeunes, maisons d'hébergement pour les jeunes, les itinérants, les femmes victimes de violence). Plusieurs organismes sont actifs et exercent des pressions auprès des dirigeants politiques afin de faire adopter de nouvelles législations. Certains offrent des services publics spécialisés et complémentaires, ce qui mène à des partenariats avec l'État et le marché privé.

Le contexte économique difficile des années 1990 amène le gouvernement du Québec à tenir compte des suggestions des mouvements des femmes, des leaders syndicaux, et des milieux communautaires et conduit à l'adoption de nouvelles mesures d'économie sociale.

3 LA LOI DU CADENAS.

En 1937, le gouvernement de Maurice Duplessis fait adopter la loi du cadenas pour combattre le communiste.

> « Nous voulons atteindre le communisme à sa source même, car il nous ferait perdre, s'il était victorieux, notre principal actif, qui est la foi. [...] Le jour où le communisme triompherait et renverserait ce rempart de l'ordre et du bien qu'est notre clergé, c'en serait fait de la province de Québec. Le communisme doit être considéré comme l'ennemi public nº 1. Montrons à tous que, devant cet ennemi, nous ne souffrirons ni compromissions, ni faiblesses, ni lâchetés et que nous serons ses pires ennemis. [...] je demande au gouvernement fédéral, et à tous les partis à Ottawa, de s'unir pour établir dans la loi les moyens nécessaires pour combattre efficacement les idées malsaines du communisme. »

Source : Maurice DUPLESSIS, Débats de l'Assemblée législative du Québec sur la loi du cadenas, 17 mars 1937.

QUESTIONS

1. Quel objectif les Chevaliers du travail poursuivent-ils ?
2. Contre quels groupes sociaux le gouvernement de Maurice Duplessis s'acharne-t-il ?
3. Quels types de mouvements sociaux apparaissent à partir des années 1960 ?

Méthodologie

4. [Doc. 3]
Selon Maurice Duplessis, quel groupe est menacé par le communisme ?

L'État et l'Église

Dans les dernières décennies du 19e siècle, la religion occupe une place importante tant chez les protestants que chez les catholiques. Deux mondes se côtoient et possèdent chacun leurs propres institutions : écoles, hôpitaux, sociétés de bienfaisance. Près de 85 % de la population de la province est de religion catholique. Par son action au sein des paroisses, le clergé exerce une grande influence sur la population. De plus, l'ouverture des nouvelles régions de colonisation permet d'accroître le nombre de paroisses et de créer de nouveaux diocèses : Trois-Rivières et Saint-Hyacinthe en 1852, Rimouski en 1867, Sherbrooke en 1874, Chicoutimi en 1878, Nicolet en 1885 et Valleyfield en 1892. Les propriétés appartenant aux églises, qu'elles soient catholiques ou protestantes, ont d'ailleurs l'avantage d'être libres d'impôt.

La structure mise en place après la Confédération favorise d'une certaine façon l'influence de l'Église. En effet, plusieurs domaines, comme l'éducation et la santé, qui relèvent de la compétence provinciale, sont déjà sous la responsabilité de l'Église. Durant cette période, on assiste également à la montée de l'ultramontanisme qui prône la suprématie de l'Église sur la vie politique. Cette doctrine est notamment soutenue par les évêques Ignace Bourget de Montréal et Louis-François Laflèche de Trois-Rivières.

En plus d'un encadrement serré des fidèles, les membres du clergé n'hésitent pas à exercer leur immense influence auprès de la population lors des campagnes électorales. L'Église s'occupe en outre de nombreuses sociétés, associations, journaux et œuvres de charité où elle peut promouvoir ses idées. Elle livre d'ailleurs une chaude lutte contre les idées libérales de certains politiciens.

1 *LA FÊTE-DIEU À QUÉBEC.*

Cette peinture montre un cortège religieux dans les rues de Québec lors de la Fête-Dieu, célébrée par une procession religieuse.

Jean-Paul Lemieux, *La Fête-Dieu à Québec*, 1944.

Saviez-vous que...

La fête de la Saint-Jean-Baptiste est importée d'Europe par les premiers Français venus s'établir en Nouvelle-France. À l'initiative de Ludger Duvernay, qui fonde en 1834 la Société Saint-Jean-Baptiste de Montréal, cette fête chrétienne devient une fête patriotique. En 1925, la législature de Québec déclare le 24 juin jour férié. En 1977, René Lévesque, alors premier ministre du Québec, proclame le 24 juin fête nationale des Québécois. Aujourd'hui considérée comme une fête laïque, la Saint-Jean-Baptiste est célébrée par des milliers de citoyens.

2 *LE CHRÉTIEN ET LES ÉLECTIONS.*

En 1960, les abbés Gérard Dion et Louis O'Neill publient *Le chrétien et les élections*, un essai critique sur l'utilisation de la religion à des fins électorales, sur le trafic des votes et la publicité mensongère. Ce texte critique également le régime de Maurice Duplessis et son alliance avec l'Église.

« L'Église, le clergé et les religieux ne sauraient s'immiscer dans les querelles de partis. Tous ceux qui directement ou indirectement s'efforcent de mobiliser les *forces religieuses* nuisent au prestige de l'Église, réduisent plus ou moins son influence apostolique. »

Source : Gérard DION et Louis O'NEILL, *Le chrétien et les élections*, Montréal, Les Éditions de l'Homme, 1960, p. 36.

L'éducation

Dès le début de la fédération canadienne, la minorité anglo-protestante du Québec exige que ses droits soient garantis dans la nouvelle constitution. Tous leurs droits et privilèges sont ainsi protégés au même titre que ceux des catholiques des autres provinces. Le premier ministre, Pierre-Joseph-Olivier Chauveau, qui est aussi ministre de l'Éducation, garantit ces droits en créant, en 1869, une nouvelle loi sur l'instruction. Il revoit la composition du Conseil de l'instruction publique qui est divisé en deux comités confessionnels. Le ministre assiste à chacun d'eux, mais ne vote qu'à celui de sa confession. Une grande autonomie est alors attribuée aux protestants sans toutefois que celle du comité catholique soit affectée. Les écoles normales, les bureaux d'examinateurs, les commissions scolaires sont confessionnelles et demeurent sous la juridiction de l'un ou l'autre des comités.

Laïcisation : Séparation du pouvoir politique et administratif de l'État du pouvoir religieux.

Clerc : Membre du clergé.

Pour certains ultramontains, le pouvoir de l'Église en matière d'éducation est encore insuffisant. En 1875, l'épiscopat catholique exerce des pressions sur le premier ministre, Charles-Eugène Boucher de Boucherville, qui décide de modifier la loi. Cette loi, qui entre en vigueur en 1876, entraîne la création du département de l'instruction publique et change le poste de ministre pour celui de surintendant. Le rôle du surintendant consiste entre autres à recevoir les rapports des commissaires, à établir le montant des subventions aux commissions scolaires et à présenter un rapport annuel au gouvernement. Au plan décisionnel comme au plan pédagogique, le surintendant ne possède plus de pouvoir réel. Il se trouve entièrement soumis au Conseil de l'instruction publique et à ses comités, c'est-à-dire à l'Église qui établit les programmes, classifie les écoles et autorise le matériel pédagogique.

Quant au Conseil de l'instruction publique, il est formé de deux comités confessionnels : le comité catholique, formé d'évêques (ou de représentants) et d'un nombre égal de laïcs nommés par le gouvernement, et le comité protestant, formé de ministres du culte et d'un nombre de laïcs égal à celui du comité catholique. À partir de ce moment, l'État abdique son rôle en matière d'éducation jusque dans les années 1960. Les structures établies par le clergé demeurent en place jusqu'en 1964.

Même si la laïcisation progresse constamment depuis les années 1960, le nombre de citoyens qui se disent catholiques demeure constant.

« Depuis la Révolution tranquille, la laïcisation et la sécularisation n'ont cessé de progresser au Québec. [...] D'un côté, les institutions (éducation, hôpitaux, services sociaux) se sont laïcisées, la pratique religieuse est devenue occasionnelle, même les rites de passage (baptême, mariage, sépulture) ne passent souvent plus par l'église. Surtout, le personnel religieux ne se renouvelle plus [...]. D'un autre côté, d'autres indicateurs restent forts, dans le sens contraire : les quatre cinquièmes des Québécois continuent [...] de se dire catholiques [...], les grands lieux de pèlerinage sont toujours aussi fréquentés, une majorité de parents, surtout à l'école primaire, continuent d'inscrire leurs enfants aux activités religieuses. »

Source : Guy LAPERRIÈRE, « Religion et laïcité : un regard sur l'histoire », *Le Devoir*, 13 mai 2005.

QUESTIONS

1. Sur le plan social, quels sont les deux domaines sur lesquels le clergé exerce un pouvoir considérable jusqu'au début des années 1960 ?
2. Quelle période historique aura un effet considérable sur les croyances de l'ensemble des Québécois ?

Méthodologie

3. [Doc. 2]
   Pourquoi l'Église ne doit-elle pas se mêler des querelles de partis ?
4. [Doc. 3]
   Selon vous, la baisse de la pratique religieuse chez les Québécois est-elle en contradiction avec l'affirmation de leur foi catholique ? Justifiez votre réponse.

L'Église et la laïcisation

La Révolution tranquille met fin à la domination de l'autorité religieuse sur la vie sociale des Québécois catholiques. Le clergé perd le contrôle de l'éducation, qui se **laïcise.** Les laïcs remplacent les **clercs** comme enseignants et administrateurs du système scolaire. D'autres religions ont maintenant leur place au Québec, et l'Église catholique a de moins en moins d'influence sur les lois civiles. En effet, le mariage civil s'est répandu depuis 1970, le divorce est autorisé et les nouveau-nés ne sont plus obligatoirement baptisés. Aboutissement de ce processus, les commissions scolaires sont déconfessionnalisées en 1997. Aujourd'hui, l'Église ne concerne que les personnes qui ont des croyances religieuses.

1 DES SECRÉTAIRES À LA FIN DES ANNÉES 1950.

Jusque dans les années 1960, les emplois occupés par les femmes sont souvent concentrés dans certains secteurs, comme le secrétariat.

Les revendications féministes

Au début du 20e siècle, les femmes possèdent peu de droits économiques et juridiques. Plusieurs privilèges leur sont refusés, entre autres celui d'étudier ou de pratiquer certaines professions réservées aux hommes. Les femmes mariées dépendent de leur mari alors que celles qui travaillent sont souvent reléguées à des emplois sous-payés et de second plan. Le clergé fait en outre peser beaucoup d'interdits sur les femmes en général.

Les femmes obtiennent le droit de vote au fédéral en 1918, et au Québec en 1940. C'est alors le début d'une longue conquête pour la reconnaissance de leurs droits. Mais il reste encore un long chemin à parcourir pour améliorer leurs conditions sociales.

Au cours des années 1950, le mariage et l'éducation des enfants demeurent le sort le plus courant des femmes. Les femmes mariées n'ont pas de statut juridique. Peu d'entre elles obtiennent leur indépendance, car le marché du travail leur est fermé. L'Église catholique prêche encore longtemps la soumission des femmes à leur mari.

Les femmes et le marché du travail

Les femmes qui exercent un emploi à temps plein le font principalement dans le secteur de la santé, comme infirmières, dans les manufactures, le secrétariat ou l'enseignement primaire. Souvent, une femme reçoit, pour le même travail, la moitié du salaire versé à un homme. Les employeurs, tout comme le gouvernement, estiment justifiés ces bas salaires puisque la femme n'est pas le principal soutien financier de la famille. Le travail des femmes est donc perçu comme un travail d'appoint, une fonction secondaire peu valorisée.

Dans les écoles supérieures ou les universités, les hommes occupent presque tout l'espace. Par exemple, le droit, la médecine, le notariat sont presque exclusivement réservés aux hommes. Aussi, dans les sphères d'activité publiques, les femmes sont pratiquement absentes.

2 À TRAVAIL ÉGAL, SALAIRE ÉGAL.

La journaliste féministe Éva Circé-Côté a écrit de nombreuses années dans le journal *Le Monde ouvrier*. Ses articles portaient souvent sur les inégalités salariales entre les hommes et les femmes.

« Pourquoi les femmes qui font un travail aussi pénible que les hommes ne seraient-elles pas aussi bien rémunérées? La question féministe est devenue une question économique. La femme aujourd'hui ne réclame plus le droit au travail, et l'on prévoit qu'avant peu elle demandera à grands cris le droit au repos. Ce qu'elle doit exiger, c'est à travail égal, salaire égal. Une chose certaine, c'est que, si l'on emploie plus de femmes partout, on ne les paie pas mieux qu'autrefois et toujours moins que les hommes. [...] Pourquoi ces rétributions inégales si les uns et les autres rendent les mêmes services? De telles injustices ne sauraient laisser indifférents ceux qui s'intéressent au relèvement économique de la femme. C'est juste qu'une disproportion dans l'ouvrage se traduise par une disproportion de salaire. Mais, lorsque le travail de la femme est aussi prolongé, aussi pénible, aussi productif que celui de l'homme, pourquoi ne seraient-ils pas aussi bien rémunérés l'un que l'autre? »

Source : Éva CIRCÉ-CÔTÉ, « Travail égal - salaire égal », *Le Monde ouvrier*, 25 août 1917.

Le mouvement féministe

Thérèse Casgrain devient, en 1951, la première femme à la tête d'un parti politique au Québec, la Fédération du commonwealth coopératif (CCF), devenue Parti social démocratique du Québec. Il faut attendre le début des années 1960 avant que le féminisme ne vienne modifier en profondeur la condition féminine et le rôle joué par les femmes dans la société. Le mouvement féministe prend différentes formes, radicales ou modérées. Des femmes comme l'auteure féministe Simonne Monet-Chartrand œuvrent dans des groupes sociaux pour aider les femmes à se prendre en main et à revendiquer leurs droits.

En 1961, l'égalité politique des femmes connaît une avancée importante alors que Marie-Claire Kirkland-Casgrain devient la première députée élue au Parlement québécois. Sur le plan juridique, ce n'est qu'en 1964 que le Code civil reconnaît officiellement l'égalité des femmes et des hommes. En 1966, des associations féministes fondent la Fédération des femmes du Québec. Parmi les demandes de cet organisme : un salaire égal pour un travail égal ainsi que la création d'un réseau de garderies pour les enfants dont les mères travaillent à l'extérieur de la maison. Au Québec, des mouvements de revendication exercent des pressions sur le gouvernement pour qu'il applique à ses fonctionnaires l'égalité des chances dans la promotion et les salaires. En novembre 1996, une loi sur l'équité salariale est adoptée.

3 UNE POLICIÈRE DE LA GENDARMERIE ROYALE DU CANADA.

En 1974, les premières femmes intègrent la Gendarmerie royale du Canada. Dans le secteur public, une politique de **discrimination positive** tend à établir l'équilibre entre les hommes et les femmes.

Discrimination positive : Politique qui consiste à favoriser un groupe particulier pour rétablir l'équilibre entre différents groupes.

TÉMOINS DE L'HISTOIRE

ÉVA CIRCÉ-CÔTÉ

Éva Circé-Côté est la fondatrice de la première bibliothèque publique de la ville de Montréal en 1903. Syndicaliste expérimentée, elle se bat pour l'éducation gratuite et accessible à tous. Elle revendique la libre pensée, la justice sociale et la réduction des inégalités entre les riches et les pauvres.

En 1905, elle se marie avec le docteur Pierre Salomon-Côté, surnommé le médecin des pauvres. Le couple fréquente les milieux partisans du progrès politique à la recherche des idées nouvelles. Le mariage d'Éva Circé-Côté est de courte durée, car son mari meurt en 1909.

Toute sa vie, Éva Circé-Côté a mené un grand combat : prouver que la femme est l'égale de l'homme. En 1919, elle réclame un salaire pour le travail domestique des mères de famille. Elle écrit dans le journal *Le Monde ouvrier* : « Nous sommes lasses de dépenser notre jeunesse, nos forces pour servir ce maître impitoyable, et si d'ici huit jours il ne paie pas un salaire d'au moins vingt-cinq dollars, nous nous mettons en grève. Nous mettrons la marmaille chez les Sœurs grises et nous flanquons la maison là. » Éva Circé-Côté meurt en 1949, bien avant que naisse le mouvement des années 1960-1970 pour la défense des droits des femmes.

4 ÉVA CIRCÉ-CÔTÉ (1871-1949).

Éva Circé-Côté a milité en faveur de l'égalité salariale entre les hommes et les femmes.

QUESTIONS

1. Expliquez en quoi consiste le statut de la femme dans la première moitié du 20e siècle.
2. Résumez les principales étapes qui ont permis aux femmes d'améliorer leur situation.
3. Quel gain juridique important les femmes font-elles dans les années 1960 ?
4. Quel but vise l'adoption, en 1996, de la Loi sur l'équité salariale ?

Méthodologie

5. **[Doc. 2]**
Quel principe Éva Circé-Côté veut-elle faire reconnaître à propos du salaire des femmes ?

Les conflits linguistiques

Depuis la Conquête, les francophones et les anglophones se côtoient au Québec. Ces deux principales communautés linguistiques ont souvent vécu à l'écart l'une de l'autre. Cette situation a amené plusieurs conflits entre les deux groupes pour le contrôle des institutions communes, pour le choix des priorités économiques, sociales ou culturelles. Par ailleurs, la bourgeoisie anglophone domine le monde des affaires depuis la Conquête. Le commerce et l'industrie se déroulent donc essentiellement en anglais jusque dans les années 1960, au point que la langue anglaise est associée à la richesse. Dans le monde du travail, notamment dans les grandes industries, les francophones ont longtemps été forcés de travailler en anglais, alors que les employeurs sont souvent des anglophones.

L'encadrement juridique

À l'école, la religion joue un rôle tout aussi essentiel que la langue, puisque les francophones vont à l'école catholique ; et les anglophones, à l'école protestante. Au caractère confessionnel des réseaux d'éducation se superpose une division linguistique. Mais la position de nombreux immigrants fait naître un nouveau conflit. Avant les années 1970, les immigrants fréquentent généralement l'école anglaise et, de ce fait, ne se sont pas francisés. La majorité francophone craint de voir son poids démographique s'affaiblir, ce qui menacerait son avenir en tant que communauté linguistique.

En 1969, la crise éclate lorsque des commissaires d'école décident d'abolir les classes bilingues à forte prédominance anglophone au profit de classes unilingues françaises. La communauté italienne, qui envoyait ses enfants dans ces classes à prépondérance anglophone, se mobilise pour réclamer le libre choix de la langue d'enseignement. Un groupe de francophones s'y oppose et fait la promotion de l'intégration des communautés culturelles par l'imposition de la langue française dans l'enseignement. Ce conflit marque un affrontement idéologique entre la primauté des droits individuels et celle des droits collectifs. La tension est telle que des manifestations violentes éclatent à Saint-Léonard en 1969.

1 L'AFFRONTEMENT ENTRE ITALO-QUÉBÉCOIS ET CANADIENS FRANÇAIS À SAINT-LÉONARD EN 1969.

Dans les années 1960, à Saint-Léonard, secteur de l'île de Montréal habité essentiellement par des immigrants italiens et leurs descendants, des enfants italo-québécois reçoivent leur éducation dans des classes bilingues où, en fait, la majorité de l'enseignement est donné en anglais. Les commissaires scolaires décident de remplacer les classes bilingues par des classes unilingues françaises. En 1969, une manifestation organisée par le Mouvement pour l'intégration scolaire (MIS), créé par des francophones, tourne à l'émeute. Les partisans des deux groupes opposés s'affrontent alors violemment.

La politique de la langue française

Le débat linguistique s'intensifie lorsque le gouvernement de Robert Bourassa adopte, en 1974, le projet de loi 22 qui proclame le français langue officielle au Québec. Cette loi limite l'accès à l'école anglaise exclusivement aux enfants qui peuvent démontrer, par un test, leur maîtrise de l'anglais. Enfin, en 1977, le Parti québécois fait adopter la Charte de la langue française, communément appelée «loi 101», qui comporte de nombreuses dispositions visant à assurer la primauté du français au travail, dans les communications et l'affichage commercial. De plus, cette loi oblige les enfants d'immigrants à fréquenter les écoles francophones. Une nouvelle lutte s'engage alors entre la communauté anglophone et le gouvernement du Québec. À plusieurs reprises, les tribunaux invalident des dispositions de la Charte, et le gouvernement doit y apporter des amendements.

2 **UNE CHARTE CONTROVERSÉE.**

La Charte de la langue française se veut un outil d'affirmation pour les francophones, mais son existence est controversée.

« L'histoire de la Charte de la langue française, avant, pendant et après son adoption, est tissée de remous et de controverses, de méprises et de sous-entendus qui sont le propre d'une prise de conscience collective. Ce processus d'identification nationale aurait pu créer un pays. Il a donné naissance, à tout le moins, à quelque chose qui ressemble à une âme. »

Source : Mario CLOUTIER, «Le long cheminement d'une prise de conscience collective», *Le Devoir,* 26 août 1997.

3 **UNE MARCHE POUR LA PROTECTION DE LA LANGUE FRANÇAISE EN 1989.**

Surtout depuis les années 1960, la question de la langue est au cœur des préoccupations des francophones du Québec.

4 **UNE COHABITATION HARMONIEUSE.**

Les résultats de l'application de la Charte de la langue française sont visibles dans les rues de Montréal. Selon certains, cette loi a favorisé la cohabitation des francophones et des anglophones.

« Les trentenaires d'aujourd'hui n'ont pas connu l'époque où le centre-ville de Montréal était placardé d'enseignes anglophones. De même, ils n'ont jamais été servis en anglais chez Eaton, certains ignorant même que ce magasin a déjà existé ! Pas plus qu'ils n'ont connu les luttes acharnées pour l'émancipation et la reconnaissance des droits des francophones. Ce qu'ils ont vécu au quotidien, en revanche, c'est un Québec où le français est reconnu comme étant la langue d'expression publique et où les droits des francophones sont protégés. Ils connaissent un Québec exempt d'affrontements entre les communautés anglophone et francophone, mis à part quelques escarmouches linguistiques passagères qui font plus office d'anachronismes à leurs yeux que de véritables conflits intercommunautaires. La cohabitation harmonieuse entre les Québécois francophones et anglophones de la nouvelle génération est telle que c'est à Montréal que s'est créé *Arcade Fire,* un groupe rock canadien qui connaît un succès planétaire et qui compte des membres de multiples origines. »

Source : Mathieu LABERGE, «Un pays pour ma génération», dans André PRATTE (dir.), *Reconquérir le Canada. Un nouveau projet pour la nation québécoise,* Montréal, Les Éditions Voix parallèles, 2007, p. 341.

QUESTIONS

1. Quel secteur de la vie collective était sous la domination des anglophones jusque dans les années 1960 ?
2. Quelle est la cause du conflit linguistique qui se déclenche au Québec à la fin des années 1960 ?
3. Que réclament les immigrants pour leurs enfants ?

Méthodologie

4. [Doc. 4]
   Comment l'auteur décrit-il la situation linguistique actuelle au Québec ?
5. Construisez une ligne du temps montrant les dates marquantes et les principaux événements correspondant à l'évolution de la situation linguistique au Québec.

Réflexion

6. Exprimez en quelques mots ce que vous avez appris sur l'évolution linguistique du Québec depuis 1960.

1 LA VISITE DU GÉNÉRAL DE GAULLE AU QUÉBEC EN JUILLET 1967.

Des militants du Rassemblement pour l'indépendance nationale célèbrent la venue du président français, Charles de Gaulle, à l'été 1967. Cette visite, où De Gaulle scande « Vive le Québec libre ! », constitue un moment important du nationalisme québécois, qui est soudainement propulsé dans l'actualité internationale.

L'idée d'indépendance

L'idée de l'indépendance du Québec n'est pas nouvelle. Déjà, lors des rébellions de 1837-1838, le patriote Robert Nelson proclame la République du Bas-Canada. Puis en décembre 1917, à la suite de la crise de la conscription, le député libéral Joseph-Napoléon Francœur présente à l'Assemblée législative une motion proposant que le Québec quitte le Canada. Sous la pression du premier ministre Lomer Gouin, la motion Francœur sera finalement retirée avant même qu'un vote soit tenu.

Pour les indépendantistes des années 1960, l'infériorité économique des Québécois s'expliquerait par la domination anglophone. Le Québec, en accédant à son indépendance, obtiendrait sa totale autonomie et se libérerait de cette tutelle.

2 UNE SCÈNE DU FILM *LES ORDRES*, DE MICHEL BRAULT.

La crise d'Octobre a été à plusieurs reprises illustrée au cinéma québécois, notamment dans le film *Les ordres*, de Michel Brault, en 1974. Dans ce film, Jean Lapointe joue un des personnages principaux.

La crise d'Octobre

Le Front de libération du Québec (FLQ), qui apparaît sur la scène québécoise en 1963, se manifeste par des attentats à la bombe contre des institutions fédérales et intervient dans les conflits ouvriers. La violence culmine avec la crise d'Octobre, en 1970, alors que deux cellules de l'organisation enlèvent le diplomate anglais James Richard Cross et le ministre québécois Pierre Laporte. En échange de ces otages, le FLQ réclame la libération de prisonniers politiques et la diffusion de son manifeste, qui explique les motifs de ses actions. Les autorités refusent de négocier et le ministre Pierre Laporte est retrouvé sans vie.

Cette crise qui s'étend sur plusieurs mois donne lieu à quelques centaines d'arrestations, parmi lesquelles on compte des comédiens, chanteurs, poètes, écrivains, journalistes et syndicalistes qui ne sont pas affiliés au FLQ. L'application par le Parlement fédéral de la Loi sur les mesures de guerre, en 1970, suspend les libertés individuelles, ce qui permet aux forces de l'ordre de détenir des personnes sans avoir à les inculper de quoi que ce soit. La crise connaît son dénouement avec l'arrestation des ravisseurs de Pierre Laporte et l'exil à Cuba des responsables de l'enlèvement de James Richard Cross, marquant du même coup la fin de l'épisode terroriste au Québec. Après la condamnation de ses principaux dirigeants, le FLQ semble disparaître.

La naissance du Parti québécois

En 1967, alors que le FLQ mène des actions terroristes pour déstabiliser le gouvernement et les élites économiques, une nouvelle formation politique, qui dénonce cette violence, apparaît. Elle est dirigée par l'ex-libéral René Lévesque. Ce groupe, appelé «Mouvement souveraineté-association», prône l'indépendance du Québec par des moyens démocratiques, donc en gagnant l'appui de la majorité des Québécois. Également, advenant l'accession du Québec à l'indépendance, il recommande le maintien d'une association économique avec le reste du Canada. En 1968, ce mouvement fusionne avec une autre formation politique, le Ralliement national, et se transforme en parti politique provincial : le Parti québécois. Dès lors, l'idée d'indépendance attire des gens de différents milieux. Après deux défaites électorales en 1970 et 1973, le Parti québécois accède au pouvoir le 15 novembre 1976.

Une fois au pouvoir, le Parti québécois, fidèle à son programme politique, décide de consulter la population sur un projet de souveraineté-association. Le résultat du référendum de 1980 montre que 59,4 % des Québécois préfèrent rester dans le Canada et que 40,6 % auraient préféré créer un nouveau pays. En 1995, lors d'un autre référendum, le «Non» l'emporte dans une proportion de 50,6 % des voix contre 49,4 % en faveur du «Oui». Si elle est toujours présente au Québec, l'idée de l'indépendance ne réussit pas à recueillir l'appui de la majorité de la population.

3 LA VICTOIRE DU PARTI QUÉBÉCOIS AUX ÉLECTIONS DE 1976.

En novembre 1976, le Parti québécois prend le pouvoir. C'est la première fois qu'un parti prônant l'indépendance prend le pouvoir au Québec.

4 UN DISCOURS MAL ACCUEILLI PAR LES AMÉRICAINS.

En janvier 1977, moins de deux mois après son élection, René Lévesque prononce un discours à l'Economic Club de New York, dans lequel il compare la quête d'indépendance du Québec à la quête d'indépendance des Treize colonies. Ce discours est bien accueilli par les journalistes francophones présents, mais les gens d'affaires américains réagissent négativement, n'appréciant pas la comparaison.

« L'indépendance du Québec est devenue aussi naturelle, aussi normale, je dirais presque aussi inévitable que ne l'était l'indépendance américaine il y a deux cents ans. [...] Pour moi, la question qui importe – celle qui doit préoccuper tous ceux qui portent intérêt au Québec et au Canada –, ce n'est pas de savoir si le Québec deviendra ou non indépendant, mais de connaître comment les Québécois assumeront la pleine maîtrise de leur vie politique. À ce propos, je crois que le passé augure bien de l'avenir. D'une part, les Québécois sont déterminés à procéder aux changements qui s'imposent en recourant uniquement et strictement aux voies démocratiques. »

Source : Discours de René Lévesque prononcé à l'Economic Club à New York le 25 janvier 1977.

QUESTIONS

1. Quel but visent les indépendantistes des années 1960 ?
2. Comment le gouvernement fédéral intervient-il pour faire face à la crise d'Octobre ?
3. Le Parti québécois se définit par son projet de souveraineté-association. Que signifie cette expression ?

Méthodologie

4. [Doc. 4]
Quel argument utilise René Lévesque pour rallier les Américains à sa cause ?

Les relations fédérale et provinciales

Les mouvements nationalistes des années 1960 ont donné naissance à un fort courant indépendantiste, mais ils ont également influencé les partis en place. Le Québec est dirigé soit par des partis fédéralistes comme l'Union nationale et le Parti libéral, qui défendent la spécificité du Québec dans le cadre de la fédération canadienne, soit par un parti souverainiste, le Parti québécois. Dans les deux cas, les relations entre le gouvernement fédéral et le gouvernement provincial sont marquées par la confrontation entre deux visions distinctes de la place du Québec dans le Canada.

Les divergences constitutionnelles

Le gouvernement du Québec sous la direction de Maurice Duplessis avait défendu l'autonomie de la province en exigeant le respect du partage des compétences provinciales tel qu'il est défini dans l'Acte de l'Amérique du Nord britannique. À partir de 1960, ce nationalisme modéré fait place à un nationalisme plus affirmé qui réclame une révision du fédéralisme centralisateur appliqué par Ottawa. Dans cette optique, le Québec obtient la reconnaissance par Ottawa d'une clause d'exemption qui autorise les provinces à se retirer de programmes fédéraux avec une compensation fiscale leur permettant de créer les leurs. Le Québec est la seule province à se prévaloir de ce droit. L'élection de Pierre Elliott Trudeau en 1968 met fin à de telles ententes. Le premier ministre propose plutôt de revoir en profondeur le partage des pouvoirs dans le cadre du rapatriement de la Constitution canadienne.

Dès 1971, le Québec, dirigé par Robert Bourassa, refuse de ratifier la **Charte de Victoria.** Ottawa avait consenti un droit de veto au Québec, mais avait catégoriquement refusé de revoir le partage des compétences en sa faveur. Aux yeux du gouvernement québécois, cette entente n'offre pas assez de garanties pour le Québec. Avec la Charte de Victoria, Pierre Elliott Trudeau propose le rapatriement de la Constitution canadienne, mais ne reconnaît pas au Québec un statut particulier qui lui donnerait des pouvoirs spécifiques. Sous la pression des nationalistes québécois, le premier ministre rejette l'accord. Dès lors, le Québec cherche auprès du gouvernement fédéral à obtenir plus de pouvoirs ou un statut particulier.

1 LA NUIT DES LONGS COUTEAUX.

L'entente constitutionnelle de 1981 survient en l'absence des représentants du Québec. Dans les milieux nationalistes québécois, cet événement est connu sous le nom de « nuit des longs couteaux ». La conduite de ces négociations a été diversement interprétée.

« Dans la nuit du 4 au 5 novembre 1981 [...], sept premiers ministres provinciaux du Canada anglais s'entendaient avec Ottawa sur une nouvelle Constitution pour le Canada, rapatriée l'année suivante. Ils avaient négocié toute la nuit en l'absence des représentants québécois, et sans en parler à la délégation québécoise. Ce fut ce qu'il est convenu d'appeler "la nuit des longs couteaux". Le matin du 5 novembre, les sept premiers ministres plaçaient René Lévesque devant le fait accompli : ils avaient renié leurs signatures et brisé le front commun des huit provinces. »

Source : Robert DUTRISAC, « Il y a 25 ans, la nuit des longs couteaux – Une Constitution inachevée », *Le Devoir*, 4 novembre 2006.

Charte de Victoria : Ensemble d'amendements à la Constitution canadienne proposés en 1971.

2 PIERRE ELLIOTT TRUDEAU ET LA REINE ÉLISABETH II EN 1982.

Le premier ministre du Canada, Pierre Elliott Trudeau, accueille la reine Élisabeth II avant la signature de la nouvelle Constitution du Canada, en avril 1982.

Le rapatriement de la Constitution

Dans la foulée de l'échec du référendum de 1980, le gouvernement fédéral rapatrie la Constitution canadienne. Acceptant de suspendre son option souverainiste, René Lévesque rejoint le front commun des provinces pour réclamer une décentralisation du système fédéral.

En novembre 1981, lors d'une conférence fédérale-provinciale, un revirement s'opère alors que le Québec est la seule province à s'opposer au projet fédéral. Ce rapatriement entraîne des changements constitutionnels, mais le Québec n'obtient pas ce qu'il souhaite, en l'occurence un droit de veto ainsi qu'une reconnaissance de son statut particulier qui s'accompagnerait de plus de pouvoirs. Le rapatriement de la Constitution de 1982 se fait donc sans l'accord du Québec.

Les tentatives de rapprochement

Dans les années 1980, des tentatives de rapprochement pour obtenir l'accord constitutionnel du Québec ont lieu. Ainsi, en 1987, le gouvernement fédéral dirigé par le conservateur Brian Mulroney propose un nouveau projet de constitution qui est d'abord accepté par l'ensemble des provinces, puis rejeté par Terre-Neuve et le Manitoba.

À la suite du rejet de l'Accord du lac Meech, le gouvernement de Robert Bourassa crée la commission Bélanger-Campeau pour étudier l'avenir constitutionnel de la province. Une formation politique, le Bloc québécois, fondée par Lucien Bouchard, un ex-ministre du cabinet de Brian Mulroney, apparaît sur la scène fédérale pour défendre les intérêts du Québec.

Une nouvelle entente, l'Accord de Charlottetown, survient en 1992. Cette fois, c'est l'ensemble de la population canadienne qui rejette l'entente par référendum, mais le Québec francophone et le Canada francophone la rejettent pour des raisons opposées. Ainsi, le Québec n'a jamais ratifié le rapatriement de la Constitution de 1982.

L'indépendance du Québec aujourd'hui

Aujourd'hui encore, l'idée de l'indépendance est défendue par certains partis politiques québécois. D'autres partis offrent une diversité de positions fédéralistes qui vont de l'autonomisme au **fédéralisme asymétrique.**

Le Québec revendique notamment le règlement du déséquilibre fiscal, soit un meilleur équilibre entre les revenus des deux paliers de gouvernement pour s'acquitter de ses lourdes responsabilités en éducation et en santé, la limitation du pouvoir de dépenser du fédéral dans les champs de compétence provinciale, la reconnaissance en tant qu'acteur sur la scène internationale et comme nation distincte. Sur ces revendications, tous les partis politiques sont d'accord, mais le problème de la place du Québec dans le Canada demeure entier.

En 2006, le gouvernement conservateur de Stephen Harper a semblé être ouvert à certaines réclamations du Québec en acceptant de reconnaître que les Québécois forment une nation au sein d'un Canada uni.

3 DES NOTIONS QUI ÉVOLUENT.

Le caractère unique ou distinct du Québec au sein du Canada, tel que le perçoivent les Québécois, a entraîné un désir de reconnaissance s'exprimant de diverses façons.

« Depuis plus d'un demi-siècle, les Canadiens ont été bombardés par de multiples concepts visant à caractériser le statut particulier du Québec : du "Maître chez nous" de Jean Lesage, à l'"Égalité ou Indépendance" de Daniel Johnson père, à la "souveraineté-association" de René Lévesque, jusqu'à la "société distincte" de Robert Bourassa, les années ont passé et les notions ont évolué. Cependant, une chose est certaine : le désir de reconnaissance du caractère unique du Québec au sein du Canada est profondément ancré dans la psyché de la société québécoise. »

Source : Hervé RIVET et Fabrice RIVAULT, « La nation québécoise – De la reconnaissance informelle à l'enchâssement constitutionnel », dans André PRATTE (dir.), *Reconquérir le Canada. Un nouveau projet pour la nation québécoise*, Montréal, Les Éditions Voix parallèles, 2007, p. 295-296.

Fédéralisme asymétrique : Fédéralisme flexible qui permet notamment l'existence d'ententes et d'arrangements adaptés à la spécificité du Québec.

QUESTIONS

1. Comment se caractérisent les relations entre le gouvernement fédéral et le gouvernement du Québec depuis les années 1960 ?
2. Pourquoi Robert Bourassa a-t-il refusé de ratifier la Charte de Victoria ?
3. Jusqu'à aujourd'hui, quelles sont les conséquences du rapatriement de la Constitution canadienne pour le Québec ?

Méthodologie

4. [Doc. 3]
Quel point ont en commun ces différents concepts caractérisant le Québec ?
5. Sur une ligne du temps, situez les principaux événements marquant l'évolution constitutionnelle québécoise et canadienne depuis 1970. Encerclez ceux relevant d'une initiative du Québec.

Les chartes des droits et libertés

Le Québec et le Canada sont des « sociétés de droit », c'est-à-dire qu'elles sont régies par des lois qui protègent les citoyens contre les injustices. Dans le dernier quart du 20e siècle, de nouveaux textes fondamentaux sont adoptés pour protéger les citoyens contre de possibles abus, notamment de leurs gouvernements. Il s'agit des chartes des droits et libertés.

Les chartes ont une valeur symbolique, comme refléter les principes et les idéaux de la société, mais aussi une valeur juridique, comme délimiter le pouvoir des gouvernements et de l'ensemble de la société civile, dont font partie les citoyens et les entreprises. Les chartes québécoise et canadienne protègent les individus en leur garantissant l'exercice des droits et libertés suivants :

- Libertés fondamentales : liberté de conscience, de religion, de pensée, de croyance, d'opinion et d'expression, droit à la vie et à la sécurité, etc.
- Droits politiques et libertés démocratiques : droit de vote et d'éligibilité pour tous les citoyens majeurs, élection tous les cinq ans au maximum, etc.
- Droits et garanties judiciaires : présomption d'innocence, droit à un procès juste, protection contre les fouilles et saisies déraisonnables ou contre les arrestations et détentions arbitraires.
- Droits à l'égalité : interdiction de la discrimination, application des chartes à tous les citoyens.

En plus, la Charte québécoise énonce des « droits économiques et sociaux », c'est-à-dire des obligations pour le gouvernement du Québec en matière de conditions sociales, économiques et matérielles afin que les citoyens participent pleinement au développement de la société. Un des droits est celui à l'éducation.

Pour sa part, la Charte canadienne prévoit le droit à l'éducation dans leur langue pour les membres des minorités linguistiques des deux langues officielles, par exemple les anglophones au Québec ou les francophones dans les autres provinces. Un article sur les « libertés de circulation et d'établissement » restreint la discrimination que les provinces pourraient exercer envers les citoyens canadiens d'autres provinces, notamment dans l'accès au marché du travail.

LA CHARTE CANADIENNE DES DROITS ET LIBERTÉS.

Cette Charte, entrée en vigueur le 17 avril 1982, fait partie de la Constitution du Canada. Comprenant 35 articles, elle énonce les droits et libertés essentiels de tous les citoyens.

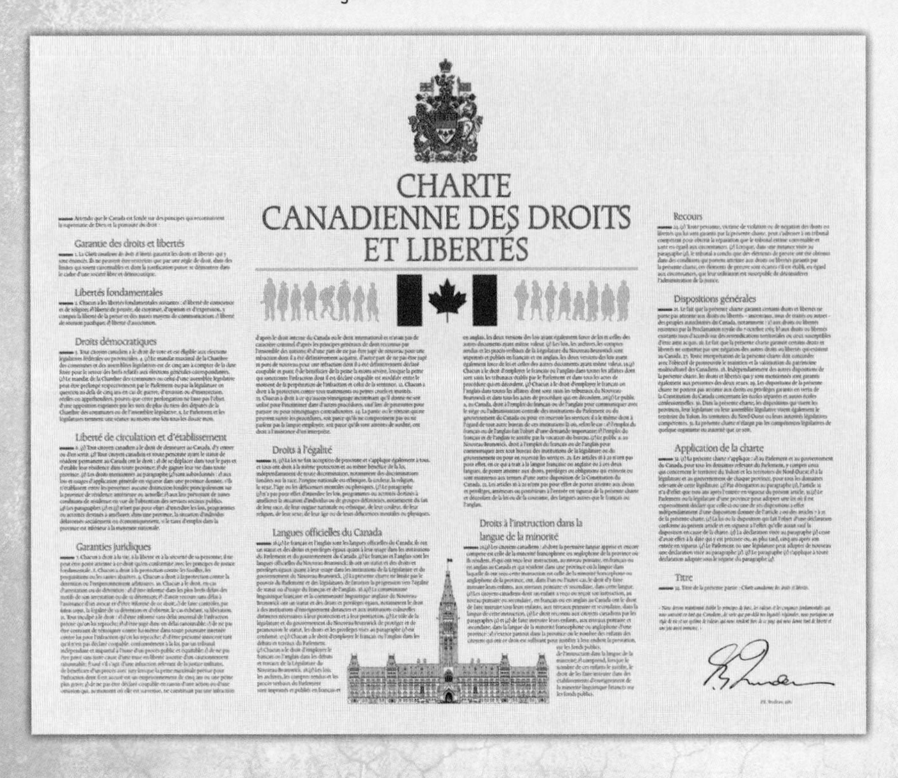

CHARTE CANADIENNE DES DROITS ET LIBERTÉS

Garantie des droits et libertés

Libertés fondamentales

Droits démocratiques

Liberté de circulation et d'établissement

Garanties juridiques

Droits à l'égalité

Langues officielles du Canada

Droits à l'instruction dans la langue de la minorité

Recours

Dispositions générales

Application de la charte

Titre

Des chartes de portées différentes

Les deux chartes ont un statut plus élevé que les lois de l'Assemblée nationale ou de la Chambre des communes. Puisqu'elles protègent les citoyens contre les possibles abus du gouvernement au pouvoir, elles ont donc prépondérance sur les autres lois. La Charte canadienne fait partie de la Loi constitutionnelle de 1982, elle est donc très difficile à modifier en raison du processus d'amendement constitutionnel qui est très rigoureux. Elle encadre le pouvoir de tous les parlements, fédéral et provinciaux. La Charte québécoise, qui ne s'applique qu'au Québec, protège les citoyens non seulement contre les abus du gouvernement, mais aussi contre les organismes privés et les autres citoyens.

2 LA COUR SUPRÊME DU CANADA.

La Cour suprême est le plus haut tribunal du Canada. Elle entend les appels des jugements des tribunaux inférieurs, par exemple, une cour d'appel provinciale ou la Cour d'appel fédérale.

3 LES PRINCIPAUX ÉVÉNEMENTS AYANT MENÉ À L'ADOPTION DES CHARTES DES DROITS ET LIBERTÉS.

Les chartes résultent de l'évolution des droits et libertés dans les sociétés occidentales après la Seconde Guerre mondiale.

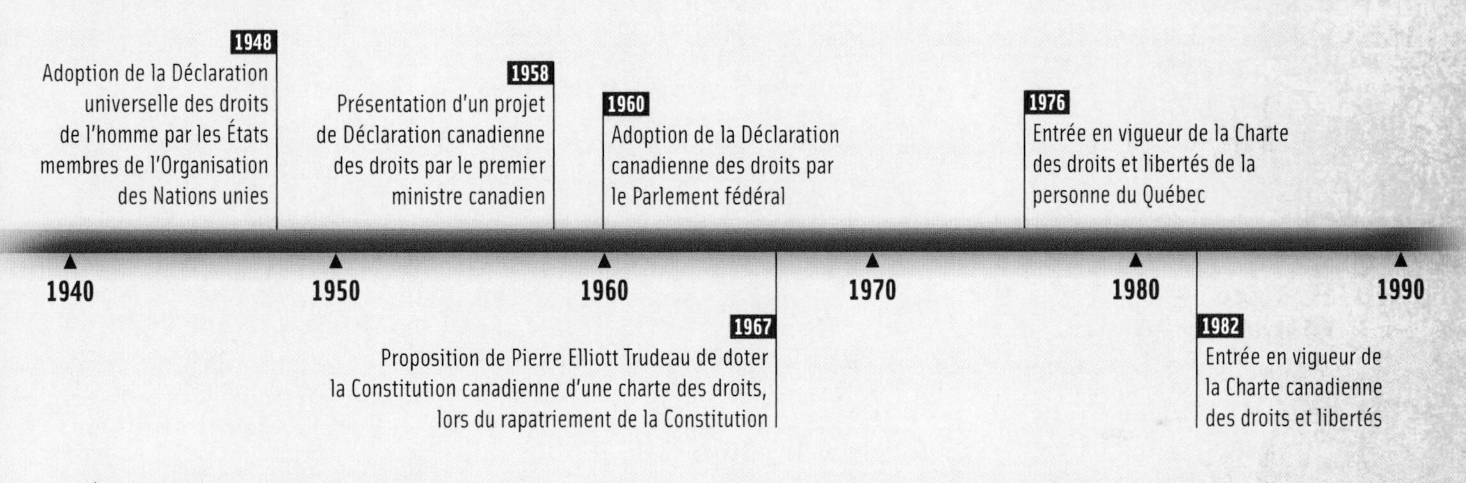

4 UNE COMPARAISON SOMMAIRE DES DEUX CHARTES.

En 2007, la Charte canadienne des droits et libertés fête ses 25 ans d'existence.

« L'adoption, en 1982, de la Charte canadienne des droits et libertés faisait partie de la stratégie du gouvernement fédéral du temps, qui consistait à régler la question de l'unité nationale en mettant l'accent sur les droits individuels des personnes plutôt que sur les droits collectifs des citoyens [...] indépendamment des circonstances de sa naissance, la Charte canadienne existe et porte ses fruits. N'a-t-elle pas quelques mérites? Elle en aurait davantage si elle avait, pour la première fois, protégé des droits jusqu'alors restés sans protection. Mais ce n'est pas le cas. Car le Québec, à l'instar de toutes les autres provinces, avait déjà [...] sa propre Charte des droits et libertés de la personne [...]. La Charte canadienne n'y a rien ajouté, si ce n'est la clause controversée portant sur l'accès à l'école anglaise; il y a même des droits importants comme l'orientation sexuelle qui sont explicitement protégés par la Charte québécoise et qui ne le sont pas par la Charte canadienne. Bien sûr, la Charte canadienne s'est appliquée au droit criminel et au mariage, qui échappaient à la Charte québécoise, et c'est surtout là qu'on a pu sentir ses effets. [...] alors que la Charte canadienne est d'une rigidité extrême, la Charte québécoise est beaucoup plus souple, sans compter qu'elle est plus détaillée, plus didactique et, surtout, plus complète. »

Source : Louis BERNARD, « Il n'y a pas de quoi fêter ! », *Le Devoir*, 16 février 2007.

QUESTIONS

1. Contre quoi les chartes des droits et libertés protègent-elles les citoyens ?
2. Sur quelle double valeur les chartes reposent-elles ?
3. Quels sont les quatre principaux types de droits et libertés qui sont protégés dans les chartes québécoise et canadienne ?

Méthodologie

4. [Doc. 4]
   Identifiez deux caractéristiques qui distinguent la Charte canadienne de la Charte québécoise.

Réflexion

5. S'il vous manque de l'information sur le contenu et l'application des chartes québécoise et canadienne, que pouvez-vous faire pour vous la procurer ?

Le rôle des médias

Au cours des luttes politiques qui ont jalonné l'histoire du Québec et du Canada, les médias ont toujours joué un rôle important, mais ce rôle est devenu primordial ces dernières décennies. Au 19e siècle, les journaux étaient contrôlés par les partis politiques et servaient essentiellement d'outil de propagande. Progressivement, au cours du 20e siècle, le journalisme s'est développé avec une éthique professionnelle qui prône l'objectivité et la distance critique de ses rédacteurs. Néanmoins, de plus en plus de médias font partie de grands empires de presse et, à ce titre, relaient leurs idéologies et leurs allégeances. Leur partialité n'est donc parfois qu'apparente.

1 LA PRESSE ÉCRITE ET LA POLITIQUE.

Les journaux ont souvent une ligne éditoriale qui les pousse à appuyer un parti politique.

« Un autre phénomène important est l'existence d'une presse très partisane, qui se transforme d'ailleurs avec l'essor des journaux à grand tirage. Le Parti libéral a deux quotidiens principaux : *Le Soleil* à Québec et *Le Canada* à Montréal. Le Parti conservateur peut compter à Québec sur l'*Événement* et le *Quebec Chronicle* et, à Montréal, sur le *Star* et *La Patrie* qui, d'abord libérale, passe aux conservateurs vers 1905. Il existe aussi des journaux régionaux alignés politiquement. Tout en appuyant un parti, d'autres journaux ne sont pas des publications partisanes, en ce sens qu'ils n'ont pas à suivre les directives des chefs politiques. C'est le cas de *La Presse* de Montréal qui, à compter de 1904, appuie le Parti libéral, mais garde une politique rédactionnelle indépendante. »

Source : P.-A. LINTEAU, R. DUROCHER et autres, *Histoire du Québec contemporain*, tome 1, Boréal compact, Montréal, Boréal, 1989, p. 644.

2 LA FONDATION DU JOURNAL *LE DEVOIR*.

Le premier numéro du journal *Le Devoir*, fondé par Henri Bourassa, paraît le 10 janvier 1910. Dans ce texte, Bourassa décrit l'orientation qu'il entend donner à ce journal.

« *Le Devoir* appuiera les honnêtes gens et dénoncera les coquins. [...] Dans la politique provinciale, nous combattons le gouvernement actuel, parce que nous y trouvons toutes les tendances mauvaises que nous voulons faire disparaître de la vie publique : la vénalité, l'insouciance, la lâcheté, l'esprit de parti avilissant et étroit. Nous appuyons l'opposition, parce que nous y trouvons les tendances contraires : la probité, le courage, des principes fermes, une grande largeur de vues. [...] Pour assurer le triomphe des idées sur les appétits, du bien public sur l'esprit de parti, il n'y a qu'un moyen : réveiller dans le peuple, et surtout dans les classes dirigeantes, le sentiment du devoir public sous toutes ses formes : devoir religieux, devoir national, devoir civique. De là le titre de ce journal qui a étonné quelques personnes et fait sourire certains confrères. »

Source : Henri BOURASSA, « Avant le combat », *Le Devoir*, 19 janvier 1910, p. 1.

La venue de nouveaux médias

Dans les années 1920, un nouveau média fait son apparition : la radio. Alors que les politiciens devaient jusque-là se déplacer pour faire leurs discours, la radio leur fournit un outil de diffusion extraordinaire et beaucoup plus rapide. En ce sens, la radio rapproche le citoyen du pouvoir : l'électeur peut désormais écouter en direct des discours et des interviews de dirigeants politiques.

En 1952, l'avènement de la télévision au Québec crée une véritable révolution. Dès le début des années 1960, les politiciens commencent à s'affronter lors de débats télévisés. La télévision oblige les dirigeants à justifier de plus en plus leurs actions. En effet, elle est partout : elle suit les politiciens, mais aussi les groupes de pression. Elle couvre les manifestations, les grèves et toutes les formes de contestation. De plus, avec l'information en continu et l'arrivée d'Internet, l'information circule plus vite encore. Il est donc devenu essentiel pour tous ceux qui veulent assumer le pouvoir ou influencer les décisions de contrôler l'information et le message.

LA CHRONOLOGIE DE L'APPARITION DE QUELQUES MÉDIAS ET MOYENS DE COMMUNICATION AU CANADA.

L'apparition successive de divers médias et moyens de communication a largement contribué à transformer la société québécoise et à changer les rapports de pouvoir.

Année	Événement
1752	Parution du premier journal au Canada, le *Halifax Gazette*.
1764	Parution de *La Gazette de Québec*, le premier journal bilingue de la *Province of Quebec*.
1778	Parution de la *Gazette littéraire pour la ville et district de Montréal*.
1806	Parution du premier journal francophone du Bas-Canada, *Le Canadien*.
1910	Fondation du journal *Le Devoir*.
1919	Émission de la première licence pour l'exploitation d'une station de radio anglophone, attribuée à XWA, une station exploitée par la compagnie Marconi Canada.
1922	Début de la diffusion d'émissions radiophoniques à Montréal sur les ondes de la première station de radio commerciale francophone du Québec, CKAC de Montréal.
1936	Fondation de la Société Radio-Canada.
1952	Début de la diffusion d'émissions à la télévision de Radio-Canada.

Les médias modernes et la politique

Depuis le début des années 2000, le développement du vedettariat a amené les politiciens à participer aux émissions de culture populaire qui attirent d'importantes cotes d'écoute. Ces passages sont l'occasion pour les personnalités politiques de rejoindre un plus vaste public. Leur discours, simplifié pour les circonstances, ne contribue pas toujours à rehausser la qualité des débats politiques. En cette ère médiatique, le pouvoir passe désormais par la communication. Par conséquent, pour projeter une bonne image d'eux-mêmes, les groupes d'influence doivent mieux utiliser les médias et peuvent même recourir aux services d'entreprises de relations publiques.

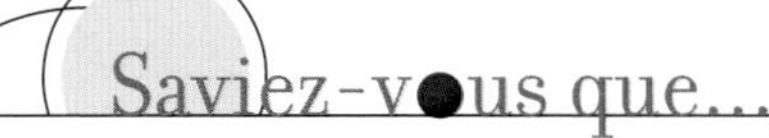

La construction des installations actuelles de Radio-Canada, entreprise au début des années 1960, a impliqué l'expropriation de près de 225 familles. À l'intérieur d'un périmètre de 100 000 mètres carrés, près de 260 immeubles ont été démolis.

4 LA POLITIQUE ET L'HUMOUR : UN JEU DANGEREUX ?

Afin de s'adresser à un large public, les politiciens choisissent parfois de se montrer dans des émissions de télévision qui ne sont pas nécessairement consacrées à la politique.

« La politique est plus populaire lorsqu'elle est accompagnée d'humour. Les émissions politiques sont de plus en plus rares et, parallèlement, les politiciens sont de plus en plus présents aux émissions d'humour. Puisqu'une grande partie de la population ne s'informe pas ou peu par les bulletins de nouvelles et les journaux, il ne faut pas se surprendre que les politiciens se prêtent volontiers à l'humour en se présentant à des talk-shows ou à des émissions de variétés. [...] Le politicien d'aujourd'hui ne bénéficie plus de l'auréole sacrée qu'avaient autrefois les chefs d'État. Le politicien participe aux émissions de télévision qui peuvent parfois le tourner en dérision. Les femmes et les hommes politiques acceptent, pour séduire leur électorat, de se placer dans des situations ridicules. Cette vision satirique de la politique n'encourage certainement pas les citoyens à adopter des réflexes civiques. À force de confondre politique et humour, on tue la politique. »

Source : Philippe BERNIER ARCAND, « Politique et humour. Un jeu dangereux », *La Presse*, 20 décembre 2006.

5 LA MAISON DE RADIO-CANADA.

La Société Radio-Canada est fondée en 1936. Dès l'année suivante, les signaux radiophoniques émis par le réseau sont accessibles à 76 % de la population canadienne. C'est en 1952 que les premières émissions de télévision sont diffusées. La tour qui abrite toujours la Maison de Radio-Canada à Montréal a été inaugurée en 1973.

QUESTIONS

1. Autrefois, les journaux servaient d'outils de propagande. Sont-ils plus impartiaux aujourd'hui ? Justifiez votre réponse.
2. Nommez les trois médias créés depuis les années 1920.
3. À l'aide de deux exemples, montrez la grande influence des médias.

Méthodologie

4. [Doc. 1] En quoi le journal *La Presse* se distingue-t-il des autres grands quotidiens du début du siècle ?

La question autochtone

Même si les autochtones revendiquent la reconnaissance de leurs droits depuis longtemps, il leur faudra attendre une trentaine d'années avant d'obtenir satisfaction. Cette reconnaissance ne résout toutefois pas tous les problèmes sociaux des autochtones.

En 1971, Robert Bourassa, qui est premier ministre du Québec, annonce son intention de développer le potentiel hydroélectrique des rivières, des forêts et des mines de la région de la Baie-James. Les autochtones s'opposent alors fermement à ces projets. L'année suivante, l'Association des Indiens du Québec s'adresse à la Cour supérieure du Québec pour demander que soit interrompue toute construction dans la région de la Baie-James. Après plusieurs négociations, des représentants des gouvernements du Québec et du Canada, des Cris et des Inuits signent, en 1975, la Convention de la Baie-James et du Nord québécois. Grâce à cette entente, les Cris et les Inuits exercent un plus grand contrôle sur leur développement. Cette convention représente, pour plusieurs, un pas important vers une meilleure entente entre les peuples. La Convention de la Baie-James et du Nord québécois suscite aussi de nombreuses critiques, notamment parce qu'en signant ce document, les autochtones renoncent à certains de leurs droits ancestraux.

En 1978, les Naskapis signent la Convention du Nord-Est québécois. En vertu de cette entente, ils disposent d'un plus grand territoire dont ils ont la propriété exclusive et qu'ils peuvent gérer à leur guise.

1 DES CRIS À LA BAIE-JAMES.

Depuis les dernières décennies, les autochtones participent de manière active aux décisions qui concernent leurs peuples et leurs territoires.

2 LES AUTOCHTONES DU QUÉBEC ET LE GOUVERNEMENT.

Signée dans le but de régler des querelles concernant des enjeux territoriaux, la Convention de la Baie-James et du Nord québécois est le résultat d'un long processus juridique.

« La Convention de la Baie-James et du Nord québécois a été signée en 1975 à la suite d'une entente entre les Cris et les Inuits d'une part, et le gouvernement du Québec d'autre part. [...] À l'origine de cette convention, on retrouve un conflit territorial. Le gouvernement libéral de Robert Bourassa avait annoncé son intention de procéder à des travaux d'aménagement de barrages hydroélectriques à la baie James en 1970. [...] en 1973, les Cris et les Inuits obtinrent une injonction [...] qui ordonnait à Hydro-Québec d'interrompre tous les travaux à la baie James. Ce jugement fut renversé une semaine plus tard par un jugement de la Cour supérieure, mais il avait convaincu le gouvernement Bourassa d'engager des négociations. Ce fut la première entente de revendication territoriale du genre à être signée au Canada. Elle avait le mérite de préciser les juridictions provinciales pour les Indiens de ces trois groupes. En vertu de la convention, en échange d'importantes concessions territoriales, les autochtones obtiennent des dédommagements ainsi que des droits et des pouvoirs. »

Source : « Les autochtones du Québec et le gouvernement », *Radio-Canada* [en ligne]. (Consulté le 19 juin 2008.)

La Commission royale d'enquête sur les peuples autochtones

En 1991, à la suite de demandes répétées de divers groupes autochtones, le gouvernement fédéral met sur pied la Commission royale d'enquête sur les peuples autochtones. Le mandat de cette commission est d'étudier la situation des autochtones du Canada et de faire des recommandations afin d'améliorer leurs conditions de vie. Déposé en 1996, le rapport de la Commission contient plus de 400 recommandations, dont le développement de l'autonomie politique des nations autochtones.

La Paix des Braves

Le 23 octobre 2001, le gouvernement du Québec et la nation crie signent une entente de principe nommée «Paix des Braves». Cette entente porte sur le partage des profits de l'exploitation des installations hydroélectriques et prévoit que les communautés cries de la baie James seront associées à tout ce qui touche au développement du Nord québécois. L'entente finale est signée le 7 février 2002. Malgré cela, il reste encore beaucoup à accomplir pour satisfaire aux besoins et aux revendications des autochtones.

3 LE TERRITOIRE DÉFINI PAR LA CONVENTION DE LA BAIE-JAMES ET DU NORD QUÉBÉCOIS.

La Convention de la Baie-James et du Nord québécois accorde aux communautés autochtones des droits de chasse et de pêche exclusifs sur un territoire de 170 000 km². En plus, ces communautés obtiennent d'importantes compensations financières. En échange, le gouvernement québécois peut exploiter les ressources minérales, forestières et hydrauliques dans le nord de la province.

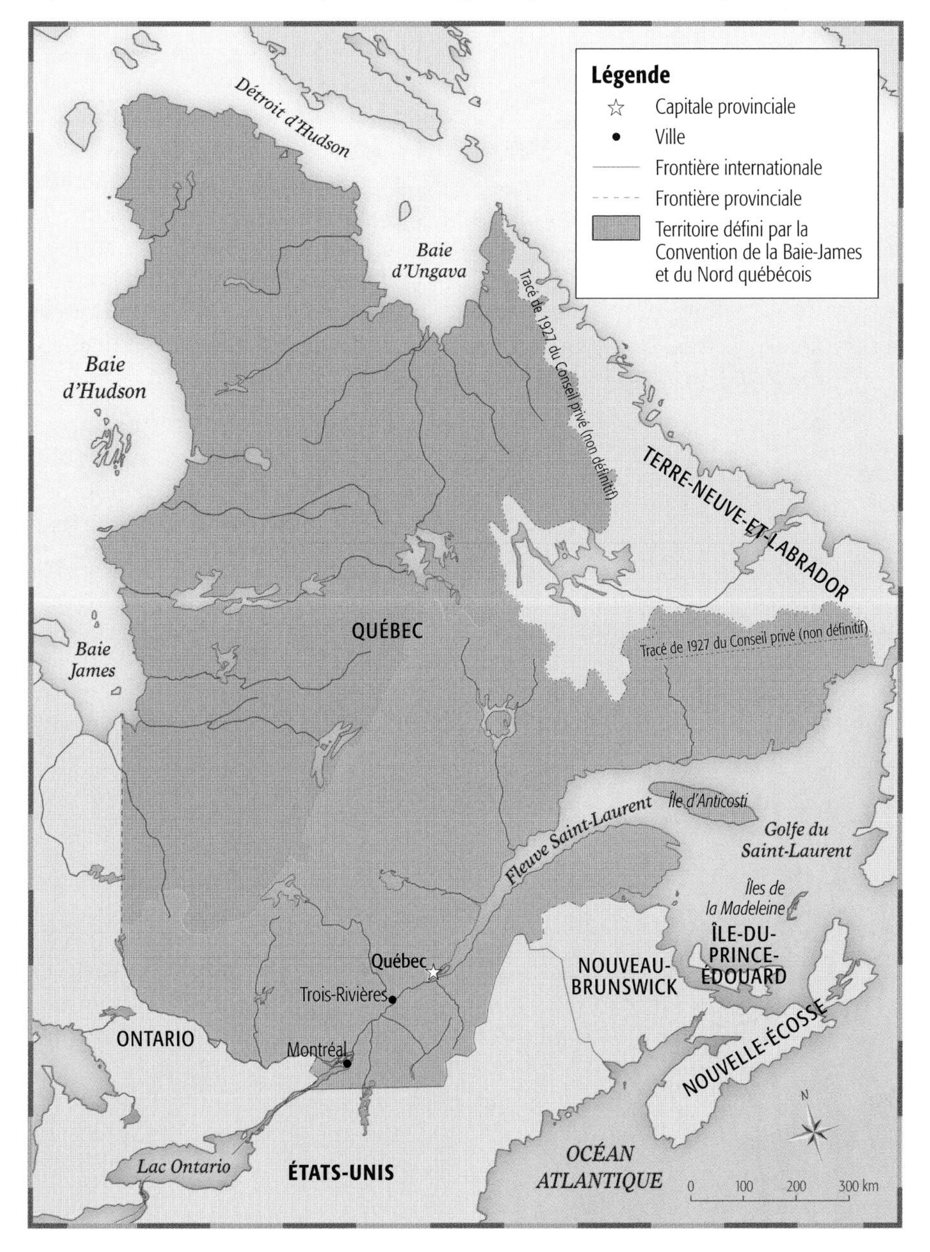

QUESTIONS

1. Par quels moyens les autochtones font-ils reconnaître leurs droits ?
2. Quelles sont les conséquences de la Convention de la Baie-James et du Nord québécois sur les Cris et les Inuits ?
3. Quel lien peut-on établir entre le pouvoir des médias et les revendications des autochtones ?

Méthodologie

4. **[Doc. 2]** Trouvez-vous encourageant le fait que les Cris s'impliquent dans le développement de leur territoire ? Expliquez votre point de vue.
5. **[Doc. 3]** À quoi les Cris de la baie James renoncent-ils pour laisser le gouvernement du Québec exploiter le nord du Québec ?

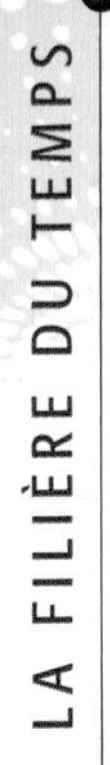

1 LE CANADA ET LE PROTOCOLE DE KYOTO.

Le Canada est l'un des pays signataires du protocole de Kyoto entré en vigueur en 2005.

> « Les Nations unies ont le Canada à l'œil. Dans un récent rapport, des experts de l'ONU concluent que le Canada contrevient au protocole de Kyoto en tardant à créer un registre national d'émissions compatible avec le marché international. On sait que les pays signataires du protocole de Kyoto doivent réduire leurs émissions de gaz à effet de serre. Mais en plus, ils se sont engagés à créer un registre national d'émissions de GES. Dans ce registre, les pays et les entreprises doivent inscrire leurs émissions de gaz à effet de serre pour éventuellement bénéficier de crédits. Force est de constater que le Canada ne respecte pas cet engagement. »
>
> Source : Catherine HANDFIELD, « Le Canada contrevient au protocole de Kyoto », *La Presse*, 19 avril 2008.

L'État et l'environnement

Une nouvelle cause préoccupe de plus en plus de citoyens : celle de l'environnement. Récemment encore, la pollution n'était pas perçue comme un problème grave. Au cours des 30 dernières années, les groupes de pression environnementaux, de protection de la santé et de la nature sont intervenus auprès des gouvernements pour les forcer à prendre des mesures de protection de l'environnement.

L'implication du gouvernement

Pour répondre à ces demandes, le gouvernement du Québec crée, au début des années 1970, le premier ministère de l'Environnement. Aujourd'hui, les gouvernements fédéral et provincial comportent tous deux un ministère voué aux enjeux environnementaux. Toutefois, concilier environnement et développement économique reste un défi majeur. En effet, la protection des ressources naturelles influe parfois sur l'emploi, par exemple dans le secteur de l'exploitation forestière.

Depuis le début du 21e siècle, l'accélération des changements climatiques conduit les environnementalistes internationaux à exercer des pressions sur les gouvernements. Ainsi, le protocole de Kyoto, qui vise la réduction des émissions polluantes, a été ratifié par le Canada en décembre 2002. Toutefois, le gouvernement conservateur de Stephen Harper, élu en 2006, se montre réticent vis-à-vis des objectifs de réduction des gaz à effet de serre fixés par Kyoto, qu'il considère comme inatteignables pour le moment.

UNE MANIFESTATION DE GREENPEACE DEVANT L'ASSEMBLÉE NATIONALE DE QUÉBEC EN JANVIER 2007.

Les groupes environnementaux souhaitent sensibiliser la population à leur cause et influencer les décisions politiques.

Des solutions possibles

Le Québec a de grands défis à relever dans le domaine environnemental. Bien que l'hydroélectricité, peu dommageable pour l'environnement, soit une des formes d'énergie abondamment utilisée par les Québécois, la consommation encore très élevée de pétrole, pour le transport ou le chauffage, pollue gravement. Pour contrer l'utilisation croissante des automobiles en raison de l'étalement urbain, les autorités doivent proposer des systèmes efficaces de transports en commun. Sur le plan des déchets, des municipalités adoptent des réglementations obligeant le recyclage et le compostage et mettent à la disposition des citoyens des sites sécuritaires de dépôt des matières dangereuses. Les ressources en eau et en bois constituent un autre enjeu de taille puisque la capacité de renouvellement de ces ressources est limitée. De plus en plus conscients des dommages qu'ils causent individuellement et collectivement à l'environnement, de nombreux citoyens exigent des gouvernements la mise en place de mesures de protection. Certains le font en joignant des groupes de pression, d'autres en réalisant des documentaires, comme celui sur l'exploitation commerciale de la forêt boréale du chanteur Richard Desjardins. Le système politique en place permet aux citoyens d'influencer, à travers leurs revendications, les décisions gouvernementales.

3 *L'ERREUR BORÉALE*, RÉALISÉ PAR RICHARD DESJARDINS ET ROBERT MONDERIE.

Sorti en 1999, ce documentaire a sensibilisé la population au sujet du patrimoine forestier québécois et de son exploitation commerciale.

4 LA STRATÉGIE DE DÉVELOPPEMENT DURABLE DU GOUVERNEMENT PROVINCIAL.

Parfois, avant de prendre des décisions, le gouvernement consulte la population. Internet facilite le processus de consultation en le rendant plus accessible aux citoyens.

« Après les accommodements raisonnables, les aînés, Québec lance une nouvelle consultation publique. Cette fois, il s'agit d'une consultation en ligne pour connaître l'opinion des Québécois sur sa stratégie de développement durable du gouvernement Charest. [...] Cette stratégie fait suite à l'adoption de la Loi sur le développement durable et à la consultation publique qui a eu lieu en 2005. Elle ne comprend aucun nouvel engagement du gouvernement Charest, mais [...] elle permettra de guider les actions du gouvernement en matière de développement durable au cours des prochaines années. [...] La ministre a indiqué que Québec devait procéder à cette consultation puisque la Loi sur le développement durable l'y oblige. Elle a ensuite indiqué que Québec répondait aussi aux demandes de citoyens de se prononcer sur les "avancées du gouvernement". »

Source : « Développement durable. Québec veut savoir », *Radio-Canada* [en ligne]. (Consulté le 30 juin 2008.)

5 LA FORÊT QUÉBÉCOISE ET LES COUPES À BLANC.

Les groupes environnementaux jouent un rôle majeur dans la sensibilisation des citoyens par rapport à l'exploitation abusive des richesses naturelles comme la forêt et l'eau.

QUESTIONS

1. Le développement économique peut nuire à la protection de l'environnement. Donnez-en un exemple.
2. Quelle est la position du Canada au sujet du protocole de Kyoto ?

Méthodologie

3. **[Doc. 1]** Qui est responsable de l'application du protocole de Kyoto ?
4. **[Doc. 4]** Pour quelle raison le gouvernement consulte-t-il la population au sujet du développement durable ?

Le Myanmar

Capitale : Naypyidaw
Population : 48,3 millions d'hab.
Langue officielle : birman

Depuis 1962, le Myanmar est coupé du reste du monde et vit sous une dictature militaire. Autrefois connu sous le nom de Birmanie, mais renommé Myanmar par la junte militaire en 1989, ce pays compte plus de 48 millions d'habitants. Les Birmans forment la majorité de la population, mais il existe plus d'une vingtaine d'ethnies réparties sur le territoire, dont les principales sont les Shans et les Karens.

L'avènement de la dictature

La Birmanie a été une colonie britannique de 1886 à 1948. Mais le pouvoir du Royaume-Uni s'est rapidement heurté à un mouvement de résistance nationale, à des révoltes et à des guerres des diverses minorités. Lors de la Seconde Guerre mondiale, les nationalistes birmans voient une occasion d'obtenir des concessions des Britanniques en échange d'un effort de guerre, mais ceux-ci refusent et lancent un mandat d'arrêt contre Aung San, le leader de la libération de la Birmanie, qui s'est enfui en Chine. Les Japonais lui offrent leur aide, et il retourne dans son pays le temps d'enrôler 29 jeunes, qui reçoivent, avec lui, un entraînement militaire au Japon. Ce groupe est connu sous le nom des « Trente Camarades ». La rébellion des Trente Camarades dirigée par Aung San tente de conquérir le pouvoir, mais l'invasion japonaise du pays met brutalement fin à la révolte. Au lendemain de la guerre, la ligue antifasciste d'Aung San, une coalition nationaliste, prend le contrôle du pays et de l'armée.

1 LE MYANMAR AUJOURD'HUI.

Le Myanmar est divisé en sept provinces (au nord) et sept divisions (au sud). La capitale, anciennement située à Rangoon, a été déplacée dans la petite ville de Naypyidaw en 2005.

La Birmanie proclame son indépendance en 1948, mais les défis pour la jeune démocratie socialiste dirigée par le premier ministre U Nu sont multiples. La guerre dévaste le pays, et l'économie peine à se rétablir. Les clivages ancestraux entre les différentes ethnies menacent la cohésion du pays, et l'unité au sein de l'armée se fragilise rapidement à la suite de l'assassinat d'Aung San en 1947. Le gouvernement est aussi très vulnérable par rapport aux dissensions politiques au sein de la ligue antifasciste et aux révoltes des minorités ethniques.

Saviez-vous que...

Le 3 mai 2008, le cyclone Nargis frappe le Myanmar, tuant et blessant plusieurs dizaines de milliers de personnes. L'aide humanitaire ne peut s'organiser ni se déployer rapidement, car le régime politique en place, suspicieux à l'égard des organismes étrangers, octroie très peu de visas aux secouristes. De plus, la crainte de voir l'aide financière détournée par les autorités complique la situation.

Le coup d'État de 1962 et ses conséquences

Le général Ne Win s'empare du pouvoir par un coup d'État en 1962. La Constitution est alors révoquée, et les militants politiques sont arrêtés par centaines, dont le premier ministre U Nu. Le général Ne Win instaure alors un régime socialiste totalitaire, qu'il dirige pendant plus de 30 ans. L'armée, la Tatmadaw, prend le pouvoir. Le parti socialiste birman impose un programme politique et économique qui va conduire à la nationalisation de tous les secteurs d'activité économique. En 1974, une nouvelle Constitution transfère le pouvoir à une Assemblée du peuple, mais, dans les faits, il demeure entre les mains du général Ne Win et des militaires.

Les années de la dictature de Ne Win sont marquées par la censure, l'espionnage et la répression des opposants politiques et des minorités ethniques. En outre, la mauvaise gestion économique et la corruption du régime entraînent une désorganisation et la faillite économique du pays. La Birmanie, qui vit presque en **autarcie**, devient alors l'un des pays les plus pauvres du monde.

2 **UNE MANIFESTATION DE MOINES BOUDDHISTES EN 2007.**

À la suite de la décision du gouvernement d'augmenter le prix de l'essence, plus de 2000 moines bouddhistes descendent dans la rue.

La crise économique de 1988

En 1988, des opposants descendent par centaines de milliers dans les rues pour réclamer la fin du régime militaire et le retour à la démocratie. La répression de la manifestation est brutale et fait des milliers de victimes. Ne Win quitte alors la tête du régime, mais les militaires renforcent leur emprise sur le pays. Ils imposent la loi martiale le 18 septembre 1988 et créent le Conseil d'État pour la restauration de la loi et l'ordre, qui devient le nouvel organe du pouvoir de la junte militaire.

Malgré le renforcement du régime militaire, l'opposition s'est organisée durant la crise de 1988. Plusieurs mouvements voient le jour, comme la Ligue nationale pour la démocratie, dirigée par Aung San Suu Kyi et Tin Oo. Sous les pressions internationales, des élections législatives sont tenues en mai 1990. La Ligue nationale pour la démocratie remporte les élections avec plus de 80 % des sièges, mais la junte militaire refuse de céder le pouvoir.

3 **LE CHEF DE LA JUNTE MILITAIRE ET LE POUVOIR.**

Depuis plus de 15 ans, Than Shwe, le général en chef de la junte militaire, dirige le pays d'une main de fer.

« C'est Than Shwe qui a ordonné de tirer sur les foules en colère réclamant la démocratie en 1988, alors qu'il commandait une brigade d'infanterie. Il a fait fermer les universités du pays pendant 11 ans. Il a aussi fait annuler le scrutin remporté par le parti d'Aung San Suu Kyi en 1990. Deux ans plus tard, il a pris la tête du gouvernement illégitime et mis Mme Suu Kyi en résidence surveillée. »

Source : Caroline TOUZIN, « Le chef de la junte : secret, superstitieux et paranoïaque », *La Presse*, 13 mai 2008, p. A27.

Autarcie : État d'une région ou d'un pays qui se suffit à lui-même.

La junte militaire aujourd'hui

Le régime militaire maintient encore aujourd'hui son emprise sur la population. La liberté de presse et celle d'association sont réprimées, et le pays demeure isolé du reste du monde. De plus, le travail forcé de la population civile est une pratique très généralisée, tant pour la construction de routes que pour le transport de matériel militaire. Le gouvernement de la junte militaire reste plus que jamais contesté. Si bien que la capitale, autrefois située à Rangoon, est déménagée à Naypyidaw en novembre 2005 afin d'éloigner le siège du pouvoir des foyers d'opposition. La contestation est toujours active, comme l'a montré le mouvement d'opposition lancé par les moines bouddhistes en 2007, où des centaines de milliers de personnes ont manifesté pour la fin du régime. L'espoir de voir renaître la démocratie au Myanmar est tenace, en dépit de la dureté du régime.

QUESTIONS

1. Nommez les deux faits qui menacent la cohésion de la Birmanie à la veille de son indépendance.
2. Quel type de régime politique dirige la Birmanie depuis 1962 ?
3. Ce régime exerce-t-il toujours son emprise sur la population ? Précisez votre réponse.

Méthodologie

4. [Doc. 1]
Quels sont les pays voisins du Myanmar ?

Cuba

Capitale : La Havane
Population : 11,3 millions d'hab.
Langue officielle : espagnol

Depuis la révolution de 1959, Cuba est une république socialiste, la seule dans l'histoire des Amériques. Pendant près d'un demi-siècle, Fidel Castro a dominé la vie politique du pays. Son héritage politique est controversé : pour certains, il représente le symbole du totalitarisme, alors que pour d'autres, il est le héros de la lutte anticapitaliste et anti-impérialiste.

Le système politique cubain

Au cours de la révolution cubaine, différents mouvements politiques ont lutté contre la dictature de Fulgencio Batista, président cubain exilé aux États-Unis. Le Mouvement révolutionnaire du 26 juillet, dirigé par Fidel Castro, a été le principal adversaire de la dictature, avec le Parti socialiste populaire et le Directoire révolutionnaire. Ces trois organisations vont former le pouvoir révolutionnaire, qui devient, en 1965, le Parti communiste cubain (PCC) avec, à sa tête, Fidel Castro. Le PCC est le seul parti politique reconnu par la Constitution cubaine de 1976, et c'est autour de lui que s'organise la vie politique. Un autre pilier du pouvoir cubain est représenté par les Forces armées révolutionnaires (FAR), contrôlées par Raul Castro, le frère du président, qui est aussi le second secrétaire du PCC.

Dès 1961, Fidel Castro met en place un système politique communiste, calqué sur celui de l'URSS. Le rapprochement avec le régime soviétique et l'expropriation des sociétés américaines en sol cubain provoquent l'hostilité du gouvernement des États-Unis. En 1962, les États-Unis imposent un embargo contre Cuba, et la CIA orchestre dès lors plusieurs tentatives pour renverser le régime. Depuis, l'antagonisme avec les États-Unis marque la politique de Cuba.

Une nouvelle Constitution adoptée par référendum en 1976 redéfinit l'organisation politique du pays. L'Assemblée nationale devient le principal organe politique. Ses membres sont élus au suffrage universel selon un système électoral complexe et unique au monde. Théoriquement, les élections sont démocratiques, mais, dans les faits, le Parti communiste contrôle la vie politique. Ce dernier ne présente aucun candidat, mais les membres de l'Assemblée sont choisis en fonction de leur adhésion aux principes et aux valeurs de la révolution cubaine.

Le système politique est totalitaire, puisque les libertés d'opinion et d'expression sont limitées et doivent respecter les fondements du régime socialiste. Depuis le début du régime de Fidel Castro, des milliers de dissidents politiques ont été emprisonnés ou envoyés dans des camps de travail.

CUBA AUJOURD'HUI.

Cuba est un archipel situé au nord des Antilles, où se rejoignent le golfe du Mexique, la mer des Caraïbes et l'océan Atlantique.

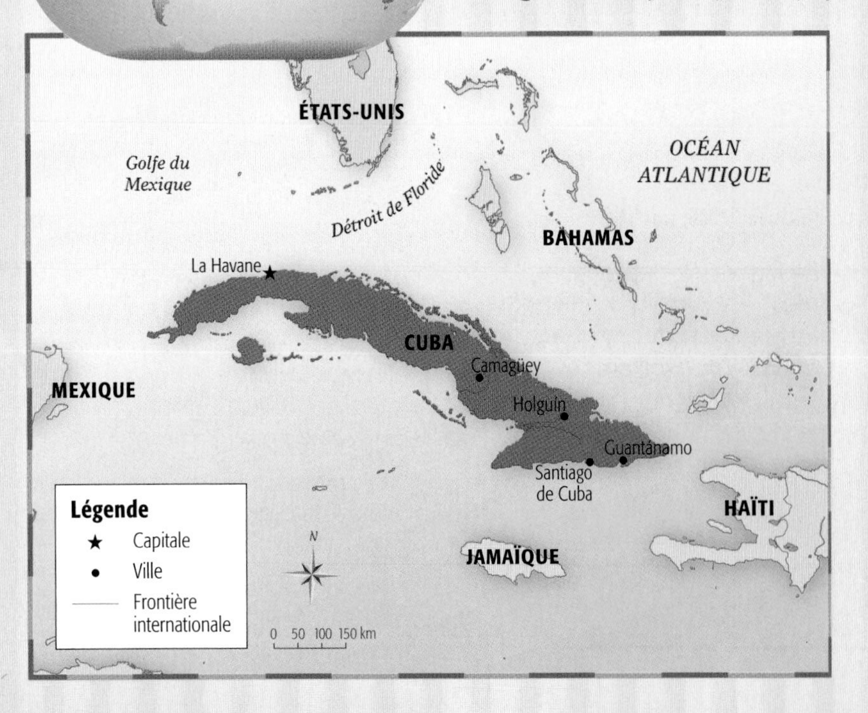

Cuba et le nouveau contexte international

Après l'effondrement des régimes communistes en URSS et en Europe de l'Est, Cuba se trouve isolé sur la scène internationale. C'est une période cruciale pour le régime de Fidel Castro, qui doit s'adapter rapidement au nouveau contexte international. Cuba étant dépendant du commerce extérieur, la perte de ses principaux partenaires commerciaux entraîne une profonde crise économique. De plus, les États-Unis profitent de cette situation pour renforcer leur embargo économique contre Cuba. La majorité des États du monde dénoncent cette politique anticubaine.

Malgré toutes les tentatives du gouvernement américain pour provoquer la chute du gouvernement cubain, celui-ci résiste et continue de défendre les acquis de la Révolution. Le régime réussit à restructurer et à redresser l'économie. La politique économique socialiste s'assouplit quelque peu. Ainsi, le pays s'ouvre aux investissements étrangers et au tourisme, qui est d'ailleurs devenu l'un des principaux secteurs d'activité de Cuba.

Cuba poursuit sa politique extérieure de soutien aux pays peu développés et noue des liens de coopération avec de nouveaux partenaires sur la scène mondiale, dont le Venezuela. Le régime a démontré au cours des 20 dernières années que la Révolution était solidement ancrée dans la politique cubaine. Le pays opère une lente transition politique, surtout depuis que Fidel Castro a confié le pouvoir à son frère Raul Castro en juillet 2006 et annoncé sa retraite de la vie politique en février 2008. C'est une nouvelle ère qui s'ouvre pour ce pays désireux à la fois de protéger les acquis de la Révolution et de briser les chaînes d'un pouvoir totalitaire qui dure depuis près de 50 ans.

2 UNE MURALE REPRÉSENTANT FIDEL CASTRO (NÉ EN 1926) À CUBA.

Fidel Castro abandonne le pouvoir en 2008. Encore aujourd'hui, son influence est partout présente dans les rues de Cuba.

3 LA SUCCESSION DE FIDEL CASTRO.

Depuis que Fidel Castro s'est retiré de la vie politique de Cuba, en juillet 2006, son frère Raul assure la continuité, tout en apportant certaines réformes.

« À l'opposé de son frère [Fidel Castro], Raul est effacé, souvent considéré plus pragmatique, [...] selon certains diplomates. Il est crédité d'une volonté de réformes, comme l'atteste sa présidence par intérim, où l'essentiel pour le gouvernement a été de s'attaquer aux lourds problèmes de la vie quotidienne comme l'alimentation, le logement et les transports. Avec Washington, il a également montré des signes d'ouverture, tel son souhait émis à plusieurs reprises [...] de voir se normaliser les relations avec l'ennemi de toujours, dans le respect de la souveraineté et de l'indépendance nationale. »

Source : Bernard DURAUD, « L'après Fidel a commencé », *L'Humanité*, 25 février 2008.

QUESTIONS

1. Quels sont les deux piliers du pouvoir cubain ?
2. Comment le Parti communiste contrôle-t-il la vie politique cubaine malgré la réforme de 1976 ?
3. Quelle politique les États-Unis ont-ils adoptée envers Cuba ?

Méthodologie

4. [Doc. 1]
   Où est situé le principal pays ennemi de Cuba ? Nommez ce pays.
5. [Doc. 3]
   Quelle est l'attitude du président par rapport aux États-Unis ?

Les Émirats arabes unis

Capitale : Abou Dhabi
Population : 2,6 millions d'hab.
Langue officielle : arabe

Les Émirats arabes unis sont aujourd'hui l'un des pays les plus riches du monde, grâce à l'exploitation du pétrole. Le sous-sol de ce pays désertique parsemé d'oasis regorge de pétrole et de gaz naturel. Les Émirats arabes unis sont une fédération formée de sept émirats : Abou Dhabi, Dubaï, Sharjah, Ajman, Umm al-Qaïwain, Fujaïrah et Ras al-Khaïmah.

La formation des Émirats arabes unis

C'est au 19e siècle, sous la domination de l'Empire britannique, que les différents émirats sont unifiés pour la première fois. Située sur la route des Indes, cette région appelée la « côte des Pirates » vit du commerce, de la pêche et des huîtres perlières, mais aussi de la piraterie. Afin d'assurer la sécurité du commerce sur l'océan Indien, le Royaume-Uni impose sa mainmise sur les Émirats à partir de 1820. Rebaptisés « États de la Trêve » à la suite d'un accord signé en 1853 avec les chefs locaux pour mettre fin aux actes de piraterie, les Émirats passent officiellement sous protectorat britannique en 1892.

À cette époque, les différentes tribus arabes et bédouines constituent l'organisation sociale, politique et économique du pays, et l'islam, le fondement de la société. Chaque tribu, composée de plusieurs clans, contrôle sa part de région, et toutes forment une fédération avec les autres tribus. Les Émirats sont alors peu peuplés, en raison de l'aridité du pays. Malgré tout, les territoires des Émirats sont convoités, notamment par l'Arabie saoudite, ce qui incite les États de la Trêve à rester sous la protection britannique et à former le Conseil des États de la Trêve, en 1952.

En 1953, la découverte de gisements pétroliers importants bouleverse l'organisation sociale et économique du pays. L'industrie pétrolière change totalement le visage du pays en provoquant l'élévation du niveau de vie et l'arrivée massive d'immigrants. La décision du Royaume-Uni de se retirer militairement de la région à partir de 1971 provoque un changement politique majeur. Ce départ entraîne aussi la formation des Émirats arabes unis le 2 décembre 1971, auquel se joint l'émirat de Ras al-Khaïmah en février 1972.

Les Émirats se sont unis afin de constituer un État capable de préserver leur intégrité et leur souveraineté territoriales, mais aussi pour jouer un rôle sur le plan tant régional qu'international.

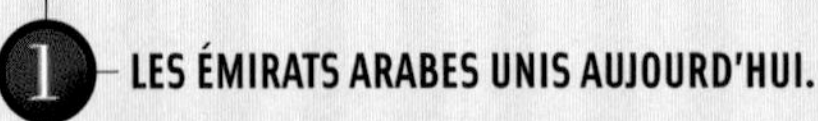

1 LES ÉMIRATS ARABES UNIS AUJOURD'HUI.

Les Émirats arabes unis sont une fédération constituée de sept émirats. L'émirat d'Abou Dhabi occupe à lui seul 87 % du territoire du pays.

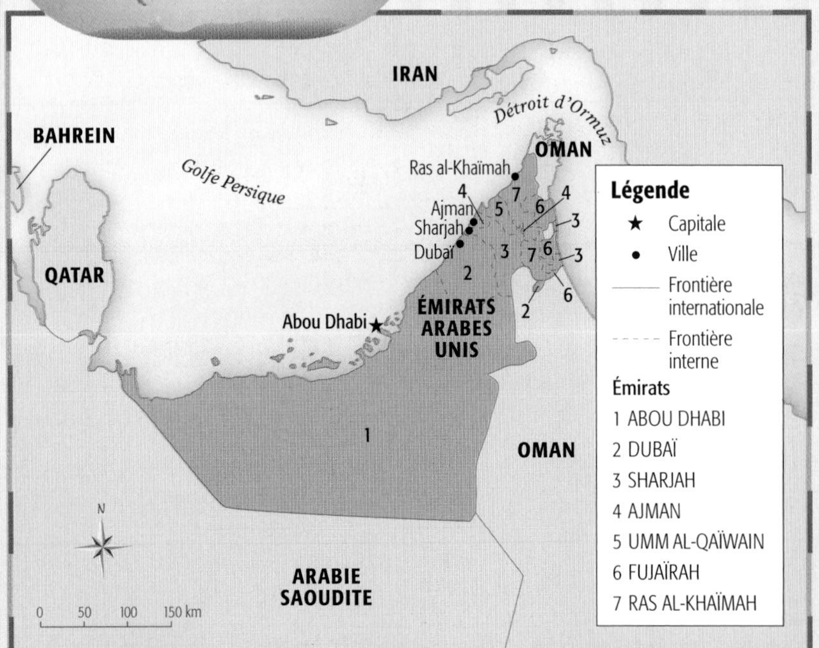

La structure politique

Les Émirats arabes unis sont la seule fédération du monde arabe. Toutefois, le système politique repose toujours sur le pouvoir dynastique des familles régnantes. Chaque émirat est dirigé par un émir, dont le pouvoir, héréditaire, est absolu. Les sept émirs forment le Conseil suprême, la plus haute instance du pouvoir. Le Conseil suprême détient le pouvoir exécutif et législatif, et désigne le président et le vice-président pour une période de cinq ans. La coutume veut que le premier ministre soit l'émir d'Abou Dhabi, et le vice-président, l'émir de Dubaï. L'Assemblée parlementaire du pays, composée de 40 membres nommés par les 7 émirs, n'agit qu'à titre consultatif.

Les Émirats demeurent relativement indépendants de l'autorité centrale, malgré la tendance des dernières années vers une plus grande centralisation du pouvoir au sein de la fédération. Selon la Constitution, chaque Émirat conserve le droit de gérer ses ressources naturelles, de lever des impôts et d'assurer le maintien de l'ordre sur son territoire. Le gouvernement central, situé dans l'émirat d'Abou Dhabi, voit son autorité limitée aux relations extérieures, à la défense et à l'enseignement.

2 DES ÎLES ARTIFICIELLES À DUBAÏ.

Dubaï n'a qu'une courte façade le long du littoral. Aussi, le petit émirat s'est lancé, en 2001, dans un gigantesque projet touristique : construire les plus importantes îles artificielles du monde. Selon les autorités de Dubaï, ces réalisations devraient faire de l'émirat un haut lieu du tourisme mondial.

3 DES CONDITIONS DE TRAVAIL DIFFICILES.

Les travailleurs étrangers des Émirats arabes unis forment plus de 80 % de la population du pays. Leurs conditions de vie et de travail sont difficiles, sans compter qu'ils ne peuvent s'unir pour former un syndicat.

« Les Émirats arabes unis forment un pays en effervescence. Lorsqu'on en parle dans les médias canadiens, c'est très souvent pour nous montrer une photo d'un magnifique édifice ultra-moderne qu'on vient d'y construire. Une de ses grandes métropoles, Dubaï, parait y collectionner les records mondiaux : plus grande île artificielle du monde, plus haut court de tennis, etc. Pour construire ces grandes tours en verre brillantes, il y a eu le travail de centaines de travailleurs. La plupart de ces travailleurs sont venus de l'étranger pour y trouver de meilleures conditions de vie et de travail. Jamais ces travailleurs n'ont pu s'unir pour défendre leurs droits. En effet, le syndicalisme aux Émirats arabes unis est interdit par la loi. »

Source : Vincent DUFRESNE, *Émirats arabes unis, syndicalisme proscrit* [en ligne]. (Consulté le 15 mai 2008.)

Les enjeux actuels

La démocratisation demeure l'un des enjeux majeurs de ce pays. Les partis politiques y sont interdits, et le droit de vote, très limité, voire inexistant. À part quelques courants islamistes, l'opposition politique organisée est inexistante. De plus, les droits des femmes sont fort restreints dans cette société patriarcale, où la polygamie est autorisée et la femme subordonnée au consentement du mari pour de nombreux aspects de la vie quotidienne.

Les Émirats arabes unis sont plus que jamais préoccupés par leur sécurité et donc par la géopolitique du golfe Persique. Le pays a fait le choix de l'alignement sur les États-Unis pour la protection de son territoire face à ses puissants voisins que sont l'Arabie saoudite et l'Iran. Afin de maintenir sa puissance économique, le pays doit en outre diversifier son économie, fondée sur une énergie épuisable, et faire fructifier les revenus du pétrole. Malgré la richesse du pays, il existe une grande disparité économique, notamment entre les travailleurs immigrants et les familles régnantes.

4 UNE RAFFINERIE DE PÉTROLE.

Les Émirats arabes unis occupent le 10e rang mondial des pays producteurs de pétrole et possèdent 4 % des réserves mondiales de gaz naturel.

QUESTIONS

1. Nommez deux conséquences dues au développement de l'industrie pétrolière.
2. La structure politique des Émirats arabes unis est-elle démocratique ? Précisez votre réponse.

Méthodologie

3. [Doc. 1]
   Quelle est l'importance stratégique du golfe Persique ?

La démocratie en crise ?

La modernisation, la démocratisation, la mondialisation et les mouvements démographiques modifient les relations sociales et politiques au cours du 20e siècle. Ce nouveau contexte change les rapports de force, exerce des pressions sur l'État et transforme les modes de participation des citoyens.

Marcelle Ferron (1924-2001)

Artiste peintre, verrière et sculpteure
Marcelle Ferron rencontre Paul-Émile Borduas en 1946 et devient membre du groupe des Automatistes. En 1948, elle signe avec eux le manifeste du *Refus global*. Se sentant à l'étroit sous le régime conservateur de Maurice Duplessis, elle s'installe en France en 1953. À son retour au Québec en 1966, elle enseigne à l'Université Laval et se consacre au travail du verre, notamment au vitrail. Femme engagée, Marcelle Ferron s'exprime dans un art qu'elle veut public et au service du mieux-être de la population.

GHOST HILLS.
Une peinture abstraite et originale caractérise l'œuvre de Marcelle Ferron. La superposition des couleurs est l'un des éléments essentiels de sa peinture, versant dans des tonalités aux multiples contrastes.

Marcelle Ferron, *Ghost Hills*, 1962.

1 LA COUR SUPRÊME ET LA RÉGULATION DES RAPPORTS SOCIAUX.

Les décisions rendues par la Cour suprême du Canada ont une incidence sur la vie politique, sociale et culturelle.

« Bien que la Cour suprême du Canada ait été constituée en 1875, il est incontestable que, depuis l'enchâssement de la Charte canadienne des droits et libertés dans la Constitution, le 17 avril 1982, le rôle de la Cour suprême a considérablement changé et pris une importance notable dans la régulation des rapports sociaux. À l'instar de la Cour suprême des États-Unis, la Cour suprême du Canada est depuis lors appelée à se prononcer sur des questions juridiques controversées qui étaient jusque-là – en raison du principe de la suprématie du Parlement, qui était profondément ancré dans la culture politique anglo-canadienne – l'apanage quasi exclusif du Parlement, de l'Assemble nationale du Québec et des assemblées législatives provinciales et territoriales. On ne saurait donc aujourd'hui apprécier les contextes politique, social ou économique du Québec en faisant abstraction des décisions rendues par le plus haut tribunal canadien. »

Source : Alain-Robert NADEAU, « L'année judiciaire à la Cour suprême du Canada », dans Michel VENNE et Miriam FAHMY (dir.), *L'Annuaire du Québec 2007*, Montréal, Fides, 2007, p. 448.

Individus et État, pouvoirs politique et judiciaire

L'adoption des chartes des droits et libertés a modifié les rapports de force dans la société. Un grand nombre de lois ont dû être modifiées à la suite de jugements de tribunaux en faveur d'individus et de groupes, les juges ayant statué qu'elles contrevenaient à l'esprit des chartes.

État et société civile

L'entrée en vigueur des chartes des droits et libertés du Québec en 1976 et du Canada en 1982 a changé la relation entre l'État et la société civile. Les droits et libertés ne sont plus seulement conférés par des décisions politiques prises selon la règle de la majorité, au terme de délibérations démocratiques, comme celles qui découlent du Code criminel, du Code civil et des autres règles ou programmes gouvernementaux. De nouveaux droits, protégés par les chartes, encadrent et limitent le pouvoir de l'État. Ces chartes protègent notamment les droits des individus et des minorités contre les possibles abus de pouvoir des gouvernements. Les droits et libertés sont parfois invoqués par des citoyens et des groupes dans le but de faire annuler ou modifier des lois, mais ce sont les tribunaux qui tranchent les causes.

Le pouvoir judiciaire et le pouvoir politique

Un nombre croissant d'individus et de groupes s'adressent aux tribunaux pour contester les actions des gouvernements qu'ils trouvent injustes. Au Québec, la Charte des droits et libertés de la personne leur permet aussi d'entreprendre des procédures contre des organismes privés. Cette possibilité rehausse l'importance du pouvoir judiciaire, représenté par les juges, par rapport au pouvoir politique, représenté par les élus. Les tribunaux peuvent dorénavant annuler des lois ou demander leur modification en se fondant sur les droits et libertés inscrits dans les chartes.

LES JUGES DE LA COUR SUPRÊME DU CANADA.

À la suite d'un jugement, la partie perdante peut, à certaines conditions, contester la décision d'un tribunal et demander à une instance supérieure de réexaminer la cause. Cette procédure se nomme l'« appel ». Le plus haut tribunal est la Cour suprême du Canada. Ses neuf juges siègent à Ottawa.

Un pouvoir judiciaire plus actif

Les tribunaux ne se contentent plus de déterminer la légalité des actes des gouvernements, ils jugent parfois de leur pertinence, en tenant compte non seulement des pouvoirs et des droits prévus par la Constitution ou de l'intention initiale du **législateur,** mais aussi du contexte social et politique. Ce phénomène est appelé « activisme judiciaire ». De plus, lorsque certains droits ou libertés se contredisent dans une cause donnée, les juges suggèrent des moyens de les concilier plutôt que de déterminer lequel a préséance sur l'autre.

Ainsi, les gouvernements et les Parlements doivent désormais tenir compte des chartes avant d'adopter des lois. Parfois, ils vont soumettre eux-mêmes le problème au tribunal pour s'assurer d'en valider la légalité ou encore pour avoir son avis avant d'intenter un procès. Un nouveau rapport de force s'est établi entre la société civile et l'État. Certains groupes et individus contestent des lois pour des questions de principe, d'autres en profitent pour faire avancer leurs intérêts socioéconomiques.

LE PALAIS DE JUSTICE DE MONTRÉAL.

Le palais de justice est situé rue Notre-Dame, dans le Vieux-Montréal.

Législateur : Terme désignant l'autorité qui adopte les lois.

QUELQUES JUGEMENTS IMPORTANTS RENDUS PAR LA COUR SUPRÊME DU CANADA.

Depuis quelques décennies, les tribunaux ne se contentent plus de juger la constitutionnalité des lois. Ils fondent leurs décisions sur un plus grand nombre de critères, comme les droits et libertés ou les principes constitutionnels, lorsqu'on leur demande de réviser les lois.

Année	Jugement
1985	**Liberté de religion** La Cour a invalidé la Loi sur le dimanche, en permettant aux magasins d'ouvrir leurs portes cette journée-là.
1990	**Garanties judiciaires** La police et les procureurs doivent dorénavant transmettre à la partie défenderesse les éléments de preuve pertinents bien avant le début d'un procès.
1994	**Liberté de la presse** La Cour déclare que la Société Radio-Canada a le droit de diffuser le télédrame *Les garçons de Saint-Vincent*, qui porte sur les mauvais traitements subis par des enfants pensionnaires d'une institution tenue par des religieux catholiques. Une interdiction de diffusion était demandée sous prétexte de ne pas nuire aux futurs procès de prêtres catholiques accusés d'agressions d'enfants. La Cour établit ainsi qu'un droit constitutionnel n'en éclipse pas automatiquement un autre.
1998	**Droit à la sécession** La Cour suprême a décidé que, si le Québec désirait faire sécession au terme d'un référendum, le reste du Canada n'aurait d'autre choix que de négocier les conditions de cette sécession.

QUESTIONS

1. Quel type de protections les chartes des droits et libertés assurent-elles ?
2. Pourquoi l'adoption des chartes des droits et libertés rehausse-t-elle le pouvoir judiciaire ?

Méthodologie

3. [Doc. 1]
   En raison de l'enchâssement de la Charte canadienne des droits et libertés dans la Constitution, le pouvoir des juges de la Cour suprême s'est accru. Quel principe cet élargissement remet-il en cause ?
4. [Doc. 4]
   Parmi les jugements cités dans le tableau, lesquels relèvent de l'application de la Charte canadienne des droits et libertés ?

Réflexion

5. Exprimez en quelques mots ce que vous avez appris sur le rôle des chartes des droits et libertés.

Les défis lancés à l'État contemporain

Jusque dans les années 1960, l'État s'est contenté de maintenir l'ordre, d'arbitrer des droits juridiques et de créer les conditions du développement économique. Cette époque a été suivie par celle de l'État-providence où les gouvernements recherchaient l'égalité des conditions pour le plus grand nombre, allant même jusqu'à des services gratuits pour tous. Mais ce modèle est aujourd'hui remis en cause.

La mondialisation et le pouvoir de l'État

Les changements climatiques et l'épuisement des ressources, l'interdépendance des pays, la chute des barrières commerciales, les progrès technologiques et des communications, ainsi que les mouvements de population à l'échelle planétaire influent sur l'action des gouvernements. Ces phénomènes se traduisent davantage par des contraintes que par des possibilités nouvelles. La concertation internationale et l'harmonisation des politiques sont devenues plus urgentes que jamais. La concurrence des économies de nombreux pays empêche les gouvernements de prélever trop d'impôts, de crainte qu'une entreprise quitte le pays. Dans ce contexte, les gouvernements doivent revoir leurs modes d'intervention.

Le cas du système de santé

Contrairement aux sociaux-démocrates, les partisans du néo-libéralisme voudraient redonner l'initiative au secteur privé, même dans des domaines depuis longtemps dévolus au secteur public, notamment celui de la santé. Selon la loi, le système de santé doit être universel, gratuit et accessible. Mais, avec le vieillissement de la population et l'évolution technologique, ses coûts croissent plus vite que le budget du gouvernement.

Pour les uns, un système de santé privé pourrait coexister avec le système public. Le privé serait accessible aux personnes qui en ont les moyens ou ayant une assurance. Le déplacement de cette clientèle éliminerait un excédent de patients du système public. Toutefois, ce système ferait coexister deux catégories de citoyens.

Les opposants à ce système prévoient une pénurie de professionnels dans le secteur public si ces derniers optaient massivement pour le privé. Selon certains avis, le privé serait meilleur gestionnaire que le système public, et la concurrence entre cliniques garantirait leur efficacité organisationnelle et technologique. Toutefois, ces gains de productivité pourraient se faire au détriment des conditions de travail. Cette question divise tenants et opposants de la privatisation du système public de santé.

L'ÉTAT GARANT DU BIEN COMMUN.

Agir dans l'intérêt de tous les membres de la société est l'une des raisons invoquées pour justifier la présence de l'État dans certains secteurs de l'économie.

« Nous avons très peu conscience de l'ampleur et de l'importance de l'action de l'État dans nos vies. Pensons à notre utilisation des routes, des trottoirs, des feux de circulation, des pistes cyclables, du transport en commun, des bibliothèques, des parcs, de l'électricité, de l'eau courante, des établissements d'enseignement et de santé. [...] Mais pourquoi est-ce si essentiel que ce soit l'État et non le secteur privé qui offre et développe ces services, les contrôle et les administre ?

- Parce que le rôle de l'État est d'être garant de l'intérêt général, du bien commun, il est l'expression politique de l'intérêt collectif. [...]
- Parce que, quand les services ont un caractère public, ils appartiennent en propre à la population et que celle-ci peut critiquer et orienter leur gestion par certains pouvoirs citoyens et par l'exercice d'un rapport de force sociale. [...]
- Parce que la priorité du secteur privé n'est pas de donner des services de qualité, accessibles partout au Québec, mais seulement de faire le plus de profits possible, le plus rapidement possible. »

Source : Éric BEAUCHESNE, « L'État garant du bien commun », dans Fédération des enseignantes et enseignants de cégep, *Demain vous appartient – Parlons politique !*, 2006, p. 13-14.

Les finances publiques

Avec l'extension de l'État-providence, des programmes sociaux et des mesures de soutien à l'économie, les gouvernements sont devenus des acteurs économiques importants. Deux récessions survenues au début des années 1980 et 1990 les plongent dans une crise budgétaire. La hausse des dépenses et la baisse des recettes accroissent chaque année le déficit budgétaire, donc la dette publique.

Résoudre le dilemme budgétaire est complexe. D'une part, les gouvernements cessent d'emprunter pour équilibrer leur budget. En effet, plus la dette publique est élevée, plus les intérêts sont élevés, ce qui ajoute des charges au budget. D'autre part, l'augmentation des impôts des entreprises pourrait détourner les investisseurs vers d'autres pays. Chez les particuliers, cette augmentation pourrait causer un exode des professionnels. Hausser les taxes sur les produits et services nuirait au commerce au détail et encouragerait l'achat aux États-Unis. Restreindre les dépenses réduirait les services publics, mais laisserait de nombreuses personnes dans le besoin.

Des priorités multiples

Le Québec jongle avec des priorités qui changent au rythme des nouveaux problèmes. Parmi les priorités actuelles figure le vieillissement de la population. Un pourcentage moins élevé de travailleurs contribue au budget de l'État, tandis qu'un pourcentage plus élevé de gens vit plus vieux, nécessitant plus longtemps des soins. L'implantation de programmes de formation pour répondre aux innovations du 21e siècle, ainsi que le développement régional pour éviter la fermeture de villes et l'exode vers les grands centres urbains sont aussi des enjeux qui exigent des investissements considérables.

LA RÉPARTITION DES DÉPENSES DU GOUVERNEMENT DU QUÉBEC EN 2007-2008.

Le gouvernement du Québec consacre près de 70 % de ses dépenses de programmes à la santé, aux services sociaux et à l'éducation. Ce pourcentage exclut les sommes consenties au paiement de la dette du gouvernement.

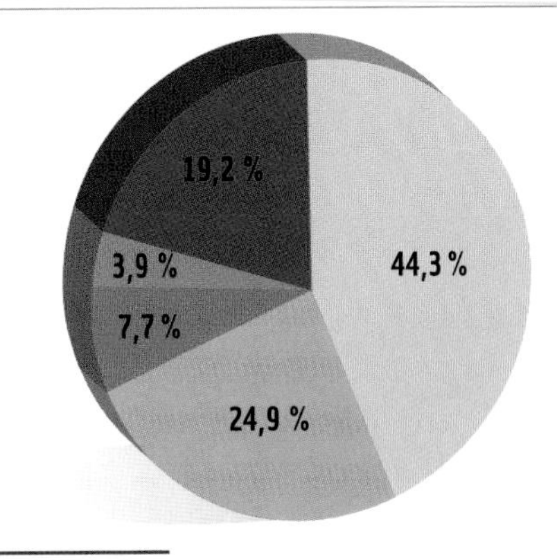

Source : Ministère québécois des Finances, 2008.

QUESTIONS

1. Pourquoi les gouvernements doivent-ils revoir leur mode d'intervention dans l'économie ?
2. Pourquoi la réduction du déséquilibre budgétaire est-elle difficile ?

Méthodologie

3. [Doc. 1]
Résumez les arguments en faveur de l'intervention de l'État dans le développement économique.
4. [Doc. 2]
Quel pourcentage des dépenses du gouvernement du Québec la santé et l'éducation représentent-elles dans le budget 2007-2008 ?

Réflexion

5. Que feriez-vous pour améliorer votre compréhension des défis à relever par l'État québécois ?
6. Vous connaissez désormais la complexité de la situation budgétaire du Québec. En quoi cela vous aidera-t-il à mieux comprendre les futurs choix budgétaires du gouvernement ?

L'AVENIR DES RÉGIONS DU QUÉBEC.

Les habitants des régions se plaignent souvent d'être délaissés au profit des grandes villes, où se concentrent les projets de développement économique. L'avenir des régions du Québec passe par leur développement économique. La ville de Saint-Georges, dans la Beauce, a créé plusieurs services publics dont le but est d'attirer les industries et de favoriser leur croissance.

Le pouvoir d'action des citoyens

Dans un pays démocratique, les citoyens participent aux décisions collectives. Les élus doivent représenter la population, être à son écoute et prendre les bonnes décisions, faute de quoi, ils risquent de ne pas être réélus. Pour participer, les citoyens doivent s'informer sur les enjeux, en débattre et se forger une opinion. Une action politique efficace ne peut faire l'économie d'une bonne compréhension du fonctionnement des institutions et des différentes manières de les influencer. Pour ce faire, les sources d'information abondent.

Toutes les instances politiques possèdent leur service d'information. L'Assemblée nationale du Québec tient tous les ans un Parlement écolier pour les élèves de la dernière année du 3e cycle du primaire et un Parlement jeunesse pour ceux du 2e cycle du secondaire. De son côté, la Chambre des communes, à Ottawa, organise un forum sur la démocratie parlementaire canadienne pour les enseignants.

1 LES JEUNES ET L'ACTION POLITIQUE.

Chaque année, des jeunes de 18 à 25 ans se réunissent quelques jours pour le Parlement jeunesse à Québec afin de reproduire et de mieux connaître le fonctionnement de l'Assemblée nationale.

Prendre part à l'action

Il existe plusieurs moyens d'influencer la vie collective. Certains font valoir leur point de vue auprès des élus. D'autres participent, individuellement ou en groupe d'intérêts, aux consultations gouvernementales ou interviennent aux séances du conseil municipal. Les plus militants participent à la rédaction du programme de leur parti politique.

Certaines personnes font peu confiance aux politiciens et préfèrent l'action directe, comme l'entraide communautaire ou la participation à des mouvements sociaux. Ces personnes comptent sur l'éducation populaire ou les manifestations pour défendre de grandes causes comme la paix et la protection de l'environnement. Enfin, bon nombre préparent l'avenir au sein de forums de réflexion cherchant des idées neuves pour le Québec.

2 POUR UN POUVOIR VÉRITABLE DES CITOYENS.

La démocratie semble une valeur acquise dans notre société. Cependant, la démocratie doit être entretenue afin de demeurer en santé.

« La démocratie est un bien extrêmement précieux, qui se conjugue avec droits et libertés. Mais c'est aussi un bien fragile et vulnérable. Des abus de pouvoir individuels ou collectifs peuvent en effet facilement affecter la santé démocratique d'une société, surtout si le courage de réagir et de faire face fait défaut tant chez les représentants et les dirigeants politiques que chez les citoyens. [...] Le Québec vit, comme la plupart des autres sociétés démocratiques, une double crise :

- Une crise de la représentation politique qui s'exprime par le sentiment de frustration et de désabusement ressenti par plusieurs citoyens envers la classe politique. D'où un écart croissant entre représentants et représentés, entre élus et citoyens.
- Une crise de la citoyenneté qui conduit les individus et les groupes d'intérêts à surcharger de demandes le système, sans trop se préoccuper des capacités réelles de prise en considération de leurs demandes ni s'inquiéter des conséquences de leurs propres requêtes sur les besoins des autres.

La nature et le fonctionnement de nos institutions politiques n'expliquent pas complètement cette double crise. Mais ils ne sont pas étrangers aux difficultés identifiées, car ce sont eux qui produisent la culture politique que beaucoup de gens critiquent par les temps qui courent. »

Source : Jean-Pierre CHARBONNEAU, « Pour un pouvoir véritable des citoyens », *Le Devoir*, 2 juillet 2002.

La participation électorale et le mode de scrutin

Le taux de participation des citoyens aux élections a diminué au tournant des années 2000. Est-ce par manque d'information, par manque d'intérêt ou par sentiment d'impuissance? Des observateurs ont noté une augmentation du cynisme à l'égard du système politique: un nombre significatif de citoyens estime que les gouvernements sont devenus impuissants à régler les problèmes, que les programmes des partis politiques se ressemblent trop ou alors que leur vote n'influence pas le résultat des élections.

Afin de relancer l'intérêt pour les élections, certains proposent de réformer le **mode de scrutin.** Actuellement, le parti politique qui fait élire le plus de députés forme le gouvernement. Toutefois, le parti qui a obtenu le plus de voix à l'échelle nationale peut avoir moins de députés élus. En effet, des comtés peu peuplés ont parfois autant de poids que des comtés très peuplés.

Par ailleurs, les partis qui obtiennent moins de 20 % des votes font généralement élire peu ou pas de députés. Ainsi, même si un pourcentage appréciable de citoyens votent pour ces partis, ils se retrouvent sans représentant à l'Assemblée nationale. Des modes de scrutin dits à la proportionnelle pourraient corriger ces distorsions et renforcer les petits partis. Par conséquent, les votes pour les partis moins importants seraient considérés. Cette situation augmenterait les possibilités de choix des citoyens, qui seraient peut-être plus enclins à aller voter.

3 L'EXERCICE DU DROIT DE VOTE AU QUÉBEC.

Pour plusieurs, la démocratie est au cœur de la définition de la nation.

Mode de scrutin : Système de vote en vigueur pour un type d'élection.

4 LA BAISSE DU TAUX DE PARTICIPATION AUX ÉLECTIONS FÉDÉRALES ET QUÉBÉCOISES DE 1988 À 2007.

Les électeurs sont de moins en moins nombreux à voter aux élections québécoises. Le taux de participation est encore plus bas aux élections municipales et scolaires.

Élection fédérale	
Date des élections	Taux de participation
21 novembre 1988	75,3 %
25 octobre 1993	69,6 %
2 juin 1997	67,0 %
27 novembre 2000	64,1 %
28 juin 2004	60,9 %
23 janvier 2006	64,7 %

Élection québécoise	
Date des élections	Taux de participation
25 septembre 1989	77,0 %
12 septembre 1994	81,6 %
30 novembre 1998	78,3 %
14 avril 2003	70,4 %
26 mars 2007	71,2 %

Sources : Élections Canada, 2006, et Directeur général des élections, 2007.

QUESTIONS

1. Comment les citoyens peuvent-ils participer à la vie politique ?
2. Donnez deux raisons expliquant la baisse du taux de participation aux élections.

Méthodologie

3. [Doc. 2] Comment l'auteur décrit-il la crise de la représentation politique ?
4. [Doc. 4] Le taux de participation est-il moins ou plus élevé aux élections fédérales qu'aux élections québécoises ? Formulez une hypothèse pour expliquer votre réponse.

Réflexion

5. Comprenez-vous bien le lien entre la participation des citoyens à la vie politique et l'exercice du pouvoir par les élus ?

Les points à retenir pour ce dossier :

Au Québec

LE RÉGIME FRANÇAIS

- **1663** ► Établissement d'un gouvernement royal en Nouvelle-France.
- **1667** ► Fondation de la mission Saint-François-Xavier à La Prairie.
- **1713** ► Signature du traité d'Utrecht.
- **1759** ► Capitulation de Québec.

LE RÉGIME BRITANNIQUE

- **1760** ► Début du régime militaire en Nouvelle-France.
- **1763** ► Révolte du chef amérindien Pontiac.
- **1764** ► Début de la publication de *La Gazette de Québec*.

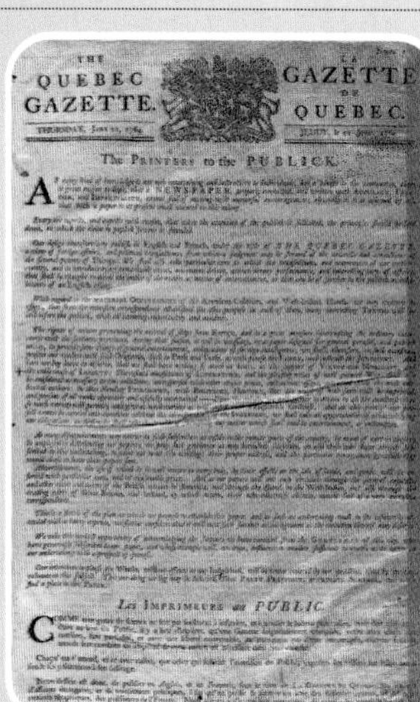

THE QUEBEC GAZETTE.

LA GAZETTE DE QUEBEC.

The PRINTERS to the PUBLICK.

Les IMPRIMEURS au PUBLIC.

- **1792** ► Premières élections au Bas-Canada.
- **1839** ► Publication du rapport Durham.
- **1848** ► Application du principe de la responsabilité ministérielle.

LA PÉRIODE CONTEMPORAINE DE 1867 À NOS JOURS

- **1885** ► Pendaison de Louis Riel.

- **1899** ► Début de la guerre des Boers.
- **1910** ► Fondation du journal *Le Devoir*.
- **1917** ► Crise de la conscription.
- **1942** ► Création du Bloc populaire.
- **1949** ► Grève de l'amiante.

- **1971** ► Charte de Victoria.
- **1975** ► Convention de la Baie-James et du Nord québécois .

- **1977** ► Entrée en vigueur de la Charte de la langue française.
- **1980** ► Référendum sur la souveraineté-association.
- **1995** ► Référendum sur la souveraineté.
- **2006** ► Motion reconnaissant que les Québécois forment une nation au sein d'un Canada uni.

Ailleurs dans le monde

Le Myanmar

Territoire

Le Myanmar partage ses frontières avec l'Inde, le Bangladesh, la Chine, le Laos et la Thaïlande. Il est divisé en sept provinces et en sept divisions. Il est bordé par le golfe du Bengale et la mer d'Andaman.

Société

Le pays est composé de plus de 48 millions d'habitants. Les Birmans forment la majorité de la population, mais plusieurs autres ethnies partagent le territoire, notamment les Shans et les Karens. Il s'agit de l'un des pays les plus pauvres du monde, en raison de la corruption et de la mauvaise gestion du régime dictatorial.

Pouvoir

Le Myanmar est toujours sous l'emprise d'un régime militaire dictatorial. La liberté de presse et la liberté d'expression demeurent inexistantes, et les opposants au régime sont muselés. Sur la scène internationale, le pays reste isolé.

Enjeu

Depuis la fin des années 1980, un mouvement de contestation lutte pour l'avènement de la démocratie au Myanmar et cherche à sensibiliser la communauté internationale aux abus du régime en place.

Cuba

Territoire

Cuba est un archipel situé à proximité des États-Unis, du Mexique, de la Jamaïque et d'Haïti.

Société

Cuba compte plus de 11 millions d'habitants. Il est le deuxième pays des Antilles en nombre d'habitants. Sa capitale, La Havane, regroupe plus de 2,2 millions d'habitants.

Pouvoir

Depuis la révolution de 1959, Cuba est une république socialiste, dominée par Fidel Castro jusqu'en 2008, au moment où il quitte la vie politique et cède le pouvoir à son frère Raul. Le régime politique demeure un système politique totalitaire, et les libertés d'opinion et d'expression y sont limitées. Le pouvoir cubain contrôle la presse et réprime la dissidence.

Enjeu

Depuis le démantèlement de l'URSS, le régime cubain a restructuré et redressé son économie. Le pays s'est ouvert aux investissements étrangers et au tourisme. Il cherche à la fois à protéger les acquis de la révolution et à rompre avec le totalitarisme.

Les Émirats arabes unis

Territoire

Les Émirats arabes unis sont une fédération formée de sept émirats. Le territoire, constitué de zones désertiques et semi-désertiques, a pour voisins le sultanat d'Oman et l'Arabie saoudite.

Société

Les Émirats arabes unis forment l'un des pays les plus riches du monde, grâce à l'exploitation du pétrole. Cette industrie a par ailleurs suscité l'arrivée massive d'immigrants. Malgré la richesse du pays, la disparité économique est très importante, notamment entre les travailleurs immigrants et les familles régnantes.

Pouvoir

Le système politique est entre les mains de dynasties familiales. Un émir, au pouvoir héréditaire et absolu, dirige chaque émirat.

Enjeu

La démocratisation est un des enjeux importants des Émirats arabes unis. En effet, les partis politiques sont interdits, le droit de vote est très limité, et l'opposition politique organisée, inexistante. Par ailleurs, la question du droit des femmes reste un enjeu majeur.

Activité synthèse

Le développement des institutions

Dans ce dossier, vous avez exploré la réalité politique sous le Régime français (1608-1760), le Régime britannique (1760-1867) et la période contemporaine (de 1867 à nos jours). Dressez le bilan de vos connaissances des différentes institutions politiques de l'histoire du Québec et du Canada.

1. Présentez, dans un organisateur graphique, les institutions politiques de ces trois périodes. Pour la Nouvelle-France, tenez-vous-en aux institutions établies sous le gouvernement royal. Notez qu'au cours d'une même période, les institutions politiques peuvent évoluer. Votre organisateur graphique doit montrer :
   - le fonctionnement des institutions ;
   - la composition des institutions ;
   - le rôle ou l'implication de la population dans ces institutions.

2. Rédigez un texte de 150 mots expliquant les étapes qui ont mené à l'instauration d'un régime démocratique.

Pour aller plus loin…

Activité 1 • L'interdépendance des intérêts

Formulez une hypothèse en réponse à la question suivante : Selon vous, quels liens unissent les intérêts politiques et économiques ? Notez votre hypothèse de départ, car vous la réviserez peut-être au cours de votre recherche. Ensuite, démontrez-en le bien-fondé en suivant ces étapes :

- choisissez une des trois périodes historiques étudiées ;
- cherchez dans votre manuel des informations permettant d'approfondir la question ;
- rédigez trois arguments étayant votre hypothèse et appuyez chacun d'eux par trois faits ou exemples significatifs.

Activité 2 • Une caricature politique

Analysez et critiquez une caricature politique du passé ou du présent. Effectuez des recherches dans Internet ou parcourez les journaux afin d'en choisir une qui vous inspire. Observez-la attentivement, puis répondez aux questions suivantes.

- Quels sont le titre et la légende de cette caricature ? Qui en est l'auteur ? Quelle est la date ou l'époque de parution ? Quelle en est la source (par exemple, le nom du journal) ?
- Qui sont les personnages représentés ? Quels sont leur nom et leur fonction ?
- Que signifie le texte accompagnant le dessin ?
- Quel événement a voulu représenter le caricaturiste ?
- Selon vous, la caricature rend-elle bien l'intention de son auteur ?

WHITHER ARE WE DRIFTING?

Pour en savoir plus...

DES LIVRES

BLAIS, Christian et autres. *Québec : quatre siècles d'une capitale,* Québec/Assemblée nationale, Publications du Québec, 2008, 704 p.

CANET, Raphaël. *Nationalismes et société au Québec,* Outremont, Athéna éditions, 2003, 232 p.

CHEVRIER, Marc. *Le fédéralisme canadien et l'autonomie du Québec : Perspective historique,* Québec, ministère des Relations internationales, 1996, 42 p.

DUGAS, Sylvie. *Le pouvoir citoyen,* Montréal, Fides, 2006, 388 p.

FAHMY, Miriam, et Antoine ROBITAILLE, dir. *Jeunes et engagés,* Montréal, Fides, 2005, 96 p.

FERRETTI, Lucia. *Brève histoire de l'Église catholique au Québec,* Montréal, Boréal, 1999, 206 p.

FILTEAU, Gérard. *Histoire des patriotes,* Sillery, Septentrion, 2003, 664 p.

HARE, John. *Aux origines du parlementarisme québécois,* Sillery, Septentrion, 1993, 314 p.

MONET-CHARTRAND, Simonne. *Pionnières québécoises et regroupements de femmes d'hier à aujourd'hui,* Montréal, Les Éditions du Remue-ménage, 1990, 145 p.

ROUILLARD, Jacques. *Le syndicalisme québécois : deux siècles d'histoire,* Montréal, Boréal, 2004, 335 p.

TREMBLAY, Manon, et Caroline ANDREWS, dir. *Femmes et représentation politique au Québec et au Canada,* Montréal, Les Éditions du Remue-ménage, 1997, 276 p.

DES FILMS

15 février 1839 (fiction), réalisateur : Pierre Falardeau, Québec, 2001.

À hauteur d'homme (documentaire), réalisateur : Jean-Claude Labrecque, Québec, 2003.

Le peuple invisible (documentaire), réalisateurs : Richard Desjardins et Robert Monderie, Québec, 2007.

Les enfants de la loi 101 (documentaire), réalisatrice : Anita Aloisio, Québec, 2007.

L'illusion tranquille (documentaire), réalisatrice : Joanne Marcotte, Québec, 2006.

DOSSIER 5

Société • Territoire

Des enjeux de société du présent

La société québécoise connaît de multiples enjeux et a de grands défis à relever. Les citoyens ont à faire des choix cruciaux pour l'avenir du Québec. Cette situation impose de comprendre les différentes réalités sociales et de savoir les replacer dans une perspective historique. De cette façon, les citoyens contribuent au débat et s'assurent que les décisions visant le bien commun sont prises de façon éclairée.

1980 Référendum sur la souveraineté-association

1982 Entrée en vigueur de la Charte canadienne des droits et libertés

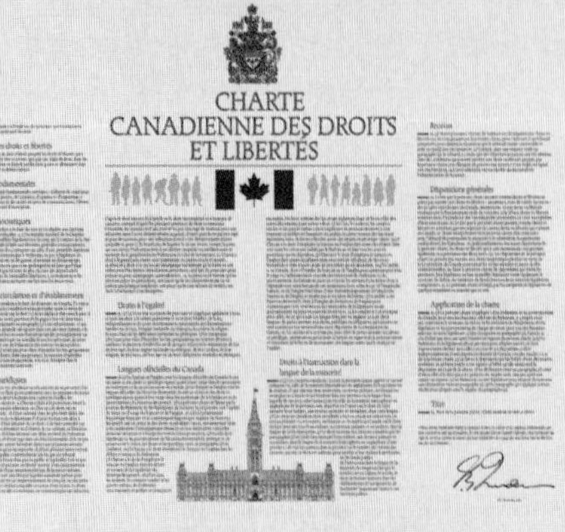

CHARTE CANADIENNE DES DROITS ET LIBERTÉS

1987 Deuxième Sommet de la Francophonie, à Québec

1989 Loi sur le patrimoine familial

1980 — 1990

1995
Référendum sur la souveraineté

1996
Loi sur l'équité salariale

1998
Crise du verglas

1999
Création du territoire du Nunavut

2000

2006
Loi sur le développement durable

2007
Commission de consultation sur les pratiques d'accommodement reliées aux différences culturelles

2008
Douzième Sommet de la Francophonie, à Québec

2010

Des enjeux de société du présent

Réalité sociale

Des enjeux de société du présent

Angle d'entrée

Gestion des enjeux et choix de société

LE MONDE D'AUJOURD'HUI

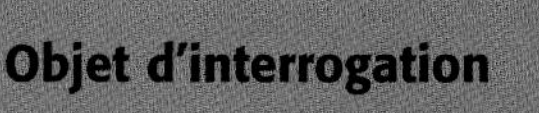

Objet d'interrogation

Des enjeux de société du présent, au Québec

En quoi ces enjeux concernent-ils les citoyens? Quelles en sont les origines? Quels en sont les acteurs?

LA FILIÈRE DU TEMPS

Objet d'interprétation

Des enjeux de société du présent

Quels sont les choix qui doivent être faits par les citoyens? Comment ces choix font-ils appel à la notion de bien commun?

ENGAGEMENT CITOYEN

Objet de citoyenneté

Enjeux de société et participation à la délibération sociale

Quels sont les lieux d'exercice du pouvoir d'action des citoyens?

DES ENJEUX QUI NOUS CONCERNENT

Depuis les années 1980, des problèmes liés entre autres à l'immigration, à la diversité culturelle, à la situation linguistique, à l'environnement et à la situation des femmes sont au cœur des débats qui se manifestent dans l'espace public. Les décisions prises à la suite de ces débats ont des conséquences cruciales pour le bien et le destin communs des Québécois.

Kittie Bruneau (née en 1929).

Artiste peintre

Influencée par la danse, la philosophie orientale et les autochtones, Kittie Bruneau a exposé ses œuvres au Canada, aux États-Unis, au Mexique et en Europe. Sa non-appartenance aux divers mouvements et aux courants artistiques explique en partie le côté personnel et actuel de son œuvre.

LA CHASSE-GALERIE.
L'imagination, la fantaisie et la maîtrise d'un style qui lui est propre caractérisent l'œuvre de Kittie Bruneau.

Kittie Bruneau, *La chasse-galerie*, 1969.

Des enjeux en action

Les citoyens du Québec se trouvent actuellement aux prises avec une multitude d'enjeux, et la façon dont ils les abordent et les gèrent a des répercussions non seulement sur le présent, mais également sur les générations futures. L'immigration, la diversité culturelle, le développement durable, la place du Québec à l'étranger, l'égalité entre les hommes et les femmes et la question nationale suscitent des réflexions, forcent la mise en œuvre de politiques et de mesures gouvernementales concrètes et orientent les rapports sociaux.

1 LA DIVERSITÉ CULTURELLE ET LE SENTIMENT D'APPARTENANCE.

La diversité culturelle est un phénomène caractérisé par la cohabitation de plusieurs cultures dans une même société. Pour les faire cohabiter harmonieusement, il faut que les membres des communautés développent un sentiment d'appartenance à cette société.

2 L'AFFIRMATION DES VALEURS QUÉBÉCOISES.

Les immigrants qui arrivent au Québec affrontent une nouvelle réalité. Afin de s'intégrer à la société et de développer un sentiment d'appartenance, ils doivent se familiariser avec la culture et les institutions de leur pays d'adoption.

« Quand cesse-t-on d'être un étranger? [...] La maîtrise de la langue commune, la connaissance de l'histoire du Québec et le respect des institutions politiques ne devraient-ils pas être un préalable à la citoyenneté [...]? L'immigration est une aventure qui se joue à deux: ce n'est pas être xénophobe que d'en discuter. [...] Le Québec a de façon urgente le plus grand besoin de privilégier l'accueil des immigrés, ce qui veut dire des investissements importants dans l'enseignement intensif du français, de la culture, des institutions et de la conscience du territoire. [...] Il est aussi grand temps que les Québécois cessent de confondre une "ouverture" d'esprit avec le plaisir qu'ils prennent à voyager ou à fréquenter les restaurants ethniques. L'ouverture à l'autre demande aussi d'affirmer ses propres valeurs. Tout se passe en ce moment comme si, soit par indifférence, soit parce que nous doutons de pouvoir le réussir, il serait impossible d'intégrer l'immigré dans notre société moderne. Les visites à la cabane à sucre ne suffisent plus: les librairies et les théâtres, les musées et les bibliothèques publiques sont aussi des lieux où amener nos nouveaux compatriotes. »

Source : Jacques GODBOUT, «Continuons le débat, il ne fait que commencer», *Le Devoir,* 23 septembre 2006, p. B5.

3 LES IMMIGRANTS ET LA LANGUE FRANÇAISE.

Certains croient qu'au Québec trop d'immigrants ont une connaissance insuffisante du français. La solution à ce problème serait de leur donner un enseignement plus soutenu du français.

« Au cours des 10 dernières années, 180 000 immigrants totalement ignorants du français se sont établis au Québec. Avec l'augmentation prévue du nombre d'immigrants, et selon les prévisions officielles, au cours des 10 prochaines années, ce seront 210 000 immigrants qui se présenteront au Québec sans connaissance du français. La nécessité de mieux soutenir l'apprentissage du français de ces centaines de milliers de futurs Québécois, couplée à l'envoi d'un signal fort, celui de l'acquisition d'une citoyenneté offrant des droits, dont le droit d'éligibilité et, selon moi, le droit de vote, est l'étape à laquelle la défense de la prédominance du français est maintenant arrivée. »

Source : Jean-François LISÉE, «Rien d'inédit dans la citoyenneté interne. Les exemples scandinave, français, suisse et... canadien!», *Le Devoir,* 23 octobre 2007.

4 DES ÉLÈVES QUÉBÉCOIS DE DIVERSES ORIGINES ETHNIQUES.

Dans certaines villes et certains quartiers, la diversité ethnique est une réalité quotidienne. Les élèves doivent apprendre à cohabiter et à travailler ensemble malgré leurs différences.

5 LES HABITUDES DE CONSOMMATION DES QUÉBÉCOIS.

Cet extrait rend compte des habitudes de consommation des Québécois et de leur attitude face à l'environnement.

> « Si bien des sondages sacrent les Québécois champions de la conscience écologique, les études sur leurs habitudes de consommation les déclarent plutôt champions pollueurs. Certes, ils abhorrent les gaz à effet de serre, remplissent leur bac de recyclage chaque semaine et s'opposent aux industries polluantes. Mais quand vient le temps de réduire leur consommation d'électricité, d'utiliser des transports en commun et de forcer les gouvernements à respecter le protocole de Kyoto, leur conscience verte fond comme la neige au soleil des réchauffements climatiques. »

Source : Mira CLICHE, « François Cardinal : Se regarder dans le miroir », *Le libraire* [en ligne]. (Consulté le 16 avril 2008.)

6 LA RÉPARTITION DES ÉMISSIONS DE GAZ À EFFET DE SERRE AU QUÉBEC, EN 2005, PAR SECTEURS D'ACTIVITÉ.

Au Québec, le transport est la principale cause des émissions de gaz à effet de serre.

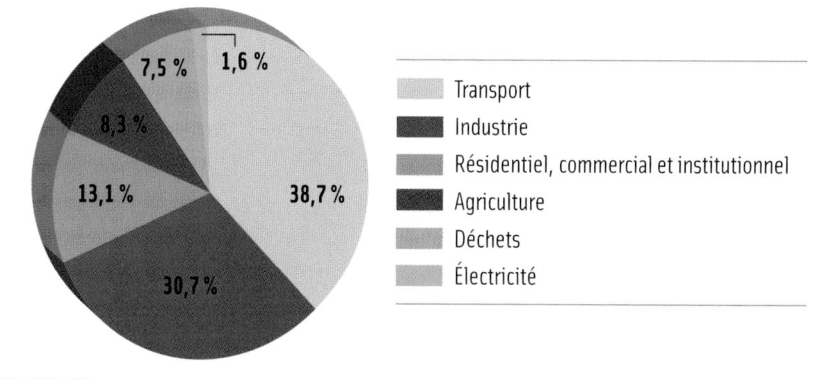

Source : Ministère du Développement durable, de l'Environnement et des Parcs, 2007.

7 LE QUÉBEC ET LE DÉVELOPPEMENT DURABLE.

Le développement durable est un concept selon lequel le développement ne doit pas se faire au détriment de la qualité de vie des générations futures. Au Québec, le ministère du Développement durable, de l'Environnement et des Parcs est responsable de la protection de l'environnement et coordonne les stratégies gouvernementales visant à assurer un développement durable.

8 LA VILLE DE MONTRÉAL, AUJOURD'HUI.

Dans les pays industrialisés, plus de 80 % de la population réside dans les zones urbaines. Les problèmes occasionnés par l'accroissement des villes et l'étalement urbain sont considérables : gaz à effet de serre, diminution des terres agricoles, smog, congestion routière.

QUESTIONS

1. Nommez deux valeurs que la société québécoise devrait promouvoir pour mieux intégrer ses immigrants.

Méthodologie

2. [Doc. 3]
   Outre un bon apprentissage du français, que propose l'auteur pour inciter les immigrants à se franciser ?
3. [Doc. 7]
   Que signifie le concept de développement durable ?

Connexion

4. [Doc. 1 et 4]
   Quelle caractéristique de la société québécoise ces documents illustrent-ils ?

1 L'AFFICHE DU PREMIER FORUM SOCIAL QUÉBÉCOIS.

Depuis le début des années 2000, des forums sociaux se tiennent un peu partout dans le monde. Ces lieux d'échanges permettent aux citoyens de communiquer et de participer à la vie démocratique. Le premier Forum social mondial à se tenir au Québec a eu lieu à Montréal, en août 2007.

2 DONNER LA PAROLE AUX CITOYENS.

Afin de favoriser la mise en œuvre de solutions aux divers enjeux économiques, culturels et environnementaux, des groupes de citoyens ont créé des forums sociaux qui peuvent se tenir à plusieurs échelles : régionale, nationale ou mondiale.

« Lieu de rassemblement de la mouvance altermondialiste, les forums sociaux visent plusieurs finalités. Il s'agit, tout d'abord, de créer un espace public critique, participatif et inclusif qui permette à tous les citoyens, mouvements sociaux et organismes de prendre la parole, de débattre, de s'exprimer et d'échanger sur les enjeux sociaux auxquels nous sommes tous confrontés. Sur cette base, les forums sociaux entendent favoriser l'émergence d'une nouvelle culture politique d'engagement citoyen qui suscite la participation de toutes et tous à la vie publique. Dans cette perspective, les forums sociaux ne sont pas simplement des lieux de prise de parole et d'échange, ils se veulent aussi des lieux d'éducation populaire qui permettent de sensibiliser les populations aux multiples enjeux auxquels ils doivent faire face dans le contexte néolibéral actuel. »

Source : Raphaël CANET, « Un autre Québec est-il possible ? - Les forums sociaux : berceau de l'autre monde possible », *Le Devoir,* 19 juillet 2007, p. A7.

3 LES PRINCIPAUX OBJECTIFS DE LA CONVENTION SUR LA PROTECTION ET LA PROMOTION DE LA DIVERSITÉ DES EXPRESSIONS CULTURELLES.

En 2005, l'Unesco adopte une convention qui associe la diversité culturelle à un ressort fondamental du développement durable des communautés, des peuples et des nations.

Réaffirmer le droit souverain des États d'élaborer des politiques culturelles.

Reconnaître la nature spécifique des biens et services culturels en tant que porteurs d'identité, de valeurs et de sens.

Renforcer la coopération et la solidarité internationales en vue de favoriser les expressions culturelles de tous les pays, et en particulier de ceux dont les biens et services culturels souffrent d'un manque d'accessibilité aux moyens de création, de production et de diffusion sur les plans national et international.

Source : Unesco, *Convention sur la protection et la promotion de la diversité des expressions culturelles,* 2005.

4 LES FORUMS SOCIAUX DANS LE MONDE.

Chaque forum social mondial attire plusieurs milliers, voire des dizaines de milliers de personnes, venant de partout dans le monde. Certains forums ont eu une portée inégale et témoignent d'une nouvelle conscience citoyenne.

Année	Lieu
2001	Porto Alegre, au Brésil
2002	Porto Alegre, au Brésil
2003	Porto Alegre, au Brésil
2004	Bombay, en Inde
2005	Porto Alegre, au Brésil
2006	Karachi, au Pakistan
2006	Bamako, au Mali
2006	Caracas, au Venezuela
2007	Nairobi, au Kenya

5 LA REPRÉSENTATION DU QUÉBEC À L'ÉTRANGER.

Le Québec est représenté dans plusieurs pays par ses délégations générales. Celles-ci cherchent, entre autres choses, à attirer les investissements étrangers au Québec et à faire la promotion de la culture québécoise. La délégation québécoise s'est installée à Paris au début des années 1960.

6 *LES ENFANTS DE LA LOI 101*, UN DOCUMENTAIRE D'ANITA ALOISIO.

En donnant la parole à de jeunes adultes issus de diverses communautés culturelles, ce documentaire révèle l'impact réel de la Charte de la langue française et la transformation de la société québécoise depuis son adoption en 1977.

7 L'ÉQUITÉ SALARIALE AU QUÉBEC.

Depuis 1996, la Loi sur l'équité salariale du Québec précise que, pour un travail similaire, les femmes ont droit au même salaire que les hommes.

8 LE SALAIRE DES FEMMES ENTRE 25 ET 54 ANS ET DE 55 ANS ET PLUS, DE 1997 À 2006.

Par rapport au salaire des hommes, le salaire des femmes de 55 ans et plus accuse un plus grand retard que celui des femmes de 25 à 54 ans..

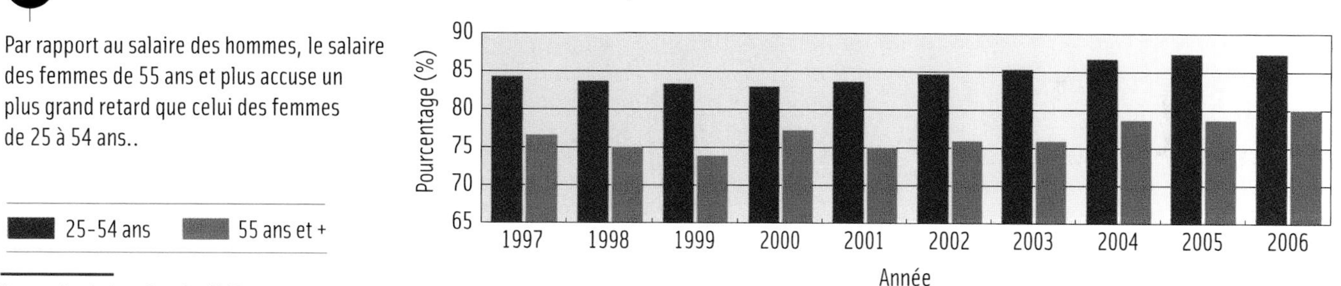

Source : Statistique Canada, 2007.

9 LE DÉBAT SUR LA QUESTION NATIONALE.

Depuis de nombreuses décennies, la question de la place du Québec au sein du Canada est au centre des débats politiques. Selon le point de vue défendu, ce débat peut être perçu comme improductif ou alors comme sain, puisqu'il contribue à vitaliser le débat public.

« Certains mots reviennent souvent quand on discute du Québec : ambiguïté, ambivalence, contradiction, indécision, incertitude. [...] on peut avancer l'hypothèse qu'une des raisons du remarquable dynamisme social et culturel de la société québécoise est justement cet "entre-deux" fécond et mobilisateur. Il s'agit du grand paradoxe du Québec : le blocage du projet national engendre une société mouvante qui s'interroge et se cherche infatigablement. Non seulement la "question nationale" ne réduit pas l'espace discursif, mais elle l'élargit et l'enrichit. La vitalité impressionnante du débat public québécois en est la preuve. »

Source : Victor ARMONY, *Le Québec expliqué aux immigrants*, Montréal, VLB éditeur, 2007, p. 189.

QUESTIONS

1. Pourquoi le Québec a-t-il des délégations à l'étranger ?
2. Selon vous, le débat sur la question nationale est-il nécessaire ou inutile ? Pourquoi ?

Méthodologie

3. [Doc. 2]
À quoi servent les forums sociaux ?
4. [Doc. 9]
En quoi le blocage du projet national pourrait-il être bénéfique à la société québécoise ?

Des enjeux de la société d'aujourd'hui

Depuis les années 1980, des problématiques de plus en plus complexes sont au cœur des débats. Leur compréhension nécessite de prendre en compte nombre d'aspects culturels et sociaux et de s'interroger sur leur origine historique. En effet, les enjeux et les défis du présent sont bien souvent la conséquence de choix faits dans le passé.

Norval Morrisseau (1932-2007)

Artiste peintre
Norval Morrisseau est un artiste canadien originaire de l'Ontario et d'ascendance ojibwée. Ses toiles colorées sont souvent inspirées par la mythologie et la spiritualité amérindienne. Il est l'initiateur du mouvement artistique connu sous le nom de «Woodland Indian Art» (art amérindien des régions boisées). L'œuvre de Norval Morrisseau joue un rôle prépondérant dans la mise en valeur de la culture autochtone, notamment en encourageant les Amérindiens à mieux connaître leur spiritualité.

OBSERVATIONS DU MONDE ASTRAL.
Cette peinture acrylique sur toile témoigne de l'utilisation tranchée des couleurs. Pour ce peintre, les couleurs traduisent la réalité intérieure.

Norval Morrisseau, *Observations du monde astral,* 1994.

1 L'intégration des communautés

L'immigration est nécessaire à l'équilibre démographique et économique du Québec. Toutefois, l'intégration des immigrants préoccupe le gouvernement et l'ensemble de la population. Comment réussir l'intégration culturelle et économique de ces immigrants ? La société d'accueil a-t-elle la volonté et les moyens de faire une place à ces nouveaux citoyens ? Ces derniers accepteront-ils d'adapter leur mode de vie à celui de leur pays d'accueil ?

1 L'ÉVOLUTION DE L'IMMIGRATION AU QUÉBEC DE 1997 À 2006.

Depuis 1997, le Québec accueille de plus en plus d'immigrants. L'augmentation du nombre d'immigrants va se poursuivre dans l'avenir en raison du faible taux de natalité de la population québécoise.

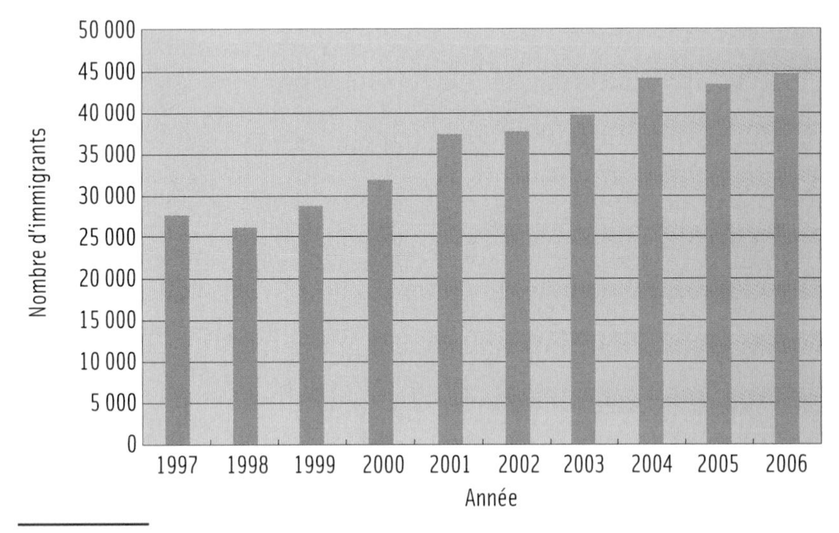

Source : Gouvernement du Québec, ministère de l'Immigration et des Communautés culturelles, *La planification de l'immigration au Québec pour la période 2008-2010*, Québec, 2007, p. 51.

L'intégration culturelle des néo-Québécois

La première difficulté à l'intégration des néo-Québécois est de nature culturelle. En tant que spécificité culturelle du Québec, la langue française place la province en position de minorité au sein du Canada et du continent nord-américain. Cela amène le gouvernement québécois à aborder la question de l'immigration d'une manière prudente, car certains des nouveaux arrivants ignorent cette spécificité. Se considèrent-ils d'abord comme citoyens du Canada, pays bilingue favorisant le multiculturalisme ou bien comme citoyens du Québec, province francophone favorisant l'interculturalisme ?

Des inquiétudes et des réserves

En 1977, la Charte de la langue française a considérablement modifié la dynamique de l'intégration des immigrants. Dorénavant, ceux-ci doivent s'intégrer à la majorité francophone. Au début des années 2000, cette intégration culturelle est devenue un sujet d'inquiétude, nourri par l'actualité et les médias. Tout d'abord, les attentats du 11 septembre 2001 aux États-Unis ont créé, à tort, une méfiance à l'égard de certains groupes de citoyens québécois qu'on a associés erronément à l'**intégrisme** religieux. Ensuite, des demandes d'accommodements particuliers de la part de membres de religions minoritaires ont été fortement médiatisées.

Intégrisme : Doctrine qui préconise une interprétation conservatrice des textes religieux.

Diversité culturelle et tolérance

Le Québec doit faire face à une diversité accrue de traditions et de croyances due à l'augmentation de l'immigration. La diversité culturelle des Québécois demande une adaptation rapide des règles et des mentalités. Doit-on permettre le port de signes religieux à l'école? Les piscines publiques doivent-elles accorder des heures de baignade réservées aux hommes ou aux femmes? Ces questions résument des demandes d'exceptions aux règles établies en raison de différences culturelles, souvent de nature religieuse.

En 2007, le gouvernement du Québec a créé la Commission de consultation sur les pratiques d'accommodement reliées aux différences culturelles et l'a confiée à deux intellectuels, l'historien et sociologue Gérard Bouchard et le philosophe Charles Taylor. La commission Bouchard-Taylor a reçu un mandat assez large pour déborder de la seule question des «accommodements raisonnables». Afin de démystifier le phénomène, elle a organisé un forum qui a permis aux citoyens d'exprimer leurs inquiétudes. Des Québécois de toutes origines ont exprimé leurs propres réalités.

3 FAIRE FACE AUX MALAISES SOCIAUX.

L'auteure de cet extrait propose une analyse et des balises pour éviter que les accommodements liés aux revendications religieuses empiètent sur les valeurs chères à la société québécoise.

« On a tort d'accuser globalement la société d'accueil de racisme et de xénophobie du seul fait qu'elle exprime un malaise face à certaines revendications qui remettent en question certaines de ses valeurs [...]. Des sondages récents indiquent que la [...] majorité des membres des communautés culturelles estiment que le Québec est une société très accueillante pour les minorités. Il faut reconnaître que certaines revendications religieuses mettraient à rude épreuve toute société démocratique et pluraliste. D'où la nécessité de mener ensemble une réflexion sur les balises qu'il faut se donner pour éviter que les accommodements liés aux revendications religieuses n'empiètent sur d'autres droits et valeurs qui nous sont chers, telles l'égalité des sexes et la laïcité. »

Source : Yolande GEADAH, *Accommodements raisonnables–Droit à la différence et non différence des droits*, Montréal, VLB éditeur, 2007, p. 7-8.

4 LA DIVERSITÉ CULTURELLE DU QUÉBEC.

Le Québec compte aujourd'hui quelque 125 communautés culturelles, près de 1200 organismes et plus de 100 médias qui leur sont propres.

2 LE RESPECT DES VALEURS FONDAMENTALES.

Prenant acte des remous causés dans la population par certaines demandes d'accommodements pour motifs religieux, le premier ministre Jean Charest a proposé, en mai 2007, la mise en place de balises pour guider la cohabitation de personnes aux traditions religieuses variées.

« Je crois dans la diversité qui enrichit notre identité, mais je dénonce le zèle religieux qui l'appauvrit. Nos chartes ont toujours eu pour but de protéger les minorités contre la majorité. Elles n'ont jamais eu pour dessein de permettre l'inverse. C'est donc dire qu'il y a une limite, une ligne qui doit être tracée. La commission Bouchard-Taylor, chargée de faire le point sur les pratiques d'accommodement raisonnable, nous aidera à tracer cette ligne. Mais nous pouvons déjà agir dans l'intervalle. Nous allons, par exemple, renforcer le message livré à chaque immigrant à l'effet que nos valeurs fondamentales ne sont pas négociables. Ce message, nous allons le rendre public pour que tous les Québécois sachent ce qu'on attend de ceux qui sont invités à venir partager notre avenir. Nous ferons cela tout en réaffirmant notre conviction à l'effet que le seul Québec possible est un Québec de la diversité. »

Source : Débats de l'Assemblée nationale, 9 mai 2007.

QUESTIONS

1. Expliquez en quoi l'accueil d'immigrants peut pallier le déséquilibre démographique et économique du Québec.
2. Quel est le but de la commission Bouchard-Taylor ?

Réflexion

3. Êtes-vous en mesure de donner un exemple d'accommodement raisonnable ? Si oui, lequel ? Sinon, comment faire pour en trouver ?

L'intégration économique des néo-Québécois

La commission Bouchard-Taylor a permis de dévoiler les difficultés de l'intégration économique des néo-Québécois. Les immigrants sélectionnés en fonction des besoins du marché du travail trouvent difficilement un emploi correspondant à leurs qualifications, car leurs diplômes et leur expérience ne sont pas toujours reconnus. De plus, l'attraction de l'anglais est encore très forte. En plus du français, beaucoup d'immigrants décident d'apprendre l'anglais parce qu'ils croient que ce serait plus facile pour eux d'obtenir un emploi.

Dès lors, la société d'accueil doit investir dans les programmes de francisation et de mise à niveau des qualifications, rehausser le statut du français dans les entreprises et faciliter la reconnaissance des diplômes. Ainsi, le succès de l'intégration culturelle est indissociable de l'intégration économique.

1 LES NÉO-QUÉBÉCOIS ET L'EMPLOI.

L'intégration des néo-Québécois au marché du travail est parfois difficile. Certains sont forcés d'occuper un poste qui ne correspond pas à leurs qualifications.

2 LE FRANÇAIS ET LES IMMIGRANTS.

Dans le but de faciliter l'intégration des nouveaux immigrants, particulièrement dans le milieu du travail, le gouvernement du Québec offre des cours de français adaptés à leurs besoins.

Chaque année, 36 000 immigrants suivent des cours de français offerts par le gouvernement.

Parmi les 18 000 immigrants qui suivent le programme de francisation du ministère de l'Immigration et des Communautés culturelles, 87 % complètent la première des trois sessions. Toutefois, seulement 53 % suivent entièrement les 1000 heures de cours.

Source : Ministère de l'Immigration et des Communautés culturelles, 2007.

L'APPORT DE L'IMMIGRATION À LA PROSPÉRITÉ ACTUELLE ET FUTURE DU QUÉBEC.

Les mesures et les politiques adoptées dans le domaine de l'immigration doivent permettre aux immigrants de contribuer le plus possible à la prospérité du Québec.

« Si l'immigration constitue d'abord et avant tout une aventure humaine d'envergure qui va bien au-delà de strictes considérations économiques, force est d'admettre qu'elle joue aussi un rôle économique considérable. En fait, ce rôle est en passe de devenir crucial, notamment compte tenu des besoins en main-d'œuvre dans les entreprises du Québec. [...] Il y a toujours une période d'adaptation, plus ou moins longue, avant qu'une personne immigrante puisse se trouver un travail qui lui convient et qui prend en compte sa formation, ses compétences et son expérience. [...] Rapidement, les coûts de la période d'adaptation font place aux bénéfices d'un citoyen qui participe de plain-pied au marché du travail, qui s'engage dans sa communauté, qui paie des impôts et qui contribue pleinement à sa société d'accueil. [...] En augmentant ses cibles d'accueil en matière d'immigration économique pour la période 2008-2010, en y joignant des objectifs d'attraction et de rétention précis et en facilitant l'intégration des nouveaux arrivants (par la reconnaissance des diplômes obtenus à l'étranger, notamment), nous pourrons collectivement nous assurer du plein apport de l'immigration à la prospérité actuelle et future du Québec. »

Source : Michel KELLY-GAGNON, « Cap sur les 60 000 immigrants », *La Presse*, 25 septembre 2007, p. A31.

4 LE QUÉBEC, TERRE DE CHÔMAGE POUR LES IMMIGRANTS.

Les immigrants ont plus de difficultés à trouver un emploi que la population née au Canada. Cette situation est pire au Québec qu'ailleurs au Canada.

« En 2006, le taux de chômage chez des étrangers établis au Canada depuis moins de cinq ans s'élevait à 11,5 %, soit plus de deux fois la moyenne observée pour la population née au Canada (4,9 %). Leurs chances de trouver un emploi augmentent progressivement au fur et à mesure que les années passent, mais, au Québec, les immigrants afficheront toujours un taux d'emploi bien plus faible que leurs compatriotes établis ailleurs au pays. Le taux de chômage des immigrants qui sont arrivés entre 2001 et 2006 est trois fois plus élevé que pour les autres Québécois (17,8 % contre 6,3 %). [...] Plusieurs immigrants décideront alors de laisser leur diplôme de côté pour accepter un emploi plus rapidement, mais précaire. Ce n'est pas un cliché : les restaurants et les manufactures embauchent plus d'immigrants que de Québécois. Au fait du problème, le ministère de l'Immigration et des Communautés culturelles [...] a modifié ses critères de sélection [...] et favorise désormais davantage la venue d'employés dotés d'une formation technique, plutôt qu'universitaire. »

Source : Violaine BALLIVY, « Le Québec, terre d'accueil aride pour les immigrants », *La Presse*, 11 septembre 2007.

6 DES IMMIGRANTS DANS UN BUREAU D'ASSURANCE EMPLOI.

Les immigrants affrontent parfois une dure réalité quand vient le temps de trouver un emploi et de le conserver.

5 LE TAUX D'EMPLOI SELON LA CATÉGORIE D'IMMIGRANTS ÂGÉS DE 25 À 54 ANS, EN 2006.

En 2006, les immigrants très récents du Québec se classaient au dernier rang au Canada pour ce qui est du taux d'emploi.

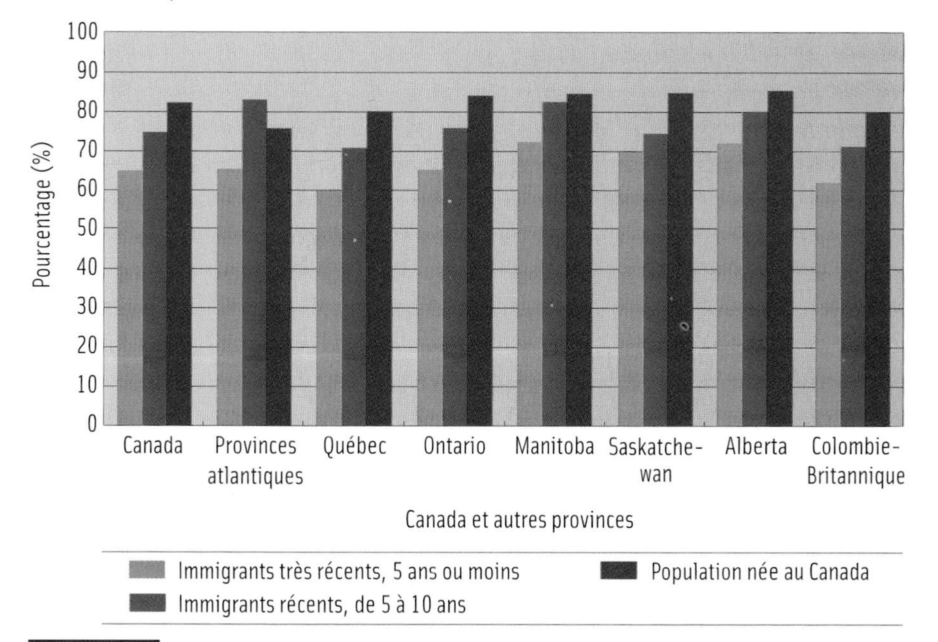

Source : Statistique Canada, *Enquête sur la population active*, 2006.

Dans un sondage publié en septembre 2007 par un quotidien montréalais, 80 % des immigrants ont répondu que l'emploi était la principale difficulté d'intégration à la société québécoise. Selon Statistique Canada, le taux de chômage des immigrants très récents du Québec était estimé à 17,8 % en 2006, soit près de trois fois le taux de chômage de la population du Québec née au Canada (6,3 %). Dans le cas des immigrants récents, le taux de chômage est plus de 2 fois supérieur à celui des Québécois nés au Canada (13,4 % contre 6,3 %).

QUESTIONS

1. Énumérez les principales difficultés des néo-Québécois en matière de recherche d'emploi.

Méthodologie

2. [Doc. 3]
Quels avantages un immigrant apporte-t-il à son pays d'adoption ?
3. [Doc. 4]
Pourquoi de nombreux immigrants mettent-ils leur diplôme de côté lors de la recherche d'un emploi ?
4. [Doc. 5]
Nommez les deux provinces où les possibilités d'emploi pour les nouveaux immigrants sont les meilleures.

Réflexion

5. S'il vous manque des informations pour décrire les difficultés d'intégration des immigrants, que ferez-vous pour vous renseigner ?

2 La sauvegarde de l'environnement

LA CRISE DU VERGLAS DE 1998.

Au Québec seulement, au plus fort de la crise, plus de 900 000 foyers sont privés d'électricité durant la tempête de verglas qui s'abat sur plusieurs régions de l'est du Canada et du nord-est des États-Unis.

Aujourd'hui, les problèmes environnementaux préoccupent et mobilisent une grande partie de la population. Est-ce dû au caractère de plus en plus alarmant de la situation ? Quelles activités humaines sont la cause de ces problèmes ? Quels comportements doit-on modifier ? Comment les citoyens peuvent-ils collaborer ?

Une planète bouleversée

Malgré les progrès de la médecine, des sciences, de l'éducation et des technologies, l'humanité peine à éliminer de nombreux problèmes, dont certains sont connus depuis longtemps: les épidémies, la pauvreté, les guerres, la pollution. À bien des égards, il semble qu'en ce début de 21e siècle la situation empire, au point que certains s'inquiètent pour l'avenir : le bouleversement du climat risque d'affecter non seulement les espèces animales, mais aussi la vie humaine.

Des phénomènes inquiétants

Entre le 6 et le 10 janvier 1998, 4 jours consécutifs de pluie verglaçante laissent de 50 cm à 105 cm de glace. Le triangle formé par les villes de Saint-Jean-sur-Richelieu, Granby et Saint-Hyacinthe est particulièrement touché. Le verglas endommage le réseau électrique, plongeant des citoyens dans le noir durant trois semaines. Le 29 août 2005, l'ouragan Katrina, un des plus puissants à frapper les États-Unis, dévaste la côte du golfe du Mexique, provoquant la rupture de digues et l'inondation de La Nouvelle-Orléans, ce qui entraîne la mort de plus de 1500 personnes. En janvier 2006, le sud du Québec connaît des températures ressemblant à celles d'un mois de mars. Durant les deux premières semaines de janvier 2007, certains jouent au golf dans la région de Montréal. Les fluctuations de température et les phénomènes météorologiques extrêmes inquiètent la population.

LA NOUVELLE-ORLÉANS APRÈS LE PASSAGE DE L'OURAGAN KATRINA.

En août 2005, 80 % de la ville de La Nouvelle-Orléans est inondée en raison de l'ouragan Katrina. Environ 1500 personnes trouvent la mort, et des centaines de milliers d'habitants doivent fuir la ville.

La petite maison blanche

Une maison modeste d'un quartier de Chicoutimi, aujourd'hui la ville de Saguenay, résiste comme par magie au débordement d'un réservoir qui a tout détruit sur sa route.

Les 19 et 20 juillet 1996, les nuages recouvrent la région. La pluie commence, et, en 48 heures, il en tombe plus de 250 millimètres. Si ces précipitations avaient eu lieu en hiver, il serait tombé environ trois mètres de neige. À la suite de ces pluies torrentielles, le réservoir d'une compagnie de papier déborde. Le flot continu des eaux détruit des dizaines de maisons et de commerces.

Seule la petite maison blanche résiste au déluge. Depuis, la ville de Saguenay a aménagé ce secteur en parc commémoratif. La petite maison trône sur son socle de béton. Autour, on peut encore deviner les vestiges des maisons avoisinantes. Une cascade aménagée nous rappelle ces événements de l'été 1996.

4 LA PETITE MAISON BLANCHE À SAGUENAY.

Cette maison est devenue le symbole du déluge du Saguenay en 1996. Elle a résisté aux eaux déchaînées de la rivière Chicoutimi qui ont emporté les maisons d'une soixantaine de familles.

3 LES CHANGEMENTS CLIMATIQUES AU QUÉBEC.

Le réchauffement du climat pourrait avoir des conséquences importantes. Ce phénomène préoccupe un nombre croissant de citoyens.

« Des anomalies climatiques se sont déjà produites dans le passé. Elles font partie des caractéristiques intrinsèques du climat passé et présent. Mais quel sera leur portrait dans un climat futur modifié par les activités humaines ? Il est possible que les récents épisodes météorologiques violents soient entièrement d'origine naturelle. Cependant, on ne peut écarter l'hypothèse d'une transformation du climat. Des études laissent penser que ces événements extrêmes illustrent, à bien des égards, les situations auxquelles pourrait donner lieu le réchauffement du climat planétaire. »

Source : Ressources naturelles Canada, 2006.

QUESTIONS

1. Quel effet le bouleversement du climat pourrait-il avoir sur la vie sur Terre ?

Connexion

2. [Doc. 1, 2 et 4]

a) Quels phénomènes ces photos représentent-elles ?

b) Quelles sont les conséquences actuelles de ces phénomènes ?

Réflexion

3. Comment qualifieriez-vous vos connaissances sur ces phénomènes ?

Les changements climatiques et l'activité humaine

Quelle est la cause des changements climatiques? Est-ce une fluctuation naturelle du climat? La Terre a toujours connu ces variations: les ères glaciaires se produisent environ tous les 100 000 ans. Ou, alors, les changements dépendent-ils de l'activité humaine? Les effets de l'activité humaine ont toujours eu un impact sur l'environnement. Mais c'est véritablement depuis la fin du 20e siècle qu'on s'inquiète de leurs effets à long terme sur le réchauffement climatique.

1 *UNE VÉRITÉ QUI DÉRANGE.*

Une vérité qui dérange, un documentaire de Al Gore, ancien vice-président des États-Unis et prix Nobel de la paix en 2007, aborde la question du réchauffement climatique et décrit les conséquences de ce phénomène.

Croissance économique et changements climatiques

Les impacts de la production de biens sur l'environnement sont de plus en plus visibles. La production et le transport de marchandises partout dans le monde nécessitent une quantité prodigieuse d'énergie, notamment du pétrole, un combustible fossile qui pollue l'atmosphère et produit des gaz à effet de serre. Pour de nombreuses personnes, ces gaz sont à l'origine des changements climatiques que connaît actuellement la Terre.

Dans un contexte de mondialisation, la croissance économique force la réduction des coûts de production dans le but de vendre des produits au meilleur prix possible. Ainsi, certaines entreprises ne se soucient pas toujours des conséquences de leurs nouvelles pratiques sur l'environnement.

Pour résoudre le problème, les pays se réunissent périodiquement afin de s'entendre sur la réduction des gaz à effet de serre. Ces réunions ont donné naissance au protocole de Montréal (1987) et au protocole de Kyoto (1997). Des négociations se poursuivent à l'échelle mondiale et régionale afin de trouver un moyen de discipliner les industries polluantes dans chaque pays.

2 CLIMAT: ÉTAT D'URGENCE!

L'émission de gaz à effet de serre est un des facteurs ayant le plus de répercussions sur le réchauffement climatique.

> « Plus on émettra de gaz à effet de serre, plus le réchauffement sera important et rapide, plus les répercussions seront néfastes et plus forte sera la probabilité d'avoir des répercussions à grande échelle. Ces dernières pourraient bien être irréversibles. »

Source: Agence de l'environnement et de la maîtrise de l'énergie, *Des enjeux et des hommes*, Paris, 2006.

Quelle est l'ampleur de la crise?

Les scientifiques ne s'entendent pas sur le caractère significatif ou non de ces phénomènes inusités. Toutefois, ils s'accordent à dire que les calottes polaires sont en train de fondre. En soi, cela annonce d'importants changements dans les régions arctiques tels que la réduction de l'habitat des ours polaires, la destruction des routes d'hiver de communautés isolées, mais aussi sur la planète entière, comme la hausse du niveau des océans et le changement de direction des courants marins, qui modifieront, à leur tour, le climat.

Saviez-vous que...

Au cours des 30 dernières années, les pertes causées par les catastrophes naturelles ont totalisé près de 900 milliards de dollars. Par exemple, les ouragans qui se sont abattus sur le golfe du Mexique et sur la Louisiane en 2005 ont généré plus de 170 milliards de dollars de dégâts.

3 DANS L'ATTENTE D'UN CONSENSUS.

L'astrophysicien et professeur René Racine souligne qu'il ne sert à rien d'« aiguiser les craintes du réchauffement climatique » tant qu'aucune preuve formelle du lien entre les changements climatiques et les activités humaines n'aura été établie.

« La décennie 1998-2007 fut la plus chaude depuis que nous enregistrons la température sur la planète. Soit. Mais pourquoi ne pas souligner que ces enregistrements ne couvrent que 150 ans, une petite partie du dernier millénaire, et que des périodes tant plus chaudes (11e et 12e siècles) que plus froides (17e siècle) se sont produites dans le passé? [...] Pourquoi ne pas faire état du constat que la banquise arctique s'amenuise depuis qu'on a commencé à l'étudier au début du siècle dernier, alors qu'aucun réchauffement climatique n'était "dans l'air"? »

Source : René RACINE, « La prose habile de Jean Lemire », *La Presse*, 21 décembre 2007.

4 L'URGENCE D'AGIR.

Le biologiste Jean Lemire croit qu'il est du devoir de chacun d'agir pour sauvegarder l'environnement.

« Personne ne met en doute une certaine diminution de la banquise depuis le début du siècle. Toutefois, la perte de plus d'un million de kilomètres carrés de glace en cette année 2007 a de quoi inquiéter. [...] La planète se mobilise pour contrer les effets des changements climatiques, basée sur les conclusions des scientifiques qui lancent un cri d'alarme aux dirigeants de ce monde. Malgré l'un des plus importants consensus de l'histoire de la science moderne, il y en aura toujours pour mettre en doute et contester. Tant mieux! Cette attitude appelle à une plus grande rigueur des scientifiques. »

Source : Jean LEMIRE, « Des faits scientifiques », *La Presse*, 21 décembre 2007.

5 LA FONTE DE LA BANQUISE ARCTIQUE.

Les glaciers entourant l'Antarctique fondent beaucoup plus vite que prévu. Cela a de graves conséquences sur la biodiversité, notamment pour la survie des ours polaires.

QUESTIONS

1. Depuis quand les questions environnementales comme le réchauffement climatique sont-elles devenues un enjeu important pour la société ?
2. Pourquoi les pays doivent-ils s'entendre afin de demander simultanément aux entreprises de réduire leurs émissions de gaz à effet de serre ?
3. Quel lien existe-t-il entre les activités industrielles et les changements climatiques ?

Connexion

4. **[Doc. 3 et 4]** En quoi la prise de position des deux chercheurs est-elle différente ? Relevez les arguments défendus par chacun.

Réflexion

5. Que feriez-vous pour améliorer votre compréhension des liens entre les changements climatiques et l'activité humaine ?

Des comportements à changer

Désormais, on ne saurait parler de développement sans tenir compte des impacts environnementaux des activités humaines. Mais par où commencer ? Que faire ? Et, surtout, qui doit faire l'effort ? Les fabricants, les transporteurs ou les distributeurs ? Les consommateurs qui exigent des prix sans cesse plus bas ? Les gouvernements qui ont le pouvoir de discipliner les citoyens ?

Dans un pays aussi diversifié que le Canada, l'obligation de réduire les gaz à effet de serre n'a pas le même impact et les mêmes coûts dans une province comme l'Alberta, dont l'économie dépend du pétrole, que dans celle du Québec, où elle dépend de l'hydroélectricité. Les solutions ne sont pas non plus évidentes sur le plan international.

1 LA DÉSERTIFICATION, UN PROCESSUS DE DÉGRADATION DES SOLS TOUCHANT PLUSIEURS PAYS.

En 2007, lors de la conférence de Bali sur les changements climatiques, les 200 signataires de la Déclaration des scientifiques sur le climat ont déclaré : « Si cette tendance n'est pas bientôt arrêtée, plusieurs millions de personnes seront exposées aux risques associés à des événements extrêmes tels que vagues de chaleur, sécheresses, inondations et tempêtes. »

Des accords internationaux entre pays inégaux

Les conséquences néfastes de l'accroissement de la production industrielle étant mieux établies, les pays ont donc convenu de se réunir afin de mondialiser la diminution des émissions polluantes. Un des problèmes des négociateurs internationaux est l'inégalité des partenaires. Il est plus facile pour les pays aux économies avancées de réduire leurs émissions de gaz à effet de serre, car ils peuvent se reconvertir dans les services et l'économie du savoir. Les pays dits émergents, où se relocalisent les industries traditionnelles, connaissent une croissance effrénée et polluent davantage. Ils n'ont pas les moyens de réduire les émissions de gaz à effet de serre. Pourtant, ils sont aux prises avec la pollution de l'eau, la désertification et l'épuisement de leurs ressources. Ainsi, tous les pays ne sont pas égaux devant le problème et ne peuvent contribuer également à sa solution.

Saviez-vous que...

Un vol d'avion transatlantique émet, par passager, une quantité de gaz à effet de serre comparable à l'utilisation d'une automobile durant un an. Il y a plus de 50 000 vols commerciaux chaque jour dans le monde, transportant environ 4 millions de passagers.

2 LA POLLUTION AUTOMOBILE.

Les moyens de transport représentent plus du quart des émissions de gaz à effet de serre, et, parmi eux, les automobiles et les motocyclettes en produisent la majorité.

Changer de sources d'énergie

L'adaptation à de nouvelles énergies permettrait de se libérer de la dépendance à l'égard du pétrole. En effet, non seulement cette ressource est polluante, mais elle est rare et s'épuisera au cours de ce siècle. Cela entraîne la hausse de son prix, ce qui incite différents producteurs à se tourner vers des sources d'énergie de rechange et pousse des entrepreneurs à proposer différentes solutions, comme l'essence à l'éthanol, les énergies solaire, éolienne et marémotrice, et même le retour à l'énergie nucléaire, qui, malgré ses coûts et ses dangers, est vue par certains comme une énergie « propre ».

Dans certains pays, la réglementation gouvernementale et les préférences des consommateurs contribuent aussi à la popularité des énergies de remplacement : des normes d'émissions polluantes plus sévères et la sensibilisation du public aux changements climatiques ont entraîné, entre autres, la commercialisation des voitures hybrides fonctionnant à l'essence et à l'électricité.

3 UNE VOITURE HYBRIDE.

La voiture hybride fonctionne à l'essence comme à l'électricité. Au Canada, ce type de véhicule est apparu au début des années 2000.

Une responsabilité collective

Gouvernements, entreprises, collectivités, individus sont tous responsables de l'environnement et peuvent tous faire leur part. Toutefois, pour certains, il est souvent plus facile de faire passer leurs intérêts immédiats avant le développement harmonieux à long terme. D'ailleurs, des sondages démontrent que les gens sont écologistes de cœur, mais que leurs actions contredisent souvent leurs convictions. La lutte pour la sauvegarde de l'environnement est avant tout un engagement personnel, qui peut s'exercer sur plusieurs plans.

Les électeurs peuvent exprimer leur opinion sur les choix collectifs : les énergies de l'avenir, les règles applicables aux entreprises locales, etc. La participation accrue des citoyens dans l'espace public peut les inciter à exercer des pressions sur les gouvernements et les entreprises contre la pollution ou pour la conservation de l'environnement, ou en faveur de campagnes d'éducation et de sensibilisation du public. Les citoyens, qui sont aussi des consommateurs, peuvent acheter des objets recyclés ou fabriqués avec des énergies propres. Ainsi, ils encouragent les industries « vertes » à utiliser moins d'énergie ou d'emballages.

4 ROULER À VÉLO.

Les citoyens disposent de multiples façons de lutter contre la détérioration de l'environnement. Des actes quotidiens ont des répercussions sur l'environnement : privilégier la marche, la planche à roulettes ou la bicyclette.

QUESTIONS

1. De qui relève la responsabilité de protéger l'environnement ?
2. Faites une brève recherche sur les différentes énergies de remplacement. Lesquelles sont déjà exploitées ? Lesquelles sont au stade expérimental ?

Connexion

3. [Doc. 3 et 4]
   Quelles solutions à la pollution automobile ces documents illustrent-ils ?

Réflexion

4. Quels seraient les meilleurs outils pour effectuer votre recherche documentaire sur les sources d'énergie ?

3 Les défis mondiaux et la présence du Canada et du Québec à l'étranger

L'interdépendance des nations est devenue incontournable sur les plans culturel, économique, social et politique. La protection de l'environnement, la mondialisation de la culture et les conflits régionaux sont des exemples de défis mondiaux qui touchent tous les membres de la société, de près ou de loin. De quelle façon ces défis mondiaux touchent-ils les gouvernements et les citoyens ?

1 LE FORUM INTERNATIONAL SCIENCE ET SOCIÉTÉ, AU CÉGEP DE LIMOILOU, EN 2007.

Le Forum international science et société réunit, une fois l'an depuis 2000, des cégépiens et des chercheurs de toutes disciplines pour discuter d'enjeux de la science et de la société.

Des lieux d'échanges

Il existe une multitude de forums internationaux. Ce sont des lieux d'échanges qui rassemblent des dirigeants d'entreprise, des syndicats, des ministres, des responsables d'organisations internationales ou de simples citoyens. Tous ces participants se réunissent pour débattre et échanger des idées sur de grands enjeux ou des défis mondiaux.

2 LES DÉLÉGATIONS DU QUÉBEC DANS LE MONDE EN 2008.

Le Québec profite d'un réseau de délégations générales, qui s'occupent de promotion économique, culturelle et touristique ainsi que d'immigration.

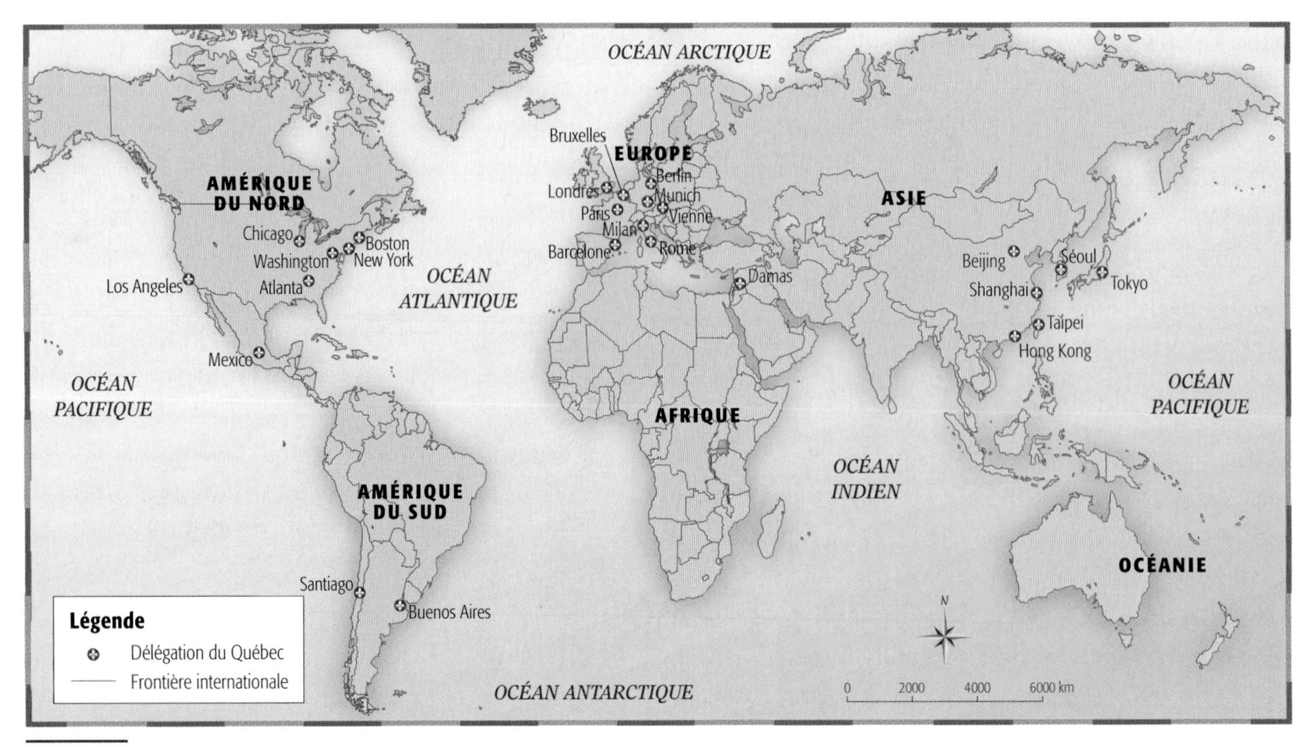

Source : Ministère des Relations internationales, 2008.

Les relations internationales

Le gouvernement d'un État souverain reconnu par la communauté internationale a la possibilité d'entretenir des relations diplomatiques avec d'autres pays. Il existe deux types de relations : bilatérales ou multilatérales. Les relations bilatérales se traduisent habituellement par la présence d'ambassades entre deux pays ; et les relations multilatérales, par l'adhésion des pays à plusieurs organisations internationales. Celles-ci ont un caractère général comme l'Organisation des Nations unies (ONU) ou spécialisé comme l'Organisation mondiale de la santé (OMS). Elles peuvent être mondiales ou n'admettre qu'une catégorie de pays, comme l'Agence intergouvernementale de la Francophonie (AIF). Les États signent des ententes négociées par leurs représentants, diplomates, fonctionnaires ou politiciens.

Le Québec, un acteur international

Bien qu'il ne soit qu'une province du Canada, le Québec exerce des compétences exclusives dans la gestion des ressources naturelles, la santé, l'éducation et la culture. Au Québec, le ministère des Relations internationales définit et mène, dans les limites de ses compétences, l'action du gouvernement à l'étranger, gère un réseau de représentations, négocie et applique des ententes internationales.

3 LE QUÉBEC SUR LA SCÈNE INTERNATIONALE.

La reconnaissance du Québec sur la scène internationale a été acquise de façon progressive depuis les années 1960.

Année	Événement
1961	Ouverture de la Maison du Québec à Paris, qui deviendra une « délégation générale » en 1964.
1965	Énoncé de la « doctrine Gérin-Lajoie » sur le prolongement international des compétences internes du Québec.
1967	Création du ministère des Affaires intergouvernementales du Québec, qui deviendra celui des Relations internationales.
1968	Québec est invité à une conférence internationale sur l'éducation au Gabon, sans l'accord d'Ottawa.
1970	Québec fait partie de l'Agence de coopération culturelle et technique (ACCT), qui deviendra l'Agence gouvernementale de la Francophonie (AIF).
1986	Québec participe au Sommet de la Francophonie, à Versailles.
1987	Québec est l'hôte du Sommet de la Francophonie.
2007	Québec obtient un siège au sein de la délégation canadienne de l'Organisation des Nations unies pour l'éducation, la science et la culture (Unesco).
2008	Québec est l'hôte du 12e Sommet de la Francophonie.

TÉMOINS DE L'HISTOIRE

PAUL GÉRIN-LAJOIE

Paul Gérin-Lajoie commence sa carrière comme avocat. Cet homme politique s'attache à faire connaître le Québec sur la scène internationale. Élu député libéral en 1960, il est nommé ministre de la Jeunesse dans le cabinet de Jean Lesage, puis devient le premier ministre de l'Éducation du Québec de 1964 à 1966. Il entreprend alors la modernisation du système d'enseignement.

En 1965, Paul Gérin-Lajoie prononce un discours dans lequel il jette les bases de la « doctrine Gérin-Lajoie ». Selon lui, les champs de compétence des provinces devraient s'étendre à leurs relations internationales. Ainsi, le Québec ferait entendre sa voix dans le monde entier et pourrait signer des traités avec d'autres pays dans les domaines de la culture, de la santé ou de l'éducation.

De 1970 à 1977, Paul Gérin-Lajoie est président de l'Agence canadienne de développement international (ACDI), un organisme dont le mandat est de gérer l'aide attribuée par le gouvernement canadien aux pays peu développés. Plus tard, il met sur pied une fondation, qui porte son nom, afin de promouvoir et de développer l'éducation dans les pays pauvres.

4 PAUL GÉRIN-LAJOIE (NÉ EN 1920).

Paul Gérin-Lajoie a participé à la reconnaissance du Québec sur la scène internationale.

QUESTIONS

1. Dites en vos mots ce qu'est un « forum international ».
2. Quelle est la base de la doctrine en relations internationales définie par Paul Gérin-Lajoie en 1965 ?

Méthodologie

3. **[Doc. 2]** Sur quels continents trouve-t-on des délégations du Québec ?
4. **[Doc. 3]** Pouvez-vous citer des forums internationaux auxquels participe le Québec ? Comment feriez-vous pour en trouver ?

Réflexion

5. Connaissez-vous le rôle des délégations générales à l'étranger ? Comment pourriez-vous vous informer ?

L'implication du Canada et du Québec à l'étranger

Le Québec et le Canada cherchent à jouer un rôle de premier plan sur la scène internationale dans plusieurs domaines. Par l'intermédiaire du ministère des Relations internationales, le gouvernement du Québec fait la promotion du français en favorisant le développement de la francophonie et des ressources destinées aux francophones de tous les continents. L'implication du Québec dans la francophonie n'est pas uniquement culturelle. Le gouvernement est également désireux de promouvoir des valeurs comme la démocratie. Quant au Canada, il se distingue sur le plan de l'aide humanitaire en mettant sur pied des programmes dans les pays peu développés.

1 LA CONVENTION SUR LA PROTECTION ET LA PROMOTION DE LA DIVERSITÉ DES EXPRESSIONS CULTURELLES.

Avec la mondialisation, la diversité culturelle est menacée. Le Québec et le Canada jouent un rôle de premier plan dans le respect de cette diversité.

« Les dispositions majeures de la Convention sont les suivantes. Les premiers articles affirment le droit de chaque pays de formuler et de mettre en œuvre des politiques culturelles, et de créer un environnement propice à leur diffusion. D'autres articles proclament que la Convention n'est pas subordonnée aux autres traités internationaux, notamment les traités de libre-échange. On voit ici l'importance de ces mesures. Elles donnent à de petits pays des moyens de contrôler toute invasion culturelle de leur territoire par des œuvres étrangères, par exemple en fixant des quotas ou en subventionnant les producteurs ou les artistes locaux. »

Source : Presse canadienne, « Convention internationale sur la diversité culturelle – L'Unesco adopte une idée née au Québec », *Le Devoir*, 30 décembre 2005.

La promotion et la protection de la diversité culturelle

La révolution des technologies de l'information et des communications entraîne la circulation des idées et du savoir dans le monde avec une rapidité incroyable. La mondialisation des idées et du savoir accentue l'uniformisation des cultures, ce qui inquiète les États. Aussi, les pays doivent assurer la protection et la promotion de la diversité culturelle et soutenir l'usage de leurs langues nationales. Les politiques d'appui au secteur culturel entrent parfois en conflit avec des accords internationaux visant à ne pas entraver le commerce entre les pays. Selon les États-Unis et certains de leurs alliés, les produits culturels sont des marchandises qui devraient circuler librement dans les marchés mondiaux. Pour contrecarrer les dangers possibles liés à la mondialisation de la culture, le gouvernement du Québec a mis en place des stratégies pour protéger la langue française et la culture. Ses deux priorités sont le rayonnement de la langue française et l'organisation d'activités culturelles dans le monde.

LES GONAÏVES, EN HAÏTI, APRÈS LE PASSAGE DE L'OURAGAN JEANNE, EN 2004.

L'ouragan Jeanne a fait d'immenses dégâts en Haïti, provoquant des inondations et des coulées de boue causant la mort de milliers de personnes. Le gouvernement du Québec a fourni plus de cinq millions de dollars pour venir en aide aux sinistrés. Ainsi, de nombreux Haïtiens ont reçu de l'aide de premiers secours.

UN SOLDAT CANADIEN AU RWANDA, EN 1994.

Depuis une soixantaine d'années, le Canada collabore à la résolution de conflits internationaux. Membre des Nations unies (ONU) et de l'Alliance atlantique (OTAN), il participe à des missions de maintien de la paix dans plusieurs pays du monde.

Des problèmes humanitaires

Au 20e siècle, l'humanité a vécu une ère de progrès accéléré sur les plans commercial, technologique et diplomatique, ce qui n'a pas empêché de nombreux conflits armés de sévir dans le monde. De plus en plus, des pays pacifiques, comme le Canada, sont appelés à intervenir militairement dans des conflits à l'étranger. Le Québec intervient auprès de plusieurs pays lors de catastrophes naturelles et aide au développement de la culture dans les pays peu développés.

4 LES MISSIONS DU CANADA À L'ÉTRANGER.

Le Canada a participé à des missions de maintien de la paix et à des opérations relevant du devoir d'ingérence, c'est-à-dire veiller à faire respecter le droit humanitaire international.

Année	Endroit
1950-1953	Corée
1956	Canal de Suez
1990-1991	Irak
1992	Somalie
1994	Rwanda
1999	Bosnie-Herzégovine
Depuis 2002	Afghanistan
2003	Kosovo

TÉMOINS DE L'HISTOIRE

ROMÉO DALLAIRE

Roméo Dallaire est né aux Pays-Bas en 1946. Il a consacré 36 ans de sa vie aux Forces armées canadiennes avant de se retirer en 2000. Il est nommé commandant en chef de la Mission d'observation des Nations unies Ouganda-Rwanda et de la Mission des Nations unies pour l'assistance au Rwanda en 1993 et 1994.

En 1994, Roméo Dallaire, qui commande la petite force de surveillance des Nations unies, avertit les autorités que des troubles sont imminents. Le commandant ne cesse de réclamer plus de ressources et de presser la communauté internationale d'agir.

À la suite de ces événements, Roméo Dallaire écrit un livre, *J'ai serré la main du diable : La faillite de l'humanité au Rwanda*, qui relate les événements de la guerre civile et du génocide au Rwanda. En 1998, il est nommé lieutenant général. En 2004, il témoigne devant le Tribunal pénal international pour le Rwanda contre deux Rwandais accusés de génocide. Nommé au Sénat en 2005, il est également membre du Comité permanent des droits de la personne du Sénat.

5 ROMÉO DALLAIRE (NÉ EN 1946).

Témoin du massacre au Rwanda, Roméo Dallaire dénonce l'inaction des pays occidentaux dans ce conflit.

QUESTIONS

1. Quelle est la principale implication du gouvernement québécois à l'étranger ?
2. Quel phénomène menace la diversité culturelle ?

Méthodologie

3. [Doc. 4]
   Dans quels continents le Canada a-t-il participé à des missions de maintien de la paix ? Faites une courte recherche pour le savoir.

Réflexion

4. Déterminez des moyens pour améliorer votre connaissance du rôle du Québec à l'étranger depuis les années 1990.

4 L'égalité des droits entre les hommes et les femmes

Saviez-vous que...

Jusqu'en 1964, les femmes mariées avaient besoin de la signature de leur mari pour exercer une profession, avoir un compte en banque, signer un contrat ou intenter une poursuite en justice. C'est grâce à la première députée québécoise, Marie-Claire Kirkland-Casgrain, que les choses ont changé. Cette politicienne est à l'origine du projet de loi nº 16, qui met fin à ce qu'on appelle l'incapacité juridique de la femme mariée. Elle soumet également le projet de loi nº 63, à l'origine de la création du Conseil du statut de la femme, le 6 juillet 1973.

Le 20e siècle a vu les femmes de plusieurs pays conquérir l'égalité juridique. Le droit de vote, le droit à l'éducation, le droit de disposer de leurs biens, le droit au travail, etc. Rien de ce qui nous paraît évident aujourd'hui ne l'était il y a 100 ans. Les progrès ont été si importants que, selon certains, le balancier est allé trop loin, et les hommes sont désormais désavantagés. Mais, dans les faits, la condition des femmes est-elle réellement égale à celle des hommes ?

La place des femmes dans la société

L'époque de la révolution industrielle correspond à la séparation des sphères privées et publiques. En ce temps-là, les femmes étaient reléguées au foyer, et les hommes, déjà engagés dans le commerce et la politique, étaient les pourvoyeurs de la famille.

Aspirant à l'égalité, les femmes mettent des décennies à conquérir une place aux côtés des hommes dans tous les domaines d'activité. Elles ont dû affronter le sexisme, les différences entre les hommes et les femmes étant alors prétexte à l'exclusion.

Une percée en éducation

Une des mesures du progrès des femmes est leur taux de diplomation. Au Canada, le pourcentage de femmes diplômées est passé de 32 % en 1971 à 58 % en 2001. En 2003, parmi les jeunes canadiens de 19 ans, 39 % des filles suivaient des études universitaires, contre 26 % des garçons. Selon les spécialistes, la différence s'explique surtout par le plus grand intérêt des filles pour les études et par le fait que les garçons obtiennent encore des emplois assez rémunérateurs qui ne nécessitent pas une grande qualification.

2 LES FILLES ET L'ÉDUCATION.

En 1997, les étudiantes québécoises ont obtenu 59 % des baccalauréats et 51 % des maîtrises. Si les étudiantes constituent aujourd'hui 60 % de l'effectif, les femmes ne détiennent cependant que 20 % des postes de professeurs d'université.

1 LA RÉPARTITION DES DIPLÔMÉS AU QUÉBEC.

En ce début du 21e siècle, les femmes constituent la majorité des diplômés québécois.

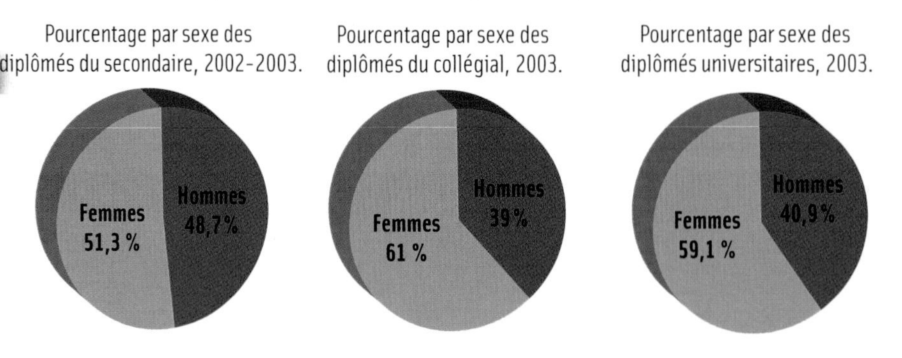

Source : Ministère de la Culture, des Communications et de la Condition féminine, *D'égale à égal ? Un portrait statistique des hommes et des femmes*, 2007, p. 64.

L'équité salariale

La mise en œuvre des politiques d'équité consiste à corriger les écarts entre les échelles salariales de professions et de métiers traditionnellement féminins ou masculins, mais nécessitant un travail de valeur égale. Par exemple, on peut considérer la valeur du travail des femmes en garderie comme équivalente à celle des techniciens de machinerie de haute technologie. Toutefois, l'écart salarial ne sera vraisemblablement jamais comblé, tant que n'aura pas été éliminé l'effet des arrêts de travail pour congé de maternité sur l'avancement professionnel des femmes. Une partie de l'écart est toutefois comblé grâce à la Loi sur l'équité salariale, votée en 1996 : dans les secteurs public, parapublic et privé, les employeurs doivent éliminer les écarts selon le principe « à travail équivalent, salaire égal ».

3 DES INÉGALITÉS PERSISTANTES.

Même si le statut de la femme s'est amélioré, certaines inégalités entre les hommes et les femmes persistent encore de nos jours.

> « Malgré d'indéniables avancées, des inégalités et des obstacles subsistent encore pour les Québécoises. [...] Sur le plan économique, les écarts entre les femmes et les hommes sont encore importants. Les femmes participent moins que les hommes au marché du travail et, lorsqu'elles sont en emploi, les travailleuses occupent plus souvent un poste à temps partiel que les travailleurs. À temps plein, elles gagnent toujours moins que les hommes. Dans le cas de ce dernier groupe, on explique généralement l'écart entre les gains moyens des femmes et ceux des hommes par plusieurs facteurs (durée de la semaine de travail, professions occupées et secteurs d'activité, années d'expérience de travail, etc.). »

Source : Conseil du statut de la femme, *Vers un nouveau contrat social pour l'égalité entre les femmes et les hommes* (synthèse), 2004, p. 7.

4 LES FEMMES ET L'EMPLOI.

Tant dans le monde des affaires que dans la fonction publique, le nombre de femmes en position d'autorité n'a cessé d'augmenter depuis la fin du 20e siècle. Par exemple, le pourcentage de postes de cadres occupés par des femmes dans la fonction publique québécoise est passé de 24,7 % en 2001 à 30,8 % en 2005.

TÉMOINS DE L'HISTOIRE

LOUISE ARBOUR

Après avoir fait ses études en droit et obtenu son diplôme de l'Université de Montréal en 1970, Louise Arbour travaille à la Cour suprême du Canada. De 1974 à 1987, elle enseigne à la Faculté de droit de l'Université York et, à la fin de cette période, elle est nommée adjointe au doyen de la faculté. En 1987, nommée juge à la Cour suprême de l'Ontario, elle devient la première francophone à obtenir un tel poste. En 1990, elle est promue juge de première instance à la Cour d'appel de cette province. C'est en 1996 qu'elle commence réellement sa carrière internationale lorsqu'elle est choisie comme procureure en chef du Tribunal pénal international pour l'ex-Yougoslavie et pour le Rwanda. À ce titre, elle supervise les enquêtes sur les crimes de guerre commis dans l'ex-Yougoslavie et au Rwanda. En 1999, elle met un terme à son engagement au Tribunal pénal international en acceptant un poste de juge à la Cour suprême du Canada. En 2004, elle est nommée haute-commissaire des Nations unies aux droits de l'homme, poste qu'elle quitte en 2008.

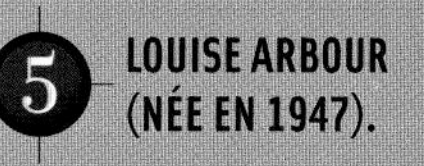

5 LOUISE ARBOUR (NÉE EN 1947).

Louise Arbour est reconnue pour son sens de l'équité, son dynamisme, sa rigueur et sa détermination.

QUESTIONS

1. Donnez deux exemples d'inégalité entre les hommes et les femmes aujourd'hui.

Méthodologie

2. [Doc. 1]
   À partir de quel niveau de scolarité la supériorité numérique des femmes se fait-elle sentir ?
3. [Doc. 2]
   Croyez-vous que le nombre de femmes qui sont professeures universitaires soit proportionnel au nombre de diplômées ?

Réflexion

4. Que feriez-vous pour améliorer votre compréhension de la situation des femmes dans la société québécoise ?

Les femmes et la politique

Les premières militantes féministes se sont battues pour le droit à l'éducation, le droit de vote et l'égalité juridique des femmes. Après avoir réalisé certains gains, elles ont ensuite agi au niveau politique.

Depuis l'élection en 1961 de Marie-Claire Kirkland-Casgrain comme première députée à l'Assemblée législative du Québec (actuellement Assemblée nationale), les femmes ont fait du chemin en politique. Elles sont de plus en plus nombreuses à participer aux projets de loi et à siéger au Conseil des ministres. Cette tendance est bénéfique à la condition de la femme, tant par le modèle représenté par ces personnalités que par l'influence réelle de celles-ci sur les affaires de l'État.

Pour pouvoir être présentes aux plus hauts échelons, les femmes doivent être candidates aux élections. Or, les grands partis politiques n'ont présenté que 29,6 % de candidates en 2007. Parmi les raisons souvent invoquées figure le peu d'attrait des femmes pour la politique ; en effet, la vie politique est difficilement conciliable avec la vie familiale. Les femmes sont moins présentes que les hommes dans les réseaux politiques, bureaucratiques et d'affaires, ce qui se traduit par un manque de soutien à leur candidature.

1 MARIE-CLAIRE KIRKLAND-CASGRAIN (NÉE EN 1924).

En 1961, Marie-Claire Kirkland-Casgrain (deuxième à droite) devient la première femme députée et, en 1962, la première nommée ministre.

2 LE NOMBRE ET LE POURCENTAGE DE FEMMES QUÉBÉCOISES À LA CHAMBRE DES COMMUNES ET À L'ASSEMBLÉE NATIONALE DE 1980 À 2007.

La proportion de femmes québécoises élues à l'Assemblée nationale et à la Chambre des communes est en hausse depuis 1980. Après les élections de 2006, les femmes représentaient 29,3 % des députés québécois au Parlement fédéral (22 sur 75). Dans les autres provinces du Canada, cette proportion n'était que de 18 % (42 sur 233).

Année	Chambre des communes	Assemblée nationale
1980	8 % (6/75)	-
1981	-	6,6 % (8/122)
1984	18,7 % (14/75)	-
1985	-	14,8 % (18/122)
1988	17,3 % (13/75)	-
1989	-	18,4 % (23/125)
1993	14,7 % (11/75)	-
1994	-	18,4 % (23/125)
1997	24 % (18/75)	-
1998	-	23,2 % (29/125)
2000	24 % (18/75)	-
2003	-	30,4 % (38/125)
2004	26,7 % (20/75)	-
2006	29,3 % (22/75)	-
2007	-	25,6 % (32/125)

Source : Manon TREMBLAY, *Québécoises et représentation parlementaire*, Québec, Presses de l'Université Laval, 2005, p. 119 (mis à jour).

3 LES JEUNES FEMMES ET L'ENGAGEMENT POLITIQUE.

Aujourd'hui, la lutte politique des femmes se fait souvent en dehors des voies traditionnelles.

« On est loin aujourd'hui de l'image du militant entièrement dévoué à son parti, absorbé tout entier par lui [...]. Dorénavant, le parti ou l'association représente un support, un lieu permettant l'expression et la diffusion des idéaux des militants, mais non un carcan. Les jeunes femmes [...] refusent l'embrigadement et les étiquettes, et ce même lorsqu'elles militent dans un parti traditionnel. Elles ne se sentent pas liées à tout jamais au parti, elles l'utilisent plutôt pour atteindre leurs objectifs et certaines militent même dans plusieurs associations à la fois pour défendre la même cause. [...] Ce refus d'une certaine unification de la pensée, ce besoin de liberté de parole, cette absence [...] de fidélité absolue au parti, tout cela traduit bien les changements de sens de l'engagement politique, notamment chez les jeunes. »

Source : Anne QUÉNIART et Julie JACQUES, « L'engagement politique des jeunes femmes au Québec : de la responsabilité au pouvoir d'agir pour un changement de société », *Lien social et politiques*, nº 46, automne 2001, p. 51.

Des pistes de solutions

Comment enrayer les entraves à l'égalité homme-femme en politique? De nombreux groupes suggèrent de modifier les lois afin de favoriser financièrement les partis politiques présentant davantage de candidates. Certains estiment qu'il faut imposer un quota de candidates. En France, en 2001, une telle mesure a été testée au niveau municipal. Elle s'est traduite par l'augmentation de 24 % à 47,5 % du nombre de mairesses et de conseillères municipales en une seule élection.

4 LE SÉNAT, À OTTAWA.

Le Sénat joue un rôle dans le processus législatif, notamment en débattant des projets de loi adoptés à la Chambre des communes et en présentant ses propres projets de loi. En 1930, la Montréalaise Cairine Reay Mackay Wilson est la première femme à être nommée au Sénat du Canada. En 2008, 31 des 105 sièges du Sénat sont occupés par des femmes.

TÉMOINS DE L'HISTOIRE

LISE PAYETTE

Après ses études, Lise Payette entreprend une carrière de journaliste dans une station de radio de Trois-Rivières. Elle collabore ensuite à de nombreux journaux et à des émissions de télévision comme journaliste et animatrice. De 1972 à 1975, elle anime le talk-show *Appelez-moi Lise,* une émission qui la rend célèbre. Elle devient l'une des figures dominantes du mouvement féministe québécois.

En 1975, elle entreprend une carrière politique en se faisant élire comme députée du Parti québécois. Durant son mandat, elle est tour à tour nommée ministre des Consommateurs, Coopératives et Institutions financières, ministre d'État à la Condition féminine et ministre d'État au Développement social.

Lise Payette retourne à la télévision dans les années 1980, cette fois comme auteure de feuilletons télévisés. Elle fonde une société de production et rédige une chronique dans un quotidien montréalais.

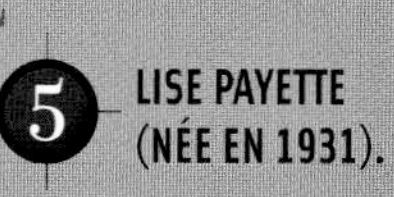

5 LISE PAYETTE (NÉE EN 1931).

Figure notoire de la cause des femmes au Québec, Lise Payette a autant marqué l'univers médiatique que politique.

QUESTIONS

1. Quelles raisons sont invoquées pour expliquer la faible représentation des femmes dans le monde politique ?

Méthodologie

2. [Doc. 2]
   a) Depuis quelle année les femmes représentent-elles près du tiers des députés à la Chambre des communes ?
   b) À quel moment la proportion de femmes députées est-elle la plus importante à l'Assemblée nationale ?

MOMENT *clé*

Les droits économiques et sociaux

La Charte canadienne des droits et libertés a révolutionné les rapports entre les gouvernements et les citoyens en donnant à ces derniers des recours supplémentaires devant les tribunaux lorsqu'ils considèrent, par exemple, que l'État lèse leurs droits à la liberté et à l'égalité ou leur liberté de conscience. Toutefois, il s'agit essentiellement de droits juridiques.

1 DE L'AIDE ET DES SERVICES GARANTIS.

Les dispositions de la charte québécoise relatives aux droits économiques sont difficiles à appliquer. Elles ont néanmoins le mérite d'exposer la raison d'être d'institutions comme la Direction de la protection de la jeunesse, les systèmes publics d'éducation et de santé, l'aide sociale ou la Commission des normes du travail.

En 1975, le Québec adopte sa propre charte des droits et libertés de la personne. Même s'il ne fait pas partie d'une constitution, ce document a, sous certains angles, une portée plus large que la Charte canadienne des droits et libertés. Non seulement la charte québécoise s'applique-t-elle aux rapports entre les particuliers, mais elle énonce, dans ses articles 39 à 48, des droits économiques et sociaux qui vont du droit à la protection des enfants, des personnes âgées et des handicapés, en passant par le droit à l'information, à l'éducation gratuite, à l'aide financière en cas de besoin, au développement culturel des minorités ethniques et à des conditions de travail justes et raisonnables. Toutefois, ces droits doivent être respectés « dans la mesure et suivant les normes prévues par la loi ». En d'autres termes, leur application dépend du bon vouloir du législateur.

QUELQUES DROITS ÉCONOMIQUES ET SOCIAUX DE LA CHARTE DES DROITS ET LIBERTÉS DE LA PERSONNE DU QUÉBEC.

La Charte des droits et libertés de la personne du Québec couvre plusieurs aspects de la vie en société et protège les citoyens contre de nombreux abus, tout en leur garantissant l'accessibilité à certains services.

«
- Protection de l'enfant
  Article 39 : Tout enfant a droit à la protection, à la sécurité et à l'attention que ses parents ou les personnes qui en tiennent lieu peuvent lui donner.
- Enseignement religieux ou moral
  Article 41 : Les parents ou les personnes qui en tiennent lieu ont le droit d'assurer l'éducation religieuse et morale de leurs enfants conformément à leurs convictions, dans le respect des droits de leurs enfants et de l'intérêt de ceux-ci.
- Vie culturelle des minorités
  Article 43 : Les personnes appartenant à des minorités ethniques ont le droit de maintenir et de faire progresser leur propre vie culturelle avec les autres membres de leur groupe.
- Assistance financière
  Article 45 : Toute personne dans le besoin a droit, pour elle et sa famille, à des mesures d'assistance financière et à des mesures sociales, prévues par la loi, susceptibles de lui assurer un niveau de vie décent.
- Conditions de travail
  Article 46 : Toute personne qui travaille a droit, conformément à la loi, à des conditions de travail justes et raisonnables et qui respectent sa santé, sa sécurité et son intégrité physique. »

Source : Charte des droits et libertés de la personne du Québec, adoptée le 27 juin 1975.

Des pressions contradictoires

La mise en œuvre de lois relatives aux droits économiques et sociaux se bute à certains obstacles. Le premier est le respect des champs de compétences qui restreint le pouvoir d'intervention de l'État québécois dans toutes les sphères d'activité gouvernementales. Deuxièmement, il y a les moyens financiers limités du gouvernement du Québec, qui hésite à hausser les impôts et doit subir les conséquences du déséquilibre budgétaire entre le fédéral et les provinces tout en s'efforçant d'éviter les déficits. À cet effet, l'Assemblée nationale adopte à l'unanimité, en 1996, la Loi sur l'élimination du déficit et l'équilibre budgétaire, remplacée en 2001 par la Loi sur l'équilibre budgétaire. Dans ces circonstances, il est difficile d'appliquer des mesures plus que symboliques pour faire bénéficier la population de tous ses droits économiques et sociaux. Déjà, la couverture sociale dont bénéficient les Québécois, comme les soins dentaires gratuits pour les enfants et l'accessibilité à l'aide juridique, a diminué au cours des années.

3 UNE BANQUE ALIMENTAIRE.

Plusieurs mesures existent pour venir en aide aux personnes défavorisées. Certaines sont mises en place par les gouvernements, d'autres par des organismes communautaires. Les banques alimentaires constituent un moyen concret et direct d'apporter un soutien aux personnes qui en ont besoin.

Des lois aux effets incertains

La Loi visant à lutter contre la pauvreté et l'exclusion sociale a été votée à l'unanimité en 2002, à la suite de pressions de groupes de citoyens. Cette loi institue une «stratégie nationale de lutte contre la pauvreté et l'exclusion sociale», un comité consultatif, un observatoire de la pauvreté et de l'exclusion sociale et un fonds permettant de financer de nouvelles politiques sociales. Mais peut-on éliminer la pauvreté sans aller aux sources des inégalités sociales comme la discrimination, le manque de formation, la crise des finances publiques et la délocalisation des entreprises?

Un problème semblable se pose avec la Loi sur le développement durable adoptée en 2006. Cette loi énonce des principes dont les organismes de l'État doivent tenir compte, met au point des instruments de recherche et crée un poste de commissaire au développement durable. Toutefois, elle ne contraint pas directement le secteur privé, responsable de l'essentiel de la production économique.

La loi pour contrer la pauvreté reste une initiative gouvernementale digne de mention parce qu'elle procure efficacement des droits économiques et sociaux. Elle a été adoptée en 1996 à la suite de pressions sociales importantes qui ont culminé dans la Marche des femmes contre la pauvreté «Du pain et des roses» organisée en 1995 par la Fédération des femmes du Québec. La Loi sur l'équité salariale oblige les employeurs des secteurs public et privé à attribuer à des emplois traditionnellement occupés par des femmes un salaire égal à celui d'emplois traditionnellement occupés par des hommes, même si ces emplois sont différents, pourvu qu'ils soient de même valeur ou de valeur comparable dans l'entreprise.

QUESTIONS

1. À quoi servent les chartes des droits et libertés?
2. Pourquoi les effets de la Loi sur le développement durable sont-ils restreints?

Méthodologie

3. [Doc. 2]
   Lequel de ces articles vise à aider les citoyens à faible revenu?

5 La question nationale

La question nationale que se posent les Québécois est née lors de la Conquête de 1760. Elle refait surface 200 ans plus tard durant la Révolution tranquille. Ancrée dans la mémoire collective des francophones du Québec, cette question existentielle ressurgit : « Comment assurer la persistance d'une société distincte en Amérique du Nord ? »

Une question enracinée dans l'histoire

La question nationale change selon les époques. Déjà, au temps de la Nouvelle-France, une distinction se fait entre les Canadiens nés au pays et les Français venus de la métropole. Après l'inclusion de la *Province of Quebec* dans l'Empire britannique, cette distinction s'accroît davantage en raison de la différence de religion, de langue et de culture. Même s'ils partagent désormais les institutions politiques avec la population canadienne-anglaise, ceux qu'on appelle dorénavant les « Canadiens français » forment un groupe culturel à part. Leur nationalisme s'exprime au moyen de la protection de la langue et de la religion. Bien qu'une reprise économique et politique ait été possible à ce moment-là, les Canadiens français n'ont pas pleinement pu profiter de l'autonomie partielle acquise lors de la Confédération de 1867. L'économie est contrôlée par les entreprises anglophones, alors que l'administration des services sociaux, de l'éducation et de la santé est surtout laissée à l'Église.

1 LES PÈRES DE LA CONFÉDÉRATION.

En 1867, les colonies britanniques d'Amérique du Nord décident de s'unifier pour faire face à plusieurs enjeux, dont la défense du territoire et la nécessité de développer un marché afin de stimuler l'économie. Cette union est à l'origine du débat sur les pouvoirs et l'importance des provinces par rapport au gouvernement fédéral, un débat qui dure encore aujourd'hui.

Source : Rex Woods (d'après Robert Harris), *Les Pères de la Confédération, Conférence de Québec, 1864*, 1968.

Le nationalisme moderne

Dans les années 1960, la question nationale comprend trois aspects: linguistique, constitutionnel et économique. Le nationalisme de conservation, qui vise le maintien des caractéristiques de la population d'origine canadienne-française, se change en nationalisme d'affirmation. L'État québécois devient le principal instrument pour assurer l'épanouissement de la société francophone. Dès lors, les Canadiens français commencent à se présenter en tant que Québécois. Ils désirent faire du Québec une société majoritairement francophone et autonome.

2 LES REVENDICATIONS TRADITIONNELLES DU QUÉBEC.

Depuis le milieu du 20e siècle, la position constitutionnelle a été véhiculée de manière semblable par les gouvernements issus de plusieurs partis politiques. Elle s'appuie sur l'idée que le Québec a besoin d'une plus grande mesure d'autonomie et de ressources financières dans le cadre de la fédération canadienne.

1. Le respect du partage des compétences constitutionnelles, la limitation du pouvoir fédéral de dépenser ou le droit de se retirer des programmes fédéraux dans les champs de compétence provinciaux.
2. Le droit d'être exempté, avec compensation financière, des changements constitutionnels affectant les pouvoirs des provinces ou l'obtention d'un **droit de veto** sur tout changement constitutionnel.
3. Un meilleur partage des ressources fiscales entre le fédéral et les provinces.
4. Un nouveau partage des compétentes constitutionnelles entre le fédéral et les provinces.
5. Le droit de se représenter directement sur la scène internationale dans les domaines qui sont de sa compétence.
6. La reconnaissance constitutionnelle comme société ou comme nation.

La première conséquence de ces changements est la redéfinition de la nature même de la nation. En se servant de l'État du Québec comme d'un instrument de promotion de la nation, un nouveau nationalisme émerge: la nation canadienne-française, qui déborde les frontières du Québec, fait place à la nation québécoise.

Ce nouveau nationalisme remet en cause les institutions politiques canadiennes. L'idée d'un Canada formé de deux peuples fondateurs, qui servait de fondement à la protection de l'autonomie provinciale, se change en revendications pour la reconnaissance du Québec en tant que société distincte et, plus tard, en tant que nation. Les différents partis politiques québécois revendiquent une plus grande autonomie pour le Québec, et certains envisagent même l'indépendance politique.

Droit de veto: Droit de bloquer l'adoption d'une loi, d'un règlement ou d'une résolution.

3 UN BILAN DU NATIONALISME QUÉBÉCOIS.

Le nationalisme québécois s'est affirmé de plusieurs façons, et ses effets sur la société sont multiples.

« Le mouvement nationaliste s'est manifesté dans toutes sortes de directions, à temps et à contretemps, pour le meilleur et pour le pire. Il a pu souvent produire des effets pervers, mais pourrait-on nier qu'il a contribué, en très grande part, à donner aux Québécois une plus grande confiance en eux-mêmes, à conférer un statut à la langue française et à créer un véritable réseau économique francophone? En affirmant avec ferveur l'identité québécoise, en la situant dans un contexte international et en la disant au monde, le nationalisme du Québec aura inspiré une impressionnante production culturelle, à nulle autre pareille dans notre histoire. Il aura contribué à donner aux Québécois, jadis "nés pour un petit pain", une nouvelle fierté qui les a amenés à s'engager dans toutes sortes de carrières qu'ils se croyaient autrefois interdites. Pour avoir souvent agacé et même irrité les Canadiens de langue anglaise, le nationalisme québécois n'en a pas moins engendré une attention nouvelle du Canada vers le Québec et, le plus souvent, un respect inconnu auparavant pour la culture québécoise. »

Source: Louis BALTHAZAR, *Bilan du nationalisme au Québec*, Montréal, Éditions de l'Hexagone, 1986, p. 143.

QUESTIONS

1. À quel moment les Canadiens français commencent-ils à s'affirmer comme Québécois?

Méthodologie

2. [Doc. 2]
Sur quelle idée s'appuie la position constitutionnelle du Québec?

Réflexion

3. Comparez le nationalisme québécois d'avant et d'après les années 1960.

Une nation au sein du Canada

Pendant la Révolution tranquille, le Québec réclame un changement de statut au sein du Canada. Les partis politiques proposent différents projets de renouvellement de la structure politique canadienne : statut particulier, État associé, souveraineté-association. Ces scénarios ont en commun la volonté des Québécois de posséder une plus grande maîtrise de leur destin. Ils souhaitent ainsi renforcer les pouvoirs et les ressources de leur gouvernement tout en réduisant leur dépendance vis-à-vis du gouvernement fédéral.

Au moment où l'idée d'un Canada **binational** et **biculturel** commence à faire son chemin, le premier ministre du Canada, Pierre Elliott Trudeau, élu en 1968, estime que le Canada est déjà suffisamment décentralisé. Il craint qu'un statut particulier ne mène le Québec à la séparation. Le premier ministre propose plutôt la protection des minorités linguistiques francophones et anglophones d'un océan à l'autre et le renforcement des services bilingues du gouvernement fédéral. Cette proposition entraîne de nouvelles revendications de la part des Québécois.

Après la défaite de l'option de la souveraineté-association, lors du référendum de 1980, la Loi constitutionnelle de 1982 concrétise la vision de Pierre Elliott Trudeau. Par la suite, des politiciens québécois plaident en faveur d'un amendement de la Constitution dans lequel le Québec serait décrit comme une « société distincte ». L'opposition demeure cependant très forte dans le reste du Canada.

1 UNE MANIFESTATION CONTRE L'INDÉPENDANCE DU QUÉBEC LORS DU RÉFÉRENDUM SUR LA SOUVERAINETÉ DE 1995.

Lors du référendum de 1995 sur la souveraineté, des citoyens ont fait valoir la possibilité d'être à la fois Québécois et Canadiens.

Binational : Qui englobe deux nations.

Biculturel : Qui possède deux cultures.

2 UNE NOUVELLE CONCEPTION DE LA NATION.

L'idée de l'essence d'une nation a évolué au fil du temps. Il existe donc plusieurs définitions de la nation qui, parfois, peuvent se concurrencer.

« La conception de la nation qui domine aujourd'hui a changé. Lorsque René Lévesque, en 1977, associait nation et État, il s'inscrivait, au-delà de la référence coloniale, dans l'imaginaire de l'Europe des États-nations de 1848, revivifiée par les traités de paix de 1918. Dans cette perspective, chaque peuple, compris comme l'ensemble des citoyens partageant une origine commune, une langue, une histoire et un projet, représenté par des élites désireuses de prendre en charge le destin collectif, avait le droit de se doter d'un État. Cette conception de la nation est aujourd'hui en concurrence avec des notions toutes différentes, issues de la culture politique anglaise, et défendues par les fédéralistes d'Ottawa. Par exemple, lorsque le premier ministre canadien conservateur, Stephen Harper, demande à son Parlement, comme il l'a fait en 2007, de reconnaître la "nation" québécoise, ce n'est pas l'image de la nation de 1848 qu'il a en tête. C'est tout autre chose. La nation québécoise ainsi "reconnue" est du même ordre que la nation iroquoise ou que la nation huronne. Le mot désigne alors un groupe partageant une origine ethnique, une langue, parfois une religion, un pan d'histoire, qui a vocation à être respecté dans ses spécificités et comme minorité, mais pas à être doté d'une autonomie politique. »

Source : Catherine BERTHO LAVENIR, Centre d'études et de recherches internationales, *Le Québec : une identité en péril* [en ligne]. (Consulté le 1er mai 2008.)

Vers la reconnaissance

Au lendemain du second référendum sur la souveraineté, la Chambre des communes adopte, le 11 décembre 1995, une résolution par laquelle elle reconnaît que le Québec forme au sein du Canada « une société distincte, comprenant une majorité d'expression française, une culture qui est unique et une tradition de droit civil », et s'engage à se laisser guider par cette réalité. Le 27 novembre 2006, les députés fédéraux adoptent une seconde motion reconnaissant que « les Québécois et Québécoises forment une nation au sein d'un Canada uni ».

3 STEPHEN HARPER ET LA QUESTION QUÉBÉCOISE.

Pour améliorer l'unité nationale, une des solutions préconisées par Stephen Harper et son gouvernement est de reconnaître le Québec en tant que nation.

« Je pense que notre politique de fédéralisme d'ouverture, l'entente sur l'Unesco, le règlement du déséquilibre fiscal, mais surtout la résolution sur la nation ont bien amélioré la question de l'unité nationale et le confort des Québécois dans la fédération canadienne [...]. Je veux assurer les Québécois et les autres que nous n'avons pas oublié cette motion. Nous reconnaissons qu'on devra faire plus pour vraiment continuer dans cette voie positive. La population du Québec cherche une solution, comme je dis, nationaliste, et le reste du pays veut une solution qui peut garder un Québec fort au sein du Canada. C'est la raison pour laquelle je n'ai pas l'intention d'oublier cette motion. »

Source : Stephen HARPER, Entrevue accordée à Joël-Denis BELLAVANCE, « Harper veut régler la question québécoise », *La Presse*, 24 décembre 2007.

4 LA RECONNAISSANCE DU QUÉBEC COMME NATION.

Le 27 novembre 2006, le premier ministre du Canada, Stephen Harper, dépose une motion à la Chambre des communes. Par cette motion, adoptée par 266 voix contre 16, Ottawa reconnaît que les Québécois forment une nation au sein du Canada.

5 LA NATION QUÉBÉCOISE DIVISE LE PAYS.

Le statut du Québec est l'une des causes fondamentales de la division entre le Québec et le reste du Canada.

« La reconnaissance de la nation québécoise plaît aux francophones du pays, mais agace profondément les anglophones. Ceux-ci sont même davantage prêts à accorder le statut tant convoité aux Métis et aux autochtones qu'aux Québécois. [...] il existe une grande confusion dans la signification du terme "nation". Non seulement les divers groupes au Canada n'accordent pas à ce mot la même signification, mais, à l'intérieur d'un même groupe, on n'accorde pas au mot la même portée selon qu'on l'attribue à une catégorie d'individus plutôt qu'à une autre. Beau problème ! [...] si 78 % des francophones du Canada reconnaissent que le Québec forme une nation, seulement 38 % de leurs compatriotes anglophones pensent de même. »

Source : Hélène BUZZETTI, « La nation divise le pays ! », *Le Devoir*, 11-12 novembre 2006.

QUESTIONS

1. Qu'ont en commun les différents scénarios québécois concernant le renouvellement de la structure politique canadienne ?

Méthodologie

2. [Doc. 1]
Quels objets symboliques montrent clairement l'identification des manifestants en faveur du nationalisme canadien ?
3. [Doc. 4]
Pour Stephen Harper, la reconnaissance du Québec comme nation implique-t-elle que le Québec devienne véritablement une nation ?

Réflexion

4. Avez-vous de la difficulté à comprendre l'importance accordée à la reconnaissance du Québec comme nation ?

Trois courants de pensée

Il existe un accord assez unanime sur le caractère distinct de la société québécoise. Toutefois, tous ne sont pas d'accord sur les mesures à prendre pour assurer la préservation et l'épanouissement de l'identité et des institutions québécoises. Trois courants de pensée se dessinent : l'autonomisme, le fédéralisme et le souverainisme.

Un Québec plus autonome ?

Les partisans de l'approche autonomiste veulent modifier la Constitution du Canada afin de renforcer les pouvoirs et les ressources de l'État québécois et de lui permettre d'adopter des politiques qui conviennent mieux à la population du Québec. Ils souhaitent que le gouvernement fédéral cesse d'empiéter sur les compétences du Québec et lui en transfère de nouvelles.

Depuis la Révolution tranquille, cette position a été défendue, à un moment ou à un autre, par tous les gouvernements du Québec, qui ont tenté à plusieurs reprises d'obtenir l'accord des autres gouvernements provinciaux à cet effet. Or, ni la décentralisation ni l'octroi d'un statut particulier pour le Québec ne reçoivent actuellement un écho favorable dans le reste du Canada. De plus, il n'y a pas de consensus avec les autres provinces sur les moyens de limiter le pouvoir fédéral de dépenser ou de réduire le déséquilibre fiscal. Le Québec doit donc s'entendre avec Ottawa par des arrangements et des accords particuliers qui ne sont pas protégés par la Constitution.

1 L'APPROCHE AUTONOMISTE.

Proposant des solutions moins radicales que les souverainistes, mais demeurant critiques de la centralisation des pouvoirs prônée par les fédéralistes, les autonomistes défendent les intérêts particuliers du Québec au sein même du régime fédéral canadien.

« Les autonomistes sont ceux qui s'inscrivent le mieux dans l'histoire du Québec rebelle, celui qui n'a jamais accepté la Conquête ni le régime fédéral qui lui a été imposé par la Couronne britannique. Les autonomistes s'inscrivent dans la lignée de Maurice Duplessis qui prenait Ottawa de front pour obtenir son tribut. Ils ont pu ensuite s'accommoder du Parti libéral, même si son chef, Jean Lesage, était un ancien ministre d'Ottawa : c'était un parti de réformateurs qui dota l'État du Québec de grands instruments de développement comme Hydro-Québec ou la Caisse de dépôt et placement. Puis il [le Québec] embrassa l'"égalité ou indépendance" [...] de Daniel Johnson. Puis Robert Bourassa et sa "souveraineté culturelle" suscitèrent l'intérêt et c'est quand même de lui qu'est née l'Action démocratique du Québec. [...] avec Mario Dumont et son autonomisme, le Québec revient à l'affirmation. Et tant que l'ADQ sera aussi populaire qu'elle l'est maintenant et considérée comme une alternative de pouvoir, les autres vieux partis [...] seront vidés de leurs forces vives. »

Source : Michel VASTEL, « Et si on parlait des autres aussi ? », *Le journal de Québec*, 7 avril 2007.

S'affirmer dans le Canada actuel ?

Les fédéralistes considèrent qu'il n'est pas nécessaire de changer le statut du Québec dans la fédération canadienne. Ils estiment que le Canada a bien servi le Québec et qu'il a même contribué à protéger sa différence. Ce groupe comprend des nationalistes canadiens qui veulent un État fédéral fort, et des nationalistes québécois modérés qui croient que le Québec prospérera en collaborant avec les autres provinces et le gouvernement fédéral. Les fédéralistes voient l'appartenance du Québec à la fédération canadienne comme un atout.

2 L'AFFIRMATION DE L'IDENTITÉ QUÉBÉCOISE AU SEIN DE LA FÉDÉRATION CANADIENNE.

Pour certains, le fédéralisme n'est pas un frein au développement du Québec, mais plutôt une situation qui le favorise.

« Loin d'être un frein au développement du Québec, le fédéralisme canadien est au contraire un formidable tremplin pour la société québécoise. [...] la fierté d'être Québécois n'est en aucune façon incompatible avec celle d'être Canadien. Ces allégeances peuvent très bien être conciliées. De fait, les Québécois tirent profit de cette double allégeance. [...] nous avons avantage, me semble-t-il, à nous intéresser au Canada et à nous y investir plutôt qu'à nous en dissocier et à nous isoler. »

Source : Benoît PELLETIER, « Un nouvel envol. L'affirmation de l'identité québécoise au sein de la fédération canadienne », dans André PRATTE, dir., *Reconquérir le Canada. Un projet pour la nation québécoise*, Montréal, Les Éditions Voix parallèles, 2007, p. 90, 101, 106.

Un Québec souverain ?

Malgré l'échec de leur option lors des deux référendums, les souverainistes continuent de croire que l'indépendance politique du Québec est souhaitable et possible. Ils affirment que le sentiment d'identité québécoise et l'appui à la souveraineté sont en hausse et que, pour continuer de se développer, le Québec doit avoir sa place parmi les nations. Ils considèrent que les lois linguistiques ne suffisent pas à garantir le caractère français du Québec et que le rapport minorité française – majorité anglaise doit être renversé en séparant le Québec du Canada.

L'HÔTEL DU PARLEMENT, À QUÉBEC.

C'est à l'hôtel du Parlement, souvent appelé « Assemblée nationale », que siègent les députés du Québec.

4 LA SOUVERAINETÉ : UNE QUESTION DE DIGNITÉ.

Les souverainistes justifient le projet d'indépendance de nombreuses façons. L'ex-premier ministre du Québec, Bernard Landry, évoque les raisons qui l'incitent à soutenir le projet souverainiste.

« La première raison de faire l'indépendance, même si nous avons aussi toutes les raisons économiques et matérialistes de choisir la liberté, c'est d'assumer notre destin et notre identité nationale la tête haute d'une façon respectable à nos yeux et à ceux des autres. Une nation qui peut être libre doit l'être, et la plupart de celles qui le peuvent, le sont déjà. De nombreuses autres, il est vrai, n'en ont pas les moyens et partant ne peuvent effectivement le vouloir. Ce n'est évidemment pas le cas du Québec, nous sommes tous bien d'accord sur ce point fondamental : nous sommes capables. Donc, si nous avons les moyens d'être indépendants pouvez-vous m'expliquer pourquoi – autrement qu'en raison de craintes futiles – nous renoncerions à l'idéal, reformulé quelques mois avant sa mort, par le grand René Lévesque, d'être un pays "complet et reconnu" ? »

Source : Bernard LANDRY, « Une question de dignité », *La Presse*, 16 novembre 2006, p. A23.

5 DES QUÉBÉCOIS LORS DES FÊTES DE LA SAINT-JEAN-BAPTISTE.

En 1977, le gouvernement de René Lévesque décrète que la Saint-Jean-Baptiste est la fête nationale du Québec.

QUESTIONS

1. Que veulent les autonomistes ?
2. En quoi les autonomistes se distinguent-ils des souverainistes ?

Méthodologie

3. [Doc. 2]
   Auquel des trois courants québécois se rattache l'auteur ? Sur quel argument s'appuie-t-il ?
4. [Doc. 4]
   L'auteur affirme que, pour qu'un pays devienne indépendant, il faut le vouloir et le pouvoir. Qu'est-ce qui manque aux Québécois selon lui ?

Réflexion

5. Faites ressortir un ou des points que vous comprenez moins bien au sujet de l'autonomisme, du fédéralisme ou du souverainisme. Expliquez comment vous pouvez remédier à cette situation.

GÉRER LES ENJEUX CONTEMPORAINS

Le monde dans lequel nous vivons est complexe et en constante transformation. Les citoyens et les gouvernements doivent sans cesse s'adapter à de nouveaux défis, comme la diversité culturelle, le vieillissement de la population ou les problèmes environnementaux. Il est nécessaire que chaque citoyen pose des gestes concrets, s'interroge et fasse preuve d'esprit critique afin de trouver des solutions pour résoudre les conflits. Il convient également d'accorder une place à chacun, de faire montre de solidarité et de s'ouvrir sur le monde.

Alex Colville (né en 1920)

Artiste peintre
Peintre de guerre pour le compte de l'armée canadienne pendant la Seconde Guerre mondiale, Alex Colville a enseigné à l'Université Mount Allison du Nouveau-Brunswick de 1946 à 1963, avant de quitter son poste et de se consacrer entièrement à la peinture. Reposant sur plusieurs techniques, les toiles d'Alex Colville présentent, de manière réaliste, des moments figés dans le temps.

VERS L'ÎLE-DU-PRINCE-ÉDOUARD.
Cette toile montre bien la capacité d'Alex Colville à cristalliser des scènes de la vie courante.

Alex Colville, *Vers l'Île-du-Prince-Édouard,* 1965.

Bâtir une vision du monde

L'arrivée des Européens, ainsi que les nombreuses vagues d'immigration qui ont suivi, ont transformé et enrichi le Québec tout au long de son histoire. À présent, le Québec compte une population formée d'individus d'origines diverses et dont les intérêts sont variés. Afin que tous les membres de la société cohabitent harmonieusement, il est primordial de développer des valeurs communes à tous et de favoriser le respect entre les différents groupes de citoyens.

S'enrichir par la diversité

La société québécoise se compose d'individus et de collectivités qui possèdent tous leurs propres caractéristiques. Cette diversité contribue notamment à accroître sa vitalité et lui apporte des idées nouvelles qui permettront de trouver des solutions aux enjeux contemporains. Par ailleurs, vivre ensemble exige de l'ensemble des citoyens une coopération au bien commun.

L'INTÉGRATION DES NOUVEAUX CITOYENS.

Pour se développer, une société pluriculturelle doit voir à intégrer tous ses membres adéquatement, peu importe leur origine.

« Les modalités de l'intégration des enfants de migrants restent nationales, chaque pays gardant une originalité héritée de la longue histoire de la constitution de la société nationale, de la naissance des institutions étatiques, des relations entre le pouvoir politique et les Églises, et du maintien d'une culture et d'une langue particulières. [...] Le projet de la société démocratique est d'intégrer tous ses membres en tant que citoyens libres et égaux et de leur donner des conditions de vie aussi égales que possible. »

Source : Dominique SCHNAPPER, *Qu'est-ce que l'intégration ?*, Paris, Gallimard, 2007, p. 127-128, 130.

2 DES FESTIVITÉS AUTOCHTONES.

L'avenir des sociétés autochtones passe par leur capacité à préserver leur identité collective, leurs traditions, leurs langues et leurs valeurs.

Respecter l'identité de chacun

Les autochtones sont les descendants des premiers habitants du Québec. Ils partagent aujourd'hui ce territoire avec les descendants des immigrés venus de tous les continents. Or, malgré leur reconnaissance en tant que nations par l'Assemblée nationale, leur culture est en péril.

LA PRÉSERVATION DE L'IDENTITÉ AMÉRINDIENNE.

Afin de conserver leur culture vivante, les autochtones doivent trouver une façon de l'adapter aux transformations rapides de la société.

« Comment les sociétés amérindiennes et inuites réussiront-elles à garder vivants et dynamiques leurs langues, leurs façons d'être, leurs savoirs et leurs valeurs? Comment, étant donné le rythme des changements, réussiront-elles à éviter l'essoufflement, le découragement et même le déraillement? Auront-elles la possibilité de profiter des circonstances pour innover? Leur dynamisme interne sera-t-il assez fort pour qu'elles trouvent de nouveaux champs d'activité et d'expression? »

Source : Sylvie VINCENT, « La révélation d'une force politique : les Autochtones », dans Gérard DAIGLE, dir., avec la collaboration de Guy ROCHER, *Le Québec en jeu : Comprendre les grands défis*, Montréal, Presses de l'Université de Montréal, 1992, p. 780.

Faire une place à tous

La hausse de la proportion de personnes âgées par rapport au reste de la population sera l'un des changements auxquels la population du Québec aura à faire face au cours des prochaines décennies. Les retraités, qui auront beaucoup donné à la société, seront quand même en mesure de contribuer à son développement. Par contre, il y aura de moins en moins de travailleurs pour soutenir la prospérité de la société québécoise.

4 DES SOLUTIONS À LA DÉNATALITÉ.

La dénatalité est un phénomène que le Québec devra affronter dans les décennies à venir. Afin de minimiser ses aspects négatifs, il faudra trouver des solutions et faire preuve de créativité.

« C'est à [l']inventivité que je pense quand j'entends dénatalité, milliards et croissance des dépenses – des mots si lourds qu'ils semblent écraser la réalité. Moi, je n'y vois toujours que des mots, pas des fatalités : les solutions pour y faire face existent. Forcément. À moitié à gauche, à moitié à droite, là où on ne les attend pas, elles finiront par s'imposer. Car après tout, tout cela n'est qu'une question d'argent, donc de volonté. »

Source : Josée BOILEAU, « Au-delà des apparences », dans Luc Godbout, dir., *Agir maintenant pour le Québec de demain : Des réflexions pour passer des manifestes aux actes*, Québec, Presses de l'Université Laval, 2006, p. 208-209.

5 LE VIEILLISSEMENT DE LA POPULATION DU QUÉBEC.

La population du Québec vieillit, mais le portrait de la population vieillissante est en train de changer. Les personnes âgées demeurent souvent actives jusqu'à un âge avancé, ce qui leur permet de contribuer à la société.

S'ouvrir au monde

Les citoyens du Québec sont aussi des citoyens du monde. À ce titre, ils ont un devoir de solidarité envers tous les êtres humains, ne serait-ce que pour préserver la vie et prévenir les catastrophes. La guerre, les changements climatiques, les mouvements de population et la pauvreté nous affectent tous, où que nous soyons.

6 LA TERRE VUE DE L'ESPACE.

Les événements à l'étranger peuvent avoir des répercussions au Québec et au Canada.

7 LES FRONTIÈRES AU SERVICE DU VIVRE-ENSEMBLE.

Les frontières politiques et culturelles ont été inventées par l'être humain. Elles font parfois naître l'incompréhension et l'indifférence.

« L'image de la Terre prise de l'espace met en évidence un espace terrestre unique et continu, une géographie qui, certes, souligne la variété et la diversité, mais pas la rupture. Un message positif s'ensuit : les êtres humains vivent dans un monde où les "frontières" politiques ou culturelles ne doivent pas être des barrières et des sources de rejet/exclusion des autres, mais des éléments au service du vivre-ensemble. »

Source : Riccardo PETRELLA, *Pour une nouvelle narration du monde*, Montréal, Écosociété, 2007, p. 16.

QUESTIONS

1. Pourquoi est-il important d'intégrer les nouveaux citoyens ?
2. De quelle façon la diversité peut-elle enrichir la vie en société ?
3. Au nom de quelle valeur devrions-nous nous préoccuper de ce qui se passe dans d'autres pays ?

Méthodologie

4. [Doc. 1] Quel est le défi d'une société démocratique vis-à-vis des immigrants ?

Poser des gestes concrets

L'économie du Québec s'est diversifiée au cours des siècles. De nos jours, elle se développe, entre autres, au rythme de la mondialisation et de la consommation. Les enjeux liés à l'exploitation des ressources naturelles sont quant à eux au centre des débats de société. Les citoyens sont de plus en plus amenés à s'interroger sur la conséquence de leurs actions en tant que consommateurs, de même qu'à trouver des solutions afin d'assurer la prospérité de toutes les régions du Québec.

Faire preuve d'imagination

En ce début de 21e siècle, les citoyens rencontrent une foule de problèmes nouveaux. La Révolution tranquille a été l'occasion d'un changement de mentalité et a permis une modernisation politique et économique, ainsi que la prise en charge collective du développement du territoire. Tous les outils dont la population québécoise s'est dotée dans le passé pour faire face aux enjeux de l'époque sont-ils encore pertinents ?

Faire des choix

Les phénomènes contemporains touchent la population québécoise d'une façon particulière. Chaque société doit trouver sa propre manière d'y répondre. La conquête d'une démocratie libérale et l'abondance des biens de consommation peuvent laisser croire que les citoyens ne sont pas libres. Pourtant, ils agissent parfois comme s'ils étaient les victimes consentantes d'une machine implacable qui réduit leurs choix à un certain nombre d'options.

1 L'ÉCONOMIE DES RÉGIONS.

Certaines régions sont touchées par des problèmes économiques importants. Plusieurs citoyens croient que cette situation est la conséquence des politiques qui favorisent toujours les grandes villes.

« La centralisation des décisions à Québec ainsi que la tendance à privilégier les grandes villes et la concentration des entreprises sont en train d'étouffer le Québec, de vider le territoire et de démobiliser les Québécois. Beaucoup ne croient plus en la politique pour changer les choses parce qu'ils constatent chaque jour que les décisions qui les concernent viennent toujours d'en haut et ignorent leurs besoins. »

Source : Maurice BERNIER, et autres, *Libérer les QuébecS : Décentralisation et démocratie*, Montréal, Écosociété, 2007, p. 6.

2 LA LOGIQUE DE LA CONSOMMATION.

L'un des principes sur lesquels repose le système économique actuel est l'idée que les individus s'inventent des besoins grandissants et dépensent de l'argent pour les combler.

« La plupart des biens servent à satisfaire des besoins que l'individu se découvre non point du fait de l'inconfort concret qui accompagne la privation, mais par suite d'une sensibilisation psychique à leur possession. [...] la publicité et ses arts auxiliaires contribuent à développer le type d'individu accordé aux desseins du système industriel : celui sur qui l'on peut compter pour qu'il dépense ce qu'il gagne et pour qu'il travaille afin de satisfaire des besoins qui ne cessent de croître. »

Source : John Kenneth GALBRAITH, *Le nouvel État industriel*, Paris, Gallimard, 1989, p. 208, 217.

3 LES JEUNES ET LA SOCIÉTÉ DE CONSOMMATION.

La publicité et les différentes techniques de mise en marché des produits sont omniprésentes dans notre société, si bien que les jeunes consommateurs ont parfois de la difficulté à voir que leurs préférences et leurs décisions politiques et économiques sont conditionnées par d'autres.

Confronter les grandes tendances

La croissance de la production de biens et de services va de pair avec l'expansion du commerce, la surconsommation et la pollution. Les biens franchissent la moitié de la planète à bord de véhicules polluants avant d'atteindre les consommateurs. De plus, ces produits sont constitués d'emballages dont la moitié se retrouve au dépotoir. L'économie est désormais globale, elle ne se conjugue plus à l'échelle humaine ni même nationale. Est-ce inévitable ? Le monde est pourtant fait d'États et de citoyens qui peuvent influencer le cours des choses sur plusieurs plans afin d'assurer un développement durable. Les technologies propres, qui pourraient réduire la dépendance des consommateurs au pétrole, existent depuis longtemps.

4 LA POLLUTION INDUSTRIELLE.

La pollution industrielle est un phénomène qui concerne tous les citoyens, puisqu'elle dépend des habitudes de consommation de la population en général. Les gens sont habituellement mal informés sur l'état de l'environnement et sur les moyens dont ils disposent pour influencer les décideurs politiques et économiques.

5 DES INITIATIVES DISPERSÉES.

Des problèmes globaux demandent des solutions globales. Or, les problèmes environnementaux sont abordés par de nombreux groupes et organismes dont les actions ne sont pas toujours coordonnées.

« Il y a plus d'initiatives pour sauver la planète qu'on ne le croit. Malheureusement, elles se font souvent isolément, elles sont disséminées à droite et à gauche alors qu'elles auraient tout intérêt à être regroupées. Comment en effet mener un combat d'une telle ampleur de façon aussi dispersée ? Il y a présentement au Québec un manque de leadership en environnement. Il n'y a personne qui, au sommet de la pyramide, tente vraiment d'asseoir à une même table tous les grands acteurs préoccupés par l'environnement. »

Source : François CARDINAL, *Le mythe du Québec vert*, Montréal, Éditions Voix parallèles, 2007, p. 155.

6 DES JARDINS COMMUNAUTAIRES AU QUÉBEC.

Les individus doivent s'interroger sur les conséquences pour l'environnement de leurs comportements de consommation et trouver des façons de les modifier.

Changer ses comportements

Les citoyens croient parfois que tout effort pour réduire les conséquences inquiétantes de leur mode de vie matérialiste est futile, que les gouvernements et les industries sont les seuls responsables. Pourtant, consommer moins, acheter des produits équitables ou locaux, récupérer et recycler ainsi que prendre les transports en commun sont des gestes à la portée de tous qui, s'additionnant, ont un impact véritable.

7 LA CONSOMMATION DANS LES PAYS RICHES.

Les citoyens les plus riches de la planète sont les plus grands consommateurs de biens matériels. Afin de protéger l'environnement, ces citoyens doivent repenser leur mode de vie.

« Ensemble, Amérique du Nord, Europe et Japon comptent un milliard d'habitants, soit moins de 20 % de la population mondiale. Et ils consomment environ 80 % de la richesse mondiale. Il faut donc que ce milliard de personnes réduise sa consommation matérielle. Au sein du milliard, pas les pauvres, mais pas seulement non plus les vilains de la couche supérieure. Disons 500 millions de gens, et appelons-les la classe moyenne mondiale. Il y a assez de chance pour que vous en fassiez partie – comme moi – de ces personnes qui réduiraient utilement leur consommation matérielle, leurs dépenses d'énergie, leurs déplacements automobiles et aériens. »

Source : Hervé KEMPF, *Comment les riches détruisent la planète*, Paris, Seuil, 2007, p. 90.

QUESTIONS

1. De quelle façon les citoyens peuvent-ils contribuer à protéger l'environnement ?

Méthodologie

2. [Doc. 7]
   Parmi le milliard d'habitants du monde industrialisé, quel groupe serait en mesure de réduire utilement sa consommation matérielle ?

Réflexion

3. Relevez les difficultés éprouvées pour déterminer les actions à mener afin d'améliorer notre environnement.

Ne pas craindre le débat

La richesse culturelle d'une société se développe en partie grâce à la qualité des débats auxquels elle participe, ainsi que par la multiplicité des idées qu'elle met de l'avant. Cependant, notre société diffuse tellement d'information qu'il est difficile pour les citoyens de s'y retrouver. Il leur faut donc apprendre à développer leur esprit critique de façon à trier l'information et à la remettre dans un contexte plus vaste. Ils doivent demeurer vigilants, développer leurs idées et ne pas hésiter à les soumettre lors de débats. Il s'agit là d'actes essentiels qui permettent de s'adapter aux transformations rapides de la société et de faire face aux nouveaux enjeux.

1 LA CONNAISSANCE DES ENJEUX.

Pour pouvoir agir sur le monde qui l'entoure, un individu doit être au courant des sujets qui constituent des enjeux de société. Il doit également faire preuve de discernement et s'assurer que sa position et ses idées représentent le fruit de sa réflexion, et non qu'elles reposent sur des idées toutes faites et des préjugés.

Reconnaître les grandes tendances

Les citoyens vivent dans un monde où une multitude d'idées nouvelles compliquent leurs choix. Ils sont parfois en contact avec des idéologies à la mode ou des utopies séduisantes, mais sans lendemain. Avant de se lancer dans des voies sans issues, il faut bien cerner les problèmes à régler, leurs causes véritables, déterminer les forces en présence, les valeurs et les besoins en cause. Ensuite, les citoyens discutent des options réalistes qui s'offrent à eux et prennent de meilleures décisions.

2 L'IMPORTANCE DE LA PENSÉE CRITIQUE.

Pour bien juger de la validité de l'information qu'ils reçoivent et être en mesure de faire des choix éclairés, les citoyens doivent développer un esprit critique.

> « S'il est vrai [...] qu'à chacune des avancées de l'irrationalisme, de la bêtise, de la propagande et de la manipulation, on peut toujours opposer une pensée critique et un recul réflexif, alors on peut, sans s'illusionner, trouver un certain réconfort dans la diffusion de la pensée critique. Exercer son autodéfense intellectuelle, dans cette perspective, est un acte citoyen. »
>
> Source : Normand BAILLARGEON, *Petit cours d'autodéfense intellectuelle*, Montréal, Éditions Lux, 2005, p. 11.

3 UNE MANIFESTATION LORS DU SOMMET DE MONTEBELLO, AU QUÉBEC, EN 2007.

Dans une société démocratique, les pouvoirs politiques et économiques font parfois face aux critiques et à la contestation. La critique se fait souvent entendre lorsque certains groupes et individus croient que des décisions sont prises en faveur de certains acteurs sociaux particuliers au détriment du bien commun.

Quelle école de pensée choisir ?

Les enjeux contemporains sont complexes, et s'ils paraissent parfois insolubles, c'est surtout parce que les solutions possibles ont des conséquences différentes selon le point de vue des acteurs en jeu. Le propre des idéologies est de présenter des options pour réaménager la société pour le bien commun.

Avant de prendre position, les citoyens doivent se familiariser avec la problématique de chaque enjeu et tenter de comprendre ce qui se cache derrière les revendications des groupes qui s'engagent pour le changement et qui cherchent à convaincre le public de la justesse de leur cause.

Avoir une vue d'ensemble

Une opinion ou une décision non éclairée a toutes les chances d'être erronée. La liberté passe par la connaissance et la réflexion. C'est pour cette raison que la liberté d'expression et d'information a pris une telle importance dans nos sociétés. Toutes les sources d'information nécessaires sont-elles accessibles ? Sommes-nous en mesure de vérifier leur fiabilité ? Connaissons-nous tous les éléments importants de l'enjeu en question ?

4 LA FONCTION DU SYSTÈME D'ÉDUCATION.

Le système d'éducation doit préparer les élèves à faire face aux transformations rapides et à la complexité qui frappent la société et le monde du travail.

« Quand tout change si vite, c'est illusoire de vouloir à tout prix rattraper les innovations. Le système d'enseignement ne doit-il pas plutôt fournir les bases solides, de la petite enfance aux niveaux supérieurs d'éducation, qui vont équiper intellectuellement et mentalement l'individu, lui permettant de s'adapter à ces changements constants et de participer activement à l'évolution de la société ? Qu'il ait appris à fréquenter les bibliothèques, les sites Internet, les centres de documentation, à aller vers les personnes-ressources pour parfaire ce qu'il a appris en classe ? À consulter dans un esprit critique ? »

Source : Raymonde SAVARD, « Un système d'éducation devant l'avenir », *Possibles*, volume 30, nº 1, 2006, p. 7.

5 LA DIVERSITÉ DES SOURCES D'INFORMATION.

Afin de bien comprendre les enjeux sociaux, les individus doivent s'informer et être en mesure de trouver des sources fiables pour se documenter. Des bibliothèques, comme la bibliothèque publique de New York que l'on voit sur la photo, contiennent énormément de ressources. C'est pourquoi il faut savoir cibler l'information pertinente.

Chercher les valeurs communes

Minoritaire au sein du Canada et de l'Amérique du Nord, la société québécoise est distincte par sa langue, sa culture et ses institutions. Sa culture peut jouer un rôle unificateur, mais elle peut être considérée comme oppressive si elle est imposée sans raison valable.

6 L'AFFIRMATION DES VALEURS DES QUÉBÉCOIS.

Les Québécois doivent définir des valeurs et des règles communes qui s'appliquent à tous, de façon à limiter les conflits et les divergences avec les nouveaux arrivants.

« Si les Québécois [...] affirment sans inhibition leur présence et leur volonté d'être respectés, s'ils posent des règles nouvelles, claires et modernes, mais respectueuses de leur existence comme peuple singulier, avec ses traditions et ses repères, et ouvertes à tous ceux qui veulent se joindre à eux avec leurs apports originaux mais dans le respect de ces règles, il se trouvera, demain, encore mille sujets à débats. [...] Mais nous serons d'autant plus tolérants que nous nous saurons respectés, par nous-mêmes et par les autres. Nos nouveaux citoyens se plieront d'autant plus aux décisions de nos élus et de nos juges qu'ils auront été informés, avertis, accueillis par un peuple qui sait ce qu'il est et ce qu'il veut. »

Source : Jean-François LISÉE, *Nous*, Montréal, Boréal, 2007, p. 30-31.

QUESTIONS

1. Quelles sont les deux activités essentielles à l'exercice de la liberté ?

Méthodologie

2. [Doc. 1]
   Dans la société actuelle, quels éléments peuvent empêcher les citoyens de faire des choix éclairés ?
3. [Doc. 4]
   De quelle façon le système d'éducation peut-il préparer les élèves à l'évolution de la société ?
4. [Doc. 6]
   Qui sont les nouveaux citoyens dont parle l'auteur ?

Réflexion

5. Exprimez en quelques mots ce que vous avez appris sur la façon de participer à un débat de société.

Trouver des solutions

Au Québec comme au Canada, l'État exerce le pouvoir politique par l'entremise d'une assemblée dont les membres sont élus par la population. Il existe cependant d'autres formes de pouvoir, tels que ceux exercés par des individus ou des groupes de pression. Il est possible, pour les citoyens, d'influencer les débats politiques et de participer de diverses manières à l'élaboration de solutions aux problèmes qui affectent la société.

Changer le cours des choses

La culture politique permet de participer à l'évolution de notre collectivité. Pourtant, nous éprouvons de plus en plus de difficulté à nous unir pour tenter d'améliorer notre condition. Il est néanmoins possible de changer le cours des événements, un problème à la fois, lorsqu'on additionne des gestes individuels.

1 LES JEUNES ET LE BÉNÉVOLAT.

Le bénévolat constitue une façon simple et concrète de s'impliquer dans une communauté. Pour les bénévoles, il s'agit d'un moyen privilégié d'acquérir des compétences et de contribuer à l'amélioration de la qualité de vie de leurs concitoyens.

2 LES JEUNES ET L'ENGAGEMENT.

L'engagement politique ou social peut prendre des formes multiples. Il existe des moyens de passer de la parole aux gestes, de mettre en pratique ses idées.

> « Chez la plupart des jeunes que nous avons interrogés, être engagé, c'est d'abord avoir des idées, des convictions et les faire valoir, les défendre, poser des gestes concrets en lien avec ces idées. [...] En effet, être engagé, c'est d'abord passer à l'action. L'engagement a une dimension active, il représente un pouvoir d'agir pour un changement de société. En fait, chez tous, la finalité même de leur engagement est leur volonté d'agir, leur désir de changer, de faire "avancer" ou "progresser" les choses dans la société. »
>
> Source : Anne QUÉNIART, « Le sens de l'engagement chez les jeunes », *L'Annuaire politique du Québec 2007 : Le Québec, en panne ou en marche ?*, Montréal, Fides, 2006, p. 249.

LE DIALOGUE ENTRE LES AUTOCHTONES ET LES GOUVERNEMENTS.

Dans les dernières décennies, plusieurs traités ont été signés au Canada entre les autochtones et les gouvernements de certaines provinces. Sur cette photo, on voit Paul Okalik, premier ministre du Nunavut, en novembre 2005.

Résoudre des conflits

Dans une société démocratique, chacun a la liberté d'exprimer ses opinions et de participer aux décisions de différentes façons. La liberté d'expression ne signifie pas que toutes les opinions ont la même valeur ou qu'on puisse toutes les mettre en application. Mais alors, quelle idée doit primer? Lors d'un conflit, le meilleur moyen de trouver des solutions acceptables pour tous est le dialogue. À certains moments, de nouvelles idées surgissent qui font l'unanimité. D'autres fois, le conflit donne lieu à une négociation qui produit des compromis.

Participer aux décisions

Un des problèmes des sociétés démocratiques est le manque de participation. Souvent, les citoyens restent silencieux ou baissent les bras devant ce qui se passe dans le monde. Pourtant, comparativement aux citoyens de la plupart des pays, les Québécois ont les ressources, les institutions et le temps de contribuer à l'espace public pour améliorer leur vie, celle de leurs concitoyens et celle des générations futures.

4 L'IMPLICATION DU COLLECTIF.

La démocratie repose sur l'idée d'un pouvoir détenu par l'ensemble de la population. Pour que la démocratie soit le plus efficace possible, il faut donc que, collectivement, la population s'implique.

« Depuis vingt à trente ans, de nombreuses règles institutionnelles ont fait entrer de nouvelles façons d'impliquer le collectif dans l'action politique. C'est de là que naît l'engouement pour le renouvellement de la pratique démocratique, pour un retour aux sources ou pour la recherche de ce qui, dans notre époque, correspondrait le mieux à l'essence de la démocratie. La participation apparaît comme la façon de renouveler la démocratie en appelant ce qui la fonde: l'implication du collectif. »

Source : Anne DHOQUOIS et Marc HATZFELD, *Petites fabriques de la démocratie. Participer: idées, démarches, actions,* Paris, Autrement, 2007, p. 27.

5 LE DÉBAT DES CHEFS AUQUEL PARTICIPAIENT ALEXA MCDONOUGH, JEAN CHRÉTIEN, JOE CLARK, GILLES DUCEPPE ET STOCKWELL DAY EN 2000.

Afin de décider pour qui ils vont voter, les citoyens doivent s'informer sur les positions des différents partis. Une occasion privilégiée de le faire est d'écouter le débat des chefs qui précède généralement de quelques semaines les élections.

S'engager dans l'action

Le pouvoir politique est désormais plus ouvert. Les élus consultent davantage la population. Des associations se forment pour faire pression et influencer les décisions du gouvernement. On les appelle des groupes de pression ou d'intérêt. Il existe des groupes d'intérêt public qui visent des changements bénéfiques à la majorité de la population, et des groupes d'intérêt particulier qui cherchent l'avancement de leurs propres intérêts. D'autres formes de participation nouvelles apparaissent, telles que l'implication au sein de mouvements sociaux ou de groupes d'entraide communautaire.

6 LES LIMITES DE LA DÉMOCRATIE REPRÉSENTATIVE.

Certains reprochent aux partis politiques d'être dominés par les intérêts des entreprises, des lobbys ou groupes de pression, laissant ainsi peu de place aux revendications des simples citoyens.

« D'emblée, sans un recul historique suffisant, il est difficile de dégager les facteurs décisifs qui président au changement. [...] Une des conséquences découlant de la transformation des démocraties libérales a été que le système de représentation des intérêts à partir des partis politiques traditionnels avait plus de mal à intégrer les intérêts des individus ou de groupes d'individus particuliers: d'où l'importance accordée à la société civile, à la démocratie participative et au débat public qui permettent que soient acheminées auprès des décideurs les attentes d'une diversité d'acteurs sociaux. »

Source : Pierre HAMEL et Bernard JOUVE, *Un modèle québécois ? Gouvernance et participation dans la gestion publique,* Montréal, Presses de l'Université de Montréal, 2006, p. 101.

QUESTIONS

1. Pourquoi le dialogue est-il important dans une société ?
2. Sur quoi repose le fonctionnement d'une société démocratique ?

Méthodologie

3. [Doc. 6]
   Quelles formes nouvelles ont remplacé les partis politiques pour représenter les intérêts des individus et des groupes d'individus ?

Connexion

4. [Doc. 2 et 4]
   Quelle similitude existe-t-il entre l'engagement des jeunes et l'implication de la collectivité ?

Réflexion

5. Relevez les difficultés mentionnées pour élaborer des solutions aux problèmes qui frappent la société.

Au Québec

LES PREMIERS OCCUPANTS

-30 000 ▸ Migrations humaines en Amérique par le détroit de Béring.

-10 000 ▸ Arrivée des premiers Amérindiens au Québec.

LE RÉGIME FRANÇAIS

1608 ▸ Fondation de Québec.

1627 ▸ Création de la Compagnie des Cent-Associés.

1663 ▸ Établissement d'un gouvernement royal en Nouvelle-France.

1670 ▸ Création de la Compagnie de la Baie d'Hudson.

1701 ▸ Signature de la Grande Paix de Montréal.

1713 ▸ Signature du traité d'Utrecht.

1755 ▸ Déportation des Acadiens.

1759 ▸ Bataille des Plaines d'Abraham.

LE RÉGIME BRITANNIQUE

1760 ▸ Capitulation de Montréal.

1760 ▸ Début du régime militaire en Nouvelle-France.

1763 ▸ Proclamation royale.

1774 ▸ Acte de Québec.

1791 ▸ Acte constitutionnel.

1837 ▸ Débuts des rébellions des patriotes.

1840 ▸ Acte d'Union.

1844 ▸ Fondation de l'Institut canadien.

1848 ▸ Application du principe de la responsabilité ministérielle.

LA PÉRIODE CONTEMPORAINE DE 1867 À 1980

1867 ▸ Acte de l'Amérique du Nord britannique.

1876 ▸ Loi sur les Indiens.

1917 ▸ Crise de la conscription.

1918 ▸ Droit de vote accordé aux femmes au fédéral.

1929 ▸ Début de la crise économique.

1940 ▸ Droit de vote accordé aux femmes au provincial.

1962 ▸ Nationalisation de l'électricité

1967 ▸ Ouverture de l'Exposition universelle de Montréal, Expo 67.

1975 ▸ Signature de la Convention de la Baie-James et du Nord québécois.

1977 ▸ Entrée en vigueur de la Charte de la langue française.

Les points à retenir pour ce dossier :

Au Québec

1980 À AUJOURD'HUI

1980 ► Référendum sur la souveraineté-association.

1982 ► Entrée en vigueur de la Charte canadienne des droits et libertés.

CHARTE
CANADIENNE DES DROITS
ET LIBERTÉS

1989 ► Entrée en vigueur de la Loi sur le patrimoine familial.

1994 ► Entrée en vigueur de l'Accord de libre-échange nord-américain (ALENA).

1995 ► Référendum sur la souveraineté.

1996 ► Entrée en vigueur de la Loi sur l'équité salariale.

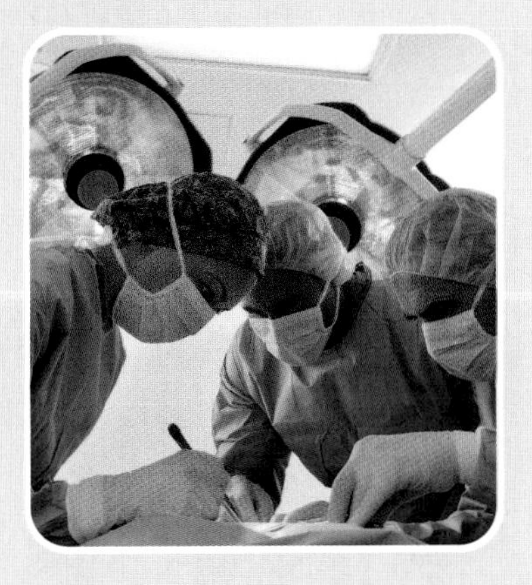

1997 ► Signature du protocole de Kyoto.

1999 ► Création du territoire du Nunavut.

2001 ► Premier forum social mondial à Porto Alegre, au Brésil.

2005 ► Adoption par l'Unesco de la Convention sur la protection et la promotion de la diversité des expressions culturelles.

2006 ► Adoption de la Loi sur le développement durable.

► Motion reconnaissant que les Québécois forment une nation au sein d'un Canada uni.

2007 ► Commission de consultation sur les pratiques d'accommodements reliées aux différences culturelles.

► Conférence de Bali sur les changements climatiques.

► Attribution à Québec d'un siège au sein de la délégation canadienne de l'Organisation des Nations unies pour l'éducation, la science et la culture (Unesco).

► Sommet de Montebello, au Québec.

2008 ► Célébrations du 400e anniversaire de la fondation de Québec.

► Douzième Sommet de la Francophonie, à Québec.

Activité synthèse

L'enjeu le plus important de la société québécoise d'aujourd'hui

Ce dossier présente cinq réalités sociales qui sont autant d'enjeux importants pour la société québécoise actuelle. Nous vous les rappelons :

- l'intégration des néo-Québécois ;
- la sauvegarde de l'environnement ;
- les défis mondiaux et la représentation du Québec à l'étranger ;
- l'égalité des droits des hommes et des femmes ;
- la question nationale.

Choisissez parmi les enjeux énumérés ci-dessus celui qui vous semble le plus important.

- Dans un tableau, analysez les facettes suivantes :
- Pourquoi est-ce un enjeu ?
- Quelles sont les origines historiques de cet enjeu ?
- Quels acteurs sont impliqués ?
- Quelle importance les citoyens accordent-ils à cet enjeu ?

Enfin, décrivez en quelques lignes le rôle que peut et doit jouer un citoyen ou une citoyenne qui a pris conscience de cet enjeu.

Pour aller plus loin…

Activité 1 • Enjeux et actualité quotidienne

L'écoute des nouvelles télévisées et la lecture des journaux peuvent être des outils très pertinents pour se renseigner sur les enjeux de société.

Au terme d'une semaine d'observation de la presse écrite ou télévisée, nous vous demandons :

1. de nommer les deux enjeux qui vous ont semblé les plus importants ;
2. de les décrire en quelques mots ;
3. de déterminer quels acteurs sont impliqués dans ces enjeux ;
4. de préciser pourquoi vous les avez jugés importants ;
5. d'évaluer comment un citoyen ou une citoyenne pourrait influer sur ces enjeux.

Les enjeux retenus peuvent concerner la société québécoise ou d'autres sociétés.

Activité 2 • Enjeux, choix et action

Les citoyens ont le devoir de participer à la définition des enjeux et des choix qui les concernent ainsi qu'aux interventions qui en résultent.

Pour chacun des cinq enjeux abordés dans ce dossier, indiquez dans un tableau de quelle façon un citoyen ou une citoyenne peut :

- déterminer les choix à faire ;
- s'engager dans l'action qui résulte de ces choix.

Pour en savoir plus...

DES LIVRES

CHOMSKY, Noam. *Quel rôle pour l'État ?*, Montréal, Écosociété, 2005, 51 p.

GAGNÉ, Gilbert, dir. *La diversité culturelle : Vers une convention internationale effective ?*, Montréal, Fides, 2005, 216 p.

GAGNON, Alain-G., et Raffaele IACOVINO. *De la nation à la multination : Les rapports Québec-Canada*, Montréal, Boréal, 2008, 272 p.

GOLDENBERG, Eddie. *Comment ça marche à Ottawa*, Montréal, Fides, 2007, 400 p.

LISÉE, Jean-François. *Nous*, Montréal, Boréal, 2007, 112 p.

MONTREYNAUD, Florence. *Le féminisme n'a jamais tué personne*, Montréal, Fides, Québec, Musée de la civilisation, 2004, 48 p.

SACQUET, Anne-Marie. *Atlas mondial du développement durable*, Paris, Autrement, 2002, 77 p.

TREMBLAY, Manon. *Des femmes au Parlement : Une stratégie féministe ?*, Montréal, Éditions du Remue-ménage, 1999, 313 p.

TREMBLAY, Manon, et Caroline ANDREW, dir. *Femmes et représentation politique au Québec et au Canada*, Montréal, Éditions du Remue-ménage, 1997, 276 p.

DES FILMS

Le dernier continent (documentaire), réalisateur : Jean Lemire, Montréal, 2007.

Les réfugiés de la planète bleue (documentaire), réalisateurs : Hélène Choquette, Jean-Philippe Duval, Montréal, 2006.

Mots clés

Actif : Ensemble des valeurs dont une personne ou une entreprise a la libre disposition. P. 128

Affranchissement : Action de rendre libre, indépendant. P. 31

Agrarien : Partisan du partage et de la redistribution des terres entre les agriculteurs. P. 150

Agriculturiste : En faveur d'un mouvement de pensée faisant la promotion d'un mode de vie rural. P. 202

Allophone : Personne résidant au Québec, qui utilise une langue autre que le français ou l'anglais. P. 72

Altermondialiste : Militant qui lutte en faveur d'une mondialisation de l'économie qui tient compte de valeurs comme la justice économique et la sauvegarde de l'environnement. P. 143

Ambassade : Service représentant un gouvernement à l'étranger. P. 163

Animisme : Croyance selon laquelle chaque élément de la nature a une âme. P. 183

Artisanal : Fait à la main en petites quantités. P. 105

Autarcie : État d'une région ou d'un pays qui se suffit à lui-même. P. 313

Bédouin : Arabe nomade de l'Afrique du Nord. P. 236

Biculturel : Qui possède deux cultures. P. 364

Bilatéral : Qui se passe entre deux partenaires. P. 143

Binational : Qui englobe deux nations. P. 364

Boers : Sud-Africains blancs d'origine néerlandaise. Au 20e siècle, le terme est remplacé par celui d'Afrikaners et englobe les descendants des émigrés allemands, français et scandinaves d'Afrique du Sud. P. 62

Bois équarri : Bois taillé en poutre, de forme carrée. P. 114

Bourgeoisie d'affaires : Classe d'individus qui cherchent à s'enrichir au moyen du commerce et des affaires. P. 119

Cabotage : Navigation à proximité des côtes. P. 110

Charismatique : Qui possède une personnalité exceptionnelle exerçant un fort pouvoir d'attraction sur les individus et les foules. P. 209

Charte de Victoria : Ensemble d'amendements à la Constitution canadienne proposés en 1971. P. 302

Chert : Pierre silicieuse apparentée au silex que les Amérindiens de la préhistoire utilisaient pour fabriquer des outils. P. 95

Clerc : Membre du clergé. P. 295

Choléra : Maladie épidémique qui provoque la diarrhée, des vomissements et qui peut entraîner la mort. P. 42

Collectivisation : Appropriation des terres par l'État pour en faire une propriété collective. P. 154

Colonie de peuplement : Colonie destinée à recevoir des immigrants. P. 237

Commerce triangulaire : Échanges commerciaux entre la France, la Nouvelle-France et les Antilles qui visent à diversifier l'économie et à trouver des débouchés pour la vente des produits de la Nouvelle-France. P. 103

Conciliation : Recherche d'un accord entre deux parties. P. 194

***Corn Laws* :** Série de lois protectionnistes britanniques en application entre 1815 et 1846, qui taxent les céréales importées afin de maintenir le prix du blé anglais à un taux élevé. P. 111

Cuivre natif : Métal utilisé à l'état naturel et contenant 99 % de cuivre. P. 94

Dictature : Concentration de tous les pouvoirs dans les mains d'un individu ou d'un petit groupe qui dirige sans opposition. P. 209

Dirigisme : Système économique dans lequel l'État gère les différents mécanismes de l'économie. P. 151

Discrimination positive : Politique qui consiste à favoriser un groupe particulier pour rétablir l'équilibre entre différents groupes. P. 297

Disette : Pénurie, manque de tout ce qui est nécessaire. P. 110

Dissident : Personne qui cesse de se soumettre à une autorité. P. 20

Distillerie : Industrie qui fabrique de l'eau-de-vie. P. 118

Doctrine sociale de l'Église : Ensemble des positions de l'Église catholique sur les questions sociales et économiques. P. 206

Dot : Somme d'argent (ou biens) versée par ses parents, qu'une femme apporte à son mari au moment du mariage. P. 25

Droit de veto : Droit de bloquer l'adoption d'une loi, d'un règlement ou d'une résolution. P. 363

Économie de subsistance : Économie qui vise la production des biens essentiels à la vie par une famille ou un petit groupe de personnes, sans échanges monétaires. P. 94

Embargo : Mesure qui interdit de faire du commerce avec un pays. P. 62

Empire ottoman : Empire contrôlé par les Turcs, du 15e siècle jusqu'à la Première Guerre mondiale. P. 237

Excommunier : Action d'exclure une personne de l'Église catholique. P. 199

Extrême-onction : Un des sept sacrements de l'Église catholique. Il est administré juste avant la mort et délivre le mourant de ses péchés. P. 188

Fédéralisme asymétrique : Fédéralisme flexible qui permet notamment l'existence d'ententes et d'arrangements adaptés à la spécificité du Québec. P. 303

Fonderie : Usine dans laquelle des métaux ou des alliages sont fondus pour en faire des objets spécifiques à l'aide de moules. P. 118

Gallicanisme : Principe voulant que l'Église catholique de France jouisse d'une certaine indépendance par rapport au pape. P. 186

Griot : En Afrique, membre de la caste des musiciens et poètes, il transmet la culture orale. P. 239

Guerre de Trente Ans : Conflit politique et religieux qui se déroule en Europe de 1618 à 1648 et qui oppose les protestants aux catholiques. P. 264

Impérialiste : Au Canada, partisan du maintien ou du renforcement du lien impérial. P. 200

Index : Liste des livres interdits par l'Église catholique romaine consignée dans l'*Index librorum prohibitorum*. P. 198

Inflation : Augmentation des prix qui se traduit par une perte du pouvoir d'achat. P. 134

Insurrection : Soulèvement contre le pouvoir établi. P. 281

Intégrisme : Doctrine qui préconise une interprétation conservatrice des textes religieux. P. 342

Jamésie : Territoire situé dans la région administrative du Nord-du-Québec et comprenant la plus grande municipalité du Québec (333 255 km^2), celle de la Baie-James, ainsi que plusieurs villages cris. P. 89

Laïcisation : Séparation du pouvoir politique et administratif de l'État du pouvoir religieux. P. 295

Langue véhiculaire : Langue qui permet à des communautés de langues différentes de communiquer ensemble. P. 146

Législateur : Terme désignant l'autorité qui adopte les lois. P. 321

Libéralisme : Courant de pensée qui met l'accent sur la raison humaine, la liberté individuelle, l'égalité des droits, la tolérance et le progrès. P. 192

Livre tournoi : Ancienne unité monétaire. P. 98

Manufacture : Établissement où des employés effectuent des opérations précises dans le but de fabriquer un produit. P. 118

***Maquiladoras* :** Usines d'assemblage situées à proximité de la frontière américaine et dont la production est destinée à l'exportation. P. 151

Maréchal-ferrant : Artisan chargé de forger des fers et d'en garnir les sabots des chevaux. P. 125

Martelage : Technique qui consiste à frapper un métal avec un marteau afin de lui donner la forme souhaitée. P. 94

Mesure financière : Politique d'aide par les subventions ou les prêts d'argent. P. 163

Mesure fiscale : Politique d'aide par la réduction de taxes et d'impôts. P. 163

Métropole : Ville qui exerce la plus grande influence économique sur le pays ou la partie du monde où elle se situe. P. 152

Mode de scrutin : Système de vote en vigueur pour un type d'élection. P. 325

Mouvement migratoire : Déplacement continu d'une partie de la population. P. 61

Multilatéral : Qui se passe entre plusieurs partenaires. P. 143

Nationalisme : Courant de pensée qui vise à promouvoir ou à défendre une nation. P. 194

Opération de change : Action de convertir la monnaie d'un pays en monnaie d'un autre pays. P. 119

Pacte de l'automobile Canada-États-Unis : Accord de libre-échange entre le Canada et les États-Unis éliminant les tarifs douaniers sur les véhicules, pneus et pièces pour véhicules automobiles dans le but de faire un seul marché de fabrication automobile nord-américain. P. 144

Pays émergent : Pays en développement qui s'industrialise rapidement grâce à la mondialisation. P. 162

Philanthropique : Qui vise à faire le bien d'autrui. P. 292

Pluralisme culturel : Système où plusieurs tendances culturelles sont présentes. P. 74

Produit moteur : Produit autour duquel s'organise le commerce extérieur dans un contexte colonial. Plus un produit moteur engendre des activités économiques variées avant l'exportation, plus l'économie de la colonie se diversifie. P. 98

Protectorat : État soumis au contrôle d'un autre pour ses relations extérieures et sa sécurité. P. 237

Protestants : Chrétiens appartenant à l'un ou l'autre des multiples groupes issus de ce qu'on appelle la « Réforme », et qui est en fait une série de scissions au sein de l'Église catholique. Les protestants rejettent l'autorité du pape. P. 189

Secteur tertiaire : Champ d'activité qui comprend tous les commerces et entreprises qui offrent des services à leur clientèle ou qui font du commerce de gros ou de détail. P. 135

Ségrégation : Action de séparer les personnes à l'intérieur d'un même pays. P. 62

Serment du Test : Engagement exigé par les autorités britanniques par lequel certains dogmes de la foi catholique et l'autorité spirituelle du pape sont niés. P. 274

Suffragette : Militante d'un mouvement qui réclame le droit de vote (suffrage) pour les femmes. P. 210

Taillandier : Artisan qui fabrique des outils servant à couper et à tailler. P. 108

Torah : Texte fondateur du judaïsme. P. 40

Index des concepts

Liste des cartes

Dossier 1

Dossier 2

Dossier 3

Dossier 4

Dossier 5

Index

D

N

O

P

Q

R

Sources des photographies

ACFAS

p. 352 (1)

AGENCE OPALE

p. 11 (7) : J. Foley

ALAMY

p. 170-171 : M & N; p. 193 (3) : J. Greenberg; p. 210 (2) : M. Jenner; p. 218 (1) : S. Finn; p. 220 (2) : M & N p. 234 (2) : Pacific Press Service; p. 260 (93) : A. Sherratt; p. 288 (1) : B. Brooks; p. 297 (3) : N. Joseph; p. 308 (2) : Bryan & Cherry Alexander Photography; p. 324; p. 326 (bas, droite) : Bryan & Cherry Alexander Photography; p. 331 (bas, droite) : D. Giral; p. 331 (haut) : Mégapress; p. 336 (4) : I. Shaw; p. 337 (7) : D. Giral; p. 343 (4) : Mégapress; p. 351 (3) : Visual Mining; p. 351 (4) : PhotoAlto; p. 357 (4) : Juice Images Limited; p. 367 (5) : Mégapress; p. 370 (2) : Blickwinkel; p. 379 (bas, gauche) : Juice Images Limited; p. 379 (haut, droite) : D. Giral

ALPHAPRESSE

p. 153 (5) : T. Glavan Monica, UNEP; p. 167 (bas, droite) : T. Glavan Monica, UNEP

ARCHIVES DE MONTRÉAL

p. 48 (1)

ARCHIVES ÉCOLE SOCIALE POPULAIRE

p. 206 (1)

ARCHIVES HEC

p. 137 (4)

ARCHIVES HYDRO-QUÉBEC

p. 140 (2)

ARCHIVES LA PRESSE

p. 134 (1); p. 141 (3); p. 163 (2) : P. Côté; p. 165 (2) : P. Côté; p. 214 (3); p. 290 (2); p. 299 (3); p. 326 (centre, droite)

ART RESOURCE, NY

p. 214 (1) : Succession Alfred Pellan, SODRAC (2008), CNAC, MNAM, Dist. Réunion des musées nationaux

ATELIER D'HISTOIRE HOCHELAGA-MAISONNEUVE

p. 209 (4)

BIBLIOTHÈQUE ET ARCHIVES DU CANADA

p. 2 (bas, gauche); p. 3 (centre, gauche) : George Hunter, O.N.F.; p. 21 (4); p. 24 (2); p. 25 (4); p. 29 (2); p. 29 (4); p. 34 (3); p. 40 (2) : Congrégation de Shearith Israel; p. 41 (3); p. 44 (2); p. 50 (1) : Montreal Star; p. 52 (1); p. 78 (centre, gauche); p. 78 (bas, gauche); p. 83 (haut, gauche); p. 105 (3); p. 106 (3); p. 109 (5); p. 112 (1); p. 117 (4); p. 166 (bas, gauche); p. 191 (3); p. 195 (2); p. 198 (1); p. 199 (3); p. 201 (4); p. 203 (3); p. 248 (bas, gauche); p. 252 (bas); p. 252 (haut, droite); p. 274 (1); P. 275 (2); p. 282 (1); p. 292 (1); p. 326 (haut, gauche et bas, gauche)

BIBLIOTHÈQUE ET ARCHIVES NATIONALES DU QUÉBEC

p. 22 (3); p. 50 (2); p. 53 (4); p. 54 (2); p. 58 (2); p. 78 (bas, droite); p. 124 (1); p. 130 (1); p. 136 (2); p. 138 (1); p. 166 (bas, droite); p. 205 (4); p. 208 (2); p. 216 (1); p. 286 (1); p. 297 (4); p. 298 (1); p. 326 (haut, droite); p. 358 (1)

BOURSE DE MONTRÉAL

p. 160 (3)

C.S.Q.

p. 291 (3)

CENTRE D'ARCHIVES DU SÉMINAIRE DE SAINT-HYACINTHE

p. 171 (bas); p. 213 (4)

CINÉMATHÈQUE QUÉBÉCOISE

p. 212 (1); p. 217 (4); p. 219 (3); p. 223 (4); p. 300 (2); p. 311 (3)

COLLECTION DE LA BIBLIOTHÈQUE DE LA DANSE DE L'ESBCM

p. 222 (2)

COLLECTION DE LA CHAMBRE DES COMMUNES

p. 253 (haut, gauche); p. 362 (1)

CORBIS

p. 10 (4) : Moodboard; p. 39 (2) : S. Chenn; p. 46 (2); p. 63 (3) : J. Fuste Raga; p. 63 (5) : L. Gubb, Saba; p. 67 (2) : W. Kaehler; p. 78 (centre, droite); p. 78 (haut, gauche) : R. Faris; p. 79 (bas, gauche) : W. Kaehler; p. 79 (haut, gauche) : J. Fuste Raga; p. 82 (haut) : D.G. Houser; p. 83 (haut, droite) : Bettmann; p. 88 (2) : K. Djamel; p. 97 (2) : D.G. Houser; p. 119 (3) : Underwood & Underwood; p. 129 (2) : Bettmann; p. 133 (3) : Bettmann; p. 142 (1) : B. Daemmrich; p. 147 (3) : Y. Arthus-Bertrand; p. 148 (1) : D. Aguilar, Reuters; p. 149 (3) : R. Rosen; p. 151 (2) : F. Roiter; p. 151 (4) : J. Jarman; p. 152 (2) : L. Addario; p. 153 (4) : B. Krist; p. 155 (2) : K. Su; p. 155 (3) : B. Sacha; p. 156 (2) : Y. Liu; p. 157 (4) : L. Liqun; p. 157 (5); p. 162 (1) : K. Dannemiller; p. 167 (haut, droite); p. 167 (bas, gauche) : Y. Liu; p. 167 (haut, gauche) : Y. Arthus-Bertrand; p. 176 (3) : S. Grewel, zefa; p. 183 (3) : D. Muench; p. 192 (1) : P. Bennett; p. 200 (1) : Hulton-Deutsch Collection; p. 206 (3) : W. Manning; p. 209 (3) : Underwood & Underwood; p. 215 (6) : R. Melloul, Sygma; p. 217 (5) : Bettmann; p. 221 (5) : Bettmann; p. 229 (4) : Milk Photographie; p. 230 (2) : Reuters; p. 233 (3) : P.A. Souders; p. 233 (4) : B.S.P.I.;

p. 235 (4) : J. Van Hasselt ; p. 235 (5) : C. & J. Lenars ; p. 236 (1) : P.A. Souders ; p. 237 (3) : F. Guiziou, Hemis ; p. 239 (3) : P. Lissac, Godong ; p. 244 (3) : Yossan ; p. 245 (4) : Images.com ; p. 246 (2) : R. Landau ; p. 247 (3) : J. Craigmyle ; p. 249 (bas) : N. Wheeler ; p. 249 (haut, droite) : F. Guiziou, Hemis ; p. 249 (haut, gauche) : Yossan ; p. 258 (4) : J. Young, Reuters ; p. 261 (7) : B. Kraft, Sygma ; p. 296 (1) : W. Gottlieb ; p. 300 (1) : A. Nogues, Sygma ; p. 313 (2) : Mizzima News, Handout, epa ; p. 315 (2) : N. Feanny, SABA ; p. 317 (4) : O. Polet ; p. 320 (2) : Reuters ; p. 327 (haut, droite) : N. Feanny, SABA ; p. 327 (haut, gauche) : Mizzima News, Handout, epa ; p. 330-331 : C.J. Morris ; p. 331 (bas, gauche) : L. Williams ; p. 338 (5) ; p. 339 (7) : L. Williams ; p. 344 (1) : S. Justice ; p. 345 (6) : S. Prezant ; p. 346 (1) : C.J. Morris ; p. 346 (2) : V. Laforet, Pool, Reuters ; p. 349 (5) : H. Strand ; p. 350 (1) : D. Azubel, epa ; p. 354 (2) : S. Paris, UN, MINUSTAH, Reuters ; p. 355 (3) : Baci ; p. 357 (5) : D. Balibouse, Reuters ; p. 359 (4) : C. Wattie, Reuters ; p. 361 (3) : D. Lamont ; p. 371 (6) : Reuteurs ; p. 373 (4) : L. Liqun ; p. 374 (1) : S. Marcus ; p. 374 (3) : E. McGihon, epa ; p. 375 (5) : G. Steinmetz ; p. 376 (1) : B. Daemmrich ; p. 376 (3) : A. Clark, Reuters ; p. 377 (5) : Reuters ; p. 379 (bas, droite) : E. McGihon, epa

CP IMAGES

p. 75 (4) : J. Boissinot ; p. 144 (1) : R. Remiorz ; p. 176 (1) : P. Chiasson ; p. 178 (3) : K. Frayer ; p. 212 (2) : P. Gower, Toronto Star ; p. 222 (1) : M. Landry, L'Acadie Nouvelle ; p. 227 (5) : P. Chiasson ; p. 259 (6) : I. Barrett ; p. 261 (5) : P. McCabe ; p. 304 (1) ; p. 310 (2) : L. Deconinck ; p. 325 (3) : I. Barrett ; p. 330 (bas) ; p. 347 (4) : J. Boissinot ; p. 355 (5) : J. Hayward ; p. 359 (5) : A. Vincent, Journal de Montréal ; p. 365 (4) : T. Hanson ; p. 379 (centre, droite) : T. Hanson ; p. 379 (haut, gauche)

DANIEL ROUSSEL

p. 6-7 ; p. 334-335

DIOCÈSE DE QUÉBEC

p. 188 (1) ; p. 248 (centre, gauche)

DOLORES AND EDWARD MICHEL

p. 225 (5)

DOMINIC SOULIÉ

p. 31 (2)

DORLING KINDERSLEY

p. 15 (3) ; p. 18 (1) : D. Lyons ; p. 69 (2) : S. Bracken, Rough Guides ; p. 69 (4) ; p. 78 (haut, gauche) : D. Lyons ; p. 79 (bas, droite) : S. Bracken, Rough Guides ; p. 197 (3)

ELLIASSIE WEETAKLUKTUK, NUNAVIK, 2005

p. 225 (4)

ERNEST ANESS DOMINIQUE

p. 185 (4)

FIRST LIGHT

p. 227 (3) : N. James, Toronto Star ; p. 231 (3) ; p. 321 (3) : J.B. Heguy Photo

FONDATION DU PATRIMOINE RELIGIEUX

p. 267 (3)

FORUM SOCIAL QUÉBÉCOIS

p. 338 (1)

FRANCIS BACK

p. 26 (1) ; p. 101 (3)

FRANÇOIS BASTIEN

p. 287 (3)

FROMAGERIE PERRON

p. 125 (3)

GALA FILM

p. 11 (5)

GALLICA

p. 188 (3)

GEORGE DESROCHERS

p. 77 (3)

GETTY IMAGES

p. 207 (3) ; p. 317 (2) : Kerzner and Istithmar ; p. 327 (bas) : Kerzner and Istithmar

GISÈLE BERNIER

p. 221 (4) ; p. 248 (centre, droite)

GLOBE PHOTO, INC.

p. 47 (3)

GUY DUBOIS

p. 219 (3)

IMAGES DISTRIBUTION

p. 178 (1)

INDUSTRIELLE ALLIANCE

p. 12-13

INNUAITUN

p. 224 (3) : L. Morali

INSTITUT DE TECHNOLOGIE AGROALIMENTAIRE

p. 124 (2)

JACQUES NADEAU

p. 74 (2)

JEAN CAZES

p. 40 (1)

JUSTE POUR RIRE

p. 72 (1): S. Raiser

LA VIE EN ROSE

p. 211 (4): M. Décary; p. 248 (bas, droite): M. Décary

LE SOLEIL

p. 218 (2): A. Belle-Isle

M.I.C.C.

p. 75 (3)

MCGILL UNIVERSITY

p. 226 (2)

MCMICHAEL CANADIAN ART COLLECTION

p. 240-241: Odjig Arts

MÉGAPRESSE

p. 160 (1); p. 371 (5): Mauritius

MIYUKI TANOBE

p. 70-71

MUSÉE CANADIEN DE LA GUERRE

p. 201 (3)

MUSÉE CANADIEN DES CIVILISATIONS

p. 16 (1); p. 24 (1); p. 28 (1); p. 95 (2); p. 166 (haut, gauche); p. 198 (2)

MUSÉE D'ART CONTEMPORAIN

p. 158-159

MUSÉE DES BEAUX-ARTS DU CANADA

p. 177 (4): K. Ashevak; p. 256-257; p. 340-341: Gabe Vadas, Courtesy of Kinsman Robinson Galleries, Toronto; p. 368-369

MUSÉE DES BEAUX-ARTS DU QUÉBEC

p. 92-93; p. 174-175: Succession Jean Paul Riopelle, SODRAC (2008); p. 189 (4); p. 202 (2); p. 213 (3); p. 262-263

MUSÉE DES SCIENCES ET DE LA TECHNOLOGIE DU CANADA

p. 205 (3)

MUSÉE DES URSULINES DE TROIS-RIVIÈRES

p. 252 (haut, gauche); p. 269 (3)

MUSÉE DU BAS-SAINT-LAURENT, RIVIÈRE-DU-LOUP

p. 135 (5): Fonds Antonio Pelletier

MUSÉE MCCORD

p. 3 (bas, gauche); p. 17 (4); p. 19 (5); p. 26 (2); p. 42 (1); p. 43 (4); p. 44 (3); p. 45 (4); p. 51 (3); p. 94 (1); p. 109 (3); p. 110 (1); p. 113 (3); p. 114 (1); p. 114 (2); p. 116 (2); p. 118 (1); p. 118 (2); p. 121 (2); p. 121 (3); p. 122 (1); p. 122 (2); p. 123 (5); p. 127 (2); p. 170 (haut, gauche); p. 180-181; p. 183 (4); p. 185 (3); p. 196 (1); p. 204 (1); p. 210 (1); p. 226 (1); p. 248 (haut, gauche); p. 284 (3); p. 289 (3); p. 329

MUSÉE NATIONAL DES BEAUX-ARTS DU QUÉBEC

p. 253 (bas); p. 280 (2); p. 294 (1)

MUSÉE RÉGIONAL DE RIMOUSKI

p. 139 (4): Lavoie, Louis-Paul, Groupe de fonds Clément Claveau

MUSÉE STEWART

p. 34 (1): E. Nivon

PARAMOUNT

p. 348 (1)

PHOTOTHÈQUE ERPI

p. 9 (4); p. 179 (6); p. 356 (2); p. 372 (3)

PIERRE LAHOUD

p. 19 (4); p. 21 (3); p. 37 (4); p. 41 (4); p. 43 (3); p. 102 (2); p. 337 (8); p. 373 (6)

PORT MORGAN

p. 149 (4)

PRODUCTION VIRAGE

p. 339 (6)

PUBLIPHOTO

p. 3 (haut, droite): P.G. Adam; p. 23 (4): Y. Marcoux; p. 56 (2): J.-P. Danvoye; p. 59 (4): P.G. Adam; p. 90 (4): C.A. Girouard; p. 91 (5): R. Maisonneuve; p. 91 (6): A. Cornu; p. 97 (3): P.G. Adam; p. 160 (2); p. 182 (2): Y. Marcoux; p. 190 (2): Y. Marcoux; p. 204 (2): Y. Marcoux; p. 215 (4): Y. Marcoux; p. 217 (5); p. 224 (1): A. Denis; p. 228 (1): Dr. J. Burgess, SPL; p. 243 (5): Y. Marcoux; p. 245 (5): Y. Marcoux; p. 258 (1): D. Auclair; p. 258 (3): P.G. Adams; p. 299 (3): F. Renaud; p. 302 (2): P. Roussel; p. 305 (2): P.G. Adam; p. 307 (5): Y. Derome; p. 311 (5): P.G. Adam; p. 323 (3): P.G. Adam; p. 336 (1): G. Zimbel; p. 350 (2): Y. Hamel; p. 353 (4): P.G. Adam; p. 360 (1): G. Fontaine

QUÉBEC EN IMAGES

p. 220 (1): D. Morency

ROGOSIN ESTATE

p. 63 (2)

SOCAMI

p. 193 (2); p. 275 (2); p. 326 (centre, gauche)

SOCIÉTÉ DE TRANSPORT DE MONTRÉAL

p. 132 (1); p. 194 (1)

SOCIÉTÉ HISTORIQUE ALPHONSE-DESJARDINS

p. 131 (3)

SOCIÉTÉ HISTORIQUE SAGUENAY

p. 49 (4)

SODART, 2008

p. 86-87: Lauréat Marois, *Froid bleu,* 1977

SODRAC (2008)

p. 12-13: Succession Jean Dallaire

SUCCESSION MARCELLE FERRON

p. 318-319: Collection Musée d'art contemporain de Montréal

SUPERSTOCK

p. 65 (2); p. 79 (haut, droite)

SYLVAIN LAROCHE

p. 8 (3)

TESSIMAPHOTO

p. 108 (1) Y. Tessier; p. 242 (3) Y. Tessier; p. 271 (2) Y. Tessier

THE BRIDGEMAN ART LIBRARY

p. 3 (haut, gauche): Musée acadien de l'Université de Moncton, Canada, Archives Charmet; p. 30 (1): South African National Gallery, Cape Town, South Africa; p. 33 (3): Musée acadien de l'Université de Moncton, Canada, Archives Charmet; p. 135 (4): Private Collection, DaTo Images; p. 264 (1): Private Collection, Peter Newmark American Pictures; p. 266 (1): Private Collection, Archives Charmet; p. 268 (1): Château de Versailles, France, Lauros Giraudon; p. 276 (1): Private Collection, Look and Learn; p. 285 (4): Private Collection, Archives Charmet

THE GRANGER COLLECTION, NY

p. 2 (bas); p. 2 (haut); p. 19 (haut, gauche); p. 20 (1); p. 36 (1); p. 67 (3); p. 78 (haut, gauche); p. 78 (haut, droite); p. 96 (1); p. 100 (1); p. 184 (2); p. 273 (2); p. 277 (3)

UNIVERSITÉ LAVAL

p. 189 (4): R. Auger

UNIVERSITY COLLEGE OF CAPE BRETON ART GALLERY

p. 82 (bas): Lewis Parker – Photographe: Morrison Powell; p. 107 (4): Lewis Parker – Photographe: Morrison Powell

VILLE DE MÉGANTIC

p. 15 (2)

Couverture 1

MAXX IMAGES (haut, gauche): Bibikov
FRANCIS BACK (haut, centre)
FIRST LIGHT (haut, droite): A. G. E. Foto Stock
MUSÉE NATIONAL DES BEAUX-ARTS DE QUÉBEC (centre, droite)
MULTI-ART LTÉE (bas, gauche)
PUBLIPHOTO (bas, droite): Yves Marcoux

Couverture 4

BIBLIOTHÈQUE ET ARCHIVES CANADA (haut, gauche)
FIRST LIGHT (HAUT, DROITE): Yves Marcoux
BRIDGEMAN ART LIBRARY (bas, gauche/détail)
BIBLIOTHÈQUE ET ARCHIVES CANADA (bas, droite)